제3제국사

제3제국사

히틀러의 탄생부터 나치 독일의 패망까지

②

윌리엄 L. 샤이러 지음 | 이재만 옮김

책과함께

일러두기

- 이 책은 William L. Shirer의 *The Rise and Fall of the Third Reich: A History of Nazi Germany*
  를 우리말로 옮긴 것이다. 초판(1960년 출간)의 글 일체와 더불어 30주년 기념판(1990년 출간)
  에 추가된 지은이의 후기도 수록했다.
- 옮긴이가 덧붙인 설명은 〔 〕로 표시했다.
- 책의 성격상 '제1차 세계대전'과 '제2차 세계대전'이 많이 나오는데, 가독성 제고를 위해 '1차대전'
  '2차대전'으로 축약해 표기했다.
- 인종, 신체 등에 대한 일부 차별적 표현은 원문이 갖는 역사성을 고려하여 그대로 두었다.

차례

제2권 | 차례

제3권 | 차례

제4권 | 차례

제5부
종말의 시작

제6부
제3제국의 몰락

전쟁에 이르는 길

제9장

첫 단계

1934~1937

평화를 말하면서도 은밀히 전쟁 준비를 하는 것, 베르사유 조약 체결국들이 독일에 맞서 예방적 군사행동을 취하지 않도록 외교 정책과 비밀 재무장을 가급적 조심스럽게 추진하는 것, 이것이 집권 초기 2년간 히틀러의 전술이었다.

1934년 7월 25일 빈에서 나치 세력이 오스트리아 총리 돌푸스를 살해했을 때, 히틀러는 몹시 허둥댔다. 그날 정오에 오스트리아 군복 차림의 친위대 제89연대 대원 154명이 오스트리아 연방 총리 관저에 난입해 두 걸음 거리에서 돌푸스의 목에 총을 쏘았다. 몇 블록 떨어진 곳에서는 다른 나치들이 라디오 방송국을 점거하고 돌푸스가 사임했다는 뉴스를 전했다. 히틀러는 바이로이트에서 매년 열리는 바그너 축제에서 〈라인의 황금Das Rheingold〉을 관람하던 중 돌푸스 살해 소식을 들었다. 이 소식에 히틀러는 한껏 흥분했다. 위대한 작곡가의 손녀로 당시 가족석에 앉아 있던 프리델린트 바그너Friedelind Wagner가 현장을 목격했다. 훗날 프리델린트가 말했듯이, 그녀의 가족석 옆 대기실에서 히틀러의 부관 샤우프Schaub와 브뤼크너Brückner가 전화로 빈의 소식을 듣고서 총통에게 계속 속삭였다.

공연 후, 총통은 몹시 흥분해 있었다. 우리에게 끔찍한 소식을 들려주는 동안 총통은 더욱 흥분하는 듯했다. … 얼굴에 감도는 희색을 숨기지 못한 히틀러는 차분하게 평소처럼 식당으로 가서 저녁을 주문했다.

"한 시간쯤은 여기 있는 내 모습을 보여줘야 합니다. 그러지 않으면 사람들이 내가 이 일에 어떤 식으로든 관여했다고 생각할 테니까요"라고 히틀러는 말했다.[1]

사람들의 생각은 진실과 크게 다르지 않았을 것이다. 일찍이 히틀러는 《나의 투쟁》 첫 문단에 오스트리아와 독일의 재통합이야말로 "우리가 무슨 수를 써서라도 이루어내야 할 필생의 과업"이라고 썼다. 총리가 된 직후에 히틀러는 제국의회 의원 테오도어 하비히트Theodor Habicht를 오스트리아 나치당 감찰관으로 임명했고, 얼마 후에는 오스트리아 나치당 간부로서 독일로 자진 망명한 뒤 뮌헨에서 밤마다 방송으로 빈의 동지들을 향해 돌푸스를 살해하라고 선동하던 알프레트 프라우엔펠트Alfred Frauenfeld를 지원했다. 독일로부터 무기와 다이너마이트를 제공받은 오스트리아 나치당은 1934년 7월 이전 수개월 동안 철도와 발전소, 정부 청사를 폭파하고 돌푸스의 성직자–파시스트 정권의 지지자들을 살해하는 등 공포 분위기를 조성했다. 마지막으로 히틀러는 수천 명으로 이루어진 오스트리아 군단Österreichische Legion의 창설을 승인했는데, 바이에른의 오스트리아 국경을 따라 포진한 이 군단은 적절한 때에 국경을 넘어 오스트리아를 점령할 준비가 되어 있었다.

총에 맞은 돌푸스는 오후 6시경 사망했지만, 나치의 폭동은 대체로 총리 관저를 점거한 자들의 서툰 행동 때문에 실패했다. 쿠르트 폰 슈슈니크가 이끄는 정부 세력은 재빨리 통제력을 되찾았으며, 반란 세력은 이 사태에 개입한 독일 대사를 통해 독일로의 안전통행증을 약속받았음에도 체포되었고, 그중 13명이 나중에 교수형에 처해졌다. 불과 한 달 전에 베네치아 회담에서 히틀러로부터 오스트리아를 건드리지 않겠다는 약속을 받아낸 무솔리니는 급히 4개 사단을 브렌네르 고개〔이탈리아와 오스트리아의 국경에 있는 고개〕에 동원하여 베를린의 심기를 불편하게 했다.

히틀러는 금세 후퇴했다. 돌푸스의 몰락을 반기며 대독일의 출현이 불가피하다고 선언하는 보도를 미리 준비해둔 국영통신사 독일통신국Deutsches Nachrichtenbüro, DNB은 자정에 이 기사를 황급히 철회하고, "잔인한 살해"에 유감을 표하며 그것을 순전히 오스트리아의 국내 문제라고 단언하는 별도의 기사로 대체했다. 하비히트는 자취를 감추었고, 빈 주재 독일 대사는 소환된 뒤 해임되었으며, 겨우 한 달 전의 피의 숙청 때 돌푸스와 같은 운명을 가까스로 모면했던 프란츠 폰 파펜이 히틀러에게 "정상적이고 우호적인 관계"를 회복시키라는 지시를 받고 후임 대사로서 허둥지둥 빈으로 향했다.

처음에 기뻐하고 흥분했던 히틀러의 감정은 차츰 두려움으로 바뀌었다. "우리는 새로운 사라예보에 직면했습니다!"〔1914년 6월 28일 보스니아 사라예보에서 오스트리아 제위계승자 프란츠 페르디난트가 살해당한 사건을 가리킨다. 이를 계기로 1차대전이 발발했다.〕 파펜에 따르면 이 위기를 어떻게 극복할지 상의하는 자리에서 히틀러는 그렇게 소리쳤다고 한다.[2] 하지만 총통은 한 가지 교훈을 배웠다. 1923년 뮌헨 맥주홀 폭동과 마찬가지로 이번에 빈에서 일어난 나치 폭동은 시기상조였던 것이다. 아직까지 독일은 그런 모험을 무력으로 뒷받침할 만큼 군사적으로 강하지 않았다. 외교 무대에서도 너무 고립되어 있었다. 파시스트 이탈리아마저 영국이나 프랑스에 동조해서 오스트리아의 독립 유지를 역설했다. 게다가 소련이 처음으로 서구 국가들과 함께 동부 로카르노 체제에 가담하는 데 관심을 보였는데, 그 속셈은 독일이 동부로 진출하는 것을 막는 데 있었다. 1934년 가을, 소련은 국제연맹에 가입했다. 결정적인 해인 1934년 내내, 강대국들을 분열시킬 전망은 과거 어느 때보다도 어두워 보였다. 히틀러가 할 수 있는 일이라곤 평화를 설파하고 비밀 재무장을 추진하면서 기회를 엿보는 것뿐이었다.

히틀러에게는 평화 선전을 외부 세계에 알릴 방법이 제국의회 연설 말고 하나 더 있었다. 줄곧 자신과 인터뷰하려는 외국 언론의 특파원, 편집인, 발행인을 통하는 방법이었다. 외알안경을 낀 영국 기자 워드 프라이스Ward Price와 그가 속한 런던 신문 《데일리 메일Daily Mail》은 언제든 신호만 주면 독일 독재자를 즉시 인터뷰할 준비가 되어 있었다. 1934년 8월, 전쟁 전야까지 이어진 《데일리 메일》과의 연재 인터뷰에서 히틀러는 프라이스—그리고 그의 독자들—에게 "전쟁은 다시 일어나지 않을" 것이고 독일은 "전쟁이 초래하는 해악을 다른 어떤 나라보다도 심각하게 생각"하며 "독일이 안고 있는 문제는 전쟁으로 해결할 수 없습니다"라고 말했다.[3] 가을에 히틀러는 프랑스 재향군인회 대표이자 하원의원인 장 고이Jean Goy에게 이런 견해를 거듭 밝혔고, 고이는 그것을 파리 일간지 《르 마탱Le Matin》에 기고했다.[4]

베르사유 조약 위반

———

그동안 히틀러는 지칠 줄 모르는 정력으로 군대 증강과 무기 조달을 위한 계획을 추진했다. 육군은 병력을 세 배로—10만에서 1934년 10월 1일까지 30만으로—늘리라는 지시를 받았고, 1934년 4월에 병무국장 루트비히 베크 장군은 총통이 이듬해 4월 1일에 징병제를 선언하고 베르사유 조약의 무장 제한을 공공연히 거부할 것이라는 이야기를 들었다.[5] 그때까지는 극비를 유지해야 했다. 괴벨스는 '참모본부'라는 말이 결코 신문지면에 등장하지 않게 하라는 주의를 받았는데, 베르사유 조약이 이 조직의 존재 자체를 금했기 때문이다. 장교 명부가 두툼해진 사실을 외국 정보기관이 간파하지 못하게 하려고 독일 육군의 연례 장교 명부도 1932년 이후 공표를 중단했다. 제국방위위원회 운영위원장 카이텔 장군은 이미 1933년 5월 22일에 부관들에게 "적의 선전에 활용될지도 모르니 어떠한 서류도 분실하지 마라. 구두로 주고받은 것은 증거가 남지 않는다. 부인하면 그만이다"라고 주의를 주었다.[6]

해군 역시 입단속을 하라는 경고를 받았다. 1934년 6월, 레더 제독은 히틀러와 장시간 대화한 뒤 이렇게 적었다.

총통의 지시: 배수량 2만 5000톤~2만 6000톤급 선박에 관해 절대 언급하지 말 것. 1만 톤급 개량함 이야기만 할 것. … 총통은 U보트 건조에 관해서는 완전 기밀을 요구한다.[7]

독일 해군이 2만 6000톤급(베르사유 조약의 상한은 1만 6000톤) 순양전함 두 척을 이미 건조하고 있었기 때문이다. 이 전함들은 나중에 샤른호르스트Scharnhorst 호와 그나이제나우Gneisenau 호로 알려질 베르사유 조약에서 금지한 잠수함은 공화국 시기에 핀란드, 네덜란드, 에스파냐에서 비밀리에 건조되었고, 근래에 레더가 잠수함 10여 척분의 선체와 부품을 킬 군항에 보관해둔 터였다. 1934년 11월에 히틀러와 만난 레더는 "1935년 제1사분기의 중대한 상황에 이르기까지"(분명 레더 역시 그 시기에 히틀러가 무엇을 계획하고 있었는지 알고 있었던 것이다) 여섯 척의 조립을 허가해달라고 했지만 총통은 그저 "조립을 시작해야 될 상황이면 그때 말해주겠다"라고만 답했다.[8]

또 이 회견에서 레더는 새로운 군함 건조 계획에(해군 병력을 세 배로 늘리는 계획은 말할 나위도 없고) 자기로서는 감당하기 어려운 막대한 자금이 필요할 것이라고 지적했지만, 히틀러는 걱정하지 말라고 말했다. "필요할 경우 총통은 라이 박사를 시켜 노동전선으로부터 1억 2000만~1억 5000만 마르크를 해군 몫으로 융통하겠다고 했는데, 이유인즉 그 돈 역시 결국은 노동자에게 돌아간다는 것이었다."[9] 요컨대 독일 노동자의 회비가 해군의 계획에 전용될 예정이었다.

괴링도 첫 2년간은 공군을 창설하느라 분주했다. 겉으로는 **민간** 항공을 관할하는 부처로 여겨진 항공부 장관으로서 항공기 제조사들에 군용기 설계를 주문했다. 그리고 항공스포츠협회Luftsportverband라는 간편한 위장막을 친 채 곧장 군용기 조종사들을 훈련시키기 시작했다.

이 무렵 루르나 라인란트의 공업지대를 방문한 사람은 군수공장들, 특히 75년간 독일 최고의 포 제작사 자리를 지켜온 크루프 사의 공장과 거대 화학 트러스트 I. G. 파르벤의 공장들이 맹렬히 돌아가는 광경에 놀랐을 것이다. 연합국이 1919년 이후 크루프 사의 군수 생산을 금지했음에도 이 기업은 실제로 공장 가동을 멈추지 않았다. 독일군이 유럽을 대부분 점령한 1942년에 크루프 사가 자랑했듯이 "전차의 장비와 포탑 설계의 기본 원리는 이미 1926년에 파악하고 있었다. … 1939~1941년에 사용된 포의 경우 주요한 것들은 이미 1933년에 완성되어 있었다." 파르벤 사의 과학자들은 일찍이 1차대전 당시 영국의 해상봉쇄로 인해 칠레로부터 질산염을 정상적으로 공급받을 길이 차단되었을 때 대기 중의 질소를 질산염으로 합성하는 공정을 개발하여 독일을 재앙에서 구한 바 있었다. 이제 히틀러 치하에서 이 트러스트는 현대식 전쟁에 불가결한 두 가지 물자, 즉 그때까지 수입에 의존하던 가솔린과 고무를 독일에서 자급자족하는 과제에 매달렸다. 사실 석탄으로 가솔린을 합성하는 문제는 파르벤 사의 과학자들이 1920년대 중반에 벌써 해결한 터였다. 1933년 이후 나치 정부는 파르벤 사를 독려하며 가솔린 생산량을 1937년까지 연간 30만 톤으로 늘리라고 명령했다. 독일에 충분히 있는 석탄과 그 밖의 생산물들로 합성고무를 제조하는 방법도 이미 알고 있었던 파르벤 사는 부나buna라고 알려진 인조고무를 대량으로 생산하기 위한 네 개의 공장 중 첫 번째 공장을 슈코파우에 지었다. 1934년 초에 제국방위위원회 산하 운영위원회는 약 24만 개의 공장을 군수 생산에 동원하는 계획을 승인했다. 그리하여 1934년 말에는 모든 면에서 재무장의 규모가 너무 커져, 독일의 행보를 의심하고 우려하는 베르사유 열강에 더 이상은 감출 수 없는 지경이 되었다.

영국을 위시한 이들 열강은 기정사실을 인정하는 선택지, 즉 히틀러의 생각만큼 비밀스럽지 않은 독일의 재무장을 인정하는 선택지를 만지작거리고 있었다. 독일이 동부 로카르노 조약을 포함하는 유럽 전역의 분쟁 해결안에 동참한다면, 그리하여 서유럽 국가들이 로카르노 조약 아래 누리는 것과 동일한 안보를 동유럽 국가들, 특히 러시아, 폴란드, 체코슬로바키아에 제공한다면, 이들 열강은 히틀러가 원하는 독일의 완전한 군비 평등을 허용할 생각이었다—그리고 물론 동일한 안보를 독일 측에도 보장할 생각이었다. 1934년 5월, 아돌프 히틀러의 속내를 파악하지 못한 점에서 네빌 체임벌린Neville Chamberlain의 훌륭한 선배였던 영국 외무장관 존 사이먼John Simon 경은 실제로 독일 측에 군비 평등을 제안했다. 프랑스는 이 방안을 분명하게 거부했다.

하지만 1935년 2월 초에 영국 정부와 프랑스 정부는 군비 평등과 동부 로카르노 조약을 포함하는 전반적인 분쟁 해결안을 공동으로 다시 마련했다. 그보다 한 달 전인 1월 13일에는 석탄 산지 자르Saar의 주민들이 자기네 지역을 독일에 반환하는 방안에 압도적 다수—47만 7000 대 4만 8000—로 찬성투표를 했고, 이 기회를 활용해 히틀러는 독일이 향후 프랑스 측에 영토상의 요구를 더 이상 하지 않겠다고 공언했다. 이는 알자스와 로렌에 대한 요구를 단념하겠다는 뜻이었다. 자르의 평화적 반환과 히틀러의 발언을 계기로 조성된 낙관적 선의의 분위기 속에 영국과 프랑스는 1935년 2월 초에 공동 제안을 히틀러에게 정식으로 전달했다.

2월 14일의 히틀러의 회답은 다소 모호했다—그의 입장을 고려하면 그럴 만한 일이었다. 공개적으로 재무장할 자유를 독일에 주자는 제안에 대해 히틀러는 환영했다. 하지만 동부 로카르노 조약에 독일이 서명할지 여부에 대해서는 얼버무렸다. 히틀러로서는 서명할 경우 예전부터 독일의 생존공간이라고 설파해온 주요 지역에서 손발이 묶일 우려가 있었다. 이 문제에서 영국을 프랑스—폴란드, 체코슬로바키아, 루마니아와 상호 원조 협정을 체결한 프랑스는 동유럽의 안보에 더 관심이 많았다—로부터 떼어놓을 수 있지 않을까? 히틀러는 틀림없이 그렇게 생각했을 것이다. 히틀러가 그 조심스러운 회답에서 전반적인 토론에 앞서 먼저 독일과 영국의 양국 회담을 제안하고 베를린에서 예비회담을 갖자며 영국을 초대했기 때문이다. 존 사이먼 경은 선뜻 동의하고 3월 6일 베를린에서 만나기로 했다. 그러나 회담일 이틀 전에 영국이 발행한 백서白書가 빌헬름슈트라세에서 상당한 분노를 자아냈다. 사실 베를린의 대다수 외국인 관찰자들에게 그 백서는 독일의 은밀한 재무장—워낙 속도가 빨라 영국으로서도 얼마간 군비를 증강해야 했다—을 있는 그대로 관찰한 보고서로 보였다. 하지만 히틀러는 그 백서에 격분했다고 한다. 독일 외무장관 노이라트는 사이먼이 베를린으로 출발하기 바로 전날에 총통이 '감기'에 걸려 회담을 연기해야겠다고 알렸다.

감기에 걸렸든 안 걸렸든, 히틀러가 불현듯 묘안을 떠올렸던 것은 확실하다. 그 묘안을 과감한 행동으로 옮기려는 마당에 주위에 존 사이먼이나 앤서니 이든이 있으면 입장이 난처했을 것이다. 히틀러는 베르사유 **강제** 조약에 치명타를 가할 구실을 찾았다고 생각했다. 때마침 프랑스 정부가 1차대전 중에 태어난 청년층이 부족하다는 이유로 군복무 기간을 18개월에서 24개월로 늘리는 법안을 의회에 막 제출한 터였다. 3월 10일, 히틀러는 연합국의 기개를 시험해보는 조치를 취했다. 싹싹한 워드 프라이스를 불러 괴링을 인터뷰하게 했는데, 그 자리에서 괴링은 온 세상이 다 아는 사실, 즉 독일이 공군을 보유하고 있다는 사실을 공식적으로 밝혔다. 히틀러는 베르사유 조약을 일방적으로 파기하는 이 발언에 대한 런던의 반응을 자신만만하게 기다렸다. 그 반응은 히틀러가 예상한 그대로였다. 존 사이먼 경은 하원에서 자신은 여전히 베를린에 가기를 기대하고 있다고 말했다.

토요일의 기습

———

3월 16일 토요일에—히틀러의 기습은 대부분 토요일에 이루어졌다—총리는 국민개병제를 천명하고 평시 육군을 12개 군단 36개 사단(대략

50만 명)으로 편제하는 법을 공포했다. 이로써 베르사유 조약의 군비 제한은 끝이 났다―프랑스와 영국이 행동에 나서지 않는 한. 히틀러의 예상대로 두 나라는 항의하면서도 행동에는 나서지 않았다. 사실 영국 정부는 히틀러에게 아직 자기네 외무장관을 접견할 용의가 있는지 부랴부랴 물어보기까지 했다. 독재자는 정중하게 그럴 용의가 있다고 회답했다.

3월 17일 일요일은 독일에서 환호와 축하의 날이었다. 패전과 치욕의 상징이었던 베르사유의 족쇄를 벗어던진 날이었다. 히틀러와 그의 깡패 같은 통치를 아무리 싫어하는 독일인일지라도 공화국 내내 정부가 감히 시도조차 못해본 일을 총통이 성취했다는 사실을 인정하지 않을 수 없었다. 대다수 독일인은 국가의 명예를 회복했다고 생각했다. 그 일요일은 전몰장병 추모일Heldengedenktag이기도 했다. 나는 정오에 국립가극장에서 열린 기념식을 보러 갔다가 1914년 이래 독일에서는 보지 못한 광경을 목격했다. 아래층은 온통 군복 일색이었다. 옛 제국군의 뿔 달린 철모와 빛바랜 회색 제복 차림인 사람들과 새 육군의 군복 차림인 사람들이 섞여 있었고, 당시까지 거의 보지 못한 공군의 하늘색 제복도 보였다. 히틀러의 곁에는 카이저 육군의 마지막 생존 원수인 마켄젠이 화려한 해골 경기병 제복 차림으로 서 있었다. 강렬한 조명이 쏟아지는 무대 위에서는 젊은 장교들이 독일 군기를 꼿꼿이 든 채로 마치 대리석상처럼 서 있었다. 그들 뒤편에 드리워진 거대한 장막에는 엄청나게 큰 회색과 검은색의 철십자가 매달려 있었다. 겉보기에는 독일 전몰장병을 기리는 의식이었지만, 실은 베르사유 조약의 사망과 독일 징집군의 재탄생을 축하하는 환희에 찬 행사였다.

장군들은 얼굴에 희색이 가득했다. 다른 모든 사람처럼 그들도 뜻밖의 소식에 놀랐는데, 무엇보다 그 무렵 베르히테스가덴 산장에 머물던 히틀러가 자기 생각을 그들에게 군이 알리지 않았기 때문이다. 에리히 폰 만슈타인Erich von Manstein 장군이 훗날 뉘른베르크 법정에서 증언한 바에 따르면, 그와 그의 부대장인 베를린 제3군관구Wehrkreis III의 에르빈 폰 비츨레벤Erwin von Witzleben 장군은 히틀러의 결정을 3월 16일에 라디오를 통해 처음 들었다. 당시 참모본부는 더 작은 규모의 육군으로 출발하는 편을 선호했다.

> [만슈타인이 증언함] 만약에 의견을 제출하라고 했다면 참모본부는 21개 사단을 제안했을 것입니다. … 36개 사단이라는 숫자는 히틀러의 즉흥적 결정입니다.[10]

이렇게 되자 다른 강국들은 히틀러에게 경고를 발하는 일련의 무의미한 조치를 취했다. 영국, 프랑스, 이탈리아는 4월 11일 스트레사Stresa〔이탈리아 북서부의 휴양지〕에서 만나 독일의 조치를 비난하고 오스트리아의 독립과 로카르노 조약에 대한 지지를 재확인했다. 제네바의 국제연맹 이사회도 히틀러의 경솔한 행동에 불쾌감을 표하고, 이런 일이 재연될 경우 히틀러의 행동을 저지할 만한 조치를 제안할 수 있는 위원회를 정식으로 설치했다. 독일이 동부 로카르노 조약에 결코 가맹하지 않으리라는 것을 간파한 프랑스는 서둘러 러시아와 상호원조 협정을 맺었고, 모스크바 정부도 비슷한 조약을 체코슬로바키아와 체결했다.

이 나라들이 독일에 맞서 가까워진다는 내용의 신문 머리기사에 독일 외무부나 육군의 많은 이들이 불길한 예감 속에 다소 흔들리기까지 했지만, 히틀러는 그렇지 않았던 모양이다. 결국 그는 도박에서 이겼다. 그럼에도 그 정도의 성공에 안주할 마음은 없었다. 다시 한 번 전력을 다해 평화를 설파하면서 자신의 반대편에 도열한 강국들의 결속이 약해지고 결국 깨지지 않을지 지켜볼 때라고 판단했다.

5월 21일 저녁,* 히틀러는 제국의회에서 또 한 차례 '평화' 연설을 했다―나는 히틀러의 제국의회 연설을 대부분 현장에서 끝까지 들었는데, 이날 연설만큼 유창하고 교묘하고 속임수로 가득한 연설도 없었던 듯하다. 히틀러는 느긋한 태도로 자신감뿐 아니라―청중으로서는 놀랍게도―관용적이고 유화적인 면모까지 보여주었다. 베르사유 조약의 군사 조항을 파기한 자신의 조치를 비난했던 국가들에 대해 분개하지도 반발하지도 않았다. 오히려 자신이 바라는 것은 모두를 위한 정의에 기반하는 평화와 이해뿐이라고 확언했다. 전쟁이라는 생각 자체를 거부한다고, 전쟁은 참사인 동시에 무의미하고 무익한 사태라고 말했다.

지난 300년 동안 유럽 대륙에 뿌려진 피는 그에 값하는 결실을 각국에 안겨주지 못했습니다. 결국 프랑스는 프랑스로, 독일은 독일로, 폴란드는 폴란드로, 이탈리아는 이탈리아로 머물러 있습니다. 왕조의 자기중심주의, 정치적 격정, 맹목적 애국심이 일견 원대해 보이는 정치적 변화의 와중에 피를 강물처럼 흘려서 성취한 것이라곤 국민감정에 관한 한, 각국의 피부를 건드

---

* 이날 연설에 앞서 히틀러는 비밀 국방법을 공포하고 앞에서 언급했듯이 샤흐트 박사를 전쟁경제 책임자로 임명하고 군대를 완전히 재편했다. 바이마르 공화국의 국가방위군(Rechswehr)은 국방군(Wehrmacht)으로 바뀌었다. 히틀러는 총통이자 총리로서 국방군 최고사령관이 되었고, 국방장관 블롬베르크는 이제 전쟁부로 이름이 바뀐 부처의 장관으로서 독일군 총사령관을 겸하게 되었다― 독일에서 두 지위를 겸한 유일한 장군이었다. 육군, 해군, 공군은 각각 총사령관과 참모본부를 갖게 되었다. 육군의 '병무국'은 이 위장용 이름을 버리고 참모본부라는 진짜 이름을 되찾았고, 그 수장인 베크 장군은 육군 참모총장 직함을 달았다. 그러나 이 직함은 카이저 시대의 참모총장과는 의미가 달랐는데, 과거의 참모총장은 실제로 통수권자 휘하 독일 육군의 총사령관이었다.

린 정도에 불과합니다. 각국의 본질적인 성격은 실질적으로 바꾸지 못했습니다. 이 국가들이 희생의 일부라도 더 현명한 목표에 바쳤다면, 분명 더 크고 더 영속적인 성공을 거두었을 것입니다.

독일은 다른 국민을 정복할 생각이 조금도 없다고 히틀러는 단언했다.

우리의 인종 이론은 외국 국민을 종속시키고 지배하기 위한 모든 전쟁을 머지않아 승전국의 내부를 변질시키고 약화시켜 결국 패배하게 만드는 사건으로 여깁니다. … 유럽에는 점령되지 않은 공간이 더 이상 없으므로 모든 승리는 … 기껏해야 한 나라 인구의 양적 증가로 귀결될 뿐입니다. 그러나 각국이 인구 증가를 그토록 중시한다면, 눈물 없이 더 간단하고 더 자연스러운 방법으로, 다시 말해 건전한 사회 정책으로, 자녀를 갖기 위한 국가적 대비책을 확대하는 방법으로 달성할 수 있습니다.
아닙니다! 국가사회주의 독일이 평화를 원하는 것은 근본적인 확신 때문입니다. 또 어떤 전쟁도 유럽의 고통을 본질적으로 바꿔놓을 것 같지 않다는 간단명료한 사실을 깨달았기 때문에 평화를 원하는 것입니다. … 모든 전쟁의 주된 결과는 그 국가의 정화精華를 파괴하는 것입니다. …
독일은 평화를 필요로 하고 평화를 희구합니다!

히틀러는 이 논점을 거듭 강조했다. 연설 막판에는 평화 유지를 위한 13가지의 구체적 제안을 밝혔는데, 독일뿐 아니라 유럽 전역에 깊은 감명을 줄 정도로 훌륭해 보이는 제안이었다. 그에 앞서 히틀러는 한 가지 사실을 상기시켰다.

독일은 자르의 주민투표에 따라 획정된 프랑스와의 국경선을 엄숙히 인정하고 보장했습니다. … 그렇게 함으로써 우리는 두 차례 대전을 치러 얻고자 했던 알자스-로렌에 관한 모든 권리를 마침내 포기했습니다. … 과거의 경위를 고려하지 않은 채 독일은 폴란드와 불가침 조약을 맺었습니다. … 이 조약을 우리는 무조건 고수할 것입니다. … 우리는 폴란드를 민족의식을 지닌 위대한 국민의 고국으로 인정합니다.

오스트리아에 관해서는 이렇게 말했다.

독일은 오스트리아의 내정에 간섭하거나, 오스트리아를 병합하거나, 병합 조약을 체결할 의도도 없고 그러기를 원하지도 않습니다.

히틀러의 13가지 제안은 제법 이치에 맞는 것이었다. 국제연맹이 베르사유 조약을 포기하지 않는 한 독일은 제네바 군축회의로 돌아갈 수 없다고 했다. 이 조약을 포기하고 모든 국가의 완전한 평등을 인정할 경우 독일이 국제연맹에 복귀할 것임을 시사했다. 그렇지만 독일은 베르사유 조약의 "영토 조항을 포함한" 비군사적 조항들을 "무조건 존중"할 생각이었다. "특히 로카르노 조약에서 비롯되는 모든 의무를 존중하고 이행할 것이다." 히틀러는 또 독일이 라인란트 비무장 조치를 준수할 것이라고 맹세하기도 했다. 집단안보 체제에 "언제든" 기꺼이 참여할 테지만, 독일로서는 상호 협정을 선호하고 인접국들과 불가침 조약을 체결할 의향이 있다고 했다. 또 로카르노 조약에 항공 협정을 추가하자는 영국 및 프랑스의 제안에 동의할 용의가 있다고 했다.

군비 축소와 관련해 히틀러는 어떠한 제한에도 동의할 자세였다.

독일 정부는 중(重)무기, 특히 중포나 중전차처럼 공격에 적합한 무기의 폐기로 이어지는 어떠한 제한에든 동의할 용의가 있습니다. … 독일은 포의 구경, 전함, 순양함, 어뢰정에 대한 어떠한 제한에든 동의할 용의가 있다고 선언하는 바입니다. 또 독일 정부는 잠수함의 톤수 제한이나 완전한 폐기에도 동의할 용의가 있습니다. …

이와 관련해 히틀러는 영국에 특별한 미끼를 던졌다. 그는 새로운 독일 해군력을 영국 해군력의 35퍼센트로 제한할 것이고, 그렇게 해도 해군의 보유 톤수에서 프랑스 해군보다 15퍼센트 작다고 말했다. 이는 독일 측 요구의 시작일 뿐이라며 반대하는 다른 나라들에 대해 히틀러는 "이것이 독일의 최종적이고 항구적인 요구입니다"라고 말했다.

밤 10시가 조금 지나 히틀러는 연설을 끝맺었다.

누구든 유럽에서 전쟁의 도화선이 되는 자는 혼란 말고는 아무것도 기대할 수 없을 것입니다. 그렇지만 우리는 이 시대에 서양의 몰락이 아닌 르네상스가 실현될 것이라는 굳은 신념을 품고서 살아가고 있습니다. 이 위대한 과업에 독일이 불멸의 기여를 할 수도 있다는 것은 우리의 자랑스러운 희망이자 흔들리지 않는 신념입니다.[11]

이것은 평화와 이성, 화해를 말하는 달콤한 연설이었으며, 어떤 이유에 근거해서든, 아니 이유야 어찌되었든 평화가 이어지기를 간절히 염원하던 서유럽 민주국가들의 국민과 정부는 이 달콤한 말을 곧이곧대로 받아들였다. 영국에서 가장 영향력 있는 신문인 런던의 《타임스》는 거의 기쁨을 주체하지 못하는 듯한 어조로 히틀러의 연설을 환영했다.

… 그 연설은 타당하고 솔직하고 이치에 맞는 것 같다. 누구든 공정한 눈으로 그 연설을 읽는다면, 히틀러 씨가 제시한 정책의 요점들이 독일과의 완전한 화해의 기반으로서 적절하다는 점을 의심할 수 없을 것이다. 오늘날의 독일은 16년 전에 평화를 강요당하고 굴복한 독일이 아니라 자유롭고 평등하고 강한 독일이다. …

그 연설이 어디에서든 정확히 그 말대로 진실하고 사려 깊은 발언으로 받아들여지기를 희망한다.[12]

영국 저널리즘의 최고 자랑거리 중 하나인 이 신문은 체임벌린 정부가 그랬듯이 장차 히틀러에 대한 영국의 재앙적 유화 정책에서 미심쩍은 역할을 수행할 터였다. 그러나 적어도 내가 보기에 《타임스》는 영국 정부보다도 핑곗거리가 적었는데, 무엇보다 이 신문의 베를린 특파원 노먼 에버트Norman Ebbutt가 1937년 8월 16일 독일에서 추방될 때까지 히틀러의 언행과 목표에 관한 정보원을 둔 채 영국을 포함한 다른 나라의 특파원들이나 외교관들보다 진실에 훨씬 더 가까운 정보를 제공했기 때문이다. 에버트가 내게 자주 불평한 대로, 그리고 훗날 확인된 대로 이 시기에 그가 베를린에서 《타임스》에 송고한 기사 중 상당수가 게재되지 않긴 했지만,* 이 신문의 편집책임자들은 틀림없이 그가 송고한 **모든** 기사를 읽었을 것이고, 따라서 나치 독일에서 실제로 무슨 일이 벌어지고 있는

---

* "나는 그들[독일인]의 민감한 감정을 해칠 만한 것이면 무엇이든 지면에서 배제하려고 매일 밤 최선을 다하고 있네." 《타임스》의 편집국장 제프리 도슨(Geoffrey Dawson)은 1937년 5월 23일, 에버트에 앞서 베를린 특파원을 지냈고 당시 제네바 특파원으로 근무하던 H. G. 대니얼스(Daniels)에게 보낸 편지에 그렇게 쓰면서 다음과 같이 덧붙였다. "지난 몇 달 동안 불공평한 논평이라고 트집 잡힐 만한 것은 정말이지 하나도 실리지 않았다고 생각하네." (John Evelyn Wrench, *Geoffrey Dawson and Our Times*)

지, 히틀러의 거창한 약속이 얼마나 공허한 것인지 알고 있었을 것이다.

영국 정부도《타임스》못지않게 히틀러의 제안, 특히 독일 해군력을 영국 해군력의 35퍼센트로 제한하는 데 동의하겠다는 제안을 "진지하고 사려 깊은" 발언으로 받아들이고 싶어 안달복달했다.

히틀러는 3월 말 영국 외무장관 존 사이먼 경과 외무차관 앤서니 이든이 한 차례 미루어진 회담을 위해 독일을 방문했을 때, 기민하게도 두 나라가 영국의 우위를 보장하는 해군 협정을 쉽게 체결할 수 있을 것이라는 암시를 주었다. 그리고 5월 21일, 히틀러는 구체적인 공개 제안—독일 함대의 보유 톤수를 영국 함대 보유 톤수의 35퍼센트로 제한한다—을 하고, 연설에서 영국에 유달리 우호적인 말을 덧붙였다. "독일은 해군력에서 그 어떤 새로운 경쟁에 관여할 의향도 필요성도 수단도 없습니다"—이는 1914년 이전에 독일의 티르피츠Tirpitz 제독이 빌헬름 2세의 열렬한 지원 속에 영국 함대에 필적하는 대양함대를 건설하려 했던 시절, 영국이 잊었을 리 없는 시절을 시사하는 발언이었다. 히틀러는 이어서 말했다. "독일 정부는 해상에서 요구되는 영英 제국의 압도적 방위력의 중요성을, 아울러 그 정당성을 인정합니다. … 독일 정부는 영국 국민 및 국가와 관계를 맺고 또 유지하여 양국 사이에 벌어졌던 유일한 다툼의 반복을 영구히 예방하려는 솔직한 의도를 가지고 있습니다." 히틀러는《나의 투쟁》에서도 비슷한 견해를 표명하면서, 잉글랜드를 적대시하고 영국의 해군력과 경쟁하려는 터무니없는 시도를 한 것이 카이저의 최대 실책 중 하나라고 강조한 바 있었다.

영국 정부는 믿기 어려울 정도로 순진하고도 빠르게 히틀러의 미끼를 덥석 물었다. 이제 히틀러의 외교 심부름꾼이 된 리벤트로프는 6월에 런던에서 해군 관련 회담을 하자는 초대를 받았다. 오만하고 요령 없는 리벤트로프는 영국 측에 히틀러의 제안은 협상 대상이 아니라고, 받아들이든지 말든지 둘 중 하나라고 전했다. 영국은 받아들였다. 영국은 스트레사 전선Stresa Front('스트레사 회의'라고도 하며, 앞에서 언급했듯이 1935년에 영국, 프랑스, 이탈리아가 스트레사에서 만나 오스트리아의 독립과 로카르노 조약의 준수를 재확인한 회의를 가리킨다)의 동맹국이자 역시 해양 강국으로서 독일의 재무장과 베르사유 조약의 군사 조항 위반을 크게 우려하던 프랑스 및 이탈리아와 상의하지 않았고, 1919년의 강화조약을 고수할 것으로 예상되는 국제연맹 측에도 알리지 않았다. 영국의 행보는 자국의 이익을 위해 베르사유 조약의 해군 제한 조항을 파기하려는 것이었다.

베를린에서 머리가 가장 둔한 사람이 보더라도, 독일이 영국 해군의 3분의 1 규모까지 해군을 건설하는 데 런던 정부가 동의함으로써 히틀러에게 물리적으로 최대한 빠르게 해군을 증강할 재량권을 주는 셈이었기 때문이다─독일의 조선소와 제철소를 적어도 10년간 최대로 가동할 수 있는 재량권이었다. 따라서 영국의 조치는 해군 부문에서 독일의 재무장을 제한하는 것이 아니라 어떤 수단을 강구해서든 가능한 한 빠르게 해군력을 확대하도록 조장하는 것이었다.

이미 피해를 입은 프랑스에 모욕을 가하듯이, 영국 정부는 히틀러와의 약속을 이행하면서 독일에서 어떤 종류의 군함을 얼마나 많이 건조하는지에 대해 동의했는지를 가장 가까운 동맹국인 프랑스 측에 알려주지 않았고, 다만 독일의 잠수함 톤수가─독일에서 잠수함을 건조하는 것은 베르사유 조약에 의해 명확히 금지되어 있었다─영국 잠수함 톤수의 60퍼센트, 예외적 상황에서는 100퍼센트까지 높아질 수도 있다는 점만 알려주었다.[13] 사실 이 영국-독일 협정으로 독일은 전함 다섯 척을 건조할 수 있게 되었는데, 톤수와 장비 면에서 그때까지 영국이 보유 중이던 모든 전함을 능가하는 전함을 건조할 계획이면서도, 런던 측을 속이고자 공식 숫자—순양함 21척과 구축함 64척—를 거짓으로 제시했다. 독일은 2차대전이 발발할 때까지 이 군함들을 모두 건조하지는 못했지만, 전쟁 초기에 영국에 재앙적 피해를 입히기에 충분한 수의 군함과 U보트를 보유하고 있었다.

무솔리니는 이 '앨비언의 배신'〔앨비언은 잉글랜드를 가리키는 옛 이름이다〕을 당연히 주목하고 있었다. 영국이 히틀러를 달래는 이상 이탈리아로서도 무슨 수든 써야 했다. 더욱이 베르사유 조약을 무시하는 영국의 냉소적 태도를 보자니 자신이 국제연맹의 규약을 어기더라도 런던 정부가 그리 심각하게 받아들이지 않을지도 모른다는 생각이 들었다. 1935년 10월 3일, 이탈리아군이 이 규약을 어기며 유서 깊은 산악 왕국 아비시니아〔에티오피아의 옛 이름〕를 침공했다. 국제연맹은 즉각 이탈리아에 대한 제재를 가결했다. 영국이 제재를 주도했고, 길게 보면 독일이 더 위험하다고 판단한 프랑스가 뜨뜻미지근하게 지지했다. 그러나 부분적이고 소심한 제재였다. 이 제재는 무솔리니의 에티오피아 정복을 막지 못하고 오히려 영국, 프랑스와 파시스트 이탈리아의 우호관계를 깨뜨려, 나치 독일에 대항하는 스트레사 전선의 와해를 가져왔다.

이 일련의 사태로 가장 득을 본 사람이 아돌프 히틀러가 아니면 누구겠는가? 이탈리아의 침공이 시작된 다음날인 10월 4일, 나는 빌헬름슈트라세에서 다수의 나치당 당직자들 및 정부 관료들과 이야기를 나누며 하루를 보냈다. 그날의 내 일기는 독일 관리들이 당시 상황을 얼마나 신속하고도 정확하게 판단했는지 요약하고 있다.

빌헬름슈트라세는 기뻐하고 있다. 무솔리니는 둘 중 하나인데, 일단 허둥대다가 아프리카에 발을 너무 깊이 들이는 바람에 유럽에서 힘을 잃을 것이고, 그러면 이제까지 두체가 보호해온 오스트리아를 히틀러가 점령할 수 있을 것이다. 그렇지 않고 무솔리니가 프랑스, 영국에 맞서 승리한다면, 서구 민주국가들에 맞서 히틀러와 손을 잡을 여건이 무르익을 것이다. 어느 쪽이든 히틀러는 승리한다.[14]

곧 이 예상대로 되었다.

라인란트 점령

———

앞에서 언급했듯이 세계에, 무엇보다 영국에 깊은 감명을 준 1935년 5월 21일 제국의회의 '평화' 연설에서 히틀러는 소련과 프랑스가 상호원조 협정을 체결한 결과로 로카르노 조약에 "한 가지 법적 불안 요소"가 생겼다고 말했다. 소련과 프랑스의 협정은 3월 2일 파리에서, 3월 14일 모스크바에서 조인되었지만 그해 말까지 프랑스 의회에서 비준되지 않았다. 독일 외무부는 프랑스 정부에 보낸 공식 문서에서 이 "요소"를 언급하며 신경을 긁었다.

11월 21일, 히틀러는 베를린 주재 프랑스 대사 프랑수아-퐁세와 회담하는 중에 프랑스-소련 협정에 대한 "장황한 비난"을 늘어놓았다. 프랑수아-퐁세는 히틀러가 이 협정을 핑계 삼아 라인란트 비무장지대를 점령하려 들 것이라고 확신에 찬 어조로 파리에 보고했다. 그리고 "히틀러가 짐짓 망설이는 것도 오로지 행동하기에 적절한 순간을 찾고 있기 때문이다"라고 덧붙였다.[15]

아마도 베를린에서 정보에 가장 밝은 대사였을 듯한 프랑수아-퐁세는 자신이 무슨 말을 하는 것인지 잘 알고 있었다. 그러나 이미 그해 봄에, 히틀러가 제국의회에서 로카르노 조약과 베르사유 조약의 영토 조항을 존중하겠다고 확언하기 19일 전인 5월 2일에 블롬베르크 장군이 육해공 삼군에 비무장지대 라인란트를 재점령할 준비를 하라고 지령을 내린 사실은 분명 몰랐을 것이다. 암호명 '훈련Schulung'이 붙은 이 작전은 "전격적 기습"이 요구되었고, "극소수의 장교들에게만 알려야" 할 정도로 극비였다. 실제로 비밀 유지를 위해 블롬베르크는 명령서를 손으로 직접 썼다.[16]

6월 16일, 제국방위위원회 산하 운영위원회의 제10차 회의에서 라인란트로 진군하는 문제가 다시 논의되었다. 그 자리에서 얼마 전 전쟁부 국가방위과장이 된 알프레트 요들 대령은 진군 계획을 보고하고 철저한 비밀 유지의 필요성을 강조했다. 반드시 필요한 경우가 아니면 아무것도 글로 써서는 안 되고 "그런 서류는 예외 없이 금고에 보관해야 합니다"라고 요들은 주의를 주었다.[17]

1935년에서 1936년으로 넘어가는 겨울 내내 히틀러는 적절한 때를 기다렸다. 히틀러가 주목하지 않을 수 없었던 에티오피아 문제의 경우, 프랑스와 영국이 이탈리아의 에티오피아 침공을 저지하는 데 몰두하는데도 무솔리니는 그럭저럭 공격을 이어가는 모양새였다. 국제연맹은 이탈리아 제재를 숱하게 공언하면서도 결연한 침략국을 막아설 능력이 없음을 스스로 입증하고 있었다. 파리의 프랑스 의회는 소련과의 협정을 서둘러 비준할 마음이 없어 보였으며, 프랑스 우파는 너나없이 이 협정에 반대하는 기운을 키워가고 있었다. 분명 히틀러는 프랑스 하원이나 상원에서 모스크바와의 동맹이 부결될 가능성도 충분히 있다고 짐작했을 것이다. 그럴 경우 '훈련' 작전에 대한 다른 핑곗거리를 찾아야 했다. 그러나 이 협정안은 1936년 2월 11일 하원에 상정된 뒤 2월 27일에 353 대 164로 승인되었다. 이틀 후인 3월 1일에 히틀러는 결정을 내렸다. 이 결정에 장군들은 경악했는데, 무엇보다 라인란트로 진군하기 위해 집결한 소규모 독일군을 프랑스군이 사정없이 격파할 것이라고 확신했기 때문이다. 그럼에도 이튿날인 1936년 3월 2일, 상관의 지시에 따라 블롬베르크는 라인란트를 점령하라는 정식 명령을 내렸다. 국방군 상급지휘관들에게 말한 대로 블롬베르크가 시도한 것은 "기습"이었다. 그는 "평화적인 작전"이 되기를 기대했다. 그렇지 않을 경우—즉 프랑스군이 반격해올 경우—총사령관에게는 "어떠한 군사적 대응조치든 결정할 권리"가 있었다.[18] 내가 엿새 후에 알게 되었고 나중에 뉘른베르크 법정에서 장군들의 증언을 통해 확인된 대로, 사실 블롬베르크는 무슨 대응조치를 취할지 미리 정해둔 터였다. 라인 강 너머로 황급히 퇴각하는 것이었다!

그러나 국가는 내분으로 이미 마비 상태이고 국민은 패배주의로 빠져드는 상황에서 프랑스 군부는 3월 7일 새벽 독일의 소규모 병력이 라인 강 다리들을 건너 비무장지대로 진입했을 때 블롬베르크의 구상을 모르고 있었다.* 오전 10시, 고분고분한 외무장관 노이라트가 프랑스, 영국, 이탈리아의 대사들을 불러 라인란트 소식을 알리고 히틀러가 막 위반한 로카르노 조약을 비난하는 공식 문서를 건넸다—그리고 평화를 위한 새

---

* 요들의 뉘른베르크 증언에 따르면, 3개 대대만이 라인 강을 건너 아헨, 트리어, 자르브뤼켄으로 향했고, 1개 사단만이 라인란트 전역을 점령하는 데 동원되었다. 연합국 정보기관은 이보다 훨씬 많은 대략 3개 사단, 3만 5000명으로 추정했다. 나중에 히틀러는 "사실 내게는 4개 여단밖에 없었다"라고 말했다.[19]

로운 계획을 제안했다! 프랑수아-퐁세는 비꼬는 투로 말했다. "히틀러는 적의 면상을 후려치면서 소리쳤다. '평화를 위한 제안을 가져왔습니다!'라고."[20]

실제로 두 시간 후에 총통은 제국의회 연단에 서서 열광하는 청중에게 평화를 바라는 자신의 마음과 평화를 유지하는 방책에 대한 자신의 최근 견해를 자세히 설명했다. 나는 그 광경을 보려고 크롤 오페라하우스에 갔다. 결코 잊지 못할 그 광경은 매혹적이면서도 섬뜩했다. 베르사유 조약의 해악과 볼셰비즘의 위협에 대해 장광설을 늘어놓은 히틀러는 프랑스-소련 협정이 로카르노 조약─베르사유 조약과 달리 독일이 자유롭게 서명한 조약─을 무효화한다고 차분하게 단언했다. 뒤이은 장면을 나는 그날 저녁 일기에 이렇게 기록했다.

[히틀러가 발언함] "독일은 더 이상 로카르노 조약에 얽매이지 않는다고 생각합니다. 국경의 안전과 방위의 보장에 대한 국민의 기본적 권리를 위해 독일 정부는 오늘부터 비무장지대에서 제국의 절대적이고 무제한적인 주권을 재확립합니다!"

그러자 600명의 의원들, 모두 히틀러가 직접 임명한 사람들, 몸집이 크고 목이 퉁퉁하고 머리카락이 짧고 배가 불룩하고 갈색 제복에 무거운 군화 차림의 소인배들이 … 자동인형처럼 자리에서 벌떡 일어나 오른팔을 위로 뻗어 나치식 경례를 하며 '하일!' 하고 외친다. … 히틀러는 아무 말 없이 손을 들어올린다. … 낮게 울리는 목소리로 말한다. "독일 제국의회의 여러분!" 완전한 침묵.

"이 역사적인 순간에, 제국의 서부 지방에서 우리 독일 병력이 미래의 평시 주둔지를 향해 행군하고 있는 바로 이 순간에, 우리 모두는 두 가지 신성한 맹세로 뭉쳐 있습니다.”

히틀러는 말을 이어가지 못한다. 이 ‘의회’ 무리에게 독일 병사들이 이미 라인란트로 진군하고 있다는 소식이 전해진 것이다. 그들의 독일 혈통에 흐르는 군국주의가 단번에 머리까지 솟구친다. 벌떡 일어나 고함치고 울부짖는다. … 손을 들어 노예처럼 경례를 하고, 히스테리로 얼굴을 일그러뜨린 채 입을 크게 벌려 소리를 지르고 또 지르고, 광기로 이글거리는 두 눈으로 새로운 신, 메시아를 주시한다. 그 메시아는 자신의 역할을 뛰어나게 수행한다. 마치 겸손한 듯이 고개를 숙이고서 조용해질 때까지 차분히 기다린다. 그런 다음 여전히 낮지만 격정에 사로잡힌 목소리로 두 가지 맹세를 말한다.

“첫째, 우리는 우리 국민의 명예를 회복하는 과정에서 어떠한 세력에도 굴하지 않을 것을 맹세합니다. … 둘째, 우리는 다른 어느 때보다도 지금 유럽의 여러 국민들, 특히 우리 서쪽 이웃 국민들과의 화해를 위해 노력할 것을 맹세합니다. … 우리는 유럽에서 영토적 요구를 하지 않을 것입니다! … 독일은 결코 평화를 깨지 않을 것입니다!”

한참 후에야 갈채가 멈추었다. … 장군 몇 명이 밖으로 나갔다. 그들은 미소를 짓고 있었지만 누가 봐도 초조한 기색이 역력했다. … 나는 블롬베르크 장군과 우연히 마주쳤다. … 그의 얼굴은 창백하고 뺨은 경련을 일으키고 있었다.[21]

그럴 만도 했다. 닷새 전에 자필로 쓴 문서로 진군 명령을 내렸던 전쟁 장관은 겁을 먹고 있었다. 만일 프랑스군이 반격해온다면 라인 강을 건너 철수하라고 블롬베르크가 명령한 사실을 나는 그 이튿날 알았다. 그러나 프랑스군은 미동도 하지 않았다. 프랑수아-퐁세에 따르면 그가 전년 11월 본국에 경고한 이후 프랑스 최고사령부는 대사의 경고가 타당하다고 판명될 경우 어떻게 대응할지를 정부에 문의했다고 한다. 정부의 회답은 그 문제를 국제연맹에서 상의한다는 것이었다.[22] 그렇지만 실제로 불의의 일격을 당했을 때* 프랑스의 경우 정부는 행동하자는 쪽이었고 참모본부는 지켜보자는 쪽이었다. "가믈랭 장군은 아무리 제한적인 군사작전이라도 예측할 수 없는 위험을 수반하므로 총동원령을 내리지 않고는 실행할 수 없다고 조언했다"라고 프랑수아-퐁세는 단언한다.[23] 참모총장 모리스 가믈랭Maurice Gamelin 장군이 행하려던―그리고 실제로 행한―최대한의 조치는 13개 사단을 독일 국경 부근에 집결시키되 그저 마지노선을 강화하는 것이었다. 이 정도로도 독일군 최고사령부에 겁을 주기에 충분했다. 요들을 비롯해 수뇌부 장교들 대다수의 지지를 받은 블롬베르크는 3개 대대를 라인 강 너머로 다시 물리기를 원했다. 요들이 뉘른베르크 법정에서 증언했듯이 "당시 상황으로 볼 때, 프랑스의 반격부대가 왔다면 우리는 풍비박산이 났을 것입니다."[24]

프랑스군은 그렇게 할 수 있었다. 그리고 만약 그렇게 했다면, 히틀러는 거의 확실히 끝장났을 것이고, 그 후의 역사는 전혀 다르게, 훨씬 더 밝게 전개되었을 것이다. 이 독재자가 그런 낭패를 딛고 살아남았을 리 없기 때문이다. 히틀러 자신도 그 점을 인정했다. 나중에 그는 "우리 측이 퇴각했다면 몰락할 수밖에 없었을 것이다"라고 말했다.[25] 장차 펼쳐질 많은 위기 국면에서처럼 당시에도 히틀러는 흔들리지 않는 배짱만으로 상황을 타개하면서 주저하는 장군들의 뜻을 꺾어 성공을 거두었다. 그러

---

* 전년 가을에 프랑수아-퐁세가 경고했음에도 프랑스와 영국의 정부 및 참모본부는 독일의 행동을 완전한 기습으로 받아들였던 것 같다.

나 그에게도 결코 용이한 순간은 아니었다.

나중에 히틀러는 통역관 파울 슈미트Paul Schmidt에게 이렇게 말했다고 한다. "라인란트 진군 후 48시간은 내 인생에서 가장 조마조마한 시간이었네. 당시 프랑스군이 라인란트로 진군했다면 우리는 꽁무니를 빼고 물러날 수밖에 없었을 거야. 우리 측 군사 자원이 적당히 저항만 하기에도 턱없이 부족했기 때문이지."[26]

프랑스군이 진군하지 않는다고 자신한 히틀러는 흔들리는 최고사령부의 모든 철수 제안을 퉁명스럽게 거절했다. 앞으로 살펴볼 명백한 이유로 참모총장 베크는 총통이 적어도 라인 강 서쪽 지역은 요새화하지 않을 것이라고 공언함으로써 충격을 완화하기를 바랐다—이 제안을 "총통은 아주 퉁명스럽게 거절했다"고 요들은 나중에 증언했다.[27] 훗날 히틀러는 게르트 폰 룬트슈테트 장군에게 블롬베르크의 철수안은 비겁한 행동에 지나지 않았다고 말했다.[28]

수년 후인 1942년 3월 27일 저녁, 총통 본부에서 동지들과 한담을 나누던 중 히틀러는 라인란트 기습을 회상하며 이렇게 일갈했다. "내가 아닌 다른 누군가가 이 제국의 수장이었다면 과연 어찌되었을 것 같나! 그대들이 거명할 만한 그 누구라도 용기를 잃었을 거야. 나는 하는 수 없이 거짓말을 했고, 흔들리지 않는 고집과 놀라운 평정심으로 우리 모두를 구했다네."[29]

이 말은 사실이었지만, 프랑스의 망설임뿐 아니라 그 동맹국 영국의 태만 역시 그에게 도움이 되었다는 사실도 말해야겠다. 프랑스 외무장관 피에르 에티엔 플랑댕Pierre Étienne Flandin은 3월 11일 런던으로 날아가 라인란트에서 자국이 군사적 반격에 나설 수 있도록 영국 정부가 지원해달라고 간청했다. 이 호소는 효과가 없었다. 연합군이 독일군에 비해 압도적으로 우세했음에도 영국은 전쟁의 위험을 감수할 생각이 없었다. 로디언Lothian 경의 말마따나 "어쨌든 독일 사람들은 자기네 뒷마당에 들어서고 있을 뿐"이었다. 1935년 12월에 영국 외무장관이 된 앤서니 이든은 프랑스 외무장관이 런던에 도착하기도 전인 3월 9일에 하원에서 "독일 국방군의 라인란트 점령은 조약의 제재 원칙에 심각한 타격을 줍니다"라고 말하고는 "다행스럽게도 독일의 현재 행동이 교전을 야기할 우려가 있다고 추정할 근거는 없습니다"라고 덧붙였다.[30]

그러나 프랑스는 로카르노 조약에 따라 독일군의 비무장지대 주둔에 맞서 군사행동을 취할 권리가 있었으며, 영국은 이 조약에 따라 자국 군대로 프랑스를 지원할 의무가 있었다. 성과 없이 끝난 런던 회담은 히틀러에게 최근 도박이 문제없이 넘어갔음을 확인해준 셈이었다.

영국은 전쟁 위험을 피하는 데 그치지 않고 히틀러의 최근 '평화' 제안을 다시 한 번 진지하게 받아들이기까지 했다. 3월 7일에 삼국 대사에게 건넨 문서와 더불어 제국의회 연설에서 히틀러는 영국과 이탈리아의 보장을 받아 벨기에 및 프랑스와 25년 기한의 불가침 협정을 맺고, 동부 인접국들과도 비슷한 협정을 맺으며, 프랑스-독일 국경의 **양측**을 비무장화하는 데 동의하고, 국제연맹에 복귀하겠다고 제안했다. 이때 히틀러가 과연 진심이었는지는 프랑스-독일 국경의 **양측**을 비무장화하자는 제안으로 판단할 수 있을 텐데, 무엇보다 독일의 기습에 대비하는 프랑스 최후의 방어선인 마지노선을 폐기할 것을 강요하는 제안이었기 때문이다.

런던의 신망 높은 신문 《타임스》는 라인란트를 침공한 히틀러의 경솔한 행동을 규탄하면서도 주요 사설의 제목을 "재건의 기회"로 달았다.

이제 와 돌이켜보면, 히틀러가 라인란트에서 도박에 성공한 덕에 당시 사람들이 파악할 수 있었던 것보다 훨씬 더 결정적인 승리를 거두었다는 사실을 쉽게 알 수 있다. 그 승리에 힘입어 히틀러는 국내에서 인기*와 권력을 확고히 다지고 지난날 독일의 다른 어떤 통치자도 누리지 못한 수준까지 끌어올렸다. 위기의 순간에 소신을 굽히지 않은 히틀러는 이 승리를 계기로 위기 앞에서 머뭇거리고 흔들렸던 장군들을 제치고 확실한 우위를 점했다. 또한 장군들에게 외교 문제뿐 아니라 군사 문제에서도 히틀러의 판단력이 그들의 판단력보다 우월하다는 점을 가르쳐주었다. 그들은 프랑스가 반격해올 것을 우려했지만 히틀러는 더 영리했다. 마지막으로, 그리고 무엇보다도 라인란트 점령은 비록 대수롭지 않은 군사작전이긴 했지만, 유럽 대륙에서 새로운 기회를 엄청나게 열어젖혔다. 유럽은 독일군 3개 대대가 라인 강의 다리들을 건넌 사건으로 인해 크게 흔들렸을 뿐 아니라 그 전략적 상황까지 돌이킬 수 없을 만큼 바뀌었다. 이 점은 (영국의 처칠을 제외하면) 히틀러만 간파했던 것으로 보인다.

　반대편에서 돌이켜보면, 프랑스가 독일 국방군 대대에 대항하지 않고

---

* 3월 7일, 히틀러는 제국의회를 해산하고 새로운 '선거'와 자신의 라인란트 진군 조치에 대한 국민투표를 요청했다. 3월 29일 투표의 공식 결과에 따르면, 등록 유권자 4545만 3691명 중 약 99퍼센트가 투표했고, 그중 98.8퍼센트가 히틀러의 조치에 찬성했다. 투표소를 방문한 외국 특파원들은 일부 부정행위─특히 비밀투표가 아닌 공개투표─를 목격했으며, 반대투표를 했다가 게슈타포에게 발각될 것을 우려하는 사람들도 분명 있었다(앞에서 언급했듯이 그럴 만한 이유가 있었다). 후고 에케너(Hugo Eckener) 박사가 내게 말해준 바로는, 괴벨스가 대중의 주목을 끌기 위해 독일 도시들에서 선전 비행을 하라고 명령한 체펠린 사의 새 비행선 힌덴부르크 호 선내에서의 찬성표는 선전장관의 발표에 따르면 42표로, 탑승자 수보다 2표가 많았다고 한다. 그럼에도 제3제국 각지에서 이 '선거'를 취재한 내가 보기에 히틀러의 기습공격에 찬성하는 표가 압도적으로 많았던 것은 틀림없다. 왜 그렇지 않았겠는가? 베르사유 조약을 폐기처분하고 독일 군인들이 어쨌거나 독일 영토였던 지역으로 다시 진군하는 모습은 거의 모든 독일인이 당연히 환영할 터였다. '반대' 투표수는 54만 211표였다.

영국이 그저 치안활동에 지나지 않았을 프랑스의 대응조치에 아무런 지원도 하지 않은 것은 서유럽의 재앙, 뒤이어 더욱 큰 규모로 벌어진 모든 재앙의 발단이었다는 사실도 역시 쉽게 알 수 있다. 1936년 3월, 서유럽의 두 민주국가는 군국주의적이고 침략적이고 전체주의적인 독일의 대두를 심각한 전쟁을 치를 위험 없이 저지할 마지막 기회, 더 나아가—히틀러 자신이 그것을 인정했음은 앞에서 언급한 대로다—나치 독재자와 그의 정권을 무너뜨릴 마지막 기회를 얻었다. 그런데 그 기회를 그냥 흘려보냈다.

프랑스로서는 그것이 종말의 시작이었다. 동유럽의 프랑스 동맹국들, 즉 소련, 폴란드, 체코슬로바키아, 루마니아, 유고슬라비아는 프랑스가 독일의 침략에 맞서 싸울 마음도 없고 프랑스 스스로 주도하여 매우 힘겹게 구축한 안보 체제를 유지해나갈 뜻도 없다는 사실에 돌연 직면했다. 엎친 데 덮친 격으로 이 동유럽 동맹국들은 설령 프랑스가 그렇게 태만하지 않더라도 독일이 프랑스-독일 국경에 밤낮없이 건설 중인 서부 방벽〔지크프리트 선〕이 완성되면 머지않아 자기들을 지원하지 않게 되리라는 사실을 깨닫기 시작했다. 그들은 이 요새선 축조로 인해 유럽의 전략 지도가 자기들에게 불리한 쪽으로 급속히 바뀔 것이라고 내다보았다. 100개 사단을 거느리고도 독일군 3개 대대를 물리칠 용기를 내지 못한 프랑스가 독일군이 동유럽을 공격한다고 해서 난공불락의 독일 요새를 공략하기 위해 자국 청년들의 피를 바칠 것이라고는 도저히 기대하기 어려웠던 것이다. 설령 기대를 접은 그런 일이 일어난다 해도 별 소용이 없을 터였다. 프랑스군은 갈수록 늘어나는 독일군의 일부만 서유럽에 붙잡아둘 수 있을 터였다. 독일의 나머지 병력은 동유럽 인접국들을 상대로 거리낌 없이 작전을 펼칠 것이었다.

프랑스 주재 미국 대사 윌리엄 C. 불릿William C. Bullitt은 1936년 5월 18일 베를린에서 독일 외무장관을 방문했을 때 히틀러의 전략에서 라인란트 요새가 어떤 의미를 갖는지에 대해 들었다.

[불릿이 미 국무부에 보고함] 폰 노이라트는 "라인란트가 소화될" 때까지 외교 문제에서 아무것도 하지 않는다는 것이 독일 정부의 정책이라고 말했다. 그는 프랑스와 벨기에의 국경에 독일 요새가 건설될 때까지 독일 정부는 오스트리아 내 나치당의 소요를 조장하기보다 방지하기 위해 전력을 쏟고, 또 체코슬로바키아와 관련해서는 온건한 노선을 추구할 것이라는 뜻이라고 설명했다. "우리의 요새가 완성되면 동유럽 국가들은 프랑스가 독일 영토에 마음대로 들어갈 수 없다는 사실을 깨닫고는 외교 정책에서도 종래와는 다른 생각을 갖게 될 테고, 그러면 새로운 배치가 이루어질 것입니다"라고 그는 말했다.[31]

이제 그 새로운 전개가 시작될 참이었다.

"전임자[살해당한 돌푸스]의 무덤 앞에 섰을 때"라고 운을 뗀 슈슈니크 박사는 회고록에서 다음과 같이 말했다. "나는 오스트리아의 독립을 지키기 위해 유화책을 써야 한다는 것을 알고 있었다. … 독일 측에 개입의 빌미를 줄 수 있는 일은 일체 피해야 했고, 어떻게든 현상유지로 만족한다는 히틀러의 관용을 확보하기 위해 무슨 일이든 해야 했다."[32]
　오스트리아의 젊은 신임 총리는 1935년 5월 21일 히틀러가 제국의회 연설에서 "독일은 오스트리아의 내정에 간섭하거나, 오스트리아를 병합하거나, 오스트리아와의 합병을 성사시킬 의도도 없고 그러기를 원하지도 않습니다"라고 공언하자 용기를 얻었고, 스트레사에서 이탈리아, 프랑스, 영국이 오스트리아의 독립 수호를 지원하겠다는 결의를 재확인하자 일단 안도했다. 그러나 1933년 이래로 오스트리아의 주요 보호자였던 무솔리니가 그 후 아비시니아의 수렁에 빠지면서 프랑스, 영국과 갈라섰다. 독일군이 라인란트로 진군해 그곳을 요새화하기 시작하자 슈슈니크는 히틀러를 어느 정도 달래야 한다는 것을 깨달았다. 슈슈니크는 빈 주재 독일 대사인 교활한 파펜과 새로운 조약을 협상하기 시작했는데, 파펜은 6월 숙청 때 살해당할 뻔했음에도 불구하고 나치의 돌푸스 암살 이후 1934년 늦여름에 빈에 부임하자마자 히틀러를 대신해 오스트리아의 독립을 허물어 총통의 고국을 손에 넣으려는 작업에 착수했다. 1935년 7월 27일, 파펜은 빈에 주재한 첫해에 대해 히틀러에게 보고하면서 "국가사회주의로 오스트리아의 새로운 이데올로기를 제압해야 하고 그렇게 할 것입니다"라고 썼다.[33]

1936년 7월 11일 체결된 오스트리아-독일 협정의 발표문을 살펴보면, 히틀러 측에서 유달리 아량과 관용을 보였던 듯하다. 독일은 오스트리아의 주권을 인정한다는 점과 내정에 간섭하지 않겠다는 점을 재확인했다. 그 대가로 오스트리아는 외교 정책에서 늘 '독일인의 국가'임을 인정하는 원칙에 따라 행동하겠다고 서약했다.

그러나 이 협정에는 비밀 조항들이 있었고,[34] 거기서 슈슈니크는 장차 자신—그리고 그의 작은 나라—의 파멸로 이어질 양보를 했다. 그는 오스트리아 국내의 나치 정치범들을 사면하고 "이른바 '국민야당'"—나치 또는 나치 동조자를 가리키는 완곡한 표현—의원들을 "정치적 책임"이 있는 자리에 임명한다는 데 비밀리에 동의했던 것이다. 이는 히틀러가 오스트리아에 트로이 목마를 들여보내도록 허용한 셈이나 마찬가지였다. 그 목마 안으로 곧 빈의 변호사 아르투어 자이스-잉크바르트Arthur Seyss-Inquart가 기어들었는데, 이 인물은 앞으로 우리 이야기에서 두각을 나타낼 것이다.

파펜이 7월 초 베를린으로 직접 와서 협정문에 관해 히틀러의 승인을 얻었음에도, 그가 며칠 뒤 히틀러에게 조약이 체결되었다고 전화로 보고하자 총통은 노발대발했다.

[훗날 파펜이 씀] 히틀러의 반응에 나는 깜짝 놀랐다. 만족감을 표하기는커녕 갑자기 독설을 뿜어냈다. 내가 그의 판단을 그르치는 바람에 과도한 양보를 했다는 것이었다. … 전부 함정이라고 했다.[35]

나중에 밝혀졌듯이, 그 함정에 빠진 사람은 히틀러가 아니라 슈슈니크였다.

오스트리아-독일 협정의 체결은 무솔리니가 오스트리아에 대한 통제력을 잃었다는 증거였다. 이 일로 두 파시스트 독재자의 관계가 나빠질 것으로 예상할 수도 있었을 것이다. 하지만 두 사람의 관계는 오히려 좋아졌다. 이제부터 살펴볼 것처럼 히틀러의 술수에 놀아난 1936년의 사태 때문이다.

1936년 5월 2일, 이탈리아군은 아비시니아의 수도 아디스아바바에 입성했고, 7월 4일에 국제연맹은 정식으로 굴복하고 이탈리아에 대한 제재를 철회했다. 얼마 후 7월 16일에 에스파냐에서 프란시스코 프랑코Francisco Franco가 군사 반란을 일으켜 내전이 시작되었다.

히틀러는 매년 이 시기에 해오던 대로 바이로이트의 바그너 축제에서 오페라를 즐기고 있었다. 7월 22일 밤 히틀러가 극장에서 돌아온 뒤, 모로코 출신의 한 독일 기업가가 현지 나치 지도자와 함께 프랑코의 긴급 서신을 가지고서 바이로이트에 도착했다. 반란군 지도자 프랑코는 항공기를 비롯한 그 밖의 원조가 필요한 처지였다. 히틀러는 때마침 바이로이트에 있던 괴링과 블롬베르크 장군을 즉시 호출했고, 그날 밤 사이에 에스파냐 반란군을 지원하기로 결정했다.[36]

프랑코에 대한 독일의 지원은 이탈리아가 병력 6만~7만 명을 파견하고 막대한 양의 무기와 항공기까지 제공한 것에 비하면 특별한 것은 아니었지만 그래도 상당한 규모였다. 훗날 헤아려본 바에 따르면 독일은 프랑코를 지원하는 모험에 5억 마르크[37]를 지출한 데 더해 항공기, 전차, 기술자, 콘도르Condor 군단까지 제공했는데, 이 공군 부대는 에스파냐 도시 게르니카를 쑥대밭으로 만들고 민간인 주민들까지 학살하여 악명을 떨쳤다. 독일의 방대한 재무장 규모에 비하면 그리 많은 지원은 아니었지만, 그 대가로 히틀러는 흡족한 이득을 보았다.

이제 프랑스는 세 번째의 비우호적 파시스트 국가와 국경을 맞대게 되었다. 그 결과로 프랑스에서 우파와 좌파의 대립이 격화되어 서유럽에서 독일의 주요 경쟁국이 약해졌다. 무엇보다 아비시니아 전쟁이 끝난 뒤 이탈리아와 **화해**하려던 영국과 프랑스는 그럴 수 없게 되었고, 그리하여 무솔리니는 히틀러의 품에 안기게 되었다.

총통의 대對에스파냐 정책은 처음부터 기민하고 계산적이고 먼 앞날을 내다본 것이었다. 압수된 독일 문서들을 정독하면 히틀러의 목표 중 하나가 에스파냐 내전을 **길게 끌어** 서방 민주국가들과 이탈리아를 떼어놓고 무솔리니를 자기편으로 끌어들이는 것이었음을 분명하게 알 수 있다.* 이미 1936년 12월에 로마 주재 독일 대사 울리히 폰 하셀Ulrich von

Hassell—훗날 나치에 저항하다 목숨을 잃은 하셀은 아직 나치의 목표와 수법을 충분히 알아채기 전이었다—은 빌헬름슈트라세에 이렇게 보고했다.

에스파냐 분쟁이 이탈리아의 대對프랑스·잉글랜드 관계에 미치는 영향은 아비시니아 분쟁의 영향과 비슷하게 세 나라의 이해관계가 실제로 상반된다는 것을 분명하게 밝히고, 그리하여 이탈리아가 서방 국가들의 그물망에 걸려들어 그들의 권모술수에 휘둘리지 않도록 막는 데 있다고 볼 수 있다. 에스파냐에서 정치적 영향력의 우위를 점하기 위해 벌이는 투쟁은 이탈리아와 프랑스의 본래적 대립을 훤히 드러낸다. 동시에 지중해 서부 국가인 이탈리아의 입장은 영국의 입장과 경합하게 된다. 그런 만큼 이탈리아는 분명 서방 국가들과 대결하고 독일과 힘을 합치는 것이 상책임을 알아차릴 것이다.[38]

바로 이런 상황이 로마-베를린 추축Axis을 낳았다. 10월 24일, 무솔리니의 사위이자 외무장관인 갈레아초 치아노Galeazzo Ciano 백작은 베를린에서 노이라트와 협의한 뒤 베르히테스가덴으로 향했다. 이번이 향후 여러 차례 이루어질 베르히테스가덴 방문으로서는 처음이었다. 치아노가 보기에 독일 독재자는 우호적이고 속내를 털어놓는 모양새였다. 히틀러는 무솔리니를 가리켜 "세계에서 으뜸가는 정치가로서 어느 누구도 감히 필적하지 못합니다"라고 단언했다. 이탈리아와 독일이 힘을 합치면 '볼

---

* 1년 넘게 지난 1937년 11월 5일에 히틀러는 장군들 및 외무장관과 비밀회의를 하던 중에 자신의 대에스파냐 정책을 재천명했다. "프랑코가 100퍼센트 승리하는 것은 독일로서는 바람직하지 않아. 오히려 전쟁을 질질 끌어 지중해에서 긴장을 유지하는 데 관심을 두고 있네."[39]

셰비즘'뿐 아니라 서방까지 정복할 수 있다고 했다. 여기에는 잉글랜드도 포함되었다! 영국은 결국 이탈리아-독일 연합에 화해의 손길을 내밀게 될 것이라고 히틀러는 생각했다. 설령 그렇지 않더라도 두 나라가 함께 행동한다면 영국을 손쉽게 처리할 수 있었다. 히틀러는 치아노에게 "독일과 이탈리아의 재무장은 잉글랜드보다 훨씬 더 빠르게 진행되고 있습니다. … 3년 안에 독일은 준비를 마칠 것입니다"라고 말했다.[40]

이 시점이 흥미롭다. 이때부터 3년 후면 1939년 가을이다.

10월 21일 베를린에서 치아노와 노이라트는 외교 문제에서 독일과 이탈리아가 추구할 공동 정책의 개요를 담은 비밀의정서에 서명했다. 며칠 뒤(11월 1일) 무솔리니는 밀라노 연설에서 이 의정서의 상세한 내용은 밝히지 않은 채 이것이 '추축'—다른 유럽 국가들도 "함께할 수 있는"—을 구성하는 협정이라고 공개적으로 언급했다. 추축은 장차 유명한—그리고 두체로서는 치명적인—단어가 될 터였다.

무솔리니를 확실하게 끌어들인 히틀러는 이제 다른 곳으로 주의를 돌렸다. 1936년 8월, 히틀러는 리벤트로프를 런던 주재 독일 대사에 임명하여 영국과 (자신의 생각대로) 화해할 가능성을 살피도록 했다. 무능하고 게으르고 허영심 강하고 거만하고 유머라곤 없는 리벤트로프를 그런 직책에 앉히는 것은 최악의 선택이라고 괴링도 생각했다. 훗날 괴링은 힘주어 말했다. "내가 영국 문제를 다룰 리벤트로프의 자격을 비판했을 때 총통은 내게 리벤트로프가 '아무개 경'과 '아무개 장관'을 잘 알고 있다고 지적했다. 그 말에 나는 '그야 그렇지만 문제는 그들이 리벤트로프를 알고 있다는 겁니다'라고 대꾸했다."[41]

리벤트로프가 비록 매력이 없기는 해도 런던에 영향력 있는 친구들이 없었던 것은 아니다. 영국 왕의 친구인 심슨Simpson 부인이 그런 사람들 중 한 명이라고 베를린에서는 믿고 있었다. 그러나 리벤트로프는 새로 맡은 직책에서 초기의 성과가 신통치 않았고, 전부터 손대고 있던, 영국과 무관한 어떤 일을 마무리하기 위해 11월에 베를린으로 돌아왔다. 11월 25일, 리벤트로프는 일본과의 반反코민테른 협정에 서명하고서 특파원들에게(나도 그중 한 명이었다) 독일과 일본은 **서양** 문명을 수호하기 위해 협력하기로 했다고 천연덕스럽게 말했다. 표면상 이 협정은 독일과 일본이 공산주의에 대한 보편적인 반감과 코민테른에 대한 불신 풍조를 활용해 세계의 지지를 얻으려는 선전술에 불과해 보였다. 그러나 이 협정에도 소련을 구체적으로 겨냥하는 비밀의정서가 들어 있었다. 소련이 정당한 이유 없이 독일이나 일본을 공격할 경우, 양국은 "자신들의 공동 이익을 지키기 위해" 무슨 조치를 취할지 상의하는 한편 "소련의 상황을 완화할 만한 어떠한 조치도 취하지 않는다"는 데 합의했다. 또한 양국은 상호 동의 없이는 이 협정의 정신에 위배되는 그 어떤 정치 조약도 소련과 체결하지 않기로 합의했다.[42]

오래지 않아 독일은 이 협정을 파기하고 일본이 협정을 준수하지 않았다고—부당하게—비난할 터였다. 그러나 이 협정은 세계의 잘 속는 나라들 사이에서 어느 정도는 선전 목적에 이바지했고, 이른바 가진 것 없는 세 침략국을 처음으로 뭉치게 했다. 이듬해에 이탈리아가 이 협정에 조인했던 것이다.

1937년 1월 30일, 히틀러는 제국의회 연설에서 독일의 "베르사유 조약의 조인을 철회"한다고 선언하고—이는 히틀러 특유의 무의미한 제스처였는데, 당시로서는 이 조약이 완전히 사문화되어 있었기 때문이다—

총리로 재임한 지난 4년의 업적을 자랑스럽게 회고했다. 내정이나 외교에서나 인상적인 성과를 올린 만큼 그의 자부심도 너그러이 봐줄 만했다. 앞에서 언급했듯이 그는 실업을 해소하고, 산업계에 호황을 불러오고, 강력한 육해공군을 구축하고 상당한 장비를 갖추는 한편 막대한 규모의 군비 증강을 약속했다. 또 단독으로 베르사유 조약의 족쇄를 깨부수고 허세를 부려 라인란트를 점령했다. 처음에는 그야말로 혼자였으나 무솔리니, 프랑코라는 충실한 동맹을 얻었고, 프랑스로부터 폴란드를 떼어냈다. 무엇보다 중요한 점은 독일 국민의 역동적인 기운을 속박에서 해방시키고 국가에 대한 신뢰와 점차 팽창해가는 세계 강국으로서의 사명감을 되살린 것이리라.

대담한 지도자 아래 융성하는 당당하고 호전적인 새로운 독일과, 달력이 넘어갈 때마다 혼란과 우유부단을 더해가는 듯한 서방의 쇠퇴하는 민주국가들의 상반된 모습은 누구나 알아볼 수 있었다. 영국과 프랑스는 비록 우려하긴 했으나 히틀러가 독일을 재무장하고 라인란트를 재점령하는 등 강화조약을 뻔히 위반하는데도 손가락 하나 까딱하지 않았다. 아비시니아에서 무솔리니를 저지하지도 못했다. 그러더니 1937년 초입에는 독일과 이탈리아가 에스파냐 내전의 결말을 좌우하는 것을 막기 위한 부질없는 몸짓으로 초라한 꼴만 보이고 있었다. 이탈리아와 독일이 에스파냐에서 프랑코의 승리를 확보하기 위해 무슨 일을 벌이는지는 누구나 알고 있었다. 그럼에도 런던과 파리의 정부는 베를린과 로마의 정부로부터 에스파냐 내정에 대한 '불간섭' 약속을 받고자 수년간 공허한 외교 협상을 이어갔다. 독일의 독재자는 프랑스와 영국의 노력을 일종의 스포츠처럼 즐겼던 듯하고, 분명 양국의 허둥대는 정치 지도자들을 더욱 경멸하게 되었을 것이다—두 서방 민주국가를 다시 한 번 손쉽게 굴복시킨 역사적 사건 직후에 히틀러는 그들을 가리켜 "버러지들"이라고 불렀다.

1937년 초에는 영국과 프랑스의 정부나 국민도, 독일 국민 대다수도 히틀러가 취임 후 4년간 해온 거의 모든 일이 전쟁 준비였음을 알아차리지 못하는 듯 보였다. 나는 개인적 관찰을 토대로 독일 국민이 1939년 9월 1일 직전까지도 히틀러가 전쟁에 기대지 않고도 자신이 원하는 것―그리고 그들이 원하는 것―을 얻을 수 있으리라 확신하고 있었음을 증언할 수 있다. 그러나 독일을 운영한 엘리트들, 또는 독일의 핵심적 직책에서 활동하던 사람들은 히틀러의 목적이 무엇인지 잘 알고 있었다. 1936년 9월에 4개년 계획의 책임자로 임명된 괴링은 히틀러의 표현대로 나치 통치 4년의 '시행' 기간이 끝나갈 무렵에 베를린에서 기업가들과 고위 관료들을 상대로 비밀 연설을 하면서 향후 어떤 사태가 벌어질지 터놓고 말했다.

> 지금 우리가 다가서고 있는 싸움은 막대한 생산능력을 요구합니다. 재무장에 제한을 두는 것은 생각할 수 없는 일입니다. 승리 아니면 파멸이 있을 뿐입니다. … 우리는 최종 전투가 목전에 닥친 시대를 살고 있습니다. 드디어 동원 개시 직전이며 이미 전쟁 중입니다. 실제 발포만 없을 뿐입니다.[43]

괴링이 이 경고를 발한 시점은 1936년 12월 17일이었다. 그로부터 11개월 뒤, 곧 살펴볼 것처럼 히틀러는 운명적이고 되돌릴 수 없는 개전 결정을 내린다.

1937년: "기습은 없다"

———

1937년 1월 30일 제국의회의 로봇 의원들 앞에서 연설하던 중 히틀러는 "이른바 기습의 시대는 끝났습니다"라고 선언했다.

그리고 실제로 1937년 내내 주말 기습은 한 번도 없었다.* 독일 측에 1937년은 총통이 11월에 마침내 소수의 최고위 장교들에게 털어놓은 목표들에 더욱 대비하며 내실을 다지는 해였다. 그해에 독일은 군비를 마련하고, 병력을 훈련시키고, 새로운 공군을 에스파냐에서 시험해보고,** 가솔린과 고무의 대용품을 개발하고, 로마-베를린 추축을 굳건히 하고, 파리와 런던, 빈의 또다른 약점을 찾는 데 주력했다.

1937년 초 수개월 동안 히틀러는 무솔리니와의 관계를 돈독히 하고자 중요한 사절들을 로마로 보냈다. 독일은 이탈리아가 영국과 시시덕거리자 다소 불안해했고(1월 2일, 치아노는 영국 정부와 '신사협정'을 맺고 지중해에서의 사활적 이해를 서로 인정했다), 로마에서는 오스트리아 문제가 여전히 민감한 주제임을 깨달았다. 1월 15일 괴링이 두체를 만나 오스트리아 병합이 불가피하다고 털어놓고 말했을 때, 곧잘 흥분하는 이탈리아 독재자는 (독일 통역관 파울 슈미트에 따르면) 고개를 격하게 가로저었고, 하셀 대사는 오스트리아에 관한 괴링의 발언이 "냉랭한 반응에 부딪혔다"고 베

———

* 빌헬름슈트라세의 관료들은 히틀러가 토요일에 기습을 결행한 것은 영국 관료들이 주말이면 시골에 가서 쉰다는 말을 들었기 때문이라고 농담조로 말하곤 했다.
** 1946년 3월 14일 뉘른베르크 법정 증언에서 괴링은 에스파냐 내전이 "저의 젊은 공군"을 시험할 기회를 주었다고 자랑스럽게 말했다. "총통의 승인을 받아 저는 공군의 수송비행단 대부분과 여러 시험적인 전투기, 폭격기, 대공포를 보냈습니다. 아울러 교전 상황에서 이들 장비가 각각의 임무를 감당할 수 있는지 확인할 기회를 얻었습니다. 병력 역시 경험을 쌓을 수 있도록 끊임없이 번갈아가며 보내고 불러들이는 식으로 신경을 썼습니다."**44**

를린에 보고했다. 6월에 노이라트는 독일이 오스트리아와의 1936년 7월 11일 협정을 준수할 것이라며 서둘러 두체를 안심시켰다. 독일은 오스트리아가 합스부르크 가의 복위를 꾀할 경우에만 단호한 조치를 취하기로 했다.

이처럼 무솔리니는 오스트리아 문제에서 노여움을 가라앉힌 데다 자신의 거의 모든 야심—에티오피아에서, 에스파냐에서, 지중해에서—에 반대하는 프랑스, 영국 때문에 여전히 분개하던 터라 독일에서 만나자는 히틀러의 초대를 받아들였다. 1937년 9월 25일, 이 방문을 위해 특별히 마련한 새 제복을 차려입은 무솔리니는 알프스 산맥을 넘어 제3제국으로 들어갔다. 히틀러와 그의 부관들에게 정복 영웅 격의 환대를 받고 아첨을 들은 무솔리니는 이 방문이 얼마나 운명적인 것인지 미처 알지 못했다. 이번을 시작으로 이후 여러 차례 히틀러를 방문한 무솔리니는 점차 입지가 약해지고 결국 비참한 최후를 맞을 터였다. 히틀러의 목표는 이 손님과 외교상의 문제를 논하는 것이 아니라 독일의 힘을 과시하면서 이기는 쪽에 붙어야 한다는 무솔리니의 강박관념을 활용하는 데 있었다. 두체는 독일 곳곳으로 정신없이 끌려다녔다. 메클렌부르크에서 친위대와 독일군의 열병식, 육군의 기동훈련을 참관했고, 루르에서는 굉음을 내는 군수공장들을 둘러보았다.

무솔리니의 이번 여정은 9월 28일 베를린의 환영행사에서 절정에 달했다. 그는 깊은 감명을 받았다. 100만이라는 엄청난 수의 군중이 마이펠트 광장에 모여 두 파시스트 독재자의 연설을 들었다. 독일어로 연설한 무솔리니는 귀가 먹먹해질 정도의 박수갈채와 히틀러의 아첨에 도취되었다. 총통은 두체를 가리켜 "역사의 시험을 받지 않고 스스로 역사를 만드는, 시대를 넘어서는 고고한 인물들 중 한 명"이라고 치켜세웠다. 내가 기억하기로 무솔리니가 웅변을 마치기 전에 마이펠트에 거센 뇌우가 쏟아져 군중이 뿔뿔이 흩어지는 혼란 속에서 친위대의 경비태세가 흐트러졌으며, 딱하게도 속옷까지 흠뻑 젖은 자존심 강한 두체는 숙소까지 혼자서 재주껏 돌아갈 수밖에 없었다. 그렇지만 이 난처한 경험을 하고도 강력한 신생 독일의 파트너가 되겠다는 무솔리니의 열의는 꺾이지 않았고, 이튿날 육해공군 부대의 열병식을 사열한 뒤 자신의 미래는 히틀러 편에 있다고 확신한 채 로마로 돌아갔다.

그래서 한 달 뒤 11월 6일 리벤트로프가 반코민테른 협정에 무솔리니의 서명을 받고자 로마를 방문했을 때 두체로부터 오스트리아의 독립에 대한 이탈리아의 관심이 줄어들고 있다는 말을 들은 것도 놀랄 일은 아니었다. "[오스트리아의] 사태가 자연스럽게 흘러가도록 그냥 둡시다"라고 무솔리니는 말했다. 이는 히틀러가 기다리던 청신호였다.

나치 독일의 점차 강해지는 힘에 감명을 받은 통치자가 한 명 더 있었다. 히틀러가 로카르노 조약을 파기하고 라인란트를 점령하면서 벨기에 국경에 독일 병력을 배치했을 때, 레오폴트 국왕은 로카르노 조약과 영국·프랑스와의 동맹에서 탈퇴하고 향후 벨기에는 엄정중립 노선을 걷겠다고 선언했다. 이는 서방의 집단안보 체제에 심각한 타격이었지만, 1937년 4월에 영국과 프랑스는 이를 받아들였다─이 조치로 머지않아 벨기에뿐 아니라 두 나라도 값비싼 대가를 치를 터였다.

5월 말, 빌헬름슈트라세의 독일 외무부는 영국 총리 스탠리 볼드윈Stanley Baldwin이 퇴임하고 네빌 체임벌린이 취임하는 광경을 흥미롭게 지켜보았다. 신임 영국 총리가 외교 문제에서 전임자보다 적극적인 역할을 할 것이고 가능하다면 나치 독일과 협약을 맺을 의향이 있다는 소식을 듣고서 독일 정부는 기뻐했다. 히틀러가 받아들일 만한 협약의 요점은 당시 독일 외무부 정무국장 에른스트 폰 바이츠제커Ernst von Weizsäcker가 11월 10일 작성한 기밀문서에 담겨 있다.

> 우리가 영국으로부터 얻고자 하는 것은 식민지, 그리고 동부에서의 행동의 자유다. … 영국은 평온을 절실히 필요로 한다. 그런 평온을 위해 영국은 무엇을 지불할 의향인지, 그것을 알아낸다면 유익할 것이다.[45]

영국이 무엇을 지불할 의향인지 알아낼 기회는 핼리팩스 경Lord Halifax이 체임벌린의 열렬한 지지 속에 베르히테스가덴의 히틀러를 방문한 11월에 찾아왔다. 11월 19일, 두 사람은 장시간 대화를 나누었다. 이 회담에 관해 독일 외무부에서 작성한 기밀문서에는 세 가지 논점이 담겨 있다.[46] 첫째, 체임벌린은 독일과의 화해를 가장 열망했고 양국의 각료급 회담을 제안했다. 둘째, 영국은 유럽 전반의 현안들에 대한 일괄타결을 원했고 그 대가로 식민지와 동유럽에 관해 히틀러에게 양보할 의향이 있었다. 셋째, 당시 히틀러는 영독 협정에 큰 관심이 없었다.

양국 회담의 다소 빈약한 성과를 고려할 때, 영국 측이 이 회담에 고무된 듯한 모습을 보이자 독일 정부는 적잖이 놀랐다.* 히틀러가 핼리팩

---

* 체임벌린은 일기에 이렇게 썼다. "[핼리팩스의] 독일 방문은 내가 보기에 그 목적, 즉 유럽의 평화와 관련한 실질적 문제들을 독일과 논의할 수 있는 분위기를 조성하려는 목적을 달성했다는 점에서 대성공이었다."(Keith Feiling, *The Life of Neville Chamberlain*, p. 332)
핼리팩스 본인은 히틀러에게 속아 넘어갔던 것으로 보인다. 외무부에 제출한 보고서에 핼리팩스는 이렇게 썼다. "독일 총리 등으로부터는 무력행사나 적어도 전쟁을 일으키는 모험에 나설 것 같지는 않다는 인상을 받았다." 찰스 C. 탠실(Charles C. Tansill)에 따르면 핼리팩스는 체임벌린에게 구두로

스 경과 회담하기 정확히 14일 전에 베를린에서 군 수뇌부 및 외무장관과 가진 극비회의의 내용을 알았다면, 영국 정부는 훨씬 더 놀랐을 것이다.

1937년 11월 5일의 운명적 결정
___

향후 닥칠 사태와 그에 대한 준비 태세를 둘러싼 암시는 1937년 6월 24일 블롬베르크 원수가 삼군 총사령관에게 보낸, 4부밖에 없는 '극비' 지령서에 담겨 있었다.[47] 전쟁장관 겸 독일군 총사령관은 삼군 총사령관에게 "전반적인 정세로 볼 때 독일은 어느 쪽의 공격도 우려할 필요가 없다는 상정은 옳다"라고 알렸다. 서방 국가들도 소련도 전쟁을 바라지 않고 전쟁에 대비하고 있지도 않다는 것이었다.

그 지령은 이렇게 이어졌다. "그럼에도 뜻밖의 사태를 배제하지 않는 유동적인 세계정세는 전쟁에 끊임없이 대비할 것을 독일군에 요구한다. … 그래야 정치적으로 유리한 기회가 왔을 때 군사적으로 활용할 수 있다. 1937~38년의 동원 기간에 독일군은 발발할 수도 있는 전쟁에 대비해 이 점을 반드시 유념해야 한다."

독일이 "어느 쪽의" 공격도 우려할 필요가 없는 마당에 어떤 전쟁이 발발할 수 있다는 뜻이었을까? 이에 대해 블롬베르크는 아주 구체적으

___

이렇게 보고했다. 히틀러는 "이른 시기에 모험에 열중하고 있지 않은데, 어느 정도는 그런 모험이 득이 되지 않을 것이기 때문이고, 어느 정도는 독일 국내를 강화하느라 바쁠 것이기 때문입니다. … 괴링은 히틀러에게 독일이 정말 어쩔 수 없는 상황이 아니라면 유럽에서 독일인의 피를 단 한 방울도 흘리지 않을 것이라고 확언했습니다. [내가 보기에] 독일 정부는 자국의 목표를 평화로운 방식으로 달성할 의도라는 … 인상을 풍겼습니다." (Tansill, *Back door to War*, pp. 365-366)

로 적었다. 우발 가능성이 있는 전쟁Kriegsfalle은 두 가지이며 "각각에 대비해 계획을 수립하고 있다"고 했다.

    I. 서부에서 주요 전투를 치르는 양면 전쟁. (전략적 집결 '적색')
    II. 남동부에서 주요 전투를 치르는 양면 전쟁. (전략적 집결 '녹색')

첫째 경우의 '가정'은 프랑스가 독일을 기습할 수도 있다는 것으로, 그 경우에 독일은 군의 주력을 서부에 투입한다. 이 작전에는 '적색Rot'이라는 암호명이 붙었다.*

우발 가능성이 있는 둘째 전쟁에 대해서는 이렇게 썼다.

동부에서의 전쟁은 우세한 적군 연합의 임박한 공격을 피하기 위해 독일이 체코슬로바키아를 상대로 기습작전을 감행하면서 시작될 수 있다. 그런 조치를 정치적으로, 그리고 국제법상으로 정당화하는 데 필요한 상황을 **사전에** 반드시 조성해둬야 한다. [강조는 블롬베르크]

블롬베르크의 지령은 체코슬로바키아를 "맨 처음부터 제거"하고 점령

---

* 앞으로 숱하게 마주할 독일 군사작전의 암호명들 가운데 맨 먼저 쓰인 것이다. 독일에서는 문자 그대로 영어의 '경우(Case)'를 뜻하는 'Fall'이라는 낱말을 사용했으며(Fall Rot과 Fall Grün — 문자 그대로 '적색 경우'와 '녹색 경우' — 으로, 각각 서부와 체코슬로바키아에서의 작전을 가리키는 암호명이었다), 독일 장군들이 뉘른베르크 재판에서 주장한 바에 따르면 처음에는 가상의 상황에 대처하는 계획을 가리키기 위해 모든 군 사령관이 흔히 사용한 호칭에 불과했다. 하지만 앞으로 분명해질 것처럼 독일에서 이 단어는 곧 무력 침공 계획을 가리키는 데 쓰이게 되었다. 'Fall'의 번역어로는 영어라면 '경우'보다 '작전(Operation)'이 더 정확할 것이다. 그렇지만 나는 편의상 '경우'를 사용할 것이다. 〔이 번역본에서는 'Fall'을 '작전'으로 옮긴다.〕

해야 한다고 강조했다.

그 밖에도 '특별작전'을 수립해야 하는 세 가지 경우가 있었다.

I. 오스트리아에 무력 개입을 하는 경우. ('오토' 특별작전)

II. 적색 에스파냐와 전쟁에 가까운 분쟁을 벌이는 경우. ('리하르트' 특별작전)

III. 영국, 폴란드, 리투아니아가 우리를 상대로 하는 전쟁에 참가하는 경우. ('적색/녹색' 작전의 확대)

오토 작전은 앞으로 꽤 자주 등장한 암호명이다. 여기서 '오토'는 당시 벨기에에 거주하면서 오스트리아의 왕위를 노리던 합스부르크 가의 젊은 오토를 뜻한다. 블롬베르크의 6월 지령서에는 오토 작전이 다음과 같이 요약되어 있다.

이 작전의 목표—오스트리아가 군주정으로 돌아갈 경우 무력 개입—는 오스트리아의 왕정복고를 무력으로 단념시키는 것이다.

오스트리아 국민의 정치적 내분을 활용하는 가운데 이 목표를 위해 대체로 빈 방면으로 진격할 것이고, 어떤 저항이든 분쇄할 것이다.

이 의미심장한 문서의 끝부분에서는 거의 절망에 가까운 우려의 분위기가 묻어난다. 영국에 대한 환상은 찾아볼 수 없다. 오히려 "잉글랜드는 우리에 맞서 가용한 경제적·군사적 자원을 모두 사용할 것이다"라고 경고한다. 이 지령은 영국이 폴란드, 리투아니아 편에 선다면 "우리의 군사적 처지는 견딜 수 없을 정도로, 심지어 가망이 없을 정도로 악화될 것이다"라고 인정한다. "그러므로 정치 지도자들은 이 나라들이, 무엇보다 잉글랜드가 중립을 지키도록 무슨 일이든 해야 할 것이다."

블롬베르크의 서명이 들어가긴 했지만, 이 지령은 총리실의 지도자로부터 나온 것이 분명하다. 총통으로부터 추가로 설명을 듣기 위해 1937년 11월 5일 오후 베를린 빌헬름슈트라세에 있는 이 제3제국의 신경중추로 여섯 명이 찾아왔다. 전쟁장관 겸 독일군 총사령관 블롬베르크 원수, 육군 총사령관 프리치 상급대장, 해군 총사령관 레더 제독, 공군 총사령관 괴링 상급대장, 외무장관 노이라트, 그리고 총통의 군사 부관 프리드리히 호스바흐Friedrich Hossbach 대령이었다. 호스바흐는 이 책에서 익숙한 이름이 아니고 앞으로도 아닐 것이다. 하지만 11월의 이날 어둑해질 무렵에 이 젊은 대령은 중요한 역할을 했다. 히틀러의 말을 받아적고 닷새 후에 극비 의견서 — 압수된 문서에서 나온 호스바흐의 서술은 뉘른베르크에서 공개되었다[48] — 를 작성함으로써 제3제국의 삶에서 결정적 전환점이 된 날의 기록을 역사에 남긴 것이다.

이날 회의는 오후 4시 15분에 시작해 8시 30분까지 이어졌다. 발언은 대부분 히틀러가 했다. 그는 먼저 "집권 4년 반 동안의 숙고와 경험"의 성과에 관해 말해야겠다고 운을 뗐다. 그러더니 다음으로 이어질 발언은 만약 자신이 죽게 되면 유언으로 여겨야 할 정도로 중요하다고 강조했다.

히틀러는 "독일 정책의 목표는 인종적 공동체를 확립하고 유지하는 것, 그리고 확대하는 것이다. 그러므로 그 목표는 공간[생존공간]의 문제다"라고 말했다. 그리고 독일인은 "다른 국민들보다 더 넓은 생존공간을 가질 권리"가 있고 "따라서 독일의 미래는 공간의 필요성을 어떻게 해결하느냐에 달려 있다"라고 단언했다.*

그 공간은 어디에 있는가? 저 멀리 아프리카나 아시아의 식민지가 아니라 "제국과 맞닿은" 유럽의 심장부에 있다. 독일의 문제는 어디서 최소의 비용으로 최대의 이득을 얻을 수 있느냐는 것이다.

어느 시대든—로마 제국이든 영 제국이든—저항을 분쇄하고 위험을 감수해야만 확장을 실현할 수 있음을 역사는 입증했다. 차질은 불가피했다. 주인 없는 공간은 … 결코 존재한 적이 없고 오늘날에도 전혀 존재하지 않는다. 공격자는 언제나 소유자를 상대해야 한다.

"증오심에 불타는" 두 나라, 영국과 프랑스가 독일의 앞길을 가로막고 있다고 히틀러는 단언했다. 두 나라 모두 "독일의 입장이 조금이라도 더 강해지는 데" 반대했다. 총통은 영 제국이 "흔들리지 않는다"라고 믿지 않았다. 실제로 히틀러는 아일랜드·인도와의 분쟁, 극동에서 벌어진 일본과의 대립, 지중해에서 빚어진 이탈리아와의 대립 등 영국의 여러 약점을 발견했고, 그것들을 하나하나 짚었다. 프랑스의 입장은 "영국보다 유리하지만 … 프랑스는 국내에서 정치적 곤경에 직면할 것이다"라고 생각했다. 그렇다 해도 영국, 프랑스, 소련은 "우리의 정치적 계산에서 세력

---

* 여기서부터 독자들은 명백한 간접화법 발언이 인용부호 안에 들어 있거나 발췌 형식으로 인용된다는 사실을 알아챌 것이다. 사적인 대화에서 히틀러나 그 밖의 사람들의 발언을 담은 독일어 기록은 대부분 3인칭의 간접화법으로 적혀 있다. 난점은 이런 발언이 돌연 구두법의 변화도 없이 자주 1인칭의 직접화법으로 슬그머니 바뀐다는 것이다. 이것은 미국 영어의 어법에서 문제가 된다. 나는 기록에 사용된 표현을 원문 그대로 유지하고 싶었기 때문에 원문의 서술을 1인칭의 직접화법으로 바꾸거나 인용부호를 빼버리는 식으로 원문을 건드리는 것은 삼가는 편이 최선이라고 판단했다. 인용부호를 빼버렸다면 마치 내가 원문을 제멋대로 고치기 일쑤였다는 인상을 주었을 것이다. 이것은 주로 실제 기록자들이 독일어 기록에서 동사 시제를 현재에서 과거로 바꾸거나 1인칭 대명사를 3인칭 대명사로 바꿔서 생긴 문제다. 이 점에 유념한다면 혼란은 없을 것이라고 생각한다.

요인"으로 반드시 고려해야 했다.

그러므로

독일의 문제는 오로지 무력으로만 해결할 수 있고, 이는 늘 위험을 수반한
다. … 아래 설명의 전제로서 무력에 의지하는 것과 거기에는 위험이 수반된
다는 것을 받아들인다면, 남는 문제는 '언제' 그리고 '어디서'이다. 이와 관
련해 세 가지 경우를 고려해야 한다.

경우 1: 기간 1943~45년
이 시기 이후로는 우리의 관점에서 보면 나쁜 쪽으로의 변화만이 예상된다.
육해공 삼군의 장비는 … 거의 완료했다. 장비와 무장은 신식이다. 더 지체
하면 노후화될 우려가 있다. 특히 '특수무기'의 비밀을 언제까지고 지킬 수
는 없다. … 재무장과 관련해 우리의 상대적 강점은 … 세계의 다른 나라들
에 의해 … 줄어들 것이다. … 게다가 그 나라들은 우리의 공격을 예상하여
해마다 대항수단을 증강하고 있다. 우리는 나머지 세계가 방위력을 증강하
는 가운데 공세를 취할 수밖에 없을 것이다.
1943~45년의 상황이 어떠할지 현재로서는 누구도 알지 못한다. 단 한 가
지 확실한 것은 우리가 더 이상 기다릴 수 없다는 것뿐이다.
총통이 계속 생존해 있다면, 독일의 공간 문제를 늦어도 1943~45년까지
는 해결한다는 것이 그의 확고부동한 결의다. 1943~45년 이전에 행동할
필요성은 경우 2와 경우 3에 생길 것이다.

경우 2
프랑스의 내분이 극심한 국내 위기로 번져 프랑스 육군이 완전히 말려들고

독일과의 전쟁에 병력을 동원할 수 없게 된다면, 그때에는 체코에 맞서 행동해야 한다.

경우 3
프랑스가 타국과의 전쟁에 휘말려 독일에 대항해 '전진'할 수 없게 된다면 …
우리의 제1목표는 … 서방에 맞서 어떤 작전을 벌이더라도 우리의 측면이 위협받지 않도록 체코슬로바키아와 오스트리아를 동시에 전복하는 것이어야 한다. … 체코를 전복하고 독일-헝가리 공동 국경을 성립시킨다면, 프랑스-독일 분쟁이 벌어질 때 폴란드가 중립 태도를 취할 것이라고 더 확실하게 기대할 수 있다.

그렇다면 프랑스, 영국, 이탈리아, 소련은 어떻게 나올 것인가? 히틀러는 이 물음을 상당히 자세하게 다루었다. "거의 확실히 영국은, 그리고 아마도 프랑스는 이미 체코를 암묵적으로 단념했다. 영 제국과 관련된 곤경과 유럽의 장기전에 다시 한 번 휘말릴 우려가 영국이 대對독일 전쟁에 나서기를 주저하는 결정적 요인이다. 영국의 이런 태도는 틀림없이 프랑스에 영향을 끼칠 것이다. 우리의 서부 요새에서 공세가 막힐 것으로 전망되는 상황에서 프랑스가 영국의 지원 없이 공격에 나설 가능성은 거의 없다. 영국의 지원을 기대할 수 없는 가운데 프랑스가 벨기에와 네덜란드를 통과해 진격할 가능성도 거의 없다. … 물론 우리가 체코와 오스트리아를 공격하는 동안에는 서부 국경을 단단히 방비할 필요가 있을 것이다."
그런 다음 히틀러는 "체코슬로바키아와 오스트리아 병합"의 몇 가지 이점을 언급했다. 더 나은 전략적 국경을 얻고, "다른 목표를 위해" 군사력을 자유롭게 운용하고, "독일인" 약 1200만 명을 획득하고, 제국 내 독일인 500~600만 명에게 제공할 여분의 식량을 구하고, 새로운 육군 12개 사단을 편성할 인원을 확보할 수 있었다.

이탈리아와 소련이 어떻게 나올지 언급하려다 깜빡했던 히틀러는 그쪽으로 화제를 돌렸다. 소련의 경우 "일본의 태도를 감안할 때" 과연 개입할지 의문이었다. 이탈리아는 "체코를 제거하는 데" 반대하지 않을 테지만 오스트리아까지 장악된다면 어떤 태도를 보일지 미지수였다. 이 문제는 "기본적으로 두체가 계속 생존해 있을지 여부에" 달려 있었다.

'경우 3'에 관한 히틀러의 상정은 프랑스가 이탈리아와의 전쟁에 휘말리는 사태였다—이 분쟁이 벌어지기를 그는 기대했다. 에스파냐 내전을 오래 끌려는 자신의 정책에는 이런 이유가 있다고 히틀러는 설명했다. 그 내전이 이탈리아를 프랑스·영국과의 분쟁에 묶어두고 있다는 뜻이었다. 그는 이 세 나라 간의 전쟁이 "결정적으로 가까워지고 있다"고 보았다. 실제로 그는 "그 전쟁이 언제 일어나든, 심지어 가까운 1938년에 일어나더라도 그 기회를 살릴 각오"였다—1938년이면 겨우 두 달 후였다. 그는 독일이 원료를 조금 지원해주면 이탈리아가 영국·프랑스를 상대로 더 버틸 수 있다고 확신했다.

독일이 이 전쟁을 활용해 체코와 오스트리아 문제를 해결한다면, 영국— 이미 이탈리아와 교전 중이다—은 독일에 대항하는 결정을 내리지 않을 것으로 예상된다. 영국의 지원이 없다면, 프랑스가 독일에 맞서 호전적 행동을 취하리라고는 예상되지 않는다.

우리가 체코와 오스트리아를 공격할 시점은 분명 영국-프랑스-이탈리아 전쟁의 경과에 달려 있다. … 이처럼 유리한 상황은 … 두 번 다시 오지 않을 것이다. … 체코 공격은 '전광석화의 속도로' 실행해야 할 것이다.

이렇듯 1937년 11월 5일 가을날의 어둑한 저녁 무렵—회의는 8시 30분에 끝났다—에 베를린에서 주사위는 던져졌다. 히틀러는 전쟁을 벌이겠다는 돌이킬 수 없는 결정을 통보했다. 장차 그 전쟁을 지휘해야 할 소수의 남자들은 더 이상 어떠한 의문도 품을 수 없었다. 독재자는 벌써 10년 전에 《나의 투쟁》에 이 모든 주장을 적어둔 터였다. 독일이 동부에서 생존공간을 차지해야 하고 이를 위해 무력행사를 각오해야 한다고 말이다. 하지만 당시 히틀러는 무명의 선동가에 지나지 않았고, 훗날 블롬베르크 원수가 말했듯이, 군인들—아울러 다른 수많은 사람들—은 《나의 투쟁》이 "선전물"이며 "대량으로 판매된 것도 강매 때문"이라고 여겼다.

그러나 이제 국방군 수뇌부와 외무장관은 인접한 두 나라를 실제로 침공하는 구체적인 날짜에 직면하게 되었다—그 공격이 필시 유럽 전쟁으로 번질 것이라고 그들은 확신했다. 그들은 이듬해인 1938년까지, 아무리 늦어도 1943~45년까지는 전쟁 준비를 마쳐야 했다.

이를 깨달은 그들은 아연실색했다. 호스바흐의 기록이 보여주는 대로, 그들은 지도자가 내뱉은 말의 부도덕성 때문에 경악했던 것이 아니다. 더 실질적인 이유가 있었다. 독일은 대규모 전쟁을 치를 준비가 되어 있지 않았다. 그런 전쟁을 도발한다면 파멸의 위험이 있었다.

그런 이유로 블롬베르크, 프리치, 노이라트는 대담하게도 목소리를 높여 총통의 선언에 이의를 제기했다. 그로부터 석 달 안에 세 사람 모두 해임되었고, 그들의 대수롭지 않은 반대를 물리친—제3제국에서 반대에 부딪히는 일은 이번이 마지막이었다—히틀러는 자신의 숙명을 실현하고자 정복의 길에 올랐다. 처음에 그 길은 그가—또는 다른 누구라도—예견했던 것보다 한결 평탄했다.

제10장

이상하고 불길한 막간:
블롬베르크, 프리치, 노이라트, 샤흐트의 몰락

히틀러가 11월 5일에 내린 결정, 즉 독일이 설령 영국·프랑스와 전쟁을 벌이는 한이 있더라도 오스트리아와 체코슬로바키아를 상대로 무력행사를 하겠다는 결정은 외무장관 노이라트 남작에게 큰 충격으로 다가왔다. 태평하고 안일하고 도덕심이 약하다는 노이라트도 몇 차례 심근경색을 겪을 정도였다.[1]

훗날 뉘른베르크 법정에서 노이라트는 이렇게 말했다. "저는 히틀러의 발언에 몹시 분개했습니다. 제가 일관되게 추진해온 외교 정책을 송두리째 뒤엎는 발언이었기 때문입니다."[2] 이런 심정으로, 몇 차례 심근경색에도 불구하고, 노이라트는 이틀 뒤 프리치 장군과 참모총장 베크 장군을 찾아가 "히틀러를 단념시키기 위해" 무엇을 하면 좋을지 상의했다. 그에 앞서 히틀러의 장광설을 베크에게 전한 호스바흐 대령에 따르면, 베크는 "대경실색하는" 듯했다. 세 사람은 우선 프리치가 총통을 만나 항의하면서 그의 계획은 군사적 고려사항들 때문에 현명하지 않다고 지적하고, 뒤이어 노이라트가 히틀러에게 다시 한 번 정치적 위험을 강조하기로 의견을 모았다. 베크는 즉시 히틀러의 계획을 통렬히 비판하는 문서를 작성했으나 아무에게도 보여주지 않은 듯하다—처음에는 나치즘의 대두를 환영했고 종국에는 나치즘을 파괴하려다가 실패하고 목숨을 잃은 이 존경할 만한 장군의 정신과 성격에 내재하는 치명적 결함이 처음으로 드러난 순간이었다.

프리치 장군은 11월 9일에 히틀러를 만났다. 이때의 대화 기록은 남아 있지 않지만, 육군 총사령관이 히틀러의 계획에 관한 군사적 반론을 거듭 폈으나 아무런 성과도 없었을 것으로 짐작된다. 총통은 상대가 장군들이든 외무장관이든 반론을 용납할 기분이 아니었다. 그는 노이라트의 면담 요청을 거부하고 베르히테스가덴의 산장으로 긴 휴가를 떠나버렸다. 괴로워하던 노리아트는 1월 중순이 되어서야 지도자와 약속을 잡을 수 있었다.

[훗날 노이라트가 뉘른베르크 법정에서 증언함] 그 기회에 저는 그의 정책이 세계대전으로 이어질 것이고 저는 그 전쟁에 가담하고 싶지 않다는 것을 그에게 알려주려 했습니다. … 저는 전쟁의 위험과 장군들의 진지한 경고에 유의해달라고 요청했습니다. … 저의 모든 논거에도 불구하고 그가 자기 의견을 고집하자 저는 그에게 다른 외무장관을 구해야 할 것이라고 말했습니다. …[3]

당시 노이라트는 몰랐지만, 히틀러는 벌써 다른 외무장관을 구하겠다고 결심한 터였다. 2주 후에 집권 5주년을 축하하고, 그 기회에 외무부뿐 아니라 육군의 숙청을 단행할 생각이었다. 히틀러는 이 상층계급 '반동'의 두 보루를 내심 신뢰하지 않았고, 두 기관이 자신을 완전히 받아들인 적도 없고 자신의 목표를 정말로 이해하지도 못하거니와, 블롬베르크와 프리치, 노이라트가 11월 5일 저녁에 보여준 대로 자신의 야망 실현을 방해한다고 생각했다. 특히 두 신사 프리치와 노이라트, 나아가 어쩌면 히틀러 본인이 큰 신세를 졌던 싹싹한 블롬베르크까지도 독특한 샤흐트의 뒤를 따라 물러나게 할 심산이었다.

교활한 금융업자, 나치즘의 초기 열광자요 히틀러의 후원자였던 샤흐트는 이미 몰락한 상태였기 때문이다.

앞에서 언급했듯이 샤흐트는 히틀러의 신속한 재무장을 위한 자금을 대는 일에 자신의 모든 에너지와 마법을 바쳤다. 전쟁경제 전권위원이자 경제장관으로서 샤흐트는 새로운 육해공군 건설 자금을 조달하고 군비 대금을 치르기 위해 조폐기 사용 등 기상천외한 묘책을 수없이 꾸몄다. 그러나 국가가 파산하지 않으려면 넘지 말아야 할 한계가 있는데, 1936년경 샤흐트는 독일이 그 한계에 다가서고 있다고 믿었다. 샤흐트는 히틀러와 괴링, 블롬베르크에게 경고했지만 별 소용이 없었다. 전쟁장관이 한동안 그의 편을 들어주었을 뿐이다. 1936년 9월 괴링이 4개년 계획, 즉 4년 안에 독일의 자급자족을 이루어내겠다—샤흐트가 불가능하다고 생각한 목표였다—는 얼토당토않은 계획의 전권위원으로 임명되면서 이 공군 수장이 사실상 독일의 경제 독재자가 되었다. 샤흐트 같은 자만심 강하고 야심차고* 경제에 관한 괴링의 무지를 경멸하는 사람으로서는 그 직책에 그대로 머물러 있을 수 없었으며, 강경한 두 사람이 몇 달간 격렬하게 논쟁한 끝에 샤흐트는 총통에게 앞으로 경제 정책에 관해서는 괴링에게만 지시를 내리고 자신은 내각의 직책에서 사임하게 해달라고 요청했

---

* 샤흐트를 잘 아는 예리한 프랑스 대사 프랑수아-퐁세는 저서 《운명적인 시절(The Fateful Years)》(p. 221)에서 샤흐트 자신이 한때 힌덴부르크 대통령의 후임, 심지어 "상황이 총통에게 불리하게 돌아갈 경우" 히틀러의 후임까지 되기를 바랐다고 말한다.

다. 전국의 주요 산업가들과 기업가들의 태도에 샤흐트의 실망감은 더욱 커졌는데, 그가 훗날 회고한 대로 그들은 "내가 아직 이성의 목소리가 들리도록 노력하던 때에 주문을 받을 속셈에 괴링의 곁방으로 우르르 몰려들었다".[4]

샤흐트가 깨달았듯이 1937년 나치 독일의 광적인 분위기에서 이성의 목소리가 들리도록 하기란 불가능한 일이었으며, 여름에 괴링과 또 한 차례 치고받다가 "당신의 외환 정책, 생산 관련 정책, 재정 정책"이 불건전하다는 비난을 들은 뒤 8월에 오버잘츠베르크까지 가서 히틀러에게 정식으로 사직서를 제출했다. 총통은 샤흐트의 이탈이 국내외에서 거의 확실히 비호의적 반응을 불러올 것을 고려하여 사직서 수리를 꺼렸지만 지친 장관은 뜻을 굽히지 않았고, 결국 히틀러는 두 달 후에 그를 놓아주기로 했다. 9월 5일 샤흐트는 휴가를 떠났고 12월 8일에 사직서가 정식으로 수리되었다.

히틀러의 고집으로 샤흐트는 무임소장관으로서 내각에 남았고 제국은행 총재직도 유지했으며, 이로써 기존의 체면을 지키고 국내외 여론에 주는 충격을 완화시켰다. 그렇지만 전쟁을 염두에 둔 히틀러의 재무장 열기에 제동을 거는 샤흐트의 영향력은 사라졌다. 그러면서도 샤흐트는 내각과 제국은행에 남음으로써 자기 이름과 명성의 아우라로 히틀러의 목표에 계속 도움을 주었다. 실제로 샤흐트는 얼마 후 비로소 노골적인 침략에 나선 지도자의 깡패짓을 드러내놓고 열렬히 지지했는데, 무엇보다 지난날 독일을 나치당에 넘겨줄 때 핵심 역할을 했던 장군들이나 그 밖의 보수주의자들과 마찬가지로 냉혹한 현실을 더디게 깨달았기 때문이다.

괴링이 임시로 경제장관직을 맡았지만, 1938년 1월 중순 어느 저녁에 베를린 가극장에서 우연히 발터 풍크를 만난 히틀러는 그에게 즉석에서 샤흐트의 후임이 되어달라고 말했다. 기름기가 좌르르 흐르고 키가 작고 굽실거리는 이 보잘것없는 인물은 독자들도 기억하겠지만 1930년대 초에 재계 지도부 사이에서 히틀러에 대한 관심을 불러일으키는 데 어느 정도 역할을 한 바 있었다. 그렇지만 풍크를 경제장관에 정식으로 임명하는 일은 지연되었다. 그 무렵 육군 내부의 두 가지 위기가 별안간 제3제국을 덮쳤기 때문이다. 그것은 다른 무엇보다 정상적인 성性과 비정상적인 성 모두와 관련된 특정한 문제들로 인해 촉발된 위기였다. 히틀러는 이 위기 국면에 직접 손을 써서 유서 깊고 귀족적인 군인 계층에 영영 회복하지 못할 타격을 줄 수 있었다. 이로써 독일 육군은 호엔촐레른 제국과 바이마르 공화국 시절에 그토록 열성을 다해 지켰던 독립의 마지막 잔재마저 잃어버리는 참혹한 결과를 맞았다. 그 결과는 결국 독일 육군을 넘어 독일 전역과 세계로 번져갈 터였다.

블롬베르크 원수의 몰락

———

"한 여성이 자기도 모르는 사이에 한 나라의 역사에, 그리하여 세계사에 얼마나 큰 영향을 끼칠 수 있단 말인가!" 1938년 1월 26일, 알프레트 요들 대령은 일기에서 이렇게 탄식하며 덧붙였다. "독일 국민의 운명이 걸린 시기를 살아가는 느낌이다."[5]

이 젊고 뛰어난 참모장교가 일컬은 여성은 에르나 그룬Erna Gruhn 양이다. 1937년이 저물어갈 무렵만 해도 그룬은 설마 자신이 독일 국민을 요들의 표현대로 운명적인 위기로 몰아가고 그들의 역사에 그토록 심대한 영향을 끼칠 것이라고는 꿈에도 생각하지 못했을 것이다. 그런 일은 제3제국의 핵심 집단이 광기를 내뿜던 기이하고 병적인 세계에서나 가능했을 것이다.

그룬 양은 블롬베르크의 비서였다. 1937년 말, 블롬베르크는 청혼할 정도로 그룬에게 푹 빠져 있었다. 그의 첫 아내는 육군 퇴역장교의 딸이었는데, 1904년에 혼례를 올렸고 1932년에 사망했다. 그동안 다섯 자녀가 장성했고(막내딸이 후배인 카이텔 장군의 장남과 1937년에 결혼했다), 외로운 홀아비 생활에 다소 지친 블롬베르크는 재혼할 때가 왔다고 판단했다. 독일 육군의 고급장교가 평민과 결혼할 경우 거만하고 귀족적인 장교단이 좋게 받아들이지 않으리라 생각한 블롬베르크는 괴링을 찾아가 조언을 구했다. 괴링은 이 결혼에 반대할 이유가 없었다―본인도 첫 아내가 죽은 뒤 이혼한 여배우와 결혼하지 않았던가? 제3제국에는 장교단의 고지식한 사회적 편견이 들어설 여지가 없다고 했다. 괴링은 블롬베르크의 계획에 찬성했을 뿐 아니라 필요하다면 히틀러와 함께 문제를 원만하게 풀어주고 어떤 식으로든 돕겠다고 힘주어 말했다. 때마침 괴링이 도울 만한 일이 있었다. 그룬을 사이에 두고 연적이 한 명 있다고 블롬베르크가 털어놓은 것이다. 괴링에게는 문제도 아니었다. 그런 성가신 존재는 다른 경우였다면 강제수용소에 처넣었을 것이다. 그렇지만 육군 원수의 구식 도덕관을 고려했기 때문인지 괴링은 그 골칫거리 연적을 배에 태워 남아메리카로 보내버리자고 제안했고, 실제로 그렇게 처리했다.

그럼에도 블롬베르크는 괴로워했다. 1937년 12월 15일 일기에 요들은 흥미로운 대목을 남겼다. "원수 장군[블롬베르크]이 매우 흥분해 있다. 이유는 알 수 없다. 개인적인 문제인 듯하다. 그는 8일간 어딘지 모를 장소로 피신했다."[6]

12월 22일, 블롬베르크는 뮌헨 펠트헤른할레에서 치러진 루덴도르프 장군의 장례식에 모습을 드러내 추도 연설을 했다. 히틀러도 참석했지만 연설은 거절했다. 맥주홀 폭동 때 총격전을 치른 뒤 히틀러가 펠트헤른 할레 앞에서 달아난 이래 이 세계대전의 영웅 루덴도르프는 히틀러와 어떠한 관계도 가지려 하지 않았다. 장례식이 끝나고 블롬베르크는 히틀러에게 자신의 청혼 문제를 꺼냈다. 그리고 결혼을 축복한다는 총통의 말에 안도의 한숨을 내쉬었다.

결혼식은 1938년 1월 12일에 열렸고, 히틀러와 괴링이 주요 증인으로 참석했다. 혼약을 맺은 부부가 이탈리아로 신혼여행을 떠나자마자 폭풍이 불어닥쳤다. 엄격한 장교단은 원수의 결혼 상대가 그의 속기사라는 것은 대수롭지 않게 넘길 수 있었을지 몰라도, 당시 지독하리만치 속속들이 드러나기 시작한 과거를 가진 여성과의 결혼을 받아들일 준비는 되어 있지 않았다.

처음에는 소문에 그쳤다. 그러다가 목이 뻣뻣한 장군들이 키득거리는 여자들로부터 걸려오는 익명의 전화를 받기 시작했다. 불건전한 카페나 나이트클럽에서 전화를 건 듯한 그 여자들은 육군이 자기네 동료들 중 한 명을 받아준 일을 축하했다. 베를린 경찰본부의 한 경감이 소문을 확인하다가 '에르나 그룬'이라고 적힌 서류를 우연히 발견했다. 경악한 그는 그 서류를 베를린 경찰청장 헬도르프 백작에게 가져갔다.

자유군단에서, 그리고 한창 날뛰던 시절의 돌격대에서 나댄 난폭한 베테랑인 백작 역시 경악했다. 원수이자 국방군 총사령관의 신부가 지난 날 매춘부였고 또 포르노 사진 모델로 나선 탓에 유죄 판결을 받았음이 그 서류에서 드러났기 때문이다. 서류에 따르면 원수의 젊은 부인은 그녀의 어머니가 운영하던 마사지 살롱에서 자랐는데, 그런 곳은 베를린에서 종종 볼 수 있는 것처럼 실은 윤락업소였다.

헬도르프는 분명 직무상 그 위험한 서류 일체를 상관인 독일 경찰청장 힘러에게 전달해야 했다. 그러나 헬도르프는 열렬한 나치이긴 했지만 과거 육군 장교단의 일원으로서 그 전통이 어느 정도 몸에 밴 사람이었다. 사실 육군 최고사령부와 1년 넘게 반목하고 있고 이제는 지난날의 룀보다도 더 불길한 위협으로 여겨지는 힘러가 그 서류를 접하게 되면 그것으로 원수를 협박하고 그를 보수적인 장군들에 대항하는 도구로 삼으리라는 것을 헬도르프는 알고 있었다. 대담하게도 헬도르프는 경찰 서류를 힘러가 아닌 카이텔 장군에게 가져갔다. 얼마 전 블롬베르크 덕에 육군에서 진급한 데다 원수와 사돈지간인 카이텔이 이 문제를 장교단 자체에서 처리할 방안을 마련하는 한편 원수에게 눈앞의 위험에 대해 경고할 것이라고 헬도르프는 확신했던 것으로 보인다. 그러나 정신과 품성이 박약하면서도 오만하고 야심만만한 카이텔은 자신의 경력을 걸고서 나치당 및 친위대와 마찰을 빚을 생각이 전혀 없었다. 카이텔은 그 서류를 육군 총사령관 프리치 장군에게 건네지 않고 헬도르프에게 돌려주면서 괴링에게 보여줄 것을 제안했다.

괴링만큼 그 서류를 손에 넣고서 기뻐한 사람도 없었을 것이다. 이제는 블롬베르크가 물러날 수밖에 없고 논리상으로 괴링 자신이 국방군 총사령관직을 이어받아야 한다─오래전부터 염두에 둔 목표였다─고 생각했기 때문이다. 한편 블롬베르크는 어머니의 장례식에 참석하고자 이탈리아에서 신혼여행을 멈추고 귀국길에 올랐고, 아직 무슨 일이 벌어지는지 모르는 채로 1월 20일에 다시 직무를 보려고 전쟁부 집무실에 나타났다.

하지만 오래가지 못했다. 1월 25일, 괴링이 그 폭탄 같은 서류를 베르히테스가덴에서 막 돌아온 히틀러에게 가져갔고, 총통은 폭발했다. 원수가 자신을 속였고 결혼식에서 정식 증인을 선 자신을 바보로 만들었다고 했다. 괴링도 공감하면서 정오에 블롬베르크를 찾아가 직접 소식을 전했다. 신부에 관한 뜻밖의 사실에 압도된 듯한 블롬베르크는 당장 이혼하겠다고 했다. 그러나 괴링은 그것으로는 충분하지 않을 것이라고 정중하게 설명했다. 육군 최고사령부 자체에서 원수의 사임을 요구하고 있었다. 이틀 후 요들이 일기에 썼듯이, 참모총장 베크 장군이 이미 카이텔에게 "최고위 군인이 매춘부와 결혼하는 것은 용납할 수 없습니다"라고 말한 터였다. 1월 25일, 요들은 카이텔을 통해 히틀러가 원수를 해임했음을 알게 되었다. 이틀 후, 60세의 실각한 장교는 베를린을 떠나 카프리 섬으로 가서 신혼여행을 이어갔다.

이 목가적인 섬까지 블롬베르크의 해군 부관이 쫓아와 이 유별난 희비극의 끝을 그로테스크하게 장식했다. 레더 제독이 블롬베르크에게 장교단의 명예를 위해 아내와 이혼할 것을 요구하고자 이 반겐하임Wangenheim 중위를 보냈던 것이다. 거만하고 몹시 열성적인 청년인 이 해군 하급장교는 신혼여행 중인 원수 앞에 나타나 레더 제독의 지시를 넘어서는 행동까지 하고 말았다. 전 상관에게 이혼을 요구하는 대신에 명예롭게 처신하라면서 블롬베르크의 손에 권총을 쥐여주려 했던 것이다. 그렇지만 원수는 비록 실각하긴 했으나 삶의 열의를 간직하고 있었던 모양이다—그 모든 사태에도 불구하고 여전히 신부에게 푹 빠져 있었다. 원수는 부관이 내민 무기를 건네받지 않았고, 그 직후에 카이텔에게 보낸 편지에 쓴 대로 자신과 젊은 해군 장교는 "인생에 대한 견해와 기준이 판이한 듯하다"라고 말했다.[7]

어쨌거나 이미 총통은 블롬베르크에게 폭풍이 가라앉으면 다시 최고위직을 주겠다며 손을 내민 터였다. 요들의 일기에 따르면, 히틀러는 블롬베르크를 해임하는 면담 자리에서 그에게 "독일의 시간이 오는 즉시 당신을 다시 내 곁에 둘 것이고, 과거에 일어난 모든 일은 잊힐 것이오"라고 말했다.[8] 실제로 블롬베르크는 미발표 회고록에 히틀러가 마지막 대면에서 전쟁이 일어나면 자신에게 군대의 최고사령관직을 주겠다고 "더없이 힘주어" 약속했다고 썼다.[9]

히틀러의 다른 수많은 약속과 마찬가지로 이 약속도 지켜지지 않았다. 블롬베르크 원수의 이름은 육군의 장교 명부에서 영원히 지워졌다. 심지어 원수는 전쟁이 발발하자 복무를 자원했음에도 어떤 직책에도 복직하지 못했다. 독일로 돌아온 뒤 블롬베르크 부부는 바이에른의 비스제 마을에 정착해 전쟁이 끝날 때까지 조용하게 지냈다. 그 시절 영국의 전 국왕〔심슨 부인과의 결혼을 선택하고 퇴위한 에드워드 8세〕과 마찬가지로, 블롬베르크는 자신의 몰락을 불러온 아내에게 마지막까지 충실을 기했다. 그 마지막은 뉘른베르크 감옥에서 처량하고 수척한 모습으로 재판에서 증언할 날을 기다리다가 사망한 1946년 3월 13일에 찾아왔다.

베르너 폰 프리치 남작 장군의 몰락

베르너 폰 프리치 남작 상급대장은 육군 총사령관이자 유능하고 꼬장꼬장한 구식 장교("전형적인 참모본부형 인물"이라고 레더 제독은 평했다)로서 블롬베르크의 후임으로 전쟁장관 겸 국방군 총사령관이 될 확실한 후보였다. 그러나 앞에서 언급했듯이 괴링 본인이 이 최고 직책에 눈독을 들이고 있었으며, 일각에서는 괴링이 그 속기사에게 불운한 과거가 있음을 이미 알았으면서도 자신의 앞길을 트기 위해 일부러 블롬베르크를 그녀와 결혼하도록 떠밀었다고 생각하기도 했다. 설령 그것이 사실일지라도 블롬베르크는 괴링의 술수를 몰랐던 것이 분명한데, 1월 27일 히틀러와의 고별 면담에서 후임으로 맨 먼저 괴링을 추천했기 때문이다. 그렇지만 이 오랜 나치 심복을 누구보다도 잘 알고 있던 총통은 괴링이 지나치게 방종하고 인내심과 근면성 모두 부족하다고 말했다. 그렇다고 해서 프리치 장군을 선호하지도 않았는데, 지난 11월 5월 이 장군이 자신의 원대한 계획에 반대했던 일을 잊지 않고 있었다. 더욱이 프리치는 나치당, 특히 친위대에 대한 반감을 숨긴 적이 없었다—이런 상황은 히틀러의 관심을 끌었을 뿐 아니라 친위대 대장 겸 경찰청장인 하인리히 힘러로 하여금 육군을 이끄는 막강한 적수를 끌어내리겠다는 결심을 굳히게 했다.*

그즈음에 힘러에게 기회가 왔다. 아니, 힘러는 모략에 시동을 걸어 기회를 만들어냈다. 그것은 깡패들이 득시글거리는 친위대나 국가사회주의당의 세계에서도—적어도 1938년에는—도무지 믿기 어려울 정도로 터무니없는 모략이자, 어쨌든 나름대로의 전통을 지닌 독일 육군에서는 지지할 리 없는 모략이었다. 블롬베르크 스캔들에 연이어 발생하여 훨씬 더 강력한 폭발을 일으킨 이 두 번째 스캔들은 장교단을 뿌리까지 뒤흔들며 그들의 운명을 결정했다.

1월 25일, 괴링은 히틀러에게 블롬베르크의 신부에 관한 경찰 서류를 보여준 날에 이보다 더 해로운 문서도 펼쳐 보였다. 힘러와 그의 주요 심

---

* 1935년 3월 1일, 독일이 자르 지역을 점령한 날에 나는 자르브뤼켄의 열병대 위에서 분열 행진이 시작되기 전까지 프리치의 옆에 서 있었다. 프리치는 내가 베를린에 주재하는 여러 미국 특파원 중 한 명이라는 것밖에 몰랐을 텐데도 친위대와 나치당, 그리고 히틀러를 위시한 여러 나치 지도자를 비꼬는 말을 잇달아 쏟아냈다. 그들에 대한 경멸감을 프리치는 전혀 숨기지 않았다. *Berlin Diary*, p. 27 참조.

복인 친위대 보안국 수장 하이드리히가 편리하게도 제공한 그 문서의 요지는, 프리치 장군이 독일 형법 제175조에서 규정하는 동성애의 죄를 저질렀고 이를 무마하기 위해 1935년부터 어느 전과자를 협박했다는 것이었다. 그 게슈타포 문서가 워낙 단정적이었던 터라 히틀러는 프리치의 혐의를 믿는 쪽으로 기울었으며, 블롬베르크는 자신의 결혼과 관련해 육군이 보인 가혹한 태도에 분통을 터뜨렸기 때문인지 히틀러를 조금도 만류하려 들지 않았다. 블롬베르크는 프리치가 한 "여자의 남자"는 아니라고 털어놓고는 평생 독신으로 지내온 터라 "나약함에 굴복"했을 수도 있다고 덧붙여 말했다.

게슈타포의 서류가 제시될 때 그곳에 있던 총통의 부관 호스바흐 대령은 경악했고, 프리치에게 아무 말도 말라는 히틀러의 명령을 어기고 곧장 육군 총사령관의 아파트로 가서 그의 혐의를 알리면서 심각한 곤경에 처했다고 경고했다.* 그 소식을 들은 과묵한 프로이센 귀족은 어안이 벙벙했다. 그는 "당치도 않은 거짓말!"이라고 불쑥 내뱉었다. 그러더니 진정하고 나서는 동료 장교에게 맹세코 그 혐의는 전혀 근거가 없다고 확언했다. 이튿날 오전 일찍 호스바흐는 결과를 두려워하지 않은 채 히틀러에게 프리치를 만난 사실을 보고하면서, 장군이 혐의를 단호히 부인하고 있으니 그의 말을 들어본 다음 그 스스로 죄를 부인할 석명 기회를 주는 것이 어떻겠냐고 말했다.

호스바흐로서는 뜻밖에도 히틀러는 이를 승낙했고, 그날 저녁 늦게

---

* 그 대가로 호스바흐는 이틀 후에 그 직을 잃었지만, 일각에서 우려한 것처럼 목숨을 잃지는 않았다. 그는 육군 참모본부로 복귀했고, 전시에 보병대장까지 진급해 소련 전선에서 제4군을 지휘하던 중 총통의 명령을 어기고 부대를 철수시켰다는 이유로 1945년 1월 28일 히틀러에 의해 전화로 느닷없이 해임되었다.

독일 육군 총사령관이 총리 관저로 불려왔다. 그곳에서 프리치는 귀족, 장교, 신사로서의 오랜 훈련에도 불구하고 도저히 견디지 못할 일을 겪을 터였다. 만남은 총리 관저의 서재에서 이루어졌고 이번에는 괴링뿐 아니라 힘러까지 동석했다. 히틀러가 혐의를 간추려서 전하자 프리치는 장교로서의 명예를 걸고 말하건대 그것은 전혀 사실이 아니라고 대꾸했다. 하지만 그런 확언은 제3제국에서 더 이상 소용이 없었고, 그 순간을 3년 전부터 기다려온 힘러는 발을 질질 끌며 걷는, 타락해 보이는 한 남자를 옆문을 통해 데려왔다. 그 남자는 독일 총리의 집무실에 발을 들인 사람들 가운데 가장 평판이 나쁜 사람은 아니었을지라도 분명 가장 이상한 축에 들었을 것이다. 그의 이름은 한스 슈미트Hans Schmidt였고, 소년원에 보내진 첫 선고까지 거슬러오르는 오랜 전과 기록을 가지고 있었다. 슈미트가 유독 좋아한 일은 동성애자들의 행위를 몰래 엿본 다음 협박해 돈을 뜯어내는 것이라고 했다. 슈미트는 지난날 베를린 포츠담 철도역 근처의 어두운 골목에서 '바이에른 사람 조'*라는 깡패와 동성애적 행위를 하는 어느 육군 장교를 붙잡은 적이 있는데, 이제 보니 그 장교가 여기 있는 프리치 장군이라고 단언했다. 슈미트는 이 장교가 협박에 못 이겨 자신의 입을 막기 위해 몇 년간 돈을 지불했고 언젠가 자신이 형무소에 다시 갇히고 나서야 지불을 멈추었다고 독일 최고 권력자 세 사람 앞에서 너스레를 떨었다.

폰 프리치 남작 장군은 격분한 나머지 아무런 대꾸도 하지 못했다. 독일 국가의 수반이자 힌덴부르크나 호엔촐레른 가문의 뒤를 이을 인물이 그토록 수상한 사람을, 그런 목적으로, 그런 장소에 데려온다는 것은 프

---

* 이 이름은 기제비우스의 책 *To the Bitter End*, p. 229에 나온다.

리치로서는 도저히 견딜 수 없는 일이었다. 그러나 말문이 막힌 장군의 모습은 그에게 죄가 있다는 히틀러의 확신을 더욱 굳히기만 했다. 총통은 장군의 사임을 요구했다. 프리치는 이 요구를 거절하고 오히려 명예를 건 군사법원에서 재판받게 해달라고 요구했다. 하지만 히틀러는 적어도 당장은 이 사건을 군인 계층에게 넘겨줄 의향이 없었다. 자신의 의지와 천재성에 굽히지 않으려 하는 장군들의 반대를 단번에 박살내버릴 이 절호의 기회를 히틀러는 놓치지 않았다. 그 자리에서 히틀러는 프리치에게 무기한 휴가를 떠나라고 명령했는데, 이는 육군 총사령관의 직무를 정지시키는 것이나 마찬가지였다. 이튿날 히틀러는 블롬베르크의 후임뿐 아니라 프리치의 후임 문제까지 놓고 카이텔과 상의했다. 주로 카이텔에게 정보를 얻은 요들의 일기에는 육군 최고사령부뿐 아니라 독일군 조직 전체가 대대적으로 개편되고 있다는 내용이 이때부터 간간이 보이기 시작했는데, 결국에는 군부의 굴복으로 이어질 터였다.

고위 장군들은 비록 절대적인 권력은 결코 아니더라도 히틀러의 손아귀 밖에 있던 마지막 권력을 넘겨줄 것인가? 총리 관저의 서재에서 곤욕을 치르고 벤틀러슈트라세에 있는 아파트로 돌아온 프리치는 육군 참모총장 베크 장군을 불러 상의했다. 영국의 일부 역사가들[10]은 베크가 프리치에게 히틀러 정부에 맞서 당장 군사 반란을 일으키자고 강력히 호소했지만 프리치가 거절했다고 말한다. 그러나 베크의 개인 문서를 얼마든지 열람할 수 있었던 독일인 전기작가 볼프강 푀르스터Wolfgang Foerster가 말한 바는, 그 운명적인 저녁에 베크가 먼저 히틀러를 만나 프리치의 중대한 혐의에 대해 듣고는 프리치를 만났으나 그 혐의를 부인하자, 마지막으로 그날 밤늦게 히틀러를 다시 찾아가 육군 총사령관에게 명예를 건 군사법원에서 결백을 입증할 기회를 주자고 요구했다는 것뿐이다. 이 전기작가가 분명하게 밝히듯이 베크 역시 아직까지는 제3제국의 통치자들을 속속들이 파악하지 못하고 있었다—나중에 파악했지만 때는 이미 늦어버렸다. 역시 너무 늦었지만 며칠 후 블롬베르크와 프리치뿐 아니라 고위 장군 16명까지 퇴역하고 그 밖의 장군 44명이 하급 부대로 옮겨갔을 때 프리치, 그리고 베크를 포함하는 프리치 측근들은 군사적 대응책을 진지하게 고려했다. 하지만 그런 위험한 생각은 금세 포기했다. 푀르스터의 말대로 "이 남자들에게는 군사 반란이 내전을 의미하고 성공 여부도 불확실하다는 것이 분명했다". 언제나처럼 당시에도 독일 장군들은 큰 위험을 감수하기 전에 승리를 확신하고 싶어했던 것이다. 이 전기 작가가 썼듯이, 그들은 괴링과 레더 제독이 총통에게 완전히 사로잡힌 까닭에 공군과 해군이 군사 반란에 반대하리라는 점뿐 아니라 실각한 총사령관을 육군 자체가 충분히 지지하지 않을 수도 있다는 점까지 우려했다.[11]

그렇지만 이 장교들이 히틀러에게 복수의 일격을 가할 마지막 기회가 찾아왔다. 육군이 사법부와 공동으로 예비조사를 한 결과, 프리치 장군이 힘러와 하이드리히가 주도한 게슈타포 모략의 무고한 피해자라는 것이 금세 밝혀졌다. 슈미트라는 전과자가 포츠담 철도역 근처의 후미진 곳에서 부자연스러운 행위를 하는 육군 장교를 붙잡은 뒤 협박해 수년간 돈을 뜯어낸 것은 사실로 확인되었다. 그러나 그 장교의 이름은 프리치가 아니라 프리슈Frisch였고, 육군 장교 명부에 폰 프리슈 기병대위로 등재된 퇴역장교로서 당시 병석에 있었다. 게슈타포는 이 사실을 알면서도 슈미트를 체포하여 육군 총사령관을 지목하지 않으면 죽이겠다고 위협했던 것이다. 병든 기병대위도 발설하지 못하도록 비밀경찰을 동원해 감금했다. 그러나 결국 육군이 슈미트와 프리슈 둘 다 게슈타포의 손아귀에서 빼낸 뒤 프리치의 군사재판에서 증언할 수 있도록 안전한 장소에서 보호했다.

육군의 고참 수뇌부는 환호했다. 총사령관이 오명을 씻고 육군의 통수권을 되찾을 터였다. 독일에서 고삐 풀린 권력을 휘두르는 파렴치한 힘러와 하이드리히 휘하의 친위대 및 게슈타포가 꾸민 음모가 드러나, 두 사람과 친위대는 4년 전에 룀과 돌격대가 밟았던 길을 밟게 될 것이었다. 나치당과 히틀러 자신도 타격을 입을 터였다. 이 사건으로 제3제국의 토대가 마구 흔들려 총통 본인이 거꾸러질지도 모를 일이었다. 만약에 총통이 이 범죄행위를 덮으려 한다면, 이제 진실이 알려진 마당에 육군이 양심을 걸고 직접 행동에 나설 것이었다. 그러나 지난 5년간 몇 번이고 되풀이된 대로, 육군 장군들은 다시금 옛 오스트리아인 상병에게 의표를 찔린 뒤 결국 운명적으로 패배하고 말았다. 그들은 아닐지라도 지도자는 자신의 목적을 위해 운명을 어떻게 활용해야 하는지 잘 알고 있었다.

1938년 1월의 마지막 주 내내, 과거 1934년 6월을 떠올리게 하는 긴장감이 베를린을 휘감았다. 또다시 수도는 소문으로 들끓었다. 히틀러가 육군의 최고위직 두 명을 해임했다고 했다. 이유는 알려지지 않았다. 육군 장군들이 반기를 들었다고 했다. 그들이 군사 반란을 꾀한다고 했다. 프랑수아-퐁세 대사는 2월 2일 만찬에 자신을 초대했다가 취소한 프리치가 체포되었다는 소식을 들었다. 1월 30일에는 제국의회에서 히틀러가 집권 5주년 기념 연설을 하기로 예정되어 있었는데 그때 육군이 의사당을 에워싸고 나치 정부의 주요 인사 전원과 나치가 엄선한 의원들을 체포할 계획이라는 정보도 있었다. 제국의회 소집이 무기한 연기되었다는 발표가 나오자 그런 소문의 신빙성이 높아졌다. 독일 독재자는 확실히 곤경에 빠졌다. 마침내 히틀러는 독일 육군의 굴하지 않는 고위 장군들과 대결해야 하는 처지에 몰렸다. 아니, 장군들은 분명 그렇게 생각했을 테지만, 그것은 착각이었다.

1938년 2월 4일, 독일 내각이 소집되었다. 앞으로 밝혀질 것처럼 이번이 마지막 내각 소집이었다. 어떤 어려움을 겪었든 간에, 이제 히틀러는 육군이든 외무부든 자기 앞길을 가로막는 요소들을 제거하는 방식으로 난관을 뚫고나갈 터였다. 그날 히틀러가 내각에서 서둘러 통과시킨 뒤 자정 직전에 라디오를 통해 독일 전역과 세계에 발표한 긴급명령은 이렇게 시작되었다.

"이제부터 내가 전군의 지휘권을 직접 넘겨받는다."

국가수반으로서 히틀러는 당연히 국방군 최고사령관이기도 했지만, 이제 블롬베르크의 총사령관직까지 넘겨받는 한편 사랑에 빠진 새신랑이 관장하던 전쟁부를 폐지한다는 것이다. 그리고 그 대신 창설하는 조직이 장차 2차대전 동안 익숙해질 국방군 최고사령부Oberkommando der Wehrmacht, OKW이며, 육해공 삼군이 여기에 소속된다. 히틀러가 그 최고사령관이고, 그 아래에 '국방군 최고사령부 총장'이라는 거창한 직함을 가진 참모장이 있었다―이 직책은 아첨꾼 카이텔에게 돌아갔는데, 용케도 최후까지 그 자리를 지켰다.

내심 블롬베르크의 후임이 되리라 확신하던 괴링의 상처받은 심정을 달래기 위해 히틀러는 그를 원수에 임명했다. 이로써 제국의 고급장교가 된 괴링은 더없이 기뻐했던 모양이다. 한편으로 국민의 불안을 가라앉히기 위해 히틀러는 블롬베르크와 프리치가 "건강상의 이유"로 사임했다고 발표했다. 이로써 프리치는 명예를 건 군사법원―이곳에서 프리치의 무죄가 입증되리라는 것을 히틀러는 알고 있었다―에서 재판을 받지도 못한 채 영원히 축출되었다. 이 일로 고위 장군들이 특히 분개했던 것으로 보인다. 하지만 그들은 할 수 있는 일이 아무것도 없었는데, 위에서 언급한 긴급명령에 의해 그들도 버려진 신세였기 때문이다. 룬트슈테트 장군, 레프Leeb 장군, 비츨레벤 장군, 클루게Kluge 장군, 클라이스트Kleist 장군 등 16명은 보직에서 해임되었고, 나치즘에 열성적으로 헌신하지 않는다고 여겨진 다른 44명은 전임되었다.

히틀러는 한동안 망설인 끝에 육군 총사령관 프리치의 후임으로 발터 폰 브라우히치 장군을 발탁했는데, 장성들 사이에서 평이 좋긴 했지만 히틀러의 변덕스러운 성미에 맞서는 일에서는 블롬베르크 못지않게 유약하고 고분고분한 인물이었다. 블롬베르크-프리치 위기의 며칠 동안 성性 문제가 두 사람의 경우와 마찬가지로 브라우히치도 실각시킬 것으로 보였다. 이 장군은 막 이혼하려던 참이었는데, 이는 군부 귀족이 눈살을 찌푸릴 만한 행위였기 때문이다. 언제나 호기심 많은 요들은 이 문제를 일기에 적었다. 1월 30일 일요일, 요들은 카이텔이 브라우히치의 아들을 "그의 어머니에게 보내기 위해" 불렀고(이혼하려면 그녀의 승낙이 필요했던 것이다), 이틀 후 브라우히치와 카이텔이 "가정 상황을 의논하기 위해" 괴링과 만났다고 기록했다. 장군들의 성 문제의 조정자를 자처한 듯한 괴링은 브라우히치의 문제를 잘 살펴보겠다고 약속했다. 또 같은 날 요들은 "브라우히치의 아들이 어머니의 매우 기품 있는 편지를 가지고 돌아왔다"라고 적었다. 그 부인은 남편의 앞길을 막을 생각이 없었던 것으로 짐작된다. 괴링과 히틀러도 브라우히치의 이혼에 반대하지 않았으며, 신임 육군 총사령관은 취임한 지 몇 달 후에 실제로 이혼을 이루어냈다. 두 사람이 반대하지 않은 까닭은 브라우히치가 재혼하고 싶어하던 샤를로테 슈미트Charlotte Schmidt 부인이 울리히 폰 하셀의 말마따나 "200퍼센트 열럴한 나치"임을 알고 있었기 때문이다. 그해 가을에 이루어진 두 사람의 결혼은 장차 한 명의 여성이 역사에 영향을 끼친 또 하나의 사례—요들은 이 사례에도 주목했다—로 판명될 터였다.*

2월 4일 히틀러의 숙청은 장군들로 국한되지 않았다. 외무부에서 노이라트를 쫓아내버리고 그 자리에 천박하고 고분고분한 리벤트로프를 앉히기도 했다.** 두 명의 베테랑 외교관인 로마 대사 울리히 폰 하셀과 도쿄 대사 헤르베르트 폰 디르크젠Herbert von Dirksen은 해임되었고, 빈 대사 파펜도 마찬가지였다. 얄골 풍크는 샤흐트의 후임 경제장관으로 정식 임명되었다.

다음날인 2월 5일, 《민족의 파수꾼》은 제1면에 "총통, 모든 권한을 틀어쥐다!"라는 큼지막한 표제를 달았다. 이번만은 나치의 대표적 일간지도 과장한 게 아니었다.

1938년 2월 4일은 제3제국의 역사에서 중요한 전환점, 전쟁으로 가

---

* 밀턴 슐먼(Milton Shulman)에 따르면(*Defeat in the West*, p. 10), 히틀러가 첫 번째 브라우히치 부인에게서 이혼 동의를 받아내려고 내외간의 금전 문제를 해결하도록 지원해주었고, 이로써 육군 총사령관이 자신에게 개인적 은덕을 입은 것으로 느끼게 했다. 슐먼이 제시하는 정보 출처는 캐나다 육군 정보기관의 보고서다.

** 군부의 위기로부터 주의를 돌리는 한편 국내외에서 노이라트의 위신을 어느 정도 지키기 위해 히틀러는 괴링의 제안에 따라 이른바 비밀내각위원회(Geheimer Kabinettsrat)를 꾸렸다. 총통의 2월 4일 긴급명령에 따르면 이 위원회의 목표는 히틀러에게 "외교 정책 실행의 지침"을 제공하는 것이었다. 노이라트가 위원장에 임명되었고, 구성원으로는 주요 각료와 나치당 간부들뿐 아니라 카이텔과 삼군 총사령관까지 포함되었다. 괴벨스의 선전기관은 팡파르를 요란하게 울리며 이 위원회가 마치 내각 위의 내각이고 노이라트가 실은 승진한 것처럼 보이게 했다. 그러나 사실 비밀내각위원회는 순전히 허구였다. 아예 실재한 적이 없었다. 괴링이 뉘른베르크에서 증언한 대로 "그런 내각은 분명 존재한 적이 없지만, 그 명칭이 꽤 좋게 들렸을 것이고 모두가 그것이 무언가를 의미한다고 상상했을 것입니다. … 맹세코 단언하건대 이 비밀내각위원회는 단 한 번도, 단 1분도 소집된 적이 없습니다".[12]

는 길의 이정표였다. 이날을 기하여 나치 혁명이 성취되었다고 말할 수 있다. 히틀러가 독일의 무장이 충분히 이루어지면 내딛겠다고 오래전부터 별러온 길을 가로막고 있던 보수파의 마지막 세력이 이날 싹 치워졌다. 블롬베르크, 프리치, 노이라트는 나치의 과도한 행태에 제동을 걸기 위해 힌덴부르크가 임명한 구식 보수파였고, 샤흐트도 이들 편에 가담했다. 그러나 독일의 외교 정책과 경제 정책, 군부의 통제를 둘러싼 투쟁에서 그들은 히틀러의 상대가 되지 못했다. 그들은 히틀러에게 맞설 만한 정신력도, 정치적 기민함도 갖추지 못했고, 히틀러를 이길 만한 역량은 더더욱 갖추지 못했다. 샤흐트는 물러났다. 노이라트는 비켜섰다. 블롬베르크는 동료 장군들의 압력에 굴복해 사임했다. 프리치는 깡패 수법의 음모에 휘말렸음에도 반항하는 시늉도 없이 해임을 받아들였다. 고위 장군 16명도 자신들의 해임—그리고 프리치의 해임—을 순순히 받아들였다. 장교단에서 군사 반란 이야기가 나왔지만, 이야기로 그쳤다. 히틀러가 죽는 날까지 지녔던 프로이센 장교 계층에 대한 경멸감은 그럴 만한 이유가 있는 것으로 입증되었다. 지난날 그들은 나치 정부가 공식적으로 눈감아준 슐라이허 장군 및 브레도프 장군 살해 사건을 거의 입도 뻥긋하지 않고 받아들인 바 있었다. 이제는 고급장교들을 잘라내는데도 무기력하게 감수하고 있었다. 고급장교들을 대체하고 히틀러 섬기기를 열망하는 더 젊은 장군들이 베를린에 우글거렸던 게 아닐까? 육군 장교들의 자랑거리인 일치단결은 어디로 갔던 것일까? 그것은 신화가 아니었을까?

1938년 2월 4일의 겨울날까지 5년 동안 육군은 히틀러와 제3제국을 전복할 만한 물리적 힘을 가지고 있었다. 1937년 11월 5일, 히틀러가 제3제국과 국민을 어디로 이끄는지 알았을 때, 육군은 왜 전복을 시도하지 않았을까? 프리치는 실각한 후에 답변을 내놓았다. 1938년 12월 18일 일요일, 프리치는 퇴역 후 육군이 제공한 졸타우 인근 아흐터베르크의 별장에서 면직된 하셀 대사를 손님으로 맞았다. 하셀은 일기에 "프리치의 견해의 골자"를 다음과 같이 적었다.

"이 남자―히틀러―는 좋든 나쁘든 간에 독일의 숙명이다. 지금 그가 구렁텅이로 들어서려 한다면―프리치는 그럴 것이라고 믿고 있다―우리 모두를 끌고 들어갈 것이다. 우리가 할 수 있는 일은 아무것도 없다."[13]

외교, 경제, 군사 정책을 한손에 틀어쥐고 국방군을 직접 지휘하게 된 히틀러는 이제 자신의 길을 걷게 되었다. 오명을 씻을 기회도 주지 않은 채 프리치를 내쫓았던 히틀러는 그의 사건을 심리할 군사법원을 설치하여 뒤늦게나마 그 기회를 주었다. 괴링 원수가 재판장을 맡았고, 그 옆에 육군 총사령관 브라우히치 장군과 해군 총사령관 레더 제독, 그리고 두 명의 최고군사재판소 직업법관이 앉았다.

재판은 보도진과 방청인을 배제한 채 1938년 3월 10일 베를린에서 개정되었다가 그날 중에 갑자기 중단되었다. 전날 밤 늦게 오스트리아에서 전해진 소식에 총통이 발끈해 노발대발한 터였다.* 그래서 괴링 원수와 브라우히치 장군은 급히 다른 용무를 봐야 했다.

---

* 36시간 후 파펜이 베를린 총리 관저에 도착해서 보니 히틀러는 아직 "히스테리에 가까운 상태" 였다. (Papen, *Memoirs*, p. 428)

제11장

병합:
오스트리아 강탈

1937년 말에 나의 업무 영역이 신문에서 라디오 보도로 바뀐 까닭에 근무지도 베를린에서 빈으로 옮겨갔다. 빈은 내가 10년 전 젊은 특파원 시절에 알게 된 도시다. 그다음 결정적인 3년간을 대체로 독일에서 보낼 예정이었지만, 유럽 전역을 취재하는 새로운 업무 덕에 나는 제3제국에 대한 특정한 시각을 갖게 되었고, 히틀러가 침공하기 직전이나 침공하는 동안에 우연히도 공격에 희생당할 당사국들에 머무르고 있었다. 그 무렵에 나는 독일과, 한동안 히틀러의 분노의 대상이 된 국가 사이를 오갔고, 그래서 인류가 경험한 가장 규모가 크고 피를 많이 흘린 전쟁으로 치달은 사건들과 관련한 경험을 직접 취재할 수 있었다. 이제부터 그 사건들을 기술할 것이다. 나를 포함해서 많은 이들이 그 사건들을 직접 관찰하긴 했지만, 돌이켜보면 놀랍게도 그것들이 어떻게 일어났는지를 실제로 거의 알지 못했다. 그 사건들의 향방에 영향을 준 음모와 술책, 배반, 운명적인 결정과 우유부단한 미결정, 그리고 주요 행위자들의 극적인 조우 등은 표면 아래에서, 외국 외교관이나 기자, 스파이들의 호시탐탐 엿보는 눈길이 닿지 않는 곳에서 은밀하게 진행되었고, 따라서 직접 관여한 소수의 사람들 이외의 모두에게 수년간 대체로 알려지지 않았다.

우리는 어지럽기 짝이 없는 기밀문서들과 이 드라마에서 살아남은 주요 행위자들의 증언을 기다릴 수밖에 없었다. 당시 그 사람들―그중 상당수는 나치 강제수용소에 갇혀 있었다―은 대부분 자기 이야기를 자유롭게 할 수 없었다. 따라서 이제부터 서술하는 내용은 대체로 1945년부터 모은 방대한 사실 증거에 근거한다. 그렇더라도 이와 같은 역사의 서술자가 그 역사의 주요 위기들이나 전환점들의 현장에 직접 있었다면 서술하는 데 도움이 될 것이다. 일례로 오스트리아가 소멸한 1938년 3월 11일에서 12일에 걸친 잊지 못할 밤에 나는 때마침 빈에 머무르고 있었다.

도나우 강변에 자리한 이 아름다운 바로크풍의 수도, 내가 아는 다른 어떤 도시의 주민들보다도 매력적이고 상냥하고 인생을 즐길 줄 아는 사람들이 거주하던 이 도시는 한 달도 넘게 깊은 불안에 시달리고 있었다. 오스트리아 총리 쿠르트 폰 슈슈니크 박사는 훗날 1938년 2월 12일부터 3월 11일까지의 시기를 "고뇌의 4주간"이라고 회상했다. 1936년 7월 11일에 체결된 오스트리아-독일 협정―이 조약의 비밀 부속문서에서 슈슈니크는 오스트리아 나치당에 폭넓은 양보를 했다―이래 히틀러의 특명을 받아 빈에 주재한 프란츠 폰 파펜 대사는 오스트리아의 독립을 약화시켜 나치 독일과 통합하기 위한 노력을 이어갔다. 1936년 말 총통에게 보낸 장문의 보고서에서 파펜은 진척 상황을 보고했고, 또 1년 후에 보고하면서 이번에는 "연방총리[슈슈니크]를 최대한 강하게 압박해야만 더 진척시킬 수 있습니다"라고 강조했다.[1] 파펜의 조언은 비록 거의 불필요한 것이긴 했지만 조만간 그가 생각했던 것 이상으로 그 말처럼 실행될 터였다.

1937년 내내 오스트리아 나치당은 베를린의 자금 지원과 부추김을 받으며 테러 활동에 더욱 박차를 가했다. 오스트리아의 어딘가에서는 거의 매일 같이 폭발 사건이 발생했고, 산악 지대에서는 규모가 크고 과격한 나치 시위가 벌어져 정부의 입지를 약화시켰다. 나치 폭력배들이 슈슈니크를 그의 전임자처럼 불시에 제거하려던 음모가 발각되기도 했다. 결국 1938년 1월 25일, 오스트리아 경찰이 '7인 위원회'라 불리던 단체의 빈 본부를 덮쳤다. 나치당과 오스트리아 정부 사이에 평화를 가져오기 위해 창설되었으나 실은 나치 불법 지하조직의 본거지 역할을 해오던 단체였다. 그 본부에서 경찰은 총통대리 루돌프 헤스가 머리글자로 서명한 문서들을 발견했는데, 이로써 오스트리아 나치당이 1938년 봄에 공공연히 반란을 일으키고 이에 슈슈니크가 진압을 시도하면 독일 육군이 "독일인에 의해 독일인의 피가 흐르는" 사태를 막고자 오스트리아에 진입하려던 계획이 명확하게 드러났다. 파펜에 따르면, 그 문서들 중 하나는 독일이 개입할 구실을 만들기 위해 현지 나치들에게 파펜 본인이나 빈 대사관 소속 무관인 무프Muff 중장을 살해할 것을 요구하기도 했다.[2]

평소 진중한 파펜이라 해도 베를린 당 지도부의 지령에 의해 자신이 나치 무뢰배의 암살 대상으로 찍힌―이번이 두 번째였다―사실을 알고서는 즐거울 턱이 없었을 것이다. 여기에 더해 2월 4일 저녁에 빈의 독일 대사관에서 걸려온 전화도 그에게 고통을 주었다. 베를린 총리 관저에서 전화를 걸고서 수화기를 들고 있던 총리실장 한스 라머스Hans Lammers는 파펜에게 그의 오스트리아 특별 임무가 끝났다고 통보했다. 그가 노이라트, 프리치, 그리고 다른 몇 명과 함께 해임되었다고 했다.

"나는 놀라서 거의 할 말을 잃었다"라고 파펜은 훗날 회상했다.[3] 그렇지만 흥분을 가라앉히고 생각해보니 히틀러가 노이라트와 프리치, 블롬베르크를 제거한 이상, 오스트리아에서 더 과감한 행동에 나서기로 결심한 것이 틀림없었다. 사실 파펜은 "외교관으로서는 이례적인 일"을 할 만큼 냉정을 되찾은 상태였다. 그는 히틀러와 주고받은 모든 서신의 사본을 "안전한 장소"로, 나중에 알려졌듯이 스위스로 옮겨 보관하기로 마음먹었다. "제3제국의 극심한 중상모략 활동을 나는 너무나 잘 알고 있었다." 앞에서 언급했듯이 파펜은 1934년 6월에 그런 활동으로 하마터면 목숨을 잃을 뻔한 적이 있었다.

파펜의 해임은 슈슈니크에게 보내는 경고이기도 했다. 슈슈니크는 이 점잖은 전 기병장교를 완전히 신뢰하진 않았으나, 적어도 파펜은 자신과 마찬가지로 독실한 가톨릭교도이고 신사였다. 슈슈니크는 히틀러가 이 교활한 대사를 통해 자신을 괴롭히는 것보다 더 고약한 일을 꾸미고 있다는 것을 금세 간파했다. 그전 몇 달간 유럽 외교의 추이는 오스트리아에 이롭지 않았다. 로마-베를린 추축이 성립된 이래 히틀러와 더 가까워진 무솔리니는 과거 돌푸스 살해 당시 브렌네르 고개에 4개 사단을 급파하여 총통을 겁먹게 했던 때만큼 이 약소국의 독립을 유지하는 데 신경쓰지는 않고 있었다. 체임벌린의 주도로 히틀러 달래기 정책을 막 개시한 영국도, 국내에서 심각한 정쟁에 휩싸인 프랑스도 근래에는 히틀러가 공격하더라도 오스트리아의 독립을 수호하는 일에 큰 관심을 보이지 않고 있었다. 그리고 히틀러의 크나큰 야심을 얼마간 견제해온 독일 육군과 외무부의 보수파 지도부가 이제는 파펜과 함께 퇴진하고 없었다. 비록 도량이 좁긴 해도 나름대로 총명하고 정보에도 아주 밝았던 슈슈니크는 점차 악화되는 정세에 환상을 품지는 않았다. 지난날 나치가 돌푸스를 살해했을 때처럼 이번에도 슈슈니크는 독일 독재자를 달래야 한다고 생각했다.

파펜은 대사직에서 해임되었으면서도 히틀러에게 한 가지 기회를 제공했다. 윗사람의 지시라면 모욕을 당하더라도 결코 원망하는 법이 없던 파펜은 해임된 다음날 "무슨 일이 벌어지고 있는지 좀 알아보기 위해" 서둘러 히틀러를 방문했다. 2월 5일, 베르히테스가덴에 도착해서 보니 총통은 장군들과 싸우느라 "지치고 멍한" 모습이었다. 하지만 히틀러의 회복력은 대단했고, 이 해임된 대사가 이미 2주 전에 베를린에서 만났을 때 꺼낸 적 있는 제안을 다시 상기시키자 곧 관심을 보였다. 왜 슈슈니크와 직접 담판을 짓지 않는가? 왜 그를 베르히테스가덴으로 초대해 직접 회담하지 않는가? 히틀러는 이 발상이 흥미롭다고 생각했다. 바로 전날 해임한 일은 제쳐둔 채 파펜에게 빈으로 돌아가 회담을 주선하라고 지시했다.

슈슈니크는 회담 제의에 선뜻 동의하면서도 자신의 약한 입장을 고려하여 몇 가지 조건을 걸었다. 히틀러가 논의하고자 하는 사안들을 미리 정확하게 알아야 하고, 독일이 오스트리아의 독립을 존중하고 내정에 간섭하지 않겠다고 약속한 1936년 7월 11일의 협정이 향후에도 유효하다는 확답을 사전에 받아야 한다는 조건이었다. 여기에 더해 회담 후에 발표하는 공동 성명에서 양국이 1936년의 협정을 계속 준수할 것을 재확인해야 한다는 조건도 걸었다. 호랑이 굴로 들어가 담판을 지어야 하는 슈슈니크는 그 결과를 운에 맡기고 싶지 않았다. 파펜은 서둘러 오버잘츠베르크로 가서 히틀러와 상의한 뒤 총통의 확답을 가지고서 돌아왔다. 1936년의 협정은 변함이 없을 것이고 자신은 그저 협정 체결 이래 "지속되어온 오해나 마찰"에 대해 의논하고 싶을 뿐이라는 답변이었다. 비록 오스트리아 총리가 바라던 것에 정확히 들어맞지는 않지만, 그는 이 회답에 만족한다고 말했다. 회담은 2월 12일 오전에 갖기로 했다.* 2월

11일 저녁, 슈슈니크는 외무부 차관 구이도 슈미트Guido Schmidt와 함께 특별열차 편으로 극비리에 잘츠부르크로 향했다. 이튿날 오전에 잘츠부르크에서 자동차로 국경을 넘어 히틀러의 산장까지 이동할 계획이었다. 이 독일 방문은 장차 운명적인 여정으로 판명날 터였다.

베르히테스가덴 회담: 1938년 2월 12일

파펜은 국경까지 나가서 오스트리아 손님들을 맞았다. 몹시 추운 겨울날 아침의 냉기 속에 파펜의 "기분이 최고로 좋아" 보인다고 슈슈니크는 생각했다. 파펜은 두 손님에게 오늘 히틀러의 기분이 아주 좋아 보인다고 안심시켰다. 그런 다음 첫 번째 경고를 했다. 파펜은 친절한 말투로 아주 우연히 찾아온 세 장군이 오늘 베르크호프에 동석할 텐데 언짢아하지 않기를 바란다는 총통의 뜻을 슈슈니크 박사에게 전했다. 세 장군은 국방군 최고사령부의 신임 총장 카이텔, 바이에른-오스트리아 국경에서 국방군을 지휘하는 라이헤나우, 그리고 이 지역의 공군을 책임지는 슈페를레Sperrle였다.

훗날 파펜은 두 손님에 관해 회고하면서, 그것은 "그들의 입맛에 맞을

---

* 그날은 우연히도 슈슈니크가 각료의 한 명으로서 속했던 돌푸스 정부가 오스트리아 사회민주당원들을 대거 살육한 지 4년째 되는 날이었다. 1934년 2월 12일, 정부군과 파시스트 민병대 1만 7000명은 빈의 노동자 주택가를 포격해 남녀노소 1000명을 살해하고 다른 3000~4000명에게 부상을 입혔다. 민주정의 정치적 자유는 압살되었고, 그 후로 먼저 돌푸스가, 뒤이어 슈슈니크가 성직자-파시스트 독재정으로 오스트리아를 통치했다. 당시 베를린과 빈 양쪽에서 일한 우리 같은 사람들이 증언할 수 있듯이, 오스트리아의 독재정은 나치의 변종 독재정에 비하면 확실히 온건했다. 그럼에도 이 독재정은 오스트리아 국민으로부터 정치적 자유를 빼앗았고, 군주정의 마지막 수십 년간 합스부르크 왕조 치하에서는 알지 못했던 탄압을 가했다. 이 점에 관해서 나는 *Midcentury Journey*(1954)에서 더 상세하게 논했다.

리 없는 정보"였다고 말했다. 슈슈니크는 그때 파펜에게 자신은 개의치 않는다고, 특히 "그 점에 관해서는 선택의 여지가 별로 없기" 때문이라고 말했다고 한다. 예수회의 교육을 받은 지식인답게 슈슈니크는 경계심을 풀지 않고 있었다.

그렇다고 해도 이제부터 벌어질 일에는 마음의 준비가 되어 있지 않았다. 돌격대의 갈색 상의에 검은색 바지 차림인 히틀러는 옆에 세 장군을 대동한 채 산장의 계단에서 오스트리아 총리 일행을 맞았다. 슈슈니크는 우호적이지만 형식적인 환영이라고 느꼈다. 잠시 후 이층이 널찍한 서재에서 독일 독재자와 독대했다. 서재의 커다란 전망창은 눈 덮인 알프스의 웅장한 연봉과 그 너머 두 사람의 출생지인 오스트리아를 향하고 있었다.

그를 아는 이라면 누구나 수긍했겠지만, 41세의 쿠르트 폰 슈슈니크는 구세계 오스트리아의 매너를 완벽하게 갖춘 인물이었다. 그래서 아주 자연스럽게도 그는 빼어난 경치와 그날의 화창한 날씨를 입에 올리며 그동안 이 방에서 결정적인 회담이 여러 차례 이루어졌을 법하다고 상찬하는 몇 마디 예의 바른 말로 대화를 시작하려 했다. 그런데 아돌프 히틀러가 말을 잘랐다. "멋진 경치나 날씨 이야기를 하려고 여기 모인 게 아닙니다." 그런 다음 폭풍이 불어닥쳤다. 훗날 오스트리아 총리가 증언한 대로, 뒤이은 두 시간 동안 "대화는 거의 일방적이었다".*

---

* 훗날 슈슈니크 박사는 이 일방적인 대화의 "몇몇 중요한 대목들"을 기억에 의지해 기록으로 남겼다. 따라서 발언을 그대로 옮긴 기록이 아니긴 하지만, 히틀러가 무수히 쏟아낸 말을 듣고 연구한 사람이라면 누구나 진실한 기록으로 여길 것이다. 그리고 그 내용도 뒤이어 일어난 모든 사건뿐 아니라 그날 베르크호프에 있었던 다른 사람들, 특히 파펜과 요들, 구이도 슈미트에 의해서도 그 신빙성이 보증된다. 나는 슈슈니크의 저서 *Austrian Requiem*에 담긴 서술과 이 회담에 관한 그의 뉘른베르크 선서진술서를 살펴보았다.[4]

[히틀러가 씩씩대며 말함] 당신은 우호적인 정책을 피하기 위해 온갖 일을 했습니다. … 오스트리아의 역사 전체는 끝임없는 반역 행위에 지나지 않습니다. 과거에도 그랬고 지금도 나을 것이 없습니다. 너무 늦긴 했지만 이제라도 이런 역사의 역설에 종지부를 찍어야 합니다. 그리고 나는 지금 당장 말할 수 있습니다, 슈슈니크 씨. 나는 이 모든 사태를 끝내기로 굳게 결심했습니다. 독일 제국은 강대국 중 하나이고, 자국의 국경 문제를 어떻게 해결하든 아무도 불만을 표하지는 않을 것입니다.

히틀러의 일갈에 충격을 받은 차분하고 예의 바른 오스트리아 총리는 상대를 계속 회유하려 하면서도 자신의 입장을 견지했다. 독일인의 역사에서 오스트리아가 어떤 역할을 해왔는가 하는 문제에서는 생각을 달리한다고 슈슈니크는 말했다. "이 점에서 오스트리아의 기여는 상당합니다"라고 그는 주장했다.

히틀러: 전혀 없습니다. 분명히 말하지만, 전혀 없습니다. 모든 민족적 이념을 오스트리아는 역사를 통틀어 파괴해왔습니다. 실제로 이 모든 파괴 행위는 합스부르크 가문과 가톨릭교회의 주된 활동이었습니다.*
슈슈니크: 그렇지만, 총리 각하, 오스트리아의 많은 기여는 독일 문화의 전체상에서 도저히 떼어낼 수 없는 것입니다. 예를 들어 베토벤 같은 사람은 …
히틀러: 아아, 베토벤? 말씀드리지만 베토벤은 니더라인 출신입니다.
슈슈니크: 그래도 오스트리아는 베토벤이 선택한 나라이고, 다른 수많은 사

---

* 앞에서 언급했듯이 히틀러가 젊은 시절 린츠와 빈에서 머릿속에 새긴 오스트리아-독일 역사에 관한 일그러진 인식은 줄곧 변하지 않았음이 분명하다.

람들도 마찬가지입니다. …

히틀러: 그럴지도 모르지요. 그러나 다시 한 번 말하지만 계속 이런 식으로 갈 수는 없습니다. 내게는 역사적 사명이 있고, 나는 그것을 완수할 겁니다. 그렇게 하는 것이 신의 섭리가 정한 내 운명이기 때문입니다. … 나와 함께 하지 않는 자는 뭉개질 겁니다. … 나는 이제껏 어떤 독일인도 택하지 않은 곤란한 길을 택했습니다. 나는 독일 역사에서 가장 위대한 업적, 다른 누구도 이루지 못한 업적을 이루었습니다. 그리고 잊지 말아 주십시오, 무력으로 이루지 않았습니다. 나는 우리 국민의 사랑을 받고 있습니다. …

슈슈니크: 총리 각하, 지당한 말씀입니다.

이렇게 한 시간 동안 대화를 나눈 뒤, 슈슈니크는 상대에게 불만 사항을 말해달라고 했다. "우리는 최대한의 이해 증진을 위해 장애물을 제거하고자 노력할 것입니다."

히틀러: 그건 당신의 말입니다, 슈슈니크 씨. 하지만 내 말은 이른바 오스트리아 문제를 내가 어떻게든 해결할 작정이라는 겁니다.

그런 다음 히틀러는 오스트리아가 독일에 맞서 국경을 요새화하고 있다며 장광설을 늘어놓기 시작했다. 슈슈니크는 그런 일은 없다고 부인했다.

히틀러: 잘 들으세요, 당신이 오스트리아 안에서 돌 하나를 움직이기만 해도 이튿날이면 그 소식이 내게 들리지 않을 수 있다고 정말로 생각합니까? … 내 명령 한 마디면, 당신의 터무니없는 방어태세는 단 하룻밤 사이에 산산조각이 날 겁니다. 설마 당신이 반시간이라도 버틸 수 있다고 정말로 믿습

니까? … 나는 오스트리아를 그런 운명에서 꼭 구하고 싶습니다. 그런 행동은 유혈사태로 번질 것이기 때문입니다. 일단 육군이나 나의 돌격대, 그리고 오스트리아 군단이 출동하고 나면 아무도 그들의 정당한 복수를 멈출 수 없습니다. 나조차도.

이렇게 협박한 뒤, 히틀러는 슈슈니크에게 오스트리아의 고립과 그 귀결인 속수무책을 일깨웠다(외교적 의례에서는 마땅히 직함으로 불러야 함에도 줄곧 무례하게 이름으로 불렀다).

히틀러: 이 지구상에 나의 결정을 좌절시킬 만한 사람이 혹여 있으리라고는 한순간도 생각하지 마십시오. 이탈리아? 나는 무솔리니와 의견을 같이합니다. … 잉글랜드? 잉글랜드는 오스트리아를 위해 손가락 하나 까딱하지 않을 겁니다. … 그리고 프랑스?

프랑스는 라인란트에서 독일을 제지할 수 있었고 "그랬다면 우리는 퇴각할 수밖에 없었을 겁니다. 하지만 이제 프랑스는 너무 늦었습니다." 히틀러는 그렇게 말하며 덧붙였다.

히틀러: 이것이 마지막입니다만, 합의에 이를 기회를 한 번 더 드리지요, 슈슈니크 씨. 이 자리에서 해결책을 찾지 않으면 무슨 일이 벌어질지 모릅니다. … 신중하게 생각하세요, 슈슈니크 씨, 잘 생각하세요. 나는 오늘 오후까지만 기다릴 겁니다. …

독일 총리가 바라는 조건은 정확히 무엇이냐고 슈슈니크가 묻자, 히틀러는 이렇게 답했다. "그건 오후에야 논의할 수 있습니다."

점심을 먹는 동안 히틀러는 슈슈니크에게 사뭇 뜻밖이라고 여겨질 만큼 "기분이 아주 좋아" 보였다. 히틀러는 말[馬]이나 주택을 들먹이며 한참을 혼자서 떠들었다. 그는 일찍이 존재한 적 없는 세계 최고의 마천루를 지을 생각이라고 말했다. "미국인들은 독일이 미국보다 더 높고 훌륭한 건물들을 짓는 광경을 보게 될 겁니다." 몹시 곤란해하는 오스트리아 총리에 대해 파펜은 "근심이 많고 생각에 잠긴" 모습이었다고 기록하기도 했다. 평소 줄담배를 피우던 슈슈니크였지만 히틀러 앞에서는 흡연이 허용되지 않았다. 하지만 옆방에서 커피를 마신 뒤 히틀러가 자리를 비운 덕에 슈슈니크는 비로소 급하게 한 대 피울 수 있었다. 그리고 외무차관 구이도 슈미트에게 나쁜 소식을 전할 수 있었다. 그 소식은 곧 더 나빠질 터였다.

좁은 곁방에서 두 시간 동안 기다린 뒤, 오스트리아인 두 사람은 독일 신임 외무장관 리벤트로프와 파펜 앞으로 안내되었다. 리벤트로프는 두 사람에게 타자기로 친 두 쪽짜리 '협정' 초안을 내밀고는 이것이 히틀러의 최종 요구이고 총통은 이와 관련한 논의를 허용하지 않을 것이라고 말했다. 그리고 당장 서명해야 한다고 했다. 슈슈니크는 히틀러로부터 모종의 구체적인 요구를 받은 것에 안도했다. 그러나 초안을 찬찬히 살펴볼수록 안도감은 사라졌다. 사실상 일주일 안에 오스트리아 정부를 나치당에 넘기라고 요구하는 독일의 최후통첩이 담겨 있었기 때문이다.

오스트리아 나치당에 대한 금지령을 해제하고, 수감 중인 나치당원을 전원 석방하고, 빈의 친나치 변호사 자이스-잉크바르트 박사를 경찰과 보안 부문의 권한을 지닌 내무장관에 임명해야 했다. 또한 다른 친나치 글라이제–호르슈테나우Glaise-Horstenau를 전쟁장관에 임명하고, 장교 100명의 체계적인 교류를 비롯한 여러 조치를 통해 오스트리아 육군과 독일 육군의 더욱 긴밀한 관계를 수립해야 했다. 마지막 요구는 "오스트리아인을 독일 경제체제에 동화시키기 위해 준비한다. 이 목표를 위해 피슈뵈크 박사[친나치]를 재무장관에 임명한다"였다.[5]

훗날 썼듯이, 슈슈니크는 이 최후통첩을 받아들이면 오스트리아의 독립이 끝장날 것임을 곧바로 알아차렸다.

리벤트로프는 내게 그 요구를 즉시 받아들일 것을 권고했다. 나는 항의했고, 베르히테스가덴에 오기 전에 파펜과 맺은 이전의 협정을 언급했으며, 이런 부당한 요구를 받으리라고는 생각조차 할 수 없었다고 리벤트로프에게 분명하게 말했다. …[6]

그런데 슈슈니크는 독일의 요구를 받아들일 각오가 되어 있었을까? 슈슈니크에게 그럴 각오가 없다는 것은 리벤트로프 같은 얼간이라도 뻔히 아는 사실이었다. 문제는 슈슈니크가 과연 서명할지 여부였다. 이 힘겹고 중대한 순간에 젊은 오스트리아 총리는 약해지기 시작했다. 본인의 서술에 따르면 슈슈니크는 "우리가 독일의 선의를 기대할 수 있는지, 제국 정부는 적어도 합의 내용을 지킬 의향이 있는지" 궁색하게 물었다.[7] 이 물음에 그는 "긍정적인" 회답을 받았다고 한다.

그런 다음 파펜은 슈슈니크에게 공을 들였다. 이 약삭빠른 대사도 최후통첩을 읽어보고는 "깜짝 놀랐다"고 인정하고, 그것은 "오스트리아의 주권에 대한 정당화하기 어려운 간섭"이라고 했다. 슈슈니크는 파펜이 사과의 뜻을 비치면서 자기도 "정말로 놀랐다"고 말했다고 전한다. 그러면서도 파펜은 서명하는 편이 낫다고 오스트리아 총리에게 충고했다.

이에 더해 내가 서명해서 이 요구에 응하고 나면 그때부터 독일이 이 협정을 충실히 지키고 오스트리아에 더 이상 어려움이 없도록 히틀러가 신경쓸 것이라고 믿어도 된다고 파펜은 말했다.[8]

뉘른베르크 법정의 선서진술서 끝 대목에 보이는 이런 발언으로 알 수 있듯이, 슈슈니크는 약해지고 있었을 뿐 아니라 자신의 순진함에 굴복하고 있었다.

그러나 저항할 마지막 기회가 슈슈니크에게는 있었다. 그는 다시 히틀러에게 불려갔다. 가서 보니 총통은 흥분한 기색으로 서재에서 서성거리고 있었다.

히틀러: 슈슈니크 씨 … 여기 문서 초안이 있습니다. 논의할 것은 없습니다. 나는 단 한 마디도 바꾸지 않을 겁니다. 당신이 이 문서대로 서명하고 사흘 안에 내 요구를 이행하든지 아니면 내가 오스트리아로의 진군 명령을 내리든지 둘 중 하나입니다.[9]

슈슈니크는 굴복했다. 서명하겠다고 히틀러에게 말했다. 하지만 오스트리아 헌법에서는 공화국 대통령만이 그런 협정을 수락하고 실행할 법적 권한을 가진다는 사실을 히틀러에게 상기시켰다. 그래서 대통령에게 호소는 할 테지만 협정 수락을 보장할 수는 없다고 했다.

"당신은 보장해야만 합니다!" 히틀러는 소리쳤다.

"어쩌면 못할 수도 있습니다, 총리님" 하고 슈슈니크는 답했다.[10]

[슈슈니크가 훗날 서술함] 이 답변에 히틀러는 자제심을 잃은 듯했다. 그는 문으로 달려가 열더니 "카이텔 장군!" 하고 소리쳤다. 그런 다음 내게 돌아와 "잠시 후에 봐야겠소"라고 말했다.[11]

이 행동은 순전히 허세였지만, 그날 내내 장군들의 존재를 의식하며 초조해하던 오스트리아 총리는 허세임을 간파하지 못했을 것이다. 나중에 파펜은 카이텔에게 이런 이야기를 들었다. 카이텔이 서재로 급히 들어서자, 히틀러가 활짝 웃으며 그를 맞았다는 것이다. "명령은 없네" 하고 히틀러는 킥킥거렸다. "그냥 그대가 여기에 있었으면 하네."

그러나 총통의 서재 밖에서 기다리던 슈슈니크와 슈미트 박사는 예사롭지 않은 무언가를 느꼈다. 슈미트는 이제 5분 안에 우리 둘 다 체포된다 해도 놀라지 않을 거라고 속삭였다. 30분 뒤, 슈슈니크는 다시 히틀러에게 안내되었다.

[히틀러가 말함] 마음을 바꾸기로 했습니다. 태어나서 처음 있는 일입니다. 하지만 경고하건대 이번이 정말 마지막 기회입니다. 협정을 성사시키도록 당신에게 사흘을 더 주겠습니다.[12]

이 정도가 독일 독재자의 양보선이었으며, 최종 문안에서는 표현이 조금 부드러워지긴 했지만, 훗날 슈슈니크가 증언했듯이, 변경은 미미했다. 슈슈니크는 서명했다. 그것은 오스트리아에 대한 사형 집행 영장이나 진배없었다.

협박당하는 사람들의 행위는 각자의 성격에 따라 다르고 도통 이해하기 힘든 경우가 많다. 전임 총리가 나치당에 살해당할 정도로 거칠고

어지러운 정계에서 슈슈니크가 비교적 젊긴 해도 그 분야의 베테랑이자 용감한 남자라는 점은 거의 아무도 의심하지 않았을 것이다. 하지만 그래도 1938년 2월 11일에 슈슈니크가 무력 공격이라는 끔찍한 위협을 받는 가운데 히틀러에게 굴복한 일은 이 운명적인 시기를 보낸 오스트리아인들, 그리고 나 같은 관찰자들이나 역사가들에게 풀리지 않은 의문을 남겼다. 항복은 불가피했을까? 대안은 없었을까? 영국과 프랑스가 히틀러의 공격에 직면한 뒤로 어떻게 행동했는지를 고려할 때, 히틀러가 당시 오스트리아로 진격했다면 두 나라가 즉각 지원에 나섰을지도 모른다는 것은 경솔한 주장일 것이다. 그러나 그때까지 히틀러는 독일 국경을 넘어 어디든 쳐들어간 적도 없고, 정당한 이유 없이 공격을 감행하기에 앞서 독일 국민이나 세계를 상대로 사전 작업을 해두지도 않은 상태였다. 독일 육군 자체도 프랑스와 영국이 개입해도 이에 굴하지 않고 전쟁을 개시할 각오는 되어 있지 않았다. 그렇지만 그 후로 몇 주 동안 오스트리아는 베르히테스가덴 '협정'의 결과로 국내의 나치당이나 독일의 술책에 의해 점점 약해졌고, 그 덕에 히틀러는 2월 11일의 상황에 비하면 외세가 개입할 위험을 훨씬 줄인 채로 오스트리아를 차지할 수 있었다. 슈슈니크 자신이 훗날 서술했듯이, 그는 히틀러의 조건을 수락하는 것은 곧 "오스트리아 정부 독립의 완전한 종언일 뿐"임을 잘 알고 있었다.

아마도 슈슈니크는 그런 시련을 겪은 탓에 정신이 멍했을 것이다. 총구 앞에서 서명하여 자국의 독립을 넘겨준 뒤, 슈슈니크는 나중에 저서에서 밝혔듯이 히틀러와의 이상한 대화에 빠져들었다. "총리님은 오늘날 세계의 여러 위기를 평화적인 수단으로 해결할 수 있다고 생각하십니까?" 하고 그가 물었다. 총통은 얼토당토않게도 "내 조언을 따른다면"

그럴 수 있다고 답변했다. 그러자 슈슈니크는 빈정대는 기색 없이 "지금의 세계정세는 유망해 보입니다, 그렇게 생각하지 않으십니까?"라고 말했다.[13]

그 순간에 이런 발언을 했다는 것이 믿기지 않지만, 큰 타격을 받은 오스트리아 총리는 그렇게 말했다고 스스로 전한다. 히틀러는 슈슈니크에게 한 번 더 굴욕감을 안길 생각이었다. 슈슈니크가 회담 결과에 관한 신문 발표문에 이번 회담에서 1936년 7월의 협정을 재확인했다는 언급을 넣자고 제안하자 히틀러는 이렇게 소리쳤다. "잠깐, 안 됩니다! 먼저 당신이 우리 협정의 조건을 이행해야 합니다. 신문에는 이렇게 나갈 겁니다. '오늘 총통 겸 제국총리는 오스트리아 연방 총리와 베르크호프에서 상의했다.' 이게 전부입니다."

이곳에 머물다가 저녁식사를 함께하자는 총통의 제안을 정중히 고사한 슈슈니크와 슈미트는 차를 타고 산을 내려와 잘츠부르크로 향했다. 우중충하고 안개가 자욱한 겨울밤이었다. 어느 자리에나 끼는 파펜은 그들과 국경까지 동행하는 동안의 "숨막히는 침묵"이 적잖이 불편했던 것으로 보인다. 파펜은 오스트리아 친구들의 기분을 풀어주고픈 마음을 참지 못하고 이렇게 말했다.

"자, 오늘 두 분은 총통이 이따금 어떻게 구는지를 본 겁니다! 하지만 내 장담하건대 다음번에는 다를 겁니다. 그래요, 총통은 정말이지 매력적이기도 합니다."*

---

* 파펜의 서술(그의 *Memoirs*, p. 420 참조)은 조금 다르지만, 슈슈니크의 서술이 더 진실해 보인다.

고뇌의 4주간: 1938년 2월 12일~3월 11일

———

히틀러는 슈슈니크에게 최후통첩을 이행하겠다는 "구속력 있는 회답"을 하는 데 사흘간—2월 15일 화요일까지—의 말미를 주고, 특정 조건을 완수하는 데 추가로 사흘간—2월 18일까지—의 말미를 주었다. 슈슈니크는 2월 12일 오전에 빈으로 돌아가자마자 빌헬름 미클라스Wilhelm Miklas 대통령을 방문했다. 미클라스는 착실하고 평범한 인물로, 빈 사람들은 그의 생애 최고의 업적은 자식을 많이 본 것이라고 말하곤 했다. 그러나 성정이 농민처럼 건실했던 미클라스는 국가 관료로 52년을 일한 끝에 맞은 이 위기 국면에서 다른 어떤 오스트리아인보다도 큰 용기를 보여주었다. 그는 오스트리아 나치들을 사면하는 등의 특정 사안들에서는 히틀러에게 양보할 뜻이 있었지만, 자이스-잉크바르트에게 경찰과 육군을 맡기는 것을 놓고는 망설였다. 당연히 파펜은 2월 14일 저녁에 이 사실을 베를린에 보고하면서 슈슈니크가 이튿날까지는 "대통령의 저항을 극복하기를" 바라고 있다고 덧붙였다.

같은 날 저녁 7시 30분에 히틀러는 카이텔 장군이 오스트리아에 군사적 압력을 가하기 위해 기안한 명령을 승인했다.

거짓이되 꽤 믿을 만한, 오스트리아에 대한 무력 침공 준비가 끝났다고 믿을 만한 소식들을 퍼뜨린다.[14]

사실 슈슈니크가 베르히테스가덴을 떠나자마자 총통은 자신의 요구대로 오스트리아 총리를 움직이기 위해 군사적 조치에 나서는 척했다. 요들은 일기에 그 조치를 빠짐없이 적었다.

2월 13일. 오후에 K[카이텔] 장군이 C[카나리스] 제독*과 나에게 자기 아파트로 와달라고 했다. 총통의 명령은 15일까지 거짓 군사행동을 일으켜서 계속 군사적 압력을 가하는 것이라고 했다. 이 조치의 초안을 작성해 총통에게 제출하고 전화로 승인을 받았다.

2월 14일. 효과가 빠르고 뚜렷하다. 독일이 정말로 군사적 준비를 하고 있다는 인상이 오스트리아 안에서 강해지고 있다.[15]

요들 장군의 이 말은 과장이 아니었다. 무력 침공의 위협 앞에서 미클라스 대통령은 굴복했고, 유예 기한의 마지막 날인 2월 15일에 슈슈니크는 파펜 대사에게 베르히테스가덴 협정이 2월 18일 전에 이행될 것이라고 정식으로 알렸다. 2월 16일, 오스트리아 정부는 돌푸스 살해범을 포함하는 나치들에 대한 대사면 조치를 발표하고, 아르투어 자이스-잉크바르트를 보안을 책임지는 내무장관에 임명하는 등의 내각 개편을 공식화했다. 이튿날 이 친나치 장관은 히틀러를 만나 지령을 받기 위해 서둘러 베를린으로 향했다.

나치 부역자 제1호가 된 자이스-잉크바르트는 빈의 상냥하고 지적인 젊은 변호사로서, 1918년 이래로 오스트리아를 독일과 합치겠다는 염원을 품어왔다. 이런 열망은 1차대전 이후 초기 수년 동안에는 제법 인기가 있었다. 실제로 휴전 다음날인 1918년 11월 12일, 얼마 전 합스부르크 군주정을 전복하고 오스트리아 공화국을 선포한 빈의 임시 국민의회는 "독일계 오스트리아는 독일 공화국의 한 구성요소이다"라고 천명하며 양국의 합병을 실현하고자 했다. 그러나 승전한 연합국은 이를 용인하지

---

* 빌헬름 카나리스(Wilhelm Canaris)는 OKW 방첩국(Abwehr)의 수장이었다.

않았으며, 히틀러가 집권한 1933년 무렵에 오스트리아인 다수는 이 작은 나라가 나치 독일과 합치는 것에 반대했다. 하지만 훗날 뉘른베르크 재판에서 말했듯이 자이스-잉크바르트는 나치당이 오스트리아 병합을 집요하게 추구한다고 판단했고, 그런 이유로 나치당을 지지했다. 그는 나치당에 입당하지 않았고, 나치들의 도를 넘는 난동에 가담하지도 않았다. 오히려 오스트리아 나치당의 점잖은 간판 역할을 맡았고, 1936년 7월의 협정을 계기로 참사관에 임명된 뒤로는 파펜을 비롯한 독일인 관헌들의 지원을 받으며 오스트리아 내부를 무너뜨리는 데 열중했다. 이상하게도 슈슈니크와 미클라스 둘 다 거의 마지막까지 자이스-잉크바르트를 신뢰했던 것으로 보인다. 슈슈니크와 마찬가지로 독실한 가톨릭교도였던 미클라스는 자이스-잉크바르트가 "교회에 열심히 다니는 신자"라서 좋은 인상을 받았다고 훗날 털어놓았다. 자이스-잉크바르트가 가톨릭교도일 뿐 아니라 슈슈니크와 마찬가지로 1차대전 중에 티롤 카이저예거Kaiserjäger 연대에서 복무하다가 중상을 입었다는 사실을 근거로 오스트리아 총리는 이 남자를 신뢰했던 것으로 보인다. 불행히도 슈슈니크에게는 더 실질적인 것에 근거해서 사람을 판단하지 못하는 치명적 결점이 있었다. 아마도 슈슈니크는 이 신임 나치 장관에 관해서도 그저 뇌물만 주면 계속 자기편으로 둘 수 있으리라고 넘겨짚었을 것이다. 슈슈니크는 저서에서 1년 전에 자이스-잉크바르트가 참사관직에서 사임하겠다고 협박했다가 500달러를 받고서 사임을 재고했던 때를 떠올리며 이 얼마 되지도 않는 돈이 그에게 끼쳤던 마법 같은 효과에 대해 언급했다. 그러나 히틀러는, 슈슈니크가 곧 알게 되듯이, 이 야심차고 젊은 변호사에게 건넬 더 크고 눈부신 보상을 준비해두고 있었다.

2월 20일, 히틀러는 드디어 제국의회에서 연설을 했다. 이 연설은 1월 30일로 예정되어 있었지만 블롬베르크-프리치 위기나 오스트리아를 겨냥한 히틀러 자신의 권모술수 때문에 연기되어왔다. 총통은 슈슈니크의 "이해"와 오스트리아와 독일의 더욱 긴밀한 화합을 이루려는 그의 "다정한 의향"에 대해 호의적으로 말하면서도—이 허튼소리에 영국 총리 체임벌린은 감명을 받았다—한 가지 경고를 했다. 런던에서는 별로 주목하지 않았을지 몰라도, 빈에서는, 그리고 프라하에서는 귓등으로 흘려보낼 수 없는 경고였다.

천만 명이 넘는 독일인이 국경을 접하는 두 나라에 살고 있습니다. … 한 가지는 의심할 여지가 없습니다. 독일과 정치적으로 분리되어 있다고 해서 권리, 즉 민족자결이라는 일반적 권리를 박탈당해서는 안 됩니다. 세계의 강국으로서는 자신들의 민족 전체, 그 민족의 운명과 세계관에 공감하거나 일체감을 느낀다는 이유로 줄곧 극심한 고통에 시달리는 동포들이 국경 너머에 있음을 아는 것은 견딜 수 없는 일입니다. 우리와 국경을 접하는 곳에 거주하는, 정치적·정신적 자유를 자력으로 지킬 수 없는 독일인 집단들을 보호하는 일은 독일 제국의 이해관계에 해당합니다.[16]

이것은 이제부터 히틀러가 오스트리아인 700만 명과 체코슬로바키아 주데텐 지방의 독일인 300만 명의 미래를 제3제국의 국내문제로 여길 것이라는 직설적이고 공식적인 통보였다.

슈슈니크는 사흘 후—2월 24일—에 독일 제국의회와 마찬가지로 일당 독재정권이 의원들을 선발해 구성한 오스트리아 연방의회에서 행한 연설을 통해 히틀러에게 회답했다. 슈슈니크는 독일을 달래려 하면서도 오스트리아가 "정지명령을 내리고 '여기까지, 더는 불가'라고 말할 수밖에 없는" 양보의 한계에 이르렀다고 강조했다. 오스트리아는 결코 자진해서 독립을 포기하지 않을 것이라고 말한 그는 감동적인 외침으로 답변을 끝맺었다. "적－백－적 죽는 날까지! Red-White-Red until we're dead!" (적－백－적은 오스트리아 국기의 색깔을 가리키는데, 이 표현은 독일어로도 압운이 맞는다. 'Rot－weiß－rot bis in den Tod!')

"2월 24일은 내게 결정적인 날이었다"라고 슈슈니크는 전후에 썼다. 슈슈니크는 자신의 도전적인 연설에 대한 총통의 반응을 불안한 심정으로 기다렸다. 파펜은 이튿날 베를린의 외무부에 보낸 전보에서 슈슈니크의 연설을 너무 진지하게 받아들이지 말라고 조언했다. 슈슈니크는 국내에서 자신의 입지를 되찾기 위해 민족주의적 감정을 다소 강하게 드러냈던 것이고, 빈에서는 그가 베르히테스가덴에서 양보한 사항들 때문에 그에 대한 타도 음모가 진행되고 있을 정도라고 전했다. 한편 파펜은 "자이스－잉크바르트의 일은 … 계획대로 진행되고 있다"라고 베를린에 보고했다.[17] 이튿날 파펜은 오스트리아에서 다년간 추진해온 교활한 작업이 조만간 결실을 맺으려는 시점에 오스트리아 총리에게 정식으로 작별을 고하고 한동안 스키를 타러 키츠뷜로 떠났다.

오스트리아 라디오로 방송된 히틀러의 2월 20일 연설은 이 나라 곳곳에서 일련의 대규모 나치 시위를 촉발했다. 2월 24일 슈슈니크의 회답연설이 방송되는 동안 그라츠에서는 2만 명의 나치 폭도가 중앙 광장에 몰려들어 확성기를 때려부수고 오스트리아 국기를 끌어내리고 독일의 스와스티카 국기를 올렸다. 자이스－잉크바르트가 경찰을 직접 통솔하는 상황에서 나치의 폭동을 진압하려는 시도는 전혀 없었다. 슈슈니크 정부는 허물어지고 있었다. 정치적 혼란뿐 아니라 경제적 혼란까지 시작되었다. 국외 사람들과 국내 사람들 모두 오스트리아 은행들의 계좌에서 예금을 대규모로 인출하기 시작했다. 불안해진 외국 기업들의 주문 취소 요청이 빈으로 밀려들었다. 오스트리아 경제의 버팀목 중 하나인 외국인 여행객들은 겁을 먹고 있었다. 아르투로 토스카니니Arturo Toscanini는 뉴욕에서 전보를 보내, 매년 여름 관광객 수만 명을 끌어들이는 잘츠부르크 음악제에 출연하려던 일정을 "오스트리아의 정세 때문에" 취소한다고 알렸다. 상황이 얼마나 절박했던지, 당시 망명 중이던 젊은 왕위요구자 오토 폰 합스부르크Otto von Hapsburg가 벨기에의 자택에서 슈슈니크에게 편지를 보내(나중에 슈슈니크가 공개했다) 만약 오스트리아를 구할 만한 조치라고 생각된다면 자신을 총리로 임명해달라고 옛 제국군 장교로서의 충성을 맹세하며 간원했을 정도였다.

절체절명의 슈슈니크는 오스트리아 노동계에 도움을 청했다. 1934년에 돌푸스가 자유노조들과 그 정당인 사회민주당을 무자비하게 탄압한 이래 슈슈니크 자신도 노동계를 탄압해온 역사가 있었다. 노동자들은 오스트리아 유권자의 42퍼센트를 차지했으며, 지난 4년 중의 어느 시점에라도 총리가 자신의 성직자-파시스트 독재정의 좁은 시야에서 벗어나 온건한 반나치 민주 연정을 위해 그들의 지지를 구했다면, 상대적 소수파였던 나치당을 손쉽게 제압할 수 있었을 것이다. 그러나 슈슈니크에게는 그런 조치를 취할 만한 도량이 없었다. 한 인간으로서는 점잖고 반듯하긴 했지만, 유럽의 일부 사람들과 마찬가지로 서구 민주주의에 대한 경멸감과 권위주의적 일당 통치에 대한 열망에 사로잡혀 있었다.

공장에서 일하는 사회민주당원들과 그 무렵에 나치들과 함께 감옥에서 석방된 사회민주당원들은 3월 4일 총리의 호소에 일제히 응답했다. 그간의 온갖 사건에도 불구하고 그들은 정부를 도와 국가의 독립을 수호할 각오가 되어 있다고 말했다. 그들이 요구한 것은 총리가 이미 나치당에 양보한 권리, 즉 자기네 정당을 보유하고 자기네 신조를 설파할 권리뿐이었다. 슈슈니크는 동의했으나 너무 늦었다.

3월 3일, 정보에 밝은 요들 장군은 일기에 이렇게 적었다. "오스트리아 문제가 결정적인 국면으로 가고 있다. 장교 100명이 그곳으로 파견될 것이다. 총통은 그들을 친히 만나고 싶어한다. 오스트리아군이 우리를 상대로 더 잘 싸울 것이라는 생각이 아니라 아예 싸우지도 못할 것이라는 생각을 그들에게 심어주어야 한다."

이 결정적인 국면에서 슈슈니크는 각 지방에서 나치가 판세를 장악하기 시작한 2월 말 이래 숙고해온 절박한 조치를 마지막으로 한 번 더 취하기로 했다. 국민투표를 실시할 작정이었다. 오스트리아 국민에게 "자유롭고 독립적이고 사회적이고 기독교적인 통일 오스트리아"를 지지하는지 여부를 "예/아니요"로 물을 생각이었다.*

[훗날 슈슈니크가 기록함] 나는 명확한 결정을 내릴 때가 왔다고 판단했다. 손이 묶인 채로 몇 주를 더 기다리다가 결국 재갈까지 물게 되는 것은 무책임한 일로 보였다. 최후의 지대한 노력이 필요한 도박에 나설 때였다.[18]

베르히테스가덴에서 돌아온 직후 슈슈니크는 오스트리아를 비호하는

---

* 전후에 빈에서 열린 어느 오스트리아인 나치를 재판하는 법정에서 미클라스 대통령이 증언한 바에 따르면, 슈슈니크에게 이 국민투표를 제안한 쪽은 프랑스였다. 파펜은 회고록에서 총리의 가까운 친구인 빈 주재 프랑스 대사 M. 퓌오(Puaux)가 "국민투표라는 발상의 아버지"였다고 시사한다. 그렇지만 파펜이 인정하는 대로, 슈슈니크가 자기 책임으로 그 발상을 채택한 것은 분명하다.[19]

무솔리니에게 히틀러의 위협에 관해 알렸고 두체로부터 오스트리아에 대한 이탈리아의 입장은 변함이 없다는 즉답을 받았다. 3월 7일, 슈슈니크는 로마 주재 자국 무관을 무솔리니에게 보내 현 상황을 고려할 때 "국민투표에 의지해야 할 듯합니다"라고 자신의 뜻을 전했다. 그러자 이탈리아 독재자의 반응은 오판이라는—"오판이 있습니다!C'è un errore!"—것이었다. 무솔리니는 슈슈니크에게 이전 방침을 고수하라고 조언했다. 상황이 나아지고 있고, 조만간 로마와 런던의 관계가 완화되어 압력도 크게 줄어들 것이라고 했다. 이것이 슈슈니크가 무솔리니에게 들은 마지막 말이었다.

3월 9일 저녁, 슈슈니크는 인스부르크에서 연설하면서 나흘 후—3월 13일 일요일—에 국민투표를 실시할 것이라고 발표했다. 이 예상치 못한 소식에 아돌프 히틀러는 노발대발했다. 요들은 3월 10일 일기에서 베를린의 첫 대응을 이렇게 묘사했다.

불시에, 각료들과도 상의하지 않고 슈슈니크가 3월 13일 일요일에 국민투표를 실시하라고 명령했다. …
총통은 이를 용인하지 않을 작정이다. 3월 9일에서 10일로 넘어가는 밤, 총통은 괴링을 호출했다. 라이헤나우 장군은 올림픽위원회 회의 중이던 카이로에서 돌아오라는 호출을 받았다. 쇼베르트Schobert 장군[오스트리아와 국경을 접하는 뮌헨 군관구 사령관]도, 팔츠에 가 있던 … [오스트리아] 각료 글라이제-호르슈테나우도 오라는 지시를 받았다. … 리벤트로프는 런던에 붙들려 있다. 노이라트가 대신 외무부를 맡는다.[20]

이튿날인 3월 10일 목요일, 베를린은 급박하게 돌아갔다. 히틀러가 오스트리아에 대한 군사 점령을 결정했는데, 이는 분명 장군들에게 뜻밖의 소식이었다. 일요일로 예정된 슈슈니크의 국민투표를 무력으로 저지하려면 육군이 토요일까지 오스트리아로 진입해야 했지만, 그런 황급한 작전 계획은 세워져 있지 않았다. 히틀러는 카이텔에게 오전 10시까지 오라고 했지만, 카이텔은 서둘러 총통에게 가기 전에 요들 장군, OKW 작전참모장 막스 폰 피반Max von Viebahn 장군과 상의했다. 지략이 풍부한 요들은 오토 폰 합스부르크를 오스트리아 왕위에 앉히려는 시도에 대응하기 위해 세워두었던 오토 특수작전Special Case Otto을 기억해냈다. 계획해둔 대對오스트리아 군사행동은 이것뿐이었기 때문에 히틀러는 그것을 실행하기로 결정했다. 그리고 "오토 작전을 준비하라"고 명령했다.

카이텔은 벤틀러슈트라세에 있는 OKW 본부로 급히 돌아와 육군 참모총장 베크 장군과 상의했다. 카이텔이 오토 작전의 세부에 대해 묻자 베크는 "우리는 준비해둔 게 없습니다, 전혀 해둔 게 없어요, 아무것도"라고 답변했다. 이번에는 베크가 제국총리 관저로 불려갔다. 베크는 사단장으로 부임하러 곧 베를린을 떠날 참이던 만슈타인 장군을 붙들어 함께 차를 타고 히틀러에게 갔으며, 히틀러는 두 사람에게 육군이 토요일까지 오스트리아로 진격할 준비를 마쳐야 한다고 말했다. 두 장군 모두 이 무력침공 방침에 이의를 제기하지 않았다. 다만 그렇듯 촉박하게 군사행동을 벌이는 어려움에 관해 걱정했을 뿐이다. 벤틀러슈트라세로 돌아온 만슈타인은 즉각 명령서를 기안하기 시작해 다섯 시간 만인 오후 6시에 끝마쳤다. 요들의 일기에 따르면, 오후 6시 30분에 육군 3개 군단과 공군에 동원 명령이 떨어졌다. 이튿날인 3월 11일 오전 2시, 히틀러는 오토 작전을 위한 지령 제1호를 발령했다. 워낙 급해서 서명하는 것을 깜빡했고, 오후 1시에야 서명했다.

극비

1. 다른 조치들이 성공하지 못할 경우, 나는 군대를 동원해 오스트리아를 침공하여 입헌적 조건을 확립하고 친독일 주민에 대한 더 이상의 불법행위를 막을 생각이다.

2. 전체 작전은 내가 직접 지휘할 것이다. …

…

4. 이 작전에 출동하는 육군과 공군 부대는 1938년 3월 12일 늦어도 12:00까지 침공 준비를 마쳐야 한다. …

5. 부대의 행동은 우리가 오스트리아의 형제들과 전쟁을 벌이기를 원하지 않는다는 인상을 주어야 한다. … 그러므로 어떠한 도발이든 피해야 한다. 그러나 저항에 부딪힌다면 무력으로 무자비하게 분쇄해야 한다. …[21]

몇 시간 뒤 요들은 국방군 최고사령부 총장을 대신해 추가로 '극비' 명령을 내렸다.

1. 오스트리아 안에서 체코슬로바키아 군단이나 민병대와 조우할 경우 그들을 적군으로 여겨야 한다.
2. 이탈리아인은 어디서든 우군으로 여겨야 한다. 특히 무솔리니가 오스트리아 문제의 해결에 관심이 없다고 언명했기 때문이다.[22]

히틀러는 무솔리니의 반응에 신경을 썼다. 3월 10일 오후, 히틀러는 군사 침공을 결정하자마자 헤센의 필리프 공을 특별기편으로 두체에게 보내 자신의 친서를 전하게 했다. 자신이 계획한 행동을 이탈리아 독재자에게 설명하고 양해를 구하는 내용이었다. 슈슈니크에 대한 조치 및 오스트리아의 정세에 관해 거짓말을 늘어놓은 이 서한은 오스트리아가 "무정부 상태에 가까워지고 있다"라는 허튼소리로 시작하고 있어서, 나중에 독일에서 이 서한을 공개할 때 히틀러가 그 부분을 삭제토록 할 정도였다.* 히틀러는 오스트리아와 체코슬로바키아가 합스부르크 가를 복위시킬 음모를 꾸미고 있고 "2000만 명 이상의 힘을 독일에 휘두를" 준비를 하고 있다고 말했다. 그런 다음 슈슈니크에 대한 요구의 개요를 밝히면서 그 요구가 "온건한 수준을 넘지 않은 것"이었는데도 슈슈니크는 이행하지 않았다고 역설하고, "이른바 국민투표"라는 "엉터리"에 대해 말했다.

독일 제국의 총통 겸 총리로서, 아울러 이 땅의 아들로서 책임을 지는 나는 이러한 사태 전개에 즈음해 더 이상 수동적인 자세로 일관할 수 없습니다.

나는 이제 나의 고국에서 법과 질서를 회복하고, 그곳 국민이 스스로의 판단에 따라 그들 자신의 운명을 그릇되지 않고 확실하고 공명정대한 방식으로 결정할 수 있도록 조치를 취할 것입니다. …

이 국민투표를 어떤 방식으로 실시하든, 나는 이제 파시스트 이탈리아의 두체인 각하께 다음 사항을 엄숙히 확언하고자 합니다.

1. 이 조치를 국가의 자기방위로만, 따라서 어떤 품성의 사람이든 나의 위치에 있다면 똑같이 했을 법한 행동으로만 생각해주십시오. 만약 이탈리아인의 운명이 위태롭다면 각하께서도 다른 식으로는 행동하지 못할 것입니다. …

2. 이탈리아가 위기에 처했을 때에 나는 귀하에게 나의 확고부동한 공감을 표했습니다. 장래에도 이 점에는 변함이 없다는 것을 의심하지 마십시오.

---

* 삭제된 부분은 전후에 이탈리아 외무부의 문서고에서 발견되었다.

3. 향후 사태의 결과가 어떠하든, 나는 독일과 프랑스 사이에 명확한 경계선을 그었고 이제 이탈리아와 우리 사이에 똑같이 명확한 경계선을 그으려 합니다. 그것은 브렌네르 고개입니다. …*

한결같은 우의를 담아

귀하의

아돌프 히틀러[23]

슈슈니크의 좌절

————

3월 10일 밤, 슈슈니크 박사는 국경 너머 제3제국에서 정신없이 벌어지는 일들에 아랑곳하지 않고 잠자리에 들었다. 훗날 그가 증언한 대로, 국민투표는 오스트리아의 승리로 끝날 것이고 나치당도 "만만찮은 장애물이 되지는 못할 것"이라고 굳게 확신하고 있었다.** 실제로 그날 저녁 자이스-잉크바르트 박사는 슈슈니크에게 국민투표를 지지할 것이고 더 나아가 국민투표에 찬성하는 라디오 연설까지 하겠다고 약속했다.

3월 11일 금요일 아침 5시 30분, 오스트리아 총리는 침대 맡의 전화

————————

* 브렌네르 고개에서 국경을 정하는 것은 무솔리니의 비위를 맞추기 위한 선물이었다. 히틀러의 이 말은 베르사유 조약에 따라 오스트리아로부터 빼앗아 이탈리아에 넘겨준 남부 티롤을 다시 돌려달라고 요구하지 않겠다는 뜻이었다.
** 공정을 기하기 위해 슈슈니크의 국민투표가 독일에서 히틀러가 실시한 국민투표에 비해 별반 자유롭지도 않고 민주적이지도 않았다는 점을 지적해둬야겠다. 1933년 이래 오스트리아에서는 자유선거가 없었으므로 최신의 선거인명부도 없었다. 24세 이상만 투표할 자격이 있었다. 국민투표를 고작 나흘 전에 공지했기 때문에 설령 야당인 나치당이나 사회민주당이 자유롭게 선거운동을 할 수 있었다 해도 그럴 시간이 없었다. 국민투표를 실시했다면 사회민주당은 틀림없이 찬성투표를 했을 텐데, 슈슈니크를 히틀러보다는 덜 사악한 자로 본 데다 정치적 자유의 회복을 약속받았기 때문이다. 사회민주당원들이 투표했다면 슈슈니크가 승리했을 것임은 의심할 여지가 없다.

소리에 잠을 깼다. 오스트리아 경찰청장 슈쿠블Skubl 박사의 전화였다. 독일이 잘츠부르크에서 국경을 봉쇄했다고 했다. 양국 간 철도 운송이 중단되었다고 했다. 독일 병력이 오스트리아 국경으로 집결하고 있다고 했다.

6시 15분경 슈슈니크는 발하우스플라츠에 있는 집무실로 가던 도중에 먼저 성 슈테판 대성당에 들르기로 했다. 새벽녘의 어둑한 빛을 받으며 아침 일찍 미사를 올리던 대성당에서 그는 신도석에 앉아 안절부절못하며 경찰청장의 불길한 보고에 대해 생각했다. "그것이 어떤 의미인지 나는 잘 몰랐다"라고 그는 훗날 회상했다. "다만 무언가 변화를 가져오리라는 것만 알았다." 그는 영원한 도움의 성모상 앞에서 빛을 내는 초를 가만히 응시하다가 살며시 주위를 둘러보고는 지난날 곤경에 처한 수많은 빈 주민들이 이 성모상 앞에서 했던 것처럼 성호를 그었다.

총리 관저에 도착해서 보니 만사태평이었다. 밤사이 재외 공관으로부터는 전보 한 통 와 있지 않았다. 총리는 경찰본부에 전화를 걸어 만일의 사태에 대비해 인네레 슈타트Innere Stadt〔구시가지〕 지구와 정부 청사들 주위에 경계선을 구축하라고 지시했다. 그리고 각료들을 소집했다. 자이스-잉크바르트만 나타나지 않았다. 슈슈니크는 그를 어디서도 찾을 수 없었다. 사실 이 친나치 장관은 빈 공항에 나가 있었다. 전날 밤에 갑자기 베를린으로 오라는 호출을 받고 오전 6시에 특별기편으로 출발하는 파펜을 배웅했던 것이다. 그리고 이제 이 제1호 부역자는 제2호 부역자의 도착을 기다리고 있었다―자이스와 마찬가지로 슈슈니크 내각의 각료로서 이미 반역에 깊이 관여하고 있던 제2호 글라이제-호르슈테나우는 국민투표와 관련해 두 부역자가 할 일을 지시하는 히틀러의 명령을 가지고서 베를린으로부터 돌아올 예정이었다.

히틀러의 명령은 국민투표를 취소시키라는 것이었고, 오전 10시에 두 신사를 통해 히틀러가 격노했다는 정보와 함께 슈슈니크에게 제때 전해졌다. 여러 시간 동안 미클라스 대통령, 각료들, 슈쿠블 박사와 상의한 뒤, 슈슈니크는 국민투표를 취소한다는 데 동의했다. 그에 앞서 경찰청장은 베르히테스가덴의 최후통첩에 따라 원래 직책에 복귀한 나치들이 경찰 조직에 잔뜩 섞여 있는 터라 정부가 더 이상 경찰에 의지할 수 없다고 슈슈니크에게 머뭇거리며 말했다. 한편, 슈슈니크는 육군과 애국전선 —오스트리아의 권위주의적 공당公黨—의 민병대는 함께 싸워줄 것이라고 확신했다. 그러나 이 중차대한 순간에 슈슈니크는 이 저항이 독일인의 피를 흘리는 것을 의미한다면 히틀러에게 저항하지 않겠다고 결정했다—실은 이 문제와 관련해 어떻게 할지를 오래전부터 정해두었다고 한다. 히틀러는 아주 기꺼이 피를 흘릴 작정이었지만, 슈슈니크는 상상만으로도 뒷걸음질을 쳤다.

오후 2시, 슈슈니크는 자이스-잉크바르트를 불러 국민투표를 취소했다고 알렸다. 이 점잖은 유다는 즉각 베를린의 괴링에게 전화해 이 사실을 보고했다. 그러나 순종하는 적에게서 한 가지 양보를 받아내면 곧바로 추가 양보를 받아내려는 것이 나치의 수법이었다. 괴링과 히틀러는 대뜸 판돈을 올리기 시작했다. 협박과 협잡을 구사한 이 과정에 대한 분 단위 기록이 퍽 아이러니하게도 괴링 자신이 항공부에 설치한 '연구소 Forschungsamt'에 의해 작성되었다. 3월 11일 오후 2시 45분부터 괴링의 집무실에서 27통의 전화 통화를 녹음하고 글로 옮겨적은 기록이다. 전후에 독일 항공부에서 발견된 이 문서는 결정적인 몇 시간 동안 베를린에서 걸려온 전화에 의해 오스트리아의 운명이 정해진 과정을 잘 보여준다.[24]

오후 2시 45분에 자이스가 괴링에게 처음 전화를 걸었을 때, 원수는 슈슈니크의 국민투표 취소로는 충분하지 않고 자신이 히틀러와 상의한 뒤 전화하겠다고 말했다. 그 전화는 3시 5분에 걸려왔다. 괴링의 지시는 두 시간 내에 슈슈니크가 사임하고 자이스-잉크바르트를 총리로 임명하라는 것이었다. 또 괴링은 자이스에게 "의견을 모으는 대로 총통에게 전보를 보내시오"라고 말했다. 여기서 처음 언급된 전보는 앞으로 몇 시간에 걸쳐 광란의 사태가 벌어지는 내내 불쑥불쑥 튀어나올 터였다. 그리고 장차 독일 국민과 세계의 여러 외무부를 상대로 자신의 침공을 정당화하려는 히틀러가 협잡을 자행하는 수단으로 사용할 터였다.

부재중인 파펜을 대신하도록 히틀러가 오스트리아로 보낸 특사 빌헬름 케플러는 오후에 빈에 도착했다. 그리고 총통에게 보낼 전보문을 자이스-잉크바르트 눈앞에서 보여주었다. 오스트리아 국내의 난동을 진압하기 위해 독일에 출병을 요청하는 내용이었다. 뉘른베르크 법정의 선서진술서에서 자이스는 난동이라고는 전혀 없었으므로 그런 전보를 보내는 것은 거부했다고 단언했다. 전보를 보내야 한다고 고집하던 케플러는 급히 오스트리아 총리 관저로 가서 뻔뻔하게도 자이스, 글라이제-호르슈테나우와 함께 그곳에 비상집무실을 차렸다. 슈슈니크가 이 중대한 때에 그런 침입자들이나 반역자들이 오스트리아 정부 청사 안에 집무실을 가지도록 허용한 이유는 도통 이해할 수 없지만, 어쨌든 허용했다. 훗날 슈슈니크는 그 한쪽 구석에서 자이스-잉크바르트와 글라이제-호르슈테나우가 "재판"을 열고 "그들 주위로 수상해 보이는 남자들이 분주히 오가는" 총리 관저가 마치 "심란한 벌집처럼" 보였다고 회고했다. 하지만 정중하되 정신이 멍한 총리는 그들을 내쫓는다는 생각을 한 번도 하지 않았던 듯하다.

슈슈니크는 히틀러의 압박에 굴복해 사임하기로 마음먹었다. 여전히 자이스와 같은 공간에 틀어박혀 있으면서도 슈슈니크는 무솔리니에게 전화를 걸었다. 하지만 두체에게 곧바로 연결되지 않아 몇 분을 기다리다가 전화를 취소했다. 무솔리니에게 도움을 청하는 것은 "시간 낭비"라고 판단했다. 오스트리아의 젠체하는 비호자마저 정작 도움이 필요한 순간에는 이 나라를 저버리고 있었다. 몇 분 후, 슈슈니크가 자신의 사임을 수리해달라고 미클라스 대통령을 설득하고 있을 때에 외무부에서 전갈이 왔다. "이탈리아 정부는 현 상황에서 어떤 조언도 할 수 없음을 분명히 한다. 설령 그런 조언을 청해오더라도."[25]

빌헬름 미클라스 대통령은 위대한 인물은 아니었으나 완고하고 꼿꼿했다. 미클라스는 슈슈니크의 사임을 마지못해 수리하면서도 자이스-잉크바르트를 후임 총리로 임명하기를 거부했다. "그건 불가능합니다"라고 말했다. "우리는 강압에 넘어가지 않을 겁니다." 미클라스는 최후통첩을 거부한다고 독일 측에 통지하도록 슈슈니크에게 지시했다.[26]

이 지시를 자이스-잉크바르트는 오후 5시 30분에 괴링에게 지체 없이 보고했다.

> 자이스-잉크바르트: 대통령은 [슈슈니크의] 사임을 수리했습니다. … 대통령에게 총리직을 제게 맡길 것을 제안했지만 … 그는 엔더Ender[전 총리] 같은 사람에게 맡기고 싶어합니다. …
>
> 괴링: 거참, 그건 안 돼! 세상없어도! 대통령에게 연방 총리의 권한을 당신에게 넘기고 미리 정해둔 내각을 수락해야 한다고 당장 알리시오.

여기서 통화가 중단되었다. 자이스-잉크바르트는 뮐만Mühlmann 박사에게 전화를 바꿔주었는데, 슈슈니크는 이 남자가 베르히테스가덴의 눈에 띄지 않는 곳에 있는 모습을 본 적이 있었다. 이 그림자 같은 오스트리아 나치는 괴링과 개인적으로 친한 사이였다.

밀만: 대통령이 끈질기게 승낙을 거부하고 있습니다. 우리 국가사회주의자 세 사람이 그를 만나려고 직접 찾아갔지만 … 우리를 만나려고도 하지 않았습니다. 아직은 굴복하지 않을 것으로 보입니다.

괴링: 자이스를 바꿔주게. [자이스에게 말함] 그렇다면 잊지 마시오. 곧장 무프 중장[독일 무관]과 함께 대통령을 찾아가서 우리 쪽 조건을 즉각 수락하지 않으면 이미 국경으로 진군 중인 병력이 오늘밤 전 국경에 걸쳐 오스트리아 영내로 진격할 것이고, 그러면 오스트리아는 소멸할 것이라고 말하시오. … 더 이상 잡담 늘어놓을 시간일랑 없다고 전하시오. 현재 상황대로라면 오늘밤 오스트리아 도처에서 침공이 시작될 거요. 미클라스가 당신에게 연방 총리직을 맡긴다는 통지가 7시 30분까지 우리에게 전해져야만 침공이 중단되고 병력도 국경에서 멈출 것이오. … 그리고 전국의 국가사회주의자들을 동원하시오. 그들은 이제 거리로 나서야 하오. 잘 기억하시오, 7시 30분까지 보고가 와야 하오. 만약 미클라스가 4시간 이내에 이해하지 못한다면, 우리가 4분 만에 이해시킬 것이오.

그러나 결연한 대통령은 요지부동이었다.

6시 30분, 괴링은 다시 케플러와 자이스-잉크바르트에게 전화를 걸었다. 두 사람 모두 미클라스 대통령이 동조하기를 거부했다고 보고했다.

괴링: 거참, 그렇다면 자이스-잉크바르트가 그를 파면시켜야 하오! 다시 위층으로 가서, 자이스가 국가사회주의당 경비대를 부를 것이고 내 명령에

따라 5분 안에 병력이 진군할 것이라고 분명하게 전하시오.

이 명령 후 무프 장군과 케플러가 대통령에게 만약 한 시간 내에, 7시 30분까지 굴복하지 않으면 독일군이 오스트리아 안으로 진격할 것이라고 위협하는 두 번째 군사적 최후통첩을 내밀었다. 훗날 미클라스는 "나는 최후통첩을 거부했음을 … 그리고 누가 정부 수반이 될지는 오스트리아 단독으로 결정한다고 두 신사에게 알렸습니다"라고 증언했다.

이 무렵 오스트리아 나치당은 총리 관저뿐 아니라 거리까지 장악하고 있었다. 저녁 6시경, 나는 아내가 난산으로 제왕절개 수술을 한 뒤 사투를 벌이고 있던 병원에서 돌아오는 길에 칼스플라츠의 지하도에서 나오다가 히스테리 상태로 함성을 지르며 인네르 슈타트 지구를 향해 우르르 몰려가는 나치 폭도에 휩쓸렸다. 그 일그러진 얼굴들을 나는 지난날 뉘른베르크 전당대회에서 본 적이 있었다. 그들은 "승리 만세! 승리 만세! 하일 히틀러! 하일 히틀러! 슈슈니크를 매달아라! 슈슈니크를 매달아라!" 하고 고함을 질러대고 있었다. 불과 몇 시간 전만 해도 소규모 나치무리를 아무런 어려움 없이 해산시켰던 경찰은 이제 실없이 웃으며 방관할 뿐이었다.

슈슈니크는 폭도의 쿵쿵거리는 발자국 소리와 외침을 듣고는 마음이 흔들렸다. 급히 대통령 집무실로 가서 마지막으로 호소했다. 그러나 반응은 이랬다.

미클라스 대통령은 완강했다. 나치를 오스트리아 총리로 임명할 생각이 없었다. 자이스-잉크바르트를 임명해야 한다는 나의 주장에 그는 다시 말했다. "여러분 모두가 지금 나를 저버리고 있습니다, 여러분 모두가." 하지만 나는 자이스-잉크바르트 말고 다른 가능성은 없다고 생각했다. 남은 희망이 거의 없는 가운데 나는 그가 내게 했던 온갖 약속에, 신앙을 실천하는 가톨릭교도이자 정직한 사람이라는 그에 대한 평판에 매달렸다.[27]

이 환상에 슈슈니크는 마지막까지 매달렸다.

낙담한 총리는 대통령이 고집을 꺾지 않자 고별 방송으로 자신의 사임 이유를 설명하겠다고 제안했다. 이 제안에 대통령이 동의했다고 슈슈니크는 말하지만, 훗날 미클라스는 이를 반박했다. 슈슈니크의 고별 방송은 내가 일찍이 들어본 적 없는 감동적인 방송이었다. 돌푸스가 나치에게 사살된 곳에서 다섯 걸음쯤 떨어진 곳에 마이크가 설치되었다.

[슈슈니크가 발언함] 독일 정부는 오늘 미클라스 대통령에게 시한부 최후통첩을 들이밀면서 독일 정부가 지정한 사람을 총리로 임명하라고 명령하고 … 따르지 않을 경우 독일 병력이 오스트리아를 침공할 것이라고 말했습니다.

저는 전 세계에 천명합니다. 노동자들의 난동, 유혈 사태, 오스트리아 정부가 통제할 수 없는 상황의 발생 등등의 독일발 보도들은 하나부터 열까지 전부 거짓입니다. 미클라스 대통령이 제게 말한 대로 오스트리아 국민에게 전합니다. 우리가 무력에 굴복한 것은 이렇듯 엄혹한 위기에도 피를 흘릴 각오가 되어 있지 않았기 때문입니다. 우리는 군에 저항하지 말라고 명령하기로 결정했습니다.*

---

* 이미 언급한 전후 증언에서 미클라스는 슈슈니크에게 그런 말을 하라고 떠밀었다는 것도, 심지어 슈슈니크가 라디오 방송을 하는 데 동의했다는 것도 부인했다. 퇴임하는 총리가 한 말과 달리,

이런 이유로 저는 마음속 깊은 곳에서 우러나는 독일식 고별인사를 전하며 오스트리아 국민과 작별하고자 합니다. 신이시여, 오스트리아를 지켜주소서!

총리는 작별을 고했을지라도 완고한 대통령은 아직 그럴 마음이 없었다. 괴링은 슈슈니크의 방송 직후 무프 장군과 통화하다가 그 사실을 알게 되었다. "최선은 미클라스가 사임하는 것일세"라고 괴링은 말했다.

"네, 하지만 사임하지 않겠답니다"라고 무프가 대꾸했다. "아주 극적이었습니다. 저는 15분간이나 설득했지만, 무슨 일이 있어도 무력에 굴복하지 않겠다는 말만 들었습니다."

"정말? 무력에 굴복하지 않겠다고?" 괴링은 믿을 수가 없었다.

"그는 무력에 굴복하지 않습니다"라고 장군이 다시 말했다.

"그러면 그냥 내쫓기길 바라는 건가?"

"네" 하고 무프가 말했다. "자진해서 움직이진 않을 겁니다."

"하긴, 자식이 열넷인 사내라면 자리를 지켜야지" 하고 괴링은 웃었다. "어쨌든 자이스에게 넘겨받으라고 말하게."

대통령은 아직 무력에 굴복할 생각이 없었다. 오히려 슈슈니크에게 "아직은 우리가 항복할 수밖에 없는 상황에 이르지 않았습니다"라고 말했다고 한다. 대통령은 그 직전에 독일의 두 번째 최후통첩을 거부한 터였다. 그러나 슈슈니크의 방송은 대통령의 입장을 약화시키고 그를 더욱 압박하는 데 일조했다. 앞으로 볼 것처럼, 완고한 노대통령은 항복하기까지 몇 시간을 더 버텼다. 3월 13일, 미클라스는 자이스-잉크바르트가 히틀러의 고집에 따라 공포한 병합법, 즉 오스트리아의 독립국으로서의 존립을 부정하는 법에 서명하기를 거부했다. 미클라스는 어차피 대통령의 직무를 수행할 수 없는 처지라서 그 직무를 나치 총리에게 넘겨준 셈이긴 했지만, 대통령직에서 정식으로 사임하지 않겠다는 입장을 고수했다. "그건 너무 비겁한 일이었을 겁니다"라고 그는 훗날 빈의 법정에서 말했다. 그럼에도 자이스-잉크바르트는 3월 13일 "대통령이 총리의 요청에 따라" "대통령직에서 사임"했고 그의 "직무"는 총리에게 넘어갔다고 공식 발표했다.[28]

더구나 히틀러가 침공을 정당화하기 위해 원하던 전보 문제도 아직 남아 있었다. 베를린의 총리 관저에 합류한 파펜에 따르면 당시 총통은 "거의 히스테리 상태"였다. 완강한 오스트리아 대통령이 히틀러의 계획을 망치고 있었다. 히틀러에게 오스트리아로 병력을 파견해 난동을 진압하도록 요청하는 전보를 치는 데 실패한 자이스-잉크바르트도 마찬가지였다. 참을 수 없을 만큼 화가 난 히틀러는 3월 11일 저녁 8시 45분에 별안간 침공 명령을 내렸다.* 3분 후인 8시 48분, 괴링은 빈에 있는 케플러와 통화하고 있었다.

잘 들으시오. 다음 전보를 자이스-잉크바르트가 이곳으로 보내야 하오, 받아적으시오.

"오스트리아 임시정부는 슈슈니크 내각의 사임 이후 오스트리아의 안녕과 질서의 확립을 그 과제로 여긴다. 이에 독일 정부 측에 이 과제를 지원하고 유혈 사태를 막도록 협조해줄 것을 긴급히 요청한다. 이 목표를 위해 독일 정부 측에 독일 병력을 최대한 신속히 파견해줄 것을 요청한다."

케플러는 이 '전보'의 문면을 즉시 자이스-잉크바르트에게 보여주겠다고 했다.

다음 순간 "그런데" 하고 괴링이 말했다. "사실 전보를 보낼 필요조차 없소. 필요한 것은 자이스가 '잘 알겠습니다'라고 말해주는 것뿐이오."

---

* '극비' 표시가 붙고 오토 작전 지령 제2호로 확인된 명령서의 일부는 다음과 같다. "오스트리아 정부에 대한 독일 최후통첩의 요구가 충족되지 않았다. … 오스트리아 도시들에서 더 이상의 유혈 사태를 피하기 위해 지령 제1호에 따라 3월 12일 새벽에 독일군의 오스트리아 진입을 개시하라. 나는 설정된 목표들을 전력을 다해 최대한 조기에 달성할 것을 기대한다. 아돌프 히틀러 (서명)"[29]

한 시간 후에 케플러는 베를린으로 다시 전화를 걸어 말했다. "원수에게 전해주시오. 자이스-잉크바르트는 잘 알아들었다고요."*

이런 사정으로 나는 이튿날 베를린을 지나가면서 《민족의 파수꾼》의 선정적인 헤드라인을 보게 되었다. "독일계 오스트리아, 혼란에서 구출되다"라는 표제가 박힌 이 기사에는 괴벨스에 의해 날조된, 빈의 대로에서 일어난 적색 난동—싸움, 총격, 약탈—을 묘사하는 믿기지 않는 이야기들이 실려 있었다. 그리고 독일의 국영통신사 DNB가 제공한, 자이스-잉크바르트가 전날 밤 히틀러에게 보냈다는 전보문이 실려 있었다. 실제로 괴링이 구술한 내용과 똑같은 '전보'의 사본 두 통이 전쟁 막바지에 독일 외무부 문서고에서 발견되었다. 훗날 파펜은 그 두 통이 어떻게 외무부 문서고에 들어갔는지 설명했다. 파펜의 말대로라면, 얼마 후에 독일 우편전신부 장관이 사본 두 통을 날조하여 정부 서류철에 끼워넣은 것이었다.

히틀러는 광란의 오후와 저녁 내내 미클라스 대통령의 항복 소식뿐 아니라 무솔리니의 입에서 나올 말도 초조하게 기다렸다. 오스트리아 비호자의 침묵은 불길한 징조로 느껴지고 있었다. 밤 10시 25분, 헤센의 필리프 공이 로마에서 총통 관저로 전화를 걸었다. 히틀러가 직접 수화기를 들었다. 괴링의 기술자들이 다음과 같은 통화 내용을 녹음했다.

---

* 사실 자이스-잉크바르트는 자정을 넘어 한참 동안이나 히틀러로 하여금 독일군의 침공을 취소하게 하려고 노력했다. 독일 외무부의 한 문서에 따르면, 3월 12일 오전 2시 10분에 무프 장군이 베를린에 전화를 걸어 자이스-잉크바르트 총리의 지시에 따라 "대기 중인 병력은 국경에 머무르고 국경을 넘지 말 것"을 요청한다고 말했다. 케플러도 전화로 이 요청을 지지했다. 점잖은 사내이자 구식 장교인 무프 장군은 빈에서의 자기 역할에 당황했던 것으로 보인다. 베를린으로부터 연락을 받고 히틀러가 병력의 진군을 정지시킬 생각이 없다는 것을 알고서 무프 장군은 "이 전언은 유감입니다"라고 말했다.[30]

공: 지금 막 베네치아 궁〔무솔리니가 집무실로 사용했다〕에서 돌아왔습니다. 두체는 사태 전반을 아주 우호적으로 받아들였습니다. 총통께 안부를 전했습니다. … 슈슈니크가 두체에게 소식을 전했습니다. … 무솔리니는 자신에게 오스트리아는 중요하지 않다고 말했습니다.

히틀러는 안도감과 함께 기뻐서 어쩔 줄을 몰랐다.

히틀러: 그렇다면, 내가 이 일은 결코 잊지 않겠다고 무솔리니에게 꼭 전해주시오!

공: 네, 각하.

히틀러: 결코, 결코, 결코, 무슨 일이 있어도 잊지 않겠다고! 나는 전혀 다른 협정을 무솔리니와 맺을 용의가 있습니다.

공: 네, 각하. 그것도 말해두었습니다.

히틀러: 오스트리아 문제가 정리되는 대로 그와는 좋은 일이든 나쁜 일이든, 무슨 일이든 함께 헤쳐나갈 작정입니다!

공: 네, 총통 각하.

히틀러: 잘 들어주시오! 나는 어떤 협정이든 맺을 겁니다. 만약 충돌이 일어났다면 군사적으로 심각한 상황에 처했을 테지만 이제 그럴 염려는 없습니다. 무솔리니에게 내가 진심으로 고마워한다고 말해주시오. 결코, 결코 잊지 않겠다고.

공: 네, 총통 각하.

히틀러: 무솔리니의 이번 일은 절대로, 무슨 일이 있어도 잊지 않을 겁니다. 만약 그에게 도움이 필요하거나 그가 위험에 처한다면, 무슨 일이 있어도, 설령 전 세계가 그를 괴롭히더라도 나는 그의 편을 들 것이라고 확신해도

좋습니다.

공: 네, 총통 각하.

그런데 영국과 프랑스, 그리고 국제연맹은 이 중대한 순간에 평화로운 인접국에 대한 독일의 침공을 저지하기 위해 어떤 태도를 취했는가? 아무런 태도도 취하지 않았다. 당시 프랑스에는 또다시 정부가 부재했다. 3월 10일 목요일, 카미유 쇼탕Camille Chautemps 총리와 내각이 사임했다. 괴링이 전화로 빈에 최후통첩을 들이민 3월 11일 금요일 내내 파리에는 행동할 수 있는 사람이 아무도 없었다. 독일이 오스트리아 병합을 선포한 3월 13일에야 레옹 블룸Léon Blum이 이끄는 새 정부가 수립되었다.

그렇다면 영국은? 2월 20일, 슈슈니크가 베르히테스가덴에서 굴복하고 나서 일주일 후에 앤서니 이든 외무장관이 사임했다. 무솔리니를 계속 회유하려는 체임벌린 총리의 정책에 반대한 것이 사임의 주된 이유였다. 후임은 핼리팩스 경이었다. 이 변화를 베를린에서는 환영했다. 베르히테스가덴의 최후통첩 이후에 나온 체임벌린의 하원 성명도 환영했다. 런던의 독일 대사관은 3월 4일 베를린에 보낸 문서에서 그 성명에 대해 상세히 보고했다.[31] 체임벌린의 발언은 이렇게 전해졌다. "[베르히테스가덴에서] 일어난 일은 두 정치인이 양국의 관계 개선을 위해 특정한 조치들을 취하기로 합의한 것에 지나지 않습니다. … 둘 중 한 나라에서 국내적으로 모종의 변화—양국 관계에 이익이 되는 바람직한 변화—가 생기는 것에 두 정치인이 동의했다고 해서, 그 나라가 다른 한 나라를 위해 자국의 독립을 포기했다고 주장하는 것은 가당치 않아 보입니다. 오히려 연방 총리[슈슈니크]의 2월 24일 연설에는 총리 자신이 자국의 독립을 넘겨주었다고 생각한다는 인상을 주는 발언이 전혀 없었습니다."

당시 내가 알고 있었듯이 빈 주재 영국 공사관이 히틀러의 베르히테스가덴 최후통첩을 체임벌린에게 상세히 보고했음을 감안하면, 3월 2일에 이루어진 체임벌린의 하원 연설은 깜짝 놀랄 만한 것이었다.* 그러나 히틀러에게는 즐거운 소식이었다. 그는 영국과 분규를 일으키지 않고 오스트리아로 진격할 수 있음을 알고 있었다. 3월 9일, 독일의 신임 외무장관 리벤트로프는 런던에 도착해 독일 대사관으로 가서 전임 대사로서의 직무를 마무리했다. 그런 다음 체임벌린, 핼리팩스, 영국 국왕, 캔터베리 대주교와 장시간 회담을 했고, 영국 총리와 외무장관의 인상이 "아주 좋았다"고 베를린에 보고했다. 핼리팩스 경과 길게 협의한 리벤트로프는 3월 10일, "오스트리아 문제를 평화적으로 해결할 수 없을 경우" 영국이 어떻게 나올지에 관해 히틀러에게 직접 보고했다. 간단히 말해 리벤트로프는 런던 회담의 결과에 근거해 "잉글랜드는 오스트리아와 관련해 아무것도 하지 않을 것"이라는 확신을 얻었던 것이다.[32]

3월 11일 금요일, 리벤트로프가 런던 다우닝 가의 총리 관저에서 체임벌린 및 그의 동료들과 오찬을 들고 있을 때, 빈의 충격적인 소식을 알리는 외무부의 급보가 총리에게 전해졌다. 불과 몇 분 전에 체임벌린은 리벤트로프에게 "독일-영국 관계를 정상화하기 위한 자신의 진실한 소망과 확고한 결의"를 총통에게 전해달라고 부탁한 터였다. 오스트리아로부터 고약한 소식이 전해지자 오찬 자리의 정치인들은 총리의 서재로 자리를 옮겼고, 그곳에서 체임벌린은 불편해하는 독일 외무장관에게 히틀

---

* 뉘른베르크 증언에서 구이도 슈미트는 자신과 슈슈니크 둘 다 "강대국들"의 사절들에게 히틀러의 최후통첩에 관해 "상세히" 알렸다고 진술했다.[33] 더욱이 내가 알기로 《타임스》나 《데일리 텔레그래프》 등 런던 신문의 빈 특파원들도 전화로 자기네 신문사에 상세하고 정확하게 보고했다.

러의 최후통첩에 관해 알려온 빈 주재 영국 공사관의 전보 두 통을 읽어 주었다. 리벤트로프는 히틀러에게 "그 논의는 긴장된 분위기에서 진행되었고, 평소 침착한 핼리팩스 경이 체임벌린보다 더 흥분했습니다. 체임벌린은 적어도 겉보기에는 침착하고 냉정했습니다"라고 보고했다. 리벤트로프가 "전보의 신빙성"에 의문을 제기하자 영국 측 인사들은 흥분을 가라앉혔던 것으로 보인다. 리벤트로프는 "우리가 작별인사를 나눌 때에는 아주 우호적이었고, 핼리팩스마저 침착함을 되찾았습니다"라고 보고했다.[*34]

빈에서 온 전보에 대응해 체임벌린은 베를린 주재 대사 네빌 헨더슨 Nevile Henderson을 시켜 독일 외무장관 대행 노이라트에게 만약 오스트리아에 대한 독일의 최후통첩 관련 보고가 사실이라면 "영국 국왕 폐하의 정부는 가장 강경한 어조로 항의할 수밖에 없다"라고 전하도록 했다.[35] 그러나 이 뒤늦은 공식적 외교 항의에 히틀러는 조금도 개의치 않았다. 이튿날인 3월 12일, 독일군이 오스트리아로 물밀듯이 진격하던 때에 노이라트는 영국 측에 보낸 경멸조의 회신에서 오스트리아-독일 관계는 오로지 독일인의 관심사이지 영국 정부가 관여할 문제는 아니라고 단언하는 한편, 오스트리아에 대한 독일의 최후통첩은 없었고 단지 오스트리아 신정부의 '긴급한' 호소에 응하여 독일군을 파견한 것이라는 거짓말을 되풀이했다.[36] 그리고 영국 대사에게 "이미 독일 언론에 발표된" 전보문을 언급했다.[**]

---

* 처칠은 저서 *The Gathering Storm* (pp. 271-272)에서 이 오찬에 관해 재미있게 묘사한다.
** 이 거짓말은 3월 12일 외무부의 바이츠제커가 독일 재외 공관에 "정보로서, 또 담화의 지침으로서" 보낸 회람 전보에서도 되풀이되었다. 바이츠제커는 재외 외교관들에게 독일의 최후통첩에 대한 슈슈니크의 성명은 "완전한 날조"라고 말한 뒤 이렇게 알렸다. "진실은 파병 문제가 … 새로 출범한

3월 11일 밤, 히틀러가 심각하게 걱정한 문제는 이 침공에 대한 무솔리니의 반응뿐이었지만,* 베를린에서는 체코슬로바키아가 어떻게 나올지에 대해서도 얼마간 걱정했다. 그렇지만 지칠 줄 모르는 괴링이 이 문제를 금세 해결했다. 전화로 빈의 쿠데타를 지휘하느라 바쁜 와중에도 저녁이 되자 짬을 내 하우스 데어 플리거Haus der Flieger[비행사 회관]로 향했다. 괴링이 주최한 이곳의 화려한 파티에서는 천 명의 고위관료 및 외교관들이 국립가극장 오케스트라, 가수, 발레단의 공연을 즐기고 있었다. 베를린 주재 체코 공사 보이테흐 마스트니Vojtěch Mastny 박사가 이 흥겨운 연회장에 도착하자마자 훈장을 주렁주렁 단 괴링 원수는 그를 한쪽으로 데려가 자신의 명예를 걸고 말하건대 체코슬로바키아는 독일을 두려워할 이유가 전혀 없고 독일군의 오스트리아 진입은 "집안일에 불과"하며 히틀러는 프라하와의 관계를 개선하고 싶어한다고 알렸다. 그 대신 군을 동원하지 않겠다는 체코 측의 확답을 바란다고 했다. 마스트니 박사는 연회장을 나가서 프라하의 외무장관에게 전화를 걸었고, 다시 돌아와 괴링에게 동원은 하지 않을 것이고 체코슬로바키아는 오스트리아 사태에 개입할 의향이 없다고 말했다. 안도한 괴링은 자신의 방금 전 확약을 재확인한 뒤 히틀러의 승인도 얻었다고 덧붙였다.

눈치 빠른 체코 대통령 에드바르드 베네시Eduard Beneš마저 3월 11일

오스트리아 정부의 잘 알려진 전보에서 처음 제기되었다는 것이다. 내전의 임박한 위험을 고려하여 제국 정부는 이 호소에 응하기로 결정했다."[37] 요컨대 독일 외무부는 외국 외교관들뿐 아니라 자국 외교관들에게도 거짓말을 했던 것이다. 전후에 바이츠제커는 길고 무익한 저서에서, 히틀러를 섬긴 다른 수많은 독일인과 마찬가지로, 자신은 줄곧 반나치였다고 주장했다.

* 1946년 8월 9일 뉘른베르크 법정의 증언에서 만슈타인 원수는 이렇게 강조했다. "히틀러가 우리에게 오스트리아 관련 명령을 내릴 당시 그의 주된 걱정거리는 서구 열강이 간섭해올지도 모른다는 것이 아니었습니다. 그의 유일한 걱정거리는 이탈리아가 어떻게 행동할 것인지였는데, 그때까지 이탈리아는 늘 오스트리아와 합스부르크 가의 편을 드는 것으로 보였기 때문입니다."[38]

밤에는 오스트리아의 종말이 곧 체코슬로바키아의 종말을 의미한다는 것을 깨달을 시간이 없었을지도 모른다. 이 주말에 유럽의 일각에서는 체코 정부가 근시안적이라고 생각했고, 나치가 오스트리아를 점령할 경우 체코슬로바키아는 나라의 삼면이 독일 병력에 둘러싸이는 끔찍한 전략적 위치를 고려하여, 또 체코슬로바키아가 오스트리아를 구하러 개입할 경우 국제연맹뿐 아니라 러시아, 프랑스, 영국마저 제3제국과의 분쟁에 가담할 가능성까지 고려하여, 그날 밤 체코 정부가 행동했어야 한다고 주장했다. 그랬다면 독일 정부로서는 감당할 수 없었을 것이다. 그러나 이 책에서 곧 서술하겠지만, 뒤이어 일어난 사건들은 이런 식의 주장을 확실히 무너뜨렸다. 얼마 후 히틀러를 저지할 더 좋은 기회가 서구의 2대 민주국가와 국제연맹 측에 찾아왔을 때, 그들은 정작 아무 일도 하지 않았다. 어쨌거나 이토록 중대한 날 내내 슈슈니크는 런던, 파리, 프라하, 제네바 그 어디에도 정식으로 호소하지 않았다. 그의 회고록에서 시사한 대로 그런 호소가 시간 낭비라고 생각했기 때문일 것이다. 한편, 미클라스 대통령은, 훗날 증언한 대로, 독일의 최후통첩을 곧장 파리와 런던에 알린 오스트리아 정부가 프랑스, 영국 정부의 "속뜻"을 확인하고자 오후 내내 "대화"를 이어가는 중이라고 믿고 있었다.

두 정부의 "속뜻"이 그저 말뿐인 항의에 지나지 않는다는 것이 확실해지자 미클라스 대통령은 자정 조금 전에 굴복했다. 미클라스는 자이스-잉크바르트를 총리에 임명하고 그의 각료 명단을 수락했다. "나는 국내에서도 국외에서도 완전히 버림받았습니다"라고 미클라스는 훗날 씁쓸하게 토로했다.

히틀러는 평소처럼 진실을 경멸하는 태도로 자신의 침략행위를 정당화하고 오스트리아 국민에게 그들의 미래를 선택할 "진짜 국민투표"를 약속하는 거창한 성명—괴벨스가 3월 12일 정오에 독일 및 오스트리아 라디오 방송을 통해 대독했다—을 발표한 뒤, 고국을 향해 출발했다. 히틀러는 떠들썩한 환영을 받았다. 그의 방문을 축하하기 위해 급하게 장식한 마을들에는 어김없이 환호하는 군중이 있었다. 오후에 히틀러는 첫 목적지이자 학창 시절을 보낸 도시 린츠에 도착했다. 광란에 가까운 환영식에 히틀러는 깊은 감동을 받았다. 이튿날에는 무솔리니에게 전보— "이번 일은 결코 잊지 않겠습니다"—를 보낸 뒤 레온딩에 있는 양친 묘에 화환을 바치고는 다시 린츠로 돌아와 연설을 했다.

오래전 이 도시를 떠날 때 품었던 바로 그 신념의 맹세가 지금도 제 가슴을 채우고 있습니다. 아주 오랜 세월이 지나 그 신념의 맹세를 실현할 수 있었을 때 제가 얼마나 감격했을지 헤아려보십시오. 지난날 저를 이 도시에서 불러내 제국의 지도자로 이끈 것이 신의 섭리였다면, 그것에 의해 저는 분명 하나의 사명을 맡은 셈이고, 그 사명은 저의 소중한 고국을 독일 제국에 복귀시키는 것일 수밖에 없습니다. 저는 그 사명을 믿었고, 그 사명을 위해 살고 싸웠으며, 이제 그 사명을 완수했다고 믿습니다.

12일 오후에 자이스-잉크바르트는 힘러와 함께 린츠로 날아와 히틀러를 만난 뒤, 오스트리아의 독립이 양도 불가능하다고 공포하고 국제연맹을 그 보증인으로 정한 생제르맹 조약 제88조는 무효가 되었다고 자랑스럽게 선언했다. 오스트리아 군중의 열광에 도취된 히틀러에게는 이것으로 충분하지 않았다. 히틀러는 내무부 차관 빌헬름 슈투카르트Wilhelm Stuckart 박사에게 당장 린츠로 오라고 지시했다. 슈투카르트는 독일 내무장관 프리크의 지시로 히틀러를 오스트리아의 대통령으로 하는 법률을 기초하기 위해 빈에 급파되어 있었다. 훗날 뉘른베르크 증언에 따르면 당시 총통은 "완전한 병합을 가능케 하는 법률을 기초"하라고 명령했는데,[39] 이 법률 전문가로서는 다소 뜻밖의 일이었다.

이 법률안을 슈투카르트는 3월 13일 일요일, 슈슈니크가 국민투표를 실시하려 했던 날에 빈의 오스트리아 신정부에 제출했다. 앞에서 언급했듯이 미클라스 대통령은 이 법률안에 서명하기를 거부했지만, 대통령의 권한을 넘겨받은 자이스-잉크바르트가 서명한 뒤 밤늦게 린츠로 날아가 총통에게 제출했다. 오스트리아의 종말을 선언하는 그 법은 "오스트리아는 독일 제국의 한 지방이다"로 시작된다. 히틀러는 감격의 눈물을 흘렸다고 훗날 자이스-잉크바르트는 회고했다.[40] 이 이른바 병합법은 같은 날 린츠에서도 독일 정부에 의해 공포되었고, 서명자는 히틀러, 괴링, 리벤트로프, 프리크, 그리고 헤스였다. 거기에는 오스트리아인이 "독일 제국과의 재통합 문제"를 결정할 수 있는 "자유 비밀 국민투표"를 4월 10일에 실시하기로 규정되어 있었다. 독일 본국의 독일인도 다음번 제국의회 선거와 함께 병합에 관한 국민투표를 할 것이라고 히틀러가 3월 18일에 발표했다.

히틀러는 지난날 꽤 오랫동안 부랑자로 지냈던 도시 빈에 3월 14일 월요일 오후에야 의기양양하게 입성할 수 있었다. 두 가지 예기치 못한 상황 탓에 입성이 지연되었다. 오스트리아인들이 수도에서 총통의 모습을 볼 수 있겠다며 뛸 듯이 기뻐하는데도 힘러는 경비 태세에 만전을 기하고자 하루를 더 달라고 했다. 힘러는 이미 수천 명의 '신뢰할 수 없는 자들'을 체포한 상태였다—이후 몇 주 동안 빈에서만 7만 9000명으로 늘어날 터였다. 또 독일의 자랑인 기갑부대들이 빈의 구릉지가 시야에 들어오기 한참 전에 주저앉고 말았다. 요들에 따르면, 잘츠부르크와 파사우에서 빈까지 가는 도로상에서 장갑차의 약 70퍼센트가 꼼짝하지 못했다. 하지만 당시 기갑부대를 지휘한 하인츠 구데리안Heinz Guderian 장군은 30퍼센트만이 기동하지 못했다고 훗날 주장했다. 어쨌든 히틀러는 이런 지연에 몹시 화가 났다. 그는 빈에서 단 하룻밤만 임페리얼 호텔에서 묵었다.

그렇다 해도 청년 시절 자신을 외면하며 배고프고 비참한 밑바닥 생활로 내몰았다가 이제는 시내가 떠나가도록 환호하는 옛 제국 수도로 금의환향하자 히틀러도 기운을 되찾지 않을 수 없었다. 신출귀몰한 파펜은 부랴부랴 베를린에서 빈으로 날아가 이 축하 장소로 갔고, 합스부르크가의 유서 깊은 호프부르크 궁 맞은편의 사열대에서 히틀러를 목격했다. "나는 그가 황홀경에 빠져 있었다고 묘사할 수밖에 없었다"라고 훗날 파펜은 썼다.*

---

* 그런데 피상적인 파펜은 눈치채지 못했겠지만, 히틀러의 황홀경 이면에는 젊은 시절 그를 인정하지 않았던 이 도시와 주민들을 향한 불타는 복수심이 도사리고 있었을지도 모른다. 히틀러는 내심 빈을 경멸했다. 이것이 그가 빈에 짧게 머문 한 가지 이유일 것이다. 몇 주 후에는 빈의 시장에게 "확언하건대 내가 보기에 이 도시는 진주입니다—나는 이 도시에 걸맞은 환경을 조성할 겁니다"라고 말하긴 했지만, 이는 자기 속마음을 토로한 것이기보다는 선거용 사탕발림에 더 가까운 말이었을 것이다. 1943년 베르크호프에서 열린 열띤 회의 중에 히틀러는 빈에 대한 속마음을 나치 총독이자 빈 대관구장인 발두어 폰 시라흐에게 드러냈다. 뉘른베르크 증인석에서 시라흐는 그 속마음을 이렇게 묘사했다. "그런 다음 총통은 제가 생각하기에 빈 주민들을 향해 믿기 어려울 정도로 격한 증오의 말을 쏟아내기 시작했습니다. … 아침 4시에 히틀러는 별안간 후세의 기록을 위해 거듭 말해두고픈 무언가가 있다고 했습니다. 그러더니 "빈을 대독일 연합에 절대 들이지 말았어야 해!"라고 말했습니다. 히틀러는 결코 빈을 사랑하지 않았습니다. 빈의 주민들을 증오했습니다."[41]
파펜의 축제 기분도 3월 14일에는 엉망이 되어버렸다. 그날 가까운 친구이자 독일 대사관의 보좌관인 빌헬름 폰 케텔러(Wilhelm von Ketteler)가 정황상 게슈타포의 비열한 짓에 의해 행방불명되었다는 소식을 들었기 때문이다. 그 3년 전에는 또다른 친구이자 대사관 협력자였던 치르슈키(Tschirschky) 남작이 친위대에게 살해당할 공산이 큰 상황에서 영국으로 달아난 일이 있었다. 빈의 게슈타포 폭력배들이 살해한 뒤 내다버린 케텔러의 시신은 4월 말 도나우 강에서 인양되었다.

그 후 히틀러는 병합 관련 투표에서 압도적인 찬성표를 얻기 위해 독일과 오스트리아를 동분서주하며 사람들의 열의를 북돋운 거의 4주 내내 이런 황홀경 상태에 머물렀다. 그러면서도 기운 넘치게 연설할 때면 슈슈니크를 비방하거나 병합을 어떻게 달성했는지에 관한 지긋지긋한 거짓말을 늘어놓기 일쑤였다. 3월 18일 제국의회 연설에서 히틀러는 슈슈니크가 "선거 위조"로 "약속을 어겼습니다"라고 단언하고는 "정신이 나가고 눈이 먼 사람만이" 그런 식으로 행동할 수 있다고 덧붙였다. 3월 25일 쾨니히스베르크에 도착한 히틀러의 머릿속에서 "선거 위조"는 "이 우스꽝스러운 희극"으로 변해 있었다. 히틀러는 슈슈니크가 "다른 나라들이 독일에 대항하도록 부추기기에 더 유리한 시기"가 찾아올 때까지 베르히테스가덴 협정이 공고해지는 것을 늦추고자 일부러 자신을 배신했음을 입증하는 서신이 발견되었다고 주장했다.

쾨니히스베르크에서는 또 그가 국민투표의 결과를 기다리지도 않은 채 잔혹한 폭력을 휘두르고 기만술을 써서 병합을 선언했다고 조롱하는 외국의 언론에 이렇게 응수했다.

일부 외국 신문들은 우리가 잔혹한 방법으로 오스트리아를 덮쳤다고 보도했습니다. 그들은 죽는 순간까지도 거짓말을 멈추지 않을 것입니다. 저는 정치 투쟁의 과정에서 국민들로부터 큰 사랑을 받았지만, [오스트리아 방면으로] 예전 국경을 넘었을 때에는 일찍이 받아보지 못한 사랑의 물결을 만났습니다. 우리는 폭군이 아니라 해방자로서 왔습니다. … 이런 인상에 힘입어 저는 4월 10일까지 기다리지 않고 당장 통일을 이루기로 결정했던 것입니다. …

이것은 외국인에게는 결코 논리적인―또는 정직한―말로 들리지 않았지만, 독일인에게는 틀림없이 큰 감명을 주었을 것이다. 3월 18일 제국의회 연설을 끝마치면서 히틀러가 감정에 북받친 목소리로 "독일 국민 여러분, 저에게 4년을 더 주십시오. 그리하면 이미 이룬 통일을 이제 여러분 모두를 위해 활용할 수 있을 것입니다"라고 호소했을 때 쏟아진 압도적 갈채는 그가 이 연단에서 그때까지 이루어낸 모든 승리를 무색케 할 정도였다.

총통은 국민투표 전날인 4월 9일, 빈에서 선거운동을 마무리했다. 한때 꾀죄죄하고 굶주린 부랑자 신세로 이 시내를 떠돌았던 사나이, 하지만 4년 전에 독일에서 호엔촐레른 왕가의 권력을 쥐고 이제 합스부르크 황가의 권력까지 차지한 사나이는 신에게서 받은 사명감으로 충만해 있었다.

저는 한 청년을 이곳에서 독일 제국으로 보내 그곳에서 성장하게 하고 그 국가의 지도자로 끌어올려 이 고국을 다시 제국으로 인도할 수 있도록 한 것은 신의 뜻이었다고 믿습니다.

세상에는 더 높은 차원의 질서가 있으며 우리 모두는 그 질서의 대행자에 지나지 않습니다. 3월 9일 슈슈니크 씨가 협정을 깼을 때, 그 순간 저는 신의 섭리의 부름이 저에게 와 닿았다고 느꼈습니다. 그리고 뒤이어 사흘 동안 일어난 일은 이 신의 섭리가 실현된 것으로 생각할 수밖에 없습니다.

사흘 동안 주님께서 그들을 벌하셨습니다! … 그리고 배신의 날에 저의 고국과 제국을 통합할 수 있도록 제게 은총을 베푸셨습니다! …

이제 저를 고국으로 돌려보내 저의 독일 제국으로 인도할 수 있도록 해주신 주님께 감사드립니다! 내일, 모든 독일인은 그 순간에 감사하고 그 중요성을 가늠하면서, 불과 몇 주 사이에 우리에게 기적을 행하신 전능하신 주님 앞에서 겸손하게 고개를 숙일 것입니다!

3월 13일에 틀림없이 슈슈니크에게 찬성투표를 했을 법한 오스트리아인 과반수가 4월 10일에 히틀러에게 똑같이 찬성하리라는 것은 불 보듯 뻔한 결론이었다. 오스트리아인 다수는 어떤 종류의 독일이건, 설령 나치 독일이라 해도, 궁극적으로 독일과 통일하는 것이 바람직하고 불가피한 결말이며, 1918년에 슬라비아와 헝가리라는 방대한 배후지로부터 단절된 오스트리아는 길게 보면 제대로 자립할 수 없으니 독일 제국의 일부가 되어야만 존립할 수 있다고 진심으로 믿었다. 게다가 이런 상황에 더해, 오스트리아에서는 광적인 나치들이 급증하고 있었다. 성공에 이끌려 더 나은 지위를 얻고자 하는 구직자와 직장인들이 나치당에 들러붙고 있었던 것이다. 이 압도적인 가톨릭 국가에서 대부분의 가톨릭교도는 나치즘을 환영하고 찬성투표를 촉구하는 이니처Innitzer 추기경의 성명에 마음이 흔들렸다.*

만약 그 선거가 사회민주당이나 슈슈니크의 기독교사회당이 공개적이고 자유롭게 선거운동을 펼칠 수 있는 공명정대한 국민투표였다면, 내 생각에 그 결과는 박빙이었을 것이다. 그러나 실제로 오스트리아인이 반대투표를 하기 위해서는 대단한 용기가 필요했다. 독일에서처럼 투표자들은 반대투표를 했다가 발각될 것을 두려워했으며, 여기에는 그럴 만한 이유가 있었다. 4월 10일 일요일 오후에 내가 방문한 빈의 투표장에

---

* 몇 달 후인 10월 8일, 성 슈테판 대성당 맞은편에 있던 이니처 추기경의 저택이 나치 무뢰배에게 약탈당했다. 국가사회주의가 무엇인지 너무 늦게 알아차린 이니처는 교회에 대한 나치의 박해에 항의하는 설교를 했다.

서는 기표소 한쪽 구석에 커다란 구멍이 뚫려 있어서 몇 발자국 떨어진 곳에 앉은 나치 선거관리위원이 투표자가 어떻게 투표하는지 훤히 볼 수 있었다. 지방 선거구들에서는 구태여―또는 감히―기표소에 들어가 비밀리에 투표하려는 사람이 거의 없었다. 그냥 다 보는 곳에서 투표를 했다. 공교롭게도 나는 그날 투표 종료 30분 후인 7시 30분에 라디오 방송을 했는데, 그때는 아직 개표가 거의 진행되지 않은 시각이었다. 방송 전에 어느 나치 관료는 내게 오스트리아인의 99퍼센트가 찬성투표를 했을 거라고 장담했다. 바로 이 수치가 나중에 공식 발표되었다―독일 본국에서 99.08퍼센트, 오스트리아에서 99.75퍼센트였다.

이렇게 해서 오스트리아라는 이름의 나라는 한동안 역사에서 사라진다. 오스트리아를 독일에 덧붙인 복수심 강한 오스트리아인에 의해 그 이름 자체가 말살되었던 것이다. 독일어로 오스트리아를 가리키는 유서 깊은 낱말 외스터라이히Österreich는 폐지되고 오스트마르크Ostmark가 되었으며, 얼마 지나지 않아 베를린 정부는 이 이름마저 쓰지 않고 오스트리아를 대관구Gau―티롤, 잘츠부르크, 슈타이어마르크, 케르텐 등의 옛 란트Land들에 대체로 상응하는 행정 구역―들로 나누어 통치했다. 빈은 제국의 일개 도시, 지방의 행정 중심지가 되어 퇴락해갔다. 일찍이 부랑자였다가 독재자가 된 오스트리아인은 자신의 고국을 지도에서 지워버리고 한때는 찬란했던 수도 빈의 마지막 영광과 명성까지 앗아버렸다. 오스트리아 사람들은 환멸을 느끼지 않을 수 없었다.

처음 몇 주 동안 드러난 빈 나치들의 행패는 내가 독일에서 목격한 다른 어떤 것보다도 심했다. 그야말로 사디즘의 광란이었다. 날마다 다수의 유대인 남녀가 길거리에서 슈슈니크의 흔적을 지우고 배수로를 청소했다. 그들이 몸을 쭈그린 채 작업을 하는 동안 돌격대원들이 옆에서 감시하며 조롱하고, 주위에 모여든 군중이 악담을 퍼부었다. 유대인 남녀수백 명이 길거리에서 붙들려 공중화장실이나 돌격대 및 친위대 병영의 화장실을 청소하는 일에 투입되었다. 다른 유대인 수만 명은 투옥되었다. 그들의 재산은 몰수되거나 도둑맞았다. 나는 플뢰슬가세에 있는 우리 아파트에서 창밖으로 친위대 분대들이 이웃 로트실트 가문 저택에서 은그릇, 태피스트리, 그림 등의 약탈품을 실어가는 광경을 직접 보았다. 루트비히 나타니엘 폰 로트실트Ludwig Nathaniel von Rothschild 남작은 나중에 자신의 제철소를 헤르만 괴링 공업에 넘겨주는 대가로 빈에서 빠져나갈 수 있었다. 아마도 빈에 거주하던 유대인 18만 명 가운데 절반이 전쟁이 시작될 무렵까지 자신이 소유한 무언가를 나치에게 넘겨준 뒤에야 가까스로 그곳을 벗어날 자유를 얻었을 것이다.

인간의 자유를 사고파는 이 수익성 좋은 거래는 하이드리히가 친위대 산하에 설치한 조직인 '유대인이민청Zentralstelle für jüdische Auswanderung'에서 처리했다. 이 조직은 유대인에게 독일 제국 탈출을 허가해주는 권한을 지닌 유일한 나치 기관이 되었다. 히틀러의 고향 린츠 출신인 오스트리아 나치 아돌프 아이히만Adolf Eichmann이 처음부터 끝까지 관리한 유대인이민청은 결국 이주가 아닌 절멸을 담당하는 기관이 되어 대부분 유대인 400만 명 이상을 살육할 계획을 세웠다. 힘러와 하이드리히도 병합 초기에 오스트리아에 몇 주간 머물면서 엔스 인근 도나우 강 북안의 마우트하우젠에 거대한 강제수용소를 건립했다. 오스트리아인 수천 명을 독일 내 강제수용소들로 계속 실어나르는 것은 너무나 번거로운 일이었다. 오스트리아에도 자체 강제수용소가 필요하다고 힘러는 판단했다. 제3제국이 허물어지기 전까지 마우트하우젠은 현지인보다 비오스트리아인을 더 많이 수감했으며, 독일 강제수용소 가운데(동부의 **절멸**수용소는 다른 종류였다) 가장 많은 공식 처형 인원수—존속한 6년 반 동안 3만 5318명—라는, 진위가 불분명한 기록을 남겼다.

병합 이후 힘러와 하이드리히가 주도한 게슈타포의 테러에도 불구하고, 독일인 수십만 명이 오스트리아로 떼지어 몰려왔다. 그들은 마르크화를 내고서 본국에서 수년간 맛보지 못한 호사스러운 식사를 즐기고 수려하기 그지없는 산간과 호수에서 할인된 가격에 휴가를 보낼 수 있었다. 독일의 사업가나 은행가도 쏟아져 들어와 유대인이나 반나치에게서 몰수한 사업체들을 헐값에 사들였다. 싱글벙글한 방문객 중에는 타의 추종을 불허하는 샤흐트 박사도 있었는데, 히틀러와의 불화에도 불구하고 여전히 제국 내각의 각료(무임소 장관)이자 제국은행 총재였던 그는 병합을 무척 반겼다. 국민투표를 실시하기도 전에 제국은행을 대표하여 오스트리아 국립은행을 인수하러 찾아온 샤흐트는 3월 21일 이곳 은행원들 앞에서 연설을 했다. 통합을 이룬 히틀러의 수법을 비판하는 외국 언론을 조롱하면서, 샤흐트 박사는 총통의 수법을 결연히 옹호하고 오스트리아 병합이야말로 "다른 나라들이 우리에게 자행한 수많은 배신과 잔혹한 폭력 행위의 결과"라고 주장했다.

"하느님, 감사합니다. … 아돌프 히틀러는 독일인의 의지와 독일인의 사상의 공동체를 창조했습니다. 그는 새로이 강화된 국방군으로 그 공동체를 보강하고는 결국 독일과 오스트리아의 내적 통일에 외형을 입혔습니다. …

우리와 함께 미래를 찾으려는 사람들 가운데 아돌프 히틀러를 진심으로 지지하지 않는 이는 한 명도 없을 것입니다. … 제국은행은 언제나 국가사회주의 자체일 뿐이며, 그렇지 않다면 저는 총재직을 그만둘 것입니다."

뒤이어 샤흐트 박사는 오스트리아 은행원들에게 "총통에게 충성하고 복종한다"는 선서를 시켰다.

그러고는 "이 선서를 어기는 자는 불한당이다!" 하고 외친 다음 청중 앞에서 "지크 하일!"〔'승리 만세'라는 뜻〕 삼창을 큰소리로 선창했다.[42]

한편, 슈슈니크 박사는 체포되어 히틀러 본인이 지시한 게 아니라고 는 믿기 어려울 정도로 모멸적인 처분을 받았다. 3월 12일부터 5월 28일 까지 그를 자택에 감금하는 동안 게슈타포는 극히 졸렬한 수법으로 한 잠도 잘 수 없게 했고, 이후 빈의 메트로폴 호텔에 자리잡은 게슈타포 본부로 데려가 5층의 작은 방에 17개월 동안 감금했다. 그곳에서 슈슈니크는 개인용으로 지급받은 수건으로 친위대원들의 방, 세면대, 오물통, 화장실을 청소하고 그 밖에 게슈타포가 생각해내는 온갖 잡일을 떠맡아야 했다. 실각 후 1년이 되는 3월 11일까지 체중이 26킬로나 빠졌지만, 친위대 의사는 그의 건강 상태가 아주 좋다고 보고했다. 독방에 감금되었다가 이후 다하우나 작센하우젠 같은 독일 최악의 강제수용소들에서 "산송장들과 함께" 지낸 세월의 이야기는 슈슈니크 본인의 저서(*Austrian Requiem*)에 묘사되어 있다.

체포 직후 슈슈니크는 대리인을 통해 전前 백작부인 페라 체르닌Vera Czernin과의 결혼을 허락받았다. 이 여성의 과거 첫 결혼은 교회재판소에 의해 취소된 상태였다.* 그리고 전쟁 종반에 이 여성은 1941년 태어난

---

* 결혼 당시 슈슈니크는 홀아비였다.

자식을 데리고 남편과 함께 강제수용소에서 지내도록 허락받았다. 그들이 악몽 같은 감금 생활에서 목숨을 이어간 것은 그야말로 기적이다. 막바지에는 히틀러의 노여움을 산 다수의 다른 저명인사들도 수용소에 갇혔다. 샤흐트 박사, 전 프랑스 총리 레옹 블룸과 그 아내, 니묄러 목사, 여러 고위 장성들, 헤센의 필리프 공 등이 그들이었다. 필리프 공의 아내이자 이탈리아 국왕의 딸이었던 마팔다 공주는 연합국 측으로 돌아선 비토리오 에마누엘레 3세에 대한 총통의 복수의 일환으로 1944년 부헨발트 강제수용소에서 친위대에 의해 살해되었다.

1945년 5월 1일, 서부에서 진격해오는 미군에 의해 해방되지 않도록 다하우 수용소에서 급히 끌려나온 이 저명인사 수감자 무리는 남쪽으로 이송되어 티롤 남부의 깊은 산간에 자리한 작은 마을에 도착했다. 그곳에서 게슈타포 장교들이 힘러의 명령에 따라 연합군의 수중에 들어가기 전에 처치할 수감자 명단을 슈슈니크에게 보여주었다. 슈슈니크는 자신과 아내의 이름이 "또렷하게 인쇄되어" 있는 것을 보고는 그만 기운이 빠졌다. 그토록 끈질기게 살아남았는데 마지막 순간에 제거된다니!

그렇지만 5월 4일, 슈슈니크는 일기에 이렇게 쓸 수 있었다.

오늘 오후 2시 정각, 경보! 미군!
미군의 한 분견대가 호텔을 장악했다.
우리는 자유다!

총 한 발 쏘지 않은 채, 압도적으로 우세한 군사력을 갖춘 영국, 프랑스, 러시아의 간섭도 받지 않은 채, 히틀러는 제국에 국민 700만 명을 더하고 미래의 계획상 막대한 가치를 지닌 전략적 요충지를 얻었다. 히틀러는 체코슬로바키아의 삼면을 군대로 포위했을 뿐 아니라 남동유럽으로 향하는 관문인 빈까지 차지했다. 옛 오스트리아-헝가리 제국의 수도로서 빈은 오랫동안 중부 및 남동 유럽에서 교통과 통상체제의 중심지로 기능했다. 이 신경중추가 이제 독일의 수중으로 넘어간 것이다.

아마도 히틀러에게 가장 중요했던 것은 영국도 프랑스도 자신을 저지하기 위해 손가락 하나 까딱할 의향조차 없음이 다시금 확인되었다는 사실일 것이다. 3월 14일 체임벌린은 오스트리아에서의 히틀러의 '기정사실'에 관해 하원에서 연설했고, 런던 주재 독일 대사관은 하원의 토의 진행에 관한 긴급 전보를 베를린으로 연이어 발송했다. 히틀러가 크게 우려할 내용은 없었다. 체임벌린은 단언했다. "확실한 사실은 그 무엇도 [오스트리아에서] 실제로 일어난 일을 막을 수 없었다는 것입니다. 우리와 여타의 나라들이 무력을 행사할 각오가 되어 있지 않았으니까요."

영국 총리는 무력을 행사할 용의도, 향후 독일의 행보를 저지하기 위해 다른 강대국들과 협조할 용의도 없다는 것이 히틀러에게는 분명해 보였다. 3월 17일, 소비에트 정부는 독일이 더 이상의 침략행위를 일삼지 않도록 감시하는 방안을 찾기 위해 국제연맹 회원국과 비회원국을 망라하는 국제회의를 제안했다. 체임벌린은 그런 식의 회의에는 냉담한 반응을 보였고, 3월 24일 하원에서 정식으로 거부했다. "그러한 움직임은 불가피하게 국가들 사이에 배타적인 그룹이 생기는 경향을 강화할 것이고, 이는 틀림없이 … 유럽의 평화에 해를 끼칠 것"이라는 입장이었다. 체임벌린은 로마-베를린 추축이나 독일, 이탈리아, 일본의 반코민테른 삼국협정을 간과하거나 대수롭지 않게 여겼던 것으로 보인다.

같은 연설에서 체임벌린은 히틀러를 더욱 기쁘게 했을 법한 또 하나의 정부 결정을 발표했다. 체임벌린은 체코슬로바키아가 공격받을 경우 영국의 체코 지원을 보장하자는 제안뿐 아니라 프랑스가 프랑스-체코 협정에 따른 의무 이행을 요구받을 경우 영국의 프랑스 지원을 보장하자는 제안까지도 직설적으로 거부했다. 이 단도직입적인 성명은 히틀러의 여러 문제를 크게 완화해주었다. 이제 히틀러는 다음번 희생자와 대결할 때 영국이 또다시 방관할 것임을 알고 있었다. 영국이 뒷짐을 진다면 프랑스도 똑같이 하지 않겠는가? 뒤이은 수개월 사이에 작성된 히틀러의 기밀문서들로 분명하게 알 수 있듯이, 그는 프랑스 역시 좌시할 것이라고 확신했다. 그리고 러시아-프랑스 협정과 러시아-체코슬로바키아 협정의 조건에 따라 프랑스가 먼저 움직이기 전까지는 체코를 지원할 의무가 소련 측에 없다는 것도 알고 있었다. 이 정도만 알아도 당장 계획의 다음 단계를 추진할 수 있었다.

병합 성공 이후 히틀러는 주저하는 독일 장군들이 더 이상 자신의 길을 막지 않을 것이라고 장담할 수 있었다. 설령 의구심이 남아 있었다 해도 프리치 사건의 결말로 말끔히 사라졌다.

앞에서 언급했듯이, 명예를 심리하는 군사법원에서 열릴 프리치 장군의 동성애 관련 재판은 3월 10일 개정일에 갑자기 연기되었다. 히틀러가 오스트리아와 관련된 더 긴급한 문제들을 처리하기 위해 괴링 원수와 육해군 사령관들을 소집했기 때문이다. 재판은 3월 17일에 재개되었지만, 그사이에 벌어진 일을 감안하면 재판은 용두사미일 수밖에 없었다. 몇 주 전만 해도 고위 장성들은 힘러와 하이드리히가 프리치에게 자행한 믿기지 않는 모략이 군사법원에서 밝혀지면 실각한 총사령관이 복귀할 뿐 아니라 친위대가, 어쩌면 제3제국까지, 더 나아가 어쩌면 아돌프 히틀러마저 고꾸라질 것이라고 자신했다. 이 얼마나 헛되고 부질없는 희망이었던가! 앞에서 상술했듯이, 2월 4일 히틀러는 전군의 지휘권을 직접 넘겨받고 프리치와 그 주변의 고위 장성들 대다수를 해임함으로써 옛 장교단의 꿈을 박살냈다. 게다가 이제는 총 한 발 쏘지 않고도 오스트리아를 정복한 상황이었다. 이 놀라운 승리 이후 독일에서는 아무도, 심지어 연로한 장군들조차 프리치 장군 건에 대해 별로 생각하지 않았다.

사실 프리치는 금세 누명을 벗었다. 이제 더없이 공정한 판사인 체할 수 있는 괴링이 몇 차례 을러대자 공갈범이자 전과자인 슈미트는 더 버티지 못한 채 게슈타포로부터 프리치 장군을 걸고넘어지지 않으면 목숨을 잃을 것이라는 협박—우연히도 며칠 후에 실현되었다—을 받았고 자신이 실제로 동성애를 빌미로 협박했던 폰 프리슈 기병대위와 프리치 장군의 이름이 비슷해 죄를 뒤집어씌운 것이라고 실토했다. 프리치와 육군은 게슈타포의 실제 역할을 밝히려는 노력도, 거짓 혐의를 꾸며낸 힘러와 하이드리히의 개인적인 죄를 들추려는 노력도 하지 않았다. 둘째 날인 3월 18일, "무죄가 입증되어 석방한다"라는 불가피한 판결과 함께 재판이 종결되었다.

프리치 장군은 결백을 입증하고도 지휘권을 되찾지 못했다. 육군 역시 제3제국에서 웬만큼 독립적이었던 예전 지위를 회복하지 못했다. 재판이 비공개로 열린 탓에 사람들은 재판 자체나 관련 쟁점에 대해 아무것도 몰랐다. 3월 25일, 히틀러는 프리치에게 "건강 회복"을 축하하는 전보를 보냈다. 그게 전부였다.

법정에서 힘러에게 손가락질하지 않았던 이 해임된 장군은 재판이 끝난 마당에 부질없이 마지막 몸부림을 쳤다. 게슈타포의 수장에게 결투를 신청했던 것이다. 프리치는 베크 장군이 군의 오랜 명예규범에 따라 직접 작성한 결투장을 육군 고급장교 룬트슈테트 장군에게 건네면서 친위대 수장에게 전해달라고 했다. 그러나 룬트슈테트는 겁을 먹은 나머지 결투장을 몇 주 동안 호주머니에 넣고 다니다가 끝내 그 존재를 잊어먹고 말았다.

프리치 장군, 그리고 그가 상징하던 모든 것이 곧 독일인의 삶에서 사라져갔다. 그런데 그가 상징한 것은 결국 무엇이었는가? 12월에 프리치가 친구 마르고트 폰 슈츠바어Margot von Schutzbar 백작부인에게 쓴 편지는 다른 수많은 장군들과 마찬가지로 그도 애처로운 혼란에 빠져 있었음을 보여준다.

지난 수년간 총통이 논박할 수 없는 성공을 거두었음에도 수많은 사람들이 갈수록 미래를 우려하고 있으니 정말 이상한 일입니다. …

전쟁 직후에 저는 독일이 다시 강력해지려면 세 가지 싸움에서 승리해야 한다는 결론에 이르렀습니다.

1. 노동계급과의 싸움 — 이건 히틀러가 이겼습니다.

2. 가톨릭교회와의 싸움, 어쩌면 교황지상주의와의 싸움이라고 하는 편이 더 나을지도 모르겠습니다. 그리고

3. 유대인과의 싸움.

우리는 이런 싸움의 한가운데에 있고 유대인과의 싸움이 가장 어렵습니다. 저는 모든 사람이 이 싸움의 복잡성을 깨닫기를 바랍니다.[43]

1939년 8월 7일, 전운이 짙어가는 가운데 프리치는 백작부인에게 다시 편지를 썼다. "평시에나 전시에나 히틀러 씨의 독일에서 제가 맡을 역할은 전혀 없습니다. 저는 단지 표적으로서 제 연대와 동행할 것입니다. 집에 처박혀 있을 수는 없기 때문입니다."

실제로 프리치는 이 말대로 했다. 1938년 8월 11일, 프리치는 자신의 옛 소속부대인 포병 제12연대의 명예연대장에 임명되었다. 순전히 명예 직이었다. 1939년 9월 22일, 프리치는 포위된 바르샤바 전방에서 폴란 드군 기관총의 표적이 되었고, 나흘 뒤 찬비가 내리는 어둑한 아침에 베를린에서 군장軍葬으로 매장되었다. 내 일기에 따르면 그날은 내가 베를린에서 보낸 가장 을씨년스러운 하루였다.

앞에서 언급했듯이 히틀러는 20개월 전에 독일 육군 총사령관 프리치를 해임함으로써 독일 내에 존재할 수 있는 반대파의 마지막 아성인 유서 깊고 전통적인 육군 장교 계층에 완승을 거두었다. 그리고 1938년 봄에 오스트리아에서 벌인 교묘한 쿠데타로 대담한 지도력을 과시함으로써 육군을 더 단단히 틀어쥐었다. 히틀러는 혼자서 외교 정책을 결정할 것이고 육군의 역할은 그저 무력이나 무력 위협을 제공하는 것이라고 강조했다. 이에 더해 히틀러는 단 한 명의 병력 손실도 없이, 체코슬로바키아를 군사적으로 공략할 수 있는 전략적 요충지를 육군에 선사했다. 이제는 그 이점을 지체 없이 써먹을 때다.

4월 21일, 오스트리아에서 나치 국민투표를 실시한 지 11일 후에 히틀러는 국방군 최고사령부 총장 카이텔 장군을 불러 녹색 작전에 관해 상의했다.

제12장

뮌헨에 이르는 길

'녹색 작전'은 체코슬로바키아 기습 작전에 붙인 암호명이었다. 앞에서 언급했듯이 이 작전은 1937년 6월 24일 블롬베르크 원수가 처음 입안했고, 11월 5일 히틀러가 장군들에게 훈시하면서 가다듬은 것이었다. 히틀러는 "체코 공격"을 "전광석화의 속도로" 실행해야 하고 "이르면 1938년"에 결행할 수도 있다고 말했다.

분명한 점은 오스트리아를 쉽게 정복한 까닭에 이제 녹색 작전이 매우 긴급한 과제가 되었다는 것이다. 새로운 상황에 맞추어 계획을 조정하고 실행에 옮길 준비를 해야 했다. 1938년 4월 21일에 히틀러가 카이텔을 불러들인 것은 이 목표를 위해서였다. 이튿날 총통의 신임 군사보좌관 루돌프 슈문트Rudolf Schmundt 소령은 전날 논의를 요약하는 문서를 작성했다. 이 요약서는 "정치 정세", "군사적 결론", "선전"의 세 부분으로 나뉘었다.[1]

히틀러는 "대의도 없고 정당화하기도 어려운 상태에서 불시에 전략 공격을 감행하는 발상"은 도외시했는데, 무엇보다 "세계 여론의 반감을 부르면 돌이킬 수 없는 국면으로 이어질 수도 있다"고 우려했기 때문이다. "외교적 논의 기간을 두고 점차 위기감을 부추기다가 전쟁의 문턱까지 이끈 뒤 행동"에 옮기자는 제2안은 "그렇게 되면 체코(녹색)도 안보 대책을 세울 것이므로 바람직하지 않다"라고 히틀러는 생각했다. 총통은 적어도 당시에는 제3안을 선호했다. "모종의 사건(예를 들어 반독일 시위 도중 독일 사절이 살해되기라도 하는 경우)을 이유로 번개처럼 행동[괄호는 원문 그대로]"을 취하는 안이었다. 기억할 테지만, 히틀러는 일찍이 독일의 오스트리아 침공을 정당화하기 위해 파펜을 희생양으로 삼는 그런 "사건"을 계획한 적이 있었다. 히틀러의 갱단 세계에서 독일의 재외 사절들은 분명 언제든 갈아치울 수 있는 소모품이었다.

독일 통수권자—삼군 지휘권을 직접 틀어쥐었으므로 실상이 그러했다—는 카이텔 장군에게 이 작전에는 속전속결이 필요하다고 강조했다.

정치적으로는 군사행동의 첫 4일간이 결정적이네. 뚜렷한 군사적 성공이 없으면 유럽의 위기가 발생할 것이 분명해. 기정사실로 만들어서 외국 열강에게 군사 개입을 해봐야 소용없다는 것을 납득시켜야 하네.

전쟁의 선전 측면과 관련해서는 아직은 괴벨스 박사를 불러들일 때가 아니었다. 히틀러는 "체코슬로바키아 내 독일인의 행동지침을 알리는" 전단과 "체코인을 윽박지르는" 내용을 담을 전단에 관해 논의하는 데 그쳤다.

당시 히틀러가 파괴하려고 마음먹은 체코슬로바키아 공화국은 1차 대전 이후 독일인들이 몹시 증오한 강화조약들의 산물이었다. 또한 그것은 두 명의 걸출한 체코 지식인 토마시 가리크 마사리크Tomáš Garrigue

Masaryk와 에드바르드 베네시Edvard Beneš의 수공예 작품이기도 했다. 마사리크는 마부의 아들로 태어나 독학하여 저명한 석학이 된 데 이어 이 나라의 초대 대통령에 취임했고, 베네시는 농부의 아들로 태어나 프라하 대학과 프랑스의 고등교육기관 세 곳에서 수학한 뒤 거의 연속해서 외무 장관으로 재직한 다음 1935년 마사리크가 퇴임하자 제2대 대통령이 되었다. 16세기에 유서 깊은 보헤미아 왕국을 손에 넣은 합스부르크 제국에서 갈라져 나온 체코슬로바키아는 1918년 건국 이후 수년 사이에 중 유럽에서 가장 민주적이고 진보적이고 계몽적이고 번영하는 국가로 발전했다.

그러나 몇 개의 민족으로 이루어진 탓에 처음부터 국내 문제에 발목이 잡혔고, 이후 20년이 넘도록 그 문제를 말끔히 해결할 수 없었다. 바로 소수집단 문제였다. 이 나라에는 100만 명의 헝가리인, 50만 명의 루테니아인, 325만 명의 주데텐 독일인이 살고 있었다. 이들 집단은 각각 '모국'인 헝가리, 러시아, 독일을 동경했다—다만 주데텐 독일인은 독일 제국에 속한 적이 없고(느슨한 신성로마제국의 일부였던 시절을 제외하면) 오스트리아에 속한 적이 있었을 뿐이다. 이 소수집단들은 적어도 당시 주어진 것 이상의 자치권을 원했다.

심지어 1000만 명의 체코슬로바키아인 가운데 4분의 1을 차지하는 슬로바키아인까지도 어느 정도의 자치권을 원했다. 슬로바키아인은 인종과 언어 면에서 체코인과 밀접한 관계이면서도 역사적·문화적·경제적으로 체코인과는 다르게 발전했는데, 주된 원인은 수백 년간 헝가리의 지배를 받았다는 데 있다. 1918년 5월 30일, 미국 내 체코인 망명자들과 슬로바키아인 망명자들은 피츠버그에서 협정을 맺어 슬로바키아인으로 하여금 자신들의 정부와 의회, 법원을 가질 수 있도록 했다. 그러나 프라하 정부는 이 협정에 얽매일 필요가 없다고 생각해 이행하지 않았다.

분명 서방 나라들, 심지어 미국의 소수집단들과 비교하더라도 체코슬로바키아의 소수집단들은 상황이 나쁘지 않았다. 그들은 선거권을 포함해 완전한 민주적·시민적 권리를 누렸을 뿐 아니라 자신들의 학교를 보유하고 어느 정도는 자체 문화시설을 유지할 수 있었다. 소수집단 정당의 지도자들은 흔히 중앙정부에서 각료를 맡기도 했다. 그럼에도 오스트리아인의 수백 년에 걸친 억압을 완전히 극복하지 못한 체코인은 소수집단 문제의 해결에서 미흡한 점이 아주 많았다. 체코인은 곧잘 쇼비니즘에 빠졌고 대개 융통성이 없었다. 내가 예전에 이 나라를 방문했을 때 슬로바키아 사람들은 당시 존경받던 교수 보이테흐 투카Vojtech Tuka 박사가 투옥된 사건에 매우 분개하고 있었는데, 투카 박사는 슬로바키아인의 자치를 위해 노력한 것 외에 다른 죄가 있는지 의문이었음에도 '반역죄'로 15년형을 선고받은 터였다. 무엇보다 소수집단들은 1919년 파리 강화회의에서 체코슬로바키아 정부가 스위스와 비슷한 주canton 체제를 수립하겠다고 약속했는데도 마사리크와 베네시가 그 약속을 지키지 않았다고 불만을 제기했다.

퍽 아이러니하게도, 이 책에서 지금부터 이야기할 내용을 감안하면 주데텐 독일인은 체코슬로바키아 국가에서 그런대로 괜찮은 대우를 받고 있었다―이 나라의 다른 어떤 소수집단보다도 분명히 괜찮았고, 폴란드나 파시스트 이탈리아의 독일계 소수집단과 비교해도 형편이 더 나았다. 주데텐 독일인은 현지 체코인 관료들의 사소한 횡포나 프라하에서 이따금 빚어지는 자신들에 대한 차별에 분개했다. 그들은 예전 합스부르크 왕가 치하의 보헤미아나 모라비아에서 누렸던 우선권을 잃어버린 처지에 좀처럼 적응하지 못했다. 하지만 신생 공화국의 산업이 대부분 몰려 있는 북서부와 남서부 지역들에서 똘똘 뭉쳐 살아온 그들은 번영했고, 더 많은 자치권과 자신들의 언어적·문화적 권리에 대한 더 많은 존중을 끊임없이 요구하면서도 세월이 지남에 따라 점차 체코인과 화합을 이루어갔다. 히틀러가 떠오르기 전까지는 그 이상을 요구하는 심각한 정치 운동이 없었다. 사회민주당을 비롯한 민주적 정당들은 주데텐란트 표의 대부분을 얻었다.

그러다가 히틀러가 총리에 오른 1933년에 국가사회주의라는 바이러스가 주데텐 독일인을 엄습했다. 그해에 콘라트 헨라인Konrad Henlein이라는 온건한 체육교사의 수도로 주데텐독일인당Sudetendeutsche Partei, SDP이 결성되었다. 1935년에 이 당은 독일 외무부로부터 매달 1만 5000마르크의 보조금을 비밀리에 받고 있었다.[2] 2년 내에 이 당은 주데텐란트 독일인의 과반수를 확보했고, 다른 정당으로는 사회민주당과 공산당이 있었다. 병합 무렵, 지난 3년간 베를린으로부터 지령을 받아온 헨라인의 당은 아돌프 히틀러의 분부를 실행할 준비가 되어 있었다.

이 분부를 받기 위해 헨라인은 오스트리아 병합 2주 후에 급히 베를린으로 가서 3월 28일 히틀러와 세 시간 동안 밀담을 나누었다. 리벤트로프와 헤스가 동석했다. 외무부 문서에 따르면 히틀러의 지시는 "주데텐독일인당이 체코 정부가 수락할 수 없는 요구를 해야 한다"는 것이었다. 헨라인 본인이 요약한 총통의 견해는 "우리 측에서 결코 만족할 수 없다는 듯이 계속해서 요구해야 한다"는 것이었다.[3]

이렇듯 히틀러에게 체코슬로바키아 내 독일인 소수집단의 곤경은, 1년 후 단치히가 폴란드 침공의 빌미가 된 경우와 마찬가지로, 계략을 꾸며 탐나는 땅 체코를 흔들고 그 우방들을 속여 혼란에 빠뜨리는 한편 자신의 실제 목표를 숨기기 위한 구실에 지나지 않았다. 그 목표는 전년

11월 5일 군 수뇌부에게 늘어놓은 설교나 녹색 작전의 초기 지령들에서 분명하게 드러났다. 바로 체코슬로바키아 국가를 파괴하고 그 영토와 주민을 제3제국의 몫으로 차지하는 것이었다. 오스트리아에서 벌어진 사태에도 불구하고 프랑스와 영국의 지도자들은 히틀러의 목표를 간파하지 못했다. 봄이 가고 여름이 와도 체임벌린 영국 총리와 에두아르 달라디에Édouard Daladier 프랑스 총리는, 나머지 세계 대부분과 마찬가지로, 히틀러가 원하는 것은 체코슬로바키아 내 동포를 위한 정의뿐이라고 진심으로 믿었던 것으로 보인다.

실제로 봄이 깊어질 즈음 영국과 프랑스 정부는 기존 방침과 달리 주데텐 독일인에게 대폭 양보하도록 체코 정부에 압박을 가했다. 5월 3일, 신임 런던 주재 독일 대사 헤르베르트 폰 디르크젠이 베를린에 보고한 바에 따르면, 핼리팩스 경은 영국 정부가 곧 프라하 측에 "주데텐 독일인의 요구를 수용하는 최대한의 유화 조치를 취하도록 베네시를 설득하기 위한" 전환책을 제시할 것이라고 알려왔다.[4] 나흘 후인 5월 7일에 독일 공사가 베를린에 보고했듯이, 영국과 프랑스의 프라하 주재 공사는 체코 정부 측에 주데텐란트의 요구를 "최대한" 수용할 것을 촉구하는 전환책을 제시했다. 히틀러와 리벤트로프는 영국과 프랑스 정부가 그만큼이나 신경써서 독일을 돕는다는 것을 알고 크게 만족했던 것으로 보인다.

그렇지만 이 단계에서는 다른 어느 때보다도 독일의 의도를 감춰둘 필요가 있었다. 5월 12일, 헨라인은 베를린의 빌헬름슈트라세를 비밀리에 방문해 리벤트로프로부터 지시를 받았다. 그날 저녁 런던에 도착해 영국 외무장관의 수석 외교고문 로버트 밴시터트Robert Vansittart 경을 비롯한 관료들을 어떻게 속일지에 관한 지시였다. 바이츠제커가 문서로 남긴 그 방침은 다음과 같은 것이었다. "런던에서 헨라인은 자신이 베를린의 지시대로 움직인다는 것을 부인한다. … 마지막에 헨라인은 체코의 정치 구조에 개입하는 것이 여전히 유용할지도 모른다고 생각하는 사람들을 단념시키고자 이 구조의 점진적 해체에 대해 이야기한다."[5] 같은 날 프라하 주재 독일 공사는 리벤트로프에게 주데텐독일인당에 돈과 지시사항을 보내는 공사관의 활동을 감추기 위한 예방책이 필요하다는 내용의 전보를 보냈다.

베를린 주재 미국 대사 휴 R. 윌슨Hugh R. Wilson은 5월 14일 바이츠제커를 방문해 주데텐 위기에 관해 논의하는 자리에서 체코 당국이 "체코슬로바키아의 붕괴"를 막고자 의도적으로 유럽의 위기를 조장하는 탓에 독일이 우려하고 있다는 말을 들었다. 이틀 후인 5월 16일, 슈문트 소령은 오버잘츠베르크에서 휴양 중인 히틀러를 대신하여 OKW 본부로 '극비' 전보를 보내, "동원할 경우 12시간 내에 출동 가능한" 사단이 체코 접경지대에 몇 개 사단이나 있는지 물었다. OKW의 참모 쿠르트 차이츨러Kurt Zeitzler 중령은 즉각 "12개 사단입니다"라고 회답했다. 이 답변은 히틀러를 만족시키지 못했다. "그 사단들의 번호를 알려달라"고 히틀러는 말했다. 그러자 번호가 붙은 10개 보병사단, 1개 기갑사단, 1개 산악사단을 알려왔다.[6]

히틀러는 행동에 나서고 싶어 안달을 했다. 이튿날인 17일, 히틀러는 체코가 주데텐란트 산악지대의 국경에 구축해놓은 방어시설들에 관한 정확한 정보를 OKW에 물었다. 이 시설들은 체코의 마지노선이라고 알려져 있었다. 차이츨러는 같은 날 베를린에서 총통에게 보낸 장문의 '극비' 전보에서 체코의 방어선에 관한 상세 정보를 제공했다. 거기에는 체코의 방어시설들이 꽤 강력하다고 분명하게 적혀 있었다.[7]

첫 위기: 1938년 5월

5월 20일 금요일에 시작된 주말의 상황은 훗날 '5월 위기'로 기억될 중대한 위기로 치달았다. 뒤이은 48시간 동안 런던, 파리, 프라하, 모스크바의 각 정부는 유럽이 1914년 여름 이래 다른 어느 때보다도 전쟁에 가까이 다가섰다고 믿고 패닉에 빠졌다. 주된 원인은 OKW가 히틀러를 위해 작성해 금요일에 제출한 독일의 체코슬로바키아 공격 신계획이 유출된 데 있었을 것이다. 어쨌거나 적어도 프라하와 런던에서는 히틀러가 체코슬로바키아를 침공하기 직전이라고 믿었다. 그리하여 체코는 동원령을 발동했고, 영국과 프랑스, 소련 정부는 독일의 임박한 위협을 의식하며 굳게 단결하는 모습을 보여주었다. 장차 새로운 세계대전이 벌어져 세 나라가 거의 괴멸 상태로 내몰릴 때까지 다시는 볼 수 없을 모습이었다.

5월 20일 금요일, 카이텔 장군은 지난 4월 21일 회의에서 총통이 직접 전반적인 노선을 정한 이래 자신과 참모가 작성해온 녹색 작전의 새로운 초안을 오버잘츠베르크의 히틀러에게 발송했다. 이 새로운 계획안에 첨부한 알랑거리는 서신에서 카이텔은 "오스트리아가 독일 제국에 통합되어 조성된 정세"를 고려했으며 "총통 각하"의 승인과 서명을 받기 전까지는 삼군 총사령관과 논의하지 않겠다고 말했다.

'녹색' 작전을 위해 새로 작성된 베를린의 1938년 5월 20일자 지령서는 흥미롭고도 중요한 문서다. 나중에 전 세계에 알려질 나치 침공 계획의 모델이기 때문이다.

체코슬로바키아 **국내의** … 불가피한 전개로 인해 시급히 결정을 내려야 하거나, 유럽 내 정치적 사태로 다시없을 특별히 유리한 기회가 생기지 않는 한, 가까운 미래에 이유 없는 군사행동으로 체코슬로바키아를 분쇄하는 것은 나의 본의가 아니다. [강조는 원문 그대로][8]

이 문서는 세 가지 "작전 개시의 정치적 가능성"도 헤아린다. 첫 번째 가능성인 "적당한 외면상의 구실이 없는 기습"은 채택되지 않았다.

작전은 되도록 다음 두 경우에 개시할 것이다.
(a) 군사행동의 준비와 관련한 외교적 논쟁과 함께 긴장이 한동안 고조되어 전쟁 책임을 적에게 떠넘길 수 있는 경우.
(b) 독일을 참을 수 없을 정도로 도발하는 심각한 사건이 발생하여 세계 여론의 적어도 일부에 비춰 군사적 조치를 취하는 것이 도덕적으로 정당화되는 경우의 전격 행동.
군사적으로 보나 정치적으로 보나 (b)의 경우가 더 유리하다.

군사작전 자체에 관해 말하자면, 나흘 안에 대성공을 거두어 "개입을 원할지도 모르는 적국들에게 체코의 군사 상황이 절망적이라는 것을 입증하고 또 체코슬로바키아에 대한 영토 권리를 주장하는 국가들을 즉시 대對체코전에 가담하도록 유인"할 작정이었다. 영토 권리를 주장하는 국가들은 헝가리와 폴란드였으며, 녹색 작전은 이들 국가의 개입을 기대했다. 프랑스가 과연 체코에 대한 의무를 이행할지 여부는 제법 의문시되었지만, "소련이 체코슬로바키아에 군사 지원을 하려 들 것으로 예상"되었다.

독일군 최고사령부, 또는 적어도 카이텔과 히틀러는 프랑스의 경우 "후방 엄호용으로 서부에 최소한의 병력만 배치"하는 정도에 그쳐 군이 싸우려 하지 않을 것이라고 확신하면서 "전 병력의 모든 힘을 체코슬로 바키아 침공에 쏟아야 한다"라고 강조했다. "육군 주력의 임무"는 공군의 지원을 받아 "체코슬로바키아 육군을 분쇄하고 최대한 신속하게 보헤미아와 모라비아를 점령"하는 것이었다.

이 전쟁은 총력전이 될 터였고, 지령서에서 말하는 '선전전'과 '경제전'의 가치가 독일의 군사계획에서 처음으로 강조되고 공격계획 전반에 포함되었다.

선전전에서는 한편으로 협박 수단들을 통해 체코를 위협하고 그 저항력을 약화시켜야 하며, 다른 한편으로 소수민족들에게 우리의 군사작전을 어떻게 지원할지에 대한 지침을 제시하고 중립국들에는 우리에게 유리하도록 영향을 끼쳐야 한다.

경제전의 임무는 모든 경제 자원을 투입해 체코의 최종적 붕괴를 앞당기는 것이다. … 군사작전 도중에는 중요한 공장들에 관한 정보를 신속히 모으고 그 공장들을 되도록 일찍 재가동시킴으로써 경제전의 전체적 효과를 높이도록 돕는 것이 중요하다. 이런 이유로 체코의 산업 및 기술 시설을—군사작전이 허용하는 한에서—손상시키지 않는 것이 우리에게 결정적으로 중요할 것이다. [강조는 원문 그대로]

이러한 나치 침공 모델은 훨씬 나중에 세계가 그 정체를 간파할 때까지 본질적으로 변함없이 쓰이면서 엄청난 성공을 가져올 터였다.

5월 20일 정오 직후, 프라하 주재 독일 공사는 베를린으로 "긴급 극비" 전보를 보냈다. 체코 외무장관이 방금 전화를 걸어와 자국 정부가 "[독일] 병력의 작센 집결에 관한 소식에 불안해한다"라고 통보했다는 보고였다. 공사는 "불안해할 이유가 전혀 없습니다"라고 답변했다면서 혹시 무슨 일이 있으면 즉시 알려달라고 베를린에 요청했다.

이 대화를 시작으로 앞에서 말한 주말 사이에 일련의 열띤 외교전이 벌어졌다. 그사이에 유럽은 히틀러가 또다시 움직일 기미를 보이고 있고 그렇게 되면 이번에는 전면전이 뒤따를 것이라는 두려움에 몹시 동요했다. 독일 병력이 체코 국경에 집결한다는, 영국과 체코의 정보기관이 입수한 정보의 근거는 내가 아는 한 끝내 밝혀지지 않았다. 독일이 오스트리아를 점령한 사태의 충격에서 아직 벗어나지 못한 유럽에서는 몇 가지 조짐이 있었다. 5월 19일 라이프치히의 한 신문은 독일군의 이동에 관한 기사를 실었다. 주데텐 독일인의 지도자 헨라인은 5월 9일 자기 당과 체코 정부의 협상이 결렬되었다고 발표했다. 또 14일에 런던에서 귀국하는 길에 베르히테스가덴에 들러 히틀러를 만났고 그곳에 그대로 머무르고 있다고 알려졌다. 주데텐란트에서는 총격 소동이 있었다. 5월 내내 괴벨스 박사는 선전전—주데텐 독일인을 겨냥하는 '체코의 테러'라는 터무니없는 이야기를 대서특필하는—에 박차를 가했다. 조만간 긴장이 최고조에 이를 것으로 보였다.

춘계 기동훈련과 관련해 특히 동부 지역들에서 독일군의 이동이 얼마간 눈에 띄긴 했지만, 당시 독일군이 체코 국경에 불시에 새로이 집결하려 했음을 가리키는 증거는 전후 압수된 독일 문서에서 전혀 발견되지 않았다. 오히려 5월 21일자 독일 외무부의 두 문서에는 슐레지엔이나 니더외스터라이히에 병력이 집결한 적 없다는, OKW의 요들 대령이 빌헬름슈트라세에 보고한 기밀 확언이 담겨 있다. 요들은 외국인에게 노출될 가능성을 고려하지 않은 메시지에서 "평시 기동훈련을 제외하고는" 아무런 이동도 없었다고 단언했다.⁹ 이는 체코 국경에 독일 병력이 전혀 없었다는 것은 아니다. 앞에서 언급했듯이 5월 16일에 히틀러는 OKW에 당장 정보를 달라고 재촉했고, "12시간 내에 진격할 준비를 마친" 독일군 12개 사단이 체코 국경에 있다는 답변을 받았다.

체코나 영국의 정보기관이 이 정보를 주고받는 전보를 탐지할 수도 있었을까? 그리고 5월 20일에 카이텔이 히틀러의 승인을 받고자 보낸 '녹색 작전'의 새로운 지령을 알아낼 수 있었을까? 왜 이렇게 묻느냐면, 이튿날 체코 참모총장 크레이치Krejci 장군이 프라하 주재 독일 무관 루돌프 투생Rudolf Toussaint 대령에게 자신이 "작센에 [독일군] 8개 내지 10개 사단이 집결했다는 반박할 수 없는 증거"를 가지고 있다고 말했기 때문이다.[10] 독일군 사단들의 배치에 관한 정보가 다소 부정확하긴 했지만, 8~10개라는 숫자는 꽤 정확한 정보였다. 어쨌든 5월 20일 오후, 프라하 흐라트차니 궁에서 베네시 대통령의 주재로 긴급 내각 회의를 가진 뒤 체코 정부는 즉각 부분동원을 발령하기로 결정했다. 한 기수의 병력이 소집되고 특정한 기술예비병들이 동원되었다. 두 달 전 오스트리아 정부와 달리, 체코 정부는 싸워보지도 않고 굴복할 생각이 없었다.

체코의 동원은 부분적인 것이었음에도 히틀러를 격분시켰다. 또 영국과 프랑스의 대사가 계속 찾아와 독일의 체코슬로바키아 침공은 곧 유럽 전쟁을 의미한다고 경고하고 있다는 내용의 급보를 베를린의 독일 외무부가 오버잘츠베르크의 총통에게 보냈음에도 그는 감정을 가라앉히지 못했다.

독일 정부는 이 주말에 영국이 가한 집요하고도 지속적인 외교적 압박을 일찍이 받아본 적이 없었다. 영국 대사 네빌 헨더슨 경은 그 직업외교관의 수완을 발휘해 히틀러를 달래라며 체임벌린 총리가 베를린에 파견한 인물이었다. 그 수완을 최대한으로 발휘하던 헨더슨은 독일 외무부를 거듭 찾아가 독일군의 동태를 캐묻고 조심하라고 충고했다. 핼리팩스 경과 영국 외무부가 이 대사를 움직인다는 점에는 의문의 여지가 없었다. 헨더슨은 정중하고 세련된 외교관이었지만 베를린에서 누구나 알고 있었듯이 체코 정부에 대해서는 거의 공감하지 않았기 때문이다. 헨더슨은 5월 21일에 리벤트로프를 두 번 만났고, 이튿날은 일요일인데도 바이츠제커 외무차관—리벤트로프는 히틀러가 머무는 오버잘츠베르크로 급히 불려가 부재중이었다—을 찾아가 상황의 엄중함을 강조하는 핼리팩스의 개인적 메시지를 전달했다. 런던에서 영국 외무장관도 안식일에 독일 대사를 불러 시국이 얼마나 심각한지를 역설했다.

디르크젠 영국 주재 대사가 핼리팩스를 만난 후에 발송한 전보에서 지적한 대로, 독일 정부는 영국 측이 이 모든 소통 중에 프랑스가 체코슬로바키아를 지원할 것이라고 확신하면서도 자국이 지원할지 여부에 대해 확언하지 않는다는 사실을 놓치지 않았다. 디르크젠이 전한 핼리팩스의 말대로 영국은 기껏해야 "유럽에서 분쟁이 일어날 경우 영국이 거기에 개입할지 여부를 예견하기란 불가능합니다"라고 경고하는 데 그쳤다.[11] 실제로 체임벌린 정부는 경고하는 수준을 넘지 않을 터였다—히틀러를 저지하기에는 너무 늦어버릴 때까지. 당시부터 마지막까지 내가 베를린에서 받은 인상은, 만약 체임벌린이 히틀러에게 영국이 나치의 침략에 직면할 경우 궁극적으로 어떻게 할지를 솔직하게 알렸다면 총통도 2차대전을 불러오는 모험들에 결코 나서지 않았으리라는 것이다—이 인상은 전후에 독일 기밀문서를 연구하면서 더욱 강해졌다. 이것은 사람 좋은 영국 총리의 치명적 실책이었다.

아돌프 히틀러는 베르히테스가덴 산장에서 불쾌한 소식을 곱씹고 있었다. 체코 정부가 대항하고 런던, 파리, 심지어 모스크바까지 체코를 지지하자 심한 굴욕감을 느꼈다. 독일 독재자의 기분을 이 정도로 암울하고 험악하게 만드는 일은 이제껏 없었다. 게다가 실제로 체코 침공을 의도하고 있고 그것도 불시에 감행하려 한다는 비난을 미리부터 듣게 되자 더욱 분노가 치밀었다. 그 주말에 히틀러는 카이텔이 제출한 '녹색 작전'의 새로운 계획안을 검토했다. 하지만 그 계획을 당장 실행할 수는 없었다. 히틀러는 자존심을 누르고서 5월 23일 월요일에 베를린의 외무부에 지시를 내렸다. 독일은 체코슬로바키아를 침공할 의향이 없고 독일 병력이 체코 국경에 집결한다는 뉴스는 사실무근임을 체코 사절에게 알리라는 지시였다. 이 소식에 프라하, 런던, 파리, 모스크바의 정부 지도부는 안도의 한숨을 내쉬었다. 그들은 위기를 억제했다고 생각했다. 히틀러에게 교훈을 주었다고 생각했다. 이제 히틀러도 오스트리아에서 했던 것과는 달리 침공을 더 이상 쉽게 해치울 수는 없으리라는 사실을 깨우쳤을 것이라고 그들은 생각했다.

그러나 이 정치인들은 나치 독재자를 너무도 모르고 있었다.

히틀러는 오버잘츠베르크에서 며칠 더 부루퉁한 기분으로 지내면서 체코슬로바키아, 특히 일부러 자신을 모욕한 듯한 베네시 대통령을 향한 분노를 마음속에서 한층 더 불태운 뒤, 5월 28일 갑자기 베를린에 나타나 국방군 고급장교들을 총리 관저로 소집해 중대 결정을 발표했다. 그 결정에 관해서는 8개월 후에 히틀러 자신이 제국의회 연설에서 다음과 같이 밝혔다.

나는 주데텐 문제를 일거에 근본적으로 해결하기로 결심했습니다. 5월 28일에 나는 이렇게 명령했습니다.

1. 이 국가를 상대로 군사행동을 벌이기 위한 준비를 10월 2일까지 마친다.

2. 우리의 서부 방어선 구축을 대폭 확장하고 서둘러야 한다. …

우선 96개 사단을 즉각 동원할 계획이었습니다. …[12]

한자리에 모인 공모자들, 즉 괴링, 카이텔, 브라우히치, 베크, 레더 제독, 리벤트로프, 노이라트 앞에서 히틀러는 큰소리로 외쳤다. "체코슬로바키아를 지도에서 지워버리겠다는 것이 나의 확고부동한 의지다!"[13] 그들은 녹색 작전을 다시 꺼내 재차 수정했다.

요들의 일기는 복수심으로 펄펄 끓는 히틀러의 마음속에서 무슨 일이 벌어졌는지를 추적한다.

이제까지 체코 문제를 건드리지 않겠다던 총통의 생각이 바뀌었다. 독일에 의한 위협이나 그 밖의 다른 징후가 없는데도 5월 21일에 체코의 전략적 병력 집결이 이루어졌기 때문이다. 독일이 자제함으로써 사태는 총통의 위신 상실로 일단락되었지만, 총통은 이런 결과를 다시는 감수하지 않을 작정이다. 이런 이유로 5월 30일, '녹색'에 대한 새로운 지령이 내려졌다.[14]

5월 30일에 히틀러가 서명한 녹색 작전의 새로운 지령서는 9일 전 그에게 제출된 것과 내용상 근본적으로 다르지 않았다. 하지만 두 가지 중요한 변경이 있었다. 5월 21일 지령서의 첫 문장에서 "가까운 미래에 이유 없는 군사행동으로 체코슬로바키아를 분쇄하는 것은 나의 본의가 아니다"라는 부분은 새로운 지령서에서 **"가까운 미래에 군사행동으로 체코슬로바키아를 분쇄하는 것이 나의 불변의 결의다"**로 바뀌었다.

"가까운 미래"가 언제를 가리키는지에 관해 카이텔은 지령서에 첨부한 서신에서 설명했다. "녹색은 늦어도 1938년 10월 1일까지는 실행해야 한다."[15]

장차 히틀러는 연이어 위기를 겪으면서도 전쟁 직전까지 물불을 가리지 않고 이 날짜를 단호히 고수할 터였다.

갈팡질팡하는 장군들

———

요들은 5월 30일 일기에 히틀러가 '녹색 작전'의 새로운 지령서에 서명했다고 적었다. 그런 다음 "정확히 결행일에 체코슬로바키아로 즉각 쳐들어가야 한다"라는 요구에 따라 "육군의 종래 의도를 크게 바꾸어야 한다"라고 적고 이렇게 덧붙였다.

우리가 올해에는 **행동해야 한다**는 총통의 직감과, 서방 국가들이 거의 확실히 개입할 것이고 우리의 힘이 그들과 대등하지 않기 때문에 아직은 행동에 나설 수 없다는 육군의 의견이 다시 한 번 선명하게 대비되고 있다.[16]

이 예리한 국방군 참모장교는 히틀러와 육군의 일부 최고위 장군들 사이에 새로이 생긴 균열을 정확하게 짚었다. 총통의 거창한 침공 계획에 반대하는 무리를 이끈 인물은 이 시점부터 제3제국에 존재하는 반反히틀러 세력의 지도자 역할을 맡을 육군 참모총장 루트비히 베크 장군이었다. 이 세심하고 총명하고 점잖지만 결단력이 없는 장군은 나중에 여러 이유로 나치 독재자와 투쟁할 터였다. 그렇지만 국가사회주의당이 집권하고 4년 넘게 지난 1938년 봄까지 베크는 독일이 아직은 서방 열강과, 어쩌면 소련과도 대결할 수 있을 만큼 강하지 않다는 직업적인 이유에서만 총통에 반대했다.

앞에서 언급했듯이 베크는 히틀러의 집권을 환영했고, 총통이 베르사유 조약을 무시하고 독일 육군의 징집제를 되살린 조치를 공공연히 칭송했다. 더 거슬러 올라가 회상하자면, 1930년 당시 무명의 일개 연대장에 불과했던 베크는 군에서 나치즘을 선전했다는 이유로 반역죄 혐의를 받은 세 명의 중위를 애써 변호했고, 히틀러가 대법원의 증인석에서 자신이 집권하면 "머리통들이 굴러다닐 것입니다"라고 경고한 이후 대법원에 출석하여 세 중위를 위해 증언하기까지 했다. 베크가 정신을 차린 계기는 총통의 오스트리아 침공이 아니라—베크는 이를 지지했다—게슈타포의 조작극 이후 프리치 장군이 몰락한 사건이었던 것으로 보인다. 정신에서 거미줄을 걷어낸 베크는 히틀러가 최고위 장군들의 조언을 외면한 채 영국, 프랑스, 소련과의 전쟁마저 불사하려는 정책을 실행할 경우 독일이 파멸할 것임을 알아채기 시작했다.

베크는 히틀러가 4월 21일 카이텔을 불러 국방군의 체코슬로바키아 침공 계획을 서두르라고 지시한 사실을 눈치챘다. 그리고 5월 5일, 그런 조치에 완강히 반대하는 의견서를 작성했다. 앞으로 신임 육군 총사령관 브라우히치 장군에게 보낼 일련의 의견서들 중 첫 번째였다.[17] 그것들은 불쾌한 사실을 있는 그대로 직시하고 확실한 추론과 논리로 일관하는 탁월한 문서였다. 베크는 비록 영국과 프랑스의 의지나 양국 지도부의 정치적 기민함, 프랑스 육군의 힘을 과대평가하고 결국 체코 문제의 귀추에 관해 오판하긴 했지만, 그의 장기 예측은 독일에 관한 한 극히 정확한 것으로 판명되었다.

5월 5일 의견서에 쓴 대로 베크는 독일의 체코슬로바키아 공격이 유럽 전쟁을 유발할 것이고 그 전쟁에서 영국과 프랑스, 소련이 독일에 맞서고 미국이 서구 민주국가들의 병기고 역할을 할 것이라고 확신했다. 독일은 그런 전쟁에서 도저히 이길 가망이 없었다. 원료들이 부족하다는 이유 하나만으로도 승리는 불가능했다. 실제로 베크는 독일의 "군사적-경제적 상황이 1917~18년보다 더 나쁘다"라고 주장했다. 1917~18년은 카이저의 군대가 와해되기 시작한 시기였다.

5월 28일, 베크는 '5월 위기' 이후 총리 관저로 소집된 장군들 틈에 끼어 다가오는 가을에 체코슬로바키아를 지도에서 없애버릴 작정이라는 히틀러의 분노에 찬 목소리를 들었다. 베크는 이날 총통의 장광설을 꼼꼼히 메모했고, 이틀 후 히틀러가 공격일을 10월 1일로 못박은 새로운 '녹색 작전' 지령서에 서명한 날에는 브라우히치에게 보여줄, 히틀러의 계획을 조목조목 비판하는 더욱 날카로운 의견서를 작성했다. 이 신중한 총사령관이 충분히 이해할 수 있도록 베크는 그 의견서를 직접 읽어주었다. 마지막에 베크는 이 불운하고 다소 피상적인 브라우히치에게 "군부 위계의 최상층"에서 위기가 발생해 이미 무질서로 이어졌고 만약 이를 극복하지 못하면 육군의 미래, 아니 독일의 미래는 "암울"할 것이라고 강조했다. 며칠 후인 6월 3일, 베크는 브라우히치에게 보낸 또다른 의견서에서 새로운 '녹색 작전' 지령이 "군사적으로 미진"하여 육군 참모본부가 그것을 받아들이지 않을 것이라고 단언했다.

그렇지만 히틀러는 새 지령을 밀어붙였다. 압수된 '녹색 작전' 서류철에는 여름이 지나가면서 히틀러가 얼마나 광분했는지가 잘 드러나 있다. 히틀러는 육군이 공격 준비를 마칠 수 있도록 통상적인 추계 기동훈련을 앞당기라고 명령했다. 그리고 "기습으로 방어시설을 탈취하는" 특별훈련을 해두라고 지시했다. 카이텔 장군은 "총통이 서부에서 방어시설 구축 작업을 더 빠르게 진척시킬 필요성을 거듭 강조했다"라는 내용의 통보를 받았다. 6월 9일, 히틀러는 체코군의 장비에 관한 더욱 상세한 정보를 달라고 채근하여 체코군이 사용할 법한 크고 작은 무기 일체에 관해 즉시 상세 보고를 받았다. 또 같은 날 "체코 방어시설들을 여전히 소수의 병력이 점유하고 있는가?"라고 물었다. 아첨꾼들에게 둘러싸인 채 산장에서 여름을 보내는 동안 히틀러의 기분은 전쟁에 대한 이런저런 막연한 생각과 함께 고양과 침체를 거듭했다. 6월 18일, 히틀러는 '녹색 작전'의 새로운 '전반적 지침'을 내놓았다.

독일에 대한 예방전쟁의 위험은 없다. … 나는 프랑스가 출동하지 않고 따라서 잉글랜드가 개입하지 않을 것이라는 … 절대적인 확신이 서야만 체코슬로바키아에 대한 행동에 나설 것이다.

그렇지만 7월 7일, 히틀러는 **만약** 프랑스와 영국이 개입할 경우의 "고려사항들"을 정하고 있었다. "최우선 고려사항"은 체코슬로바키아를 분쇄한 뒤 병력을 서부전선으로 돌릴 수 있을 때까지 "서부 방어시설을 지키는 것"이었다. 서부 방어시설을 지킬 만한 병력이 없다는 사실은 그의 열띤 생각 속으로 끼어들지 못했다. 히틀러는 "러시아는 십중팔구 개입할" 것이고 현재로서는 폴란드 역시 개입할지 여부가 그리 확실하지 않다고 충고했다. 그리고 이런 우발 사태에 잘 대처해야 한다면서도 어떻게 대처할지에 관해서는 말하지 않았다.

오버잘츠베르크에 얼마간 고립되어 있던 히틀러는 이때까지 육군 참모본부 상층부에서 응어리진 불만의 목소리를 아직 듣지 못했던 모양이다. 육군 참모총장 베크는 자신이 의견서로 브라우히치를 들볶았음에도 이 미덥지 못한 총사령관이 그 의견을 총통에게 알리지 않고 있다는 사실을 한여름부터 알고 있었다. 그런 이유로 7월 중순에 베크는 어떻게든 난국을 타개하기 위해 마지막으로 절박하게 노력해보기로 결심했다. 7월 16일, 베크는 브라우히치에게 보여줄 최후의 의견서를 썼다. 히틀러에게 전쟁 준비를 그만두라고 진언할 것을 육군에 요구했던 것이다.

그런 조치의 중요성과 저의 책임을 충분히 의식하는 저로서는 군 최고사령관[히틀러]에게 전쟁 준비를 취소할 것과 군사적 상황이 근본적으로 바뀔 때까지 체코 문제를 무력으로 해결하려는 의사를 단념할 것을 시급히 요청하는 것이 저의 의무라고 생각합니다. 현재 저는 독일군에 가망이 없다고 생각하며, 이 견해는 참모본부의 고급장교 전원이 공유하는 생각이기도 합니다.

베크는 이 의견서를 브라우히치에게 직접 건네면서 만약 히틀러가 고집을 부리면 육군 장군들이 공동으로 행동할 것을 구두로 제안했다. 구체적으로 베크는 그럴 경우 고위 장성 전원이 즉각 사임할 것을 제안했다. 그리고 훗날 뉘른베르크 재판에서 거듭 다뤄질 문제를 제3제국에서 처음으로 제기했다. 바로 장교는 총통에 대한 충성심 이상의 충성심을 무언가에 대해 가질 수 있느냐는 문제였다. 뉘른베르크에서는 수십 명의 장군들이 그런 충성 대상은 없다고 답하며 자신들의 전쟁범죄에 대한 변명을 늘어놓았다. 명령에 복종해야 했다고 그들은 말했다. 그러나 7월 16일 베크는 여타 장군들과는 다른 견해, 대부분 실패했지만 마지막까지 고수한 견해를 가지고 있었다. 최고사령관에 대한 장교의 충성에는 명령의 실행을 용납하지 않는 양심과 지식, 책임의 '한도'가 있다고 베크는 말했다. 그리고 장군들이 그 한도에 이르렀다고 그는 느끼고 있었다.

히틀러가 전쟁을 고집한다면, 장군들은 일제히 사임해야 했다. 그럴 경우 군을 지휘할 사람이 아무도 없을 것이므로 전쟁은 불가능하다고 베크는 주장했다.

당시 독일 육군 참모총장은 자기 인생에서 전에 없이 각성한 상태였다. 눈에서 비늘이 벗겨지고 있었다. 이제 독일 민족의 사활이 걸린 과제는 홧김에 큰 전쟁의 위험을 무릅쓰고 작은 인접국을 공격하는 방안에 골몰하는 히스테릭한 국가수반을 막아서는 것 그 이상임을 베크는 마침내 간파했다. 제3제국의 온갖 바보짓, 그 폭정, 테러, 부패, 오랜 기독교적 덕목에 대한 경멸을 한때 친나치였던 이 장군은 퍼뜩 깨달았다. 사흘 후인 7월 19일, 베크는 이 깨달음을 전하기 위해 다시 브라우히치를 찾아갔다.

장군들은 히틀러가 전쟁을 개시하지 못하도록 파업에 돌입해야 할 뿐 아니라 제3제국을 정화하는 데 일조해야 한다고 베크는 역설했다. 독일 국민과 총통 자신이 친위대나 나치당 간부들의 테러에서 자유로워져야 한다고 했다. 법으로 통치하는 국가와 사회를 복원해야 한다고 했다. 베크는 자신의 개혁 프로그램을 이렇게 요약했다.

총통을 위해 전쟁 반대, 우두머리 통치 반대, 교회와의 화평, 자유로운 의견 표명, 비밀경찰의 테러 종식, 법적 질서의 회복, 당 기부금 절반으로 축소, 대저택 신축 금지, 보통사람을 위한 주택 공급, 프로이센식 청렴결백 장려.

베크는 정치적으로 너무 순진했던 탓에 당시 그의 마음에 들지 않던 독일의 상황에 대한 책임이 다른 누구보다도 히틀러에게 있음을 깨닫지 못했다. 그렇지만 베크의 당면 과제는 주저하는 브라우히치를 계속 을러

댐으로써 육군을 대표하여 히틀러에게 전쟁 준비를 중단할 것을 요구하는 최후통첩을 전하도록 하는 것이었다. 이 목표를 이루기 위해 베크는 8월 4일 사령관들의 비밀 회합을 도모했다. 그리고 육군 총사령관이 낭독할 호소력 있는 연설문을 준비했다. 무력 충돌로 이어질 나치의 모험은 없을 것임을 총사령관과 고위 장군들이 공동으로 역설하는 내용의 연설문이었다. 그러나 베크에게는 안타깝게도 브라우히치는 그것을 낭독할 만한 용기가 없었다. 베크는 자신의 7월 16일자 의견서를 스스로 낭독하는 수밖에 없었는데, 그것은 장군들 대다수에게 깊은 감명을 주었다. 그러나 결정적인 행동은 나오지 않았고, 독일 육군 최고위층의 회합은 지난날 선배들이 호엔촐레른 황제들이나 제국총리들을 상대로 했던 것처럼 히틀러에게 생각을 바꿀 것을 요구하는 용기를 내지 못한 채 산회했다.

브라우히치는 간신히 용기를 짜내 베크의 7월 16일자 의견서를 히틀러에게 보여주었다. 그 대응으로 히틀러는 베크에게 동조하는 고위 장군들이 아니라 그들 바로 아래 장교들, 즉 육군과 공군 여러 사령부의 참모장들을 불러들였다. 히틀러는 설득력 있는 웅변으로 대접한 다음 상대적으로 젊은 그들 무리를 구워삶을 수 있으리라 생각하고 있었다. 8월 10일 베르크호프에 소집된 그들은—히틀러는 여름 내내 이 산장에서 거의 꼼짝도 하지 않았다—저녁식사 이후 연설을 대접받았는데, 당시 동석하여 그 전말을 일기에 충실히 기록한 요들에 따르면 연설은 얼추 세 시간 동안 이어졌다. 그러나 그때 총통의 언변은 본인이 기대한 만큼 설득력을 발휘하지는 못했다. 요들과 역시 그 자리에 있었던 만슈타인 둘 다 구스타프 폰 비터스하임Gustav von Wietersheim 장군과 히틀러 사이에 "극히 심각하고 불쾌한 충돌"이 있었다고 훗날 말했다. 그 자리에서는 상급 장교였고 빌헬름 아담Wilhelm Adam 장군 휘하 서부방면군의 참모장으로 임명될 예정이었던 비터스하임은 히틀러와 OKW가 회피하고 있던 핵심 문제에 관해 대담하게도 아무런 거리낌 없이 발언했다. 대부분의 군사력을 체코슬로바키아 타격에 투입할 경우 서부에서는 무방비가 되어 프랑스군에 짓밟힐 것이라는 문제였다. 실제로 서부 방벽이 3주 이상 버티지는 못할 것이라고 그는 보고했다.

> [요들이 일기에 적음] 총통은 불같이 화를 내며 그렇다면 육군 전체가 아무 짝에도 쓸모없는 것이라고 일갈했다. "내 장군께 말해두는데 그 진지는 3주가 아니라 3년도 버틸 거요!"[18]

다만 무엇으로 버틸지에 대해서는 말하지 않았다. 앞에서 말한 8월 4일 고위 장성 회합에서 아담 장군은 서부에 현역 사단이 불과 5개밖에 안 되기 때문에 프랑스군에 쉽게 압도당할 것이라고 보고했다. 비터스하임은 아마도 히틀러에게 같은 수치를 제시했을 테지만, 총통은 귀담아들으려 하지 않았다. 요들은 비록 명민한 참모장교이긴 했지만 당시에는 지도자에게 매료된 탓에 장군들이 히틀러의 천재성을 이해하지 못하는 듯하자 깊이 낙담한 채 베르크호프를 떠났다.

> 불행히도 육군 참모본부 내에 널리 퍼진 [비터스하임의] 이 풀죽은 의견에는 여러 원인이 있다.
> 첫째, 그곳[참모본부]은 오래전 기억에 얽매여, 군사적 임무에 따르고 그것을 수행하는 대신 갖가지 정치적 결정에 책임이 있다고 여긴다. 인정하건대 그곳은 전통적 충성심으로 결국에는 임무를 완수할 테지만 총통의 천재성

을 믿지 않기 때문에 정신의 박력이 부족하다. 아마도 누군가는 총통을 칼 12세[스웨덴 왕]에 빗댈 텐데도 말이다.

그리고 물이 아래로 흐르는 것처럼 확실하게 이 패배주의[Miesmacherei]로부터 엄청난 정치적 손실뿐 아니라—장군들과 총통의 의견 대립을 누구나 입에 올리고 있기 때문이다—군의 사기를 떨어트릴 위험까지 생겨나고 있다. 하지만 나는 적절한 때가 오면 총통이 국민의 사기를 북돋울 수 있으리라 믿어 의심치 않는다.[19]

요들이 여기에 히틀러라면 장군들의 반발을 진압할 수 있을 것이라고 덧붙여도 무방했을 것이다. 만슈타인이 1946년 뉘른베르크 법정에서 말했듯이, 이 회합은 히틀러가 군부 측에 그 어떤 질문이나 논의도 허용한 마지막 자리였다.[20] 8월 15일 위터보크에서 열린 열병식에서 히틀러는 장군들에게 "체코 문제를 무력으로 해결하기로" 결심했다고 거듭 밝혔고, 어떤 장교도 감히 반대의견을 내놓지 못했다—혹은 그것이 허락되지 않았다.

베크는 주로 동료 장교들의 줏대 없음 때문에 자신이 패했다고 여기고 8월 15일에 육군 참모총장직을 사임했다. 베크는 브라우히치도 뒤이어 사임하도록 유도하려 했지만, 당시 육군 총사령관은 히틀러의 최면술에 걸려 있었다. 거기에는 조만간 브라우히치의 두 번째 아내가 될 여성이 열렬한 나치 지지자라는 사실도 분명 한몫했을 것이다.* 그에 관해 하셀은 이렇게 말했다. "브라우히치는 당당하게 말했다. '나는 군인입니다. 복종이 나의 의무입니다.'"[21]

---

* 브라우히치 장군은 그 여름에 이혼하고 9월 24일 샤를로테 슈미트 부인과 결혼했다.

평소라면 위기의 와중에 육군 참모총장이, 특히 베크 장군처럼 신망 높은 참모총장이 사임했을 경우 군부 내에서 소동이 일어나고 국외까지 파장이 미쳤을 것이다. 그러나 히틀러는 이번에도 교활하게 움직였다. 그는 크게 안도하며 베크의 사임서를 즉각 수리하면서도 그 소식이 신문에, 심지어 관보나 군의 기관지에 실리는 것까지 금하고 이 퇴역한 장군과 그의 동료 장교들에게 함구령을 내렸다. 이 중차대한 국면에 독일 육군 수뇌부의 불화에 대한 풍문이 영국과 프랑스 정부의 귀에 들어가서는 안 될 일이었다. 파리나 런던에서는 10월 말에 베를린 정부가 베크의 사임을 공식 발표할 때까지 이 사안에 대해 아무것도 알 수 없었다. 만약에 알았다면, 역사가 다른 방향으로 흘러갔을지도 모른다. 총통에 대한 유화책 역시 그렇게 오랫동안 쓰지 않았을지도 모른다.

베크 자신은 애국심과 육군에 대한 충성심 때문에 사임 소식을 세간에 알리려는 노력을 하지 않았다. 그렇지만 자신과 의견을 같이하고 전쟁 반대를 지지했던 장성들 가운데 단 한 명도 자기 뒤를 따라 사임할 의사를 밝히지 않았다는 데 환멸을 느꼈다. 베크는 그들을 설득하려 들지 않았다. 훗날 하셀이 말했듯이 베크는 "블뤼허나 요르크의 번뜩임이 없는 순수한 클라우제비츠"였다〔블뤼허와 요르크는 나폴레옹과 싸운 프로이센의 장군이고, 클라우제비츠는 《전쟁론》을 쓴 군사사상가다〕.[22] 다시 말해 원리 원칙을 중시하고 사유하는 사람이었지 행동하는 사람이 아니었다. 베크는 브라우히치 육군 총사령관이 독일 역사에서 결정적인 순간에 자신을 저버렸다고 생각했고, 이 점을 원통해했다. 베크의 전기작가이자 친구이기도 했던 어떤 이는 장군이 옛 총사령관에 대해 말할 때마다 "깊은 비통함"을 드러냈다고 수년 후에 적었다. 그럴 때면 베크는 격정에 몸을 떨면서 "브라우히치가 나를 저버렸어"라고 중얼거리곤 했다.[23]

베크의 후임으로 육군 참모총장이 된 인물은—당시 위기가 끝날 때까지 몇 주 동안 히틀러는 그의 임명을 비밀에 부치긴 했지만—바이에른의 뼈대 있는 군인 가문 출신으로 아버지가 장군을 지낸 54세의 프란츠 할더였다. 포병 훈련을 받은 할더는 1차대전에서 바이에른 루프레히트Rupprecht 왕세자의 참모진에 속한 청년 장교로서 복무했다. 전후 뮌헨에서 지낼 때는 룀과 친구 사이였고 그 때문에 베를린 측으로부터 다소 의심을 샀을지 모르지만, 육군에서 빠르게 진급했고 최근 1년간 베크의 대리 역할을 맡고 있었다. 실은 베크가 후임으로 할더를 브라우히치에게 추천했다. 무엇보다 자신과 견해를 같이한다고 확신했기 때문이다.

할더는 독일 참모총장이 된 최초의 바이에른인이자 가톨릭교도였다—개신교도 프로이센인이라는 장교단의 오랜 전통을 감안하면 극히 이례적인 인사였다. 지적 관심사가 다양하고 특히 수학과 식물학을 좋아했으며(첫 만남에서 나는 수학이나 과학 교수 같다는 인상을 받았다) 독실한 가톨릭교도였다. 그가 베크의 참된 후계자가 될 만한 두뇌와 정신의 소유자라는 점에는 의문의 여지가 없었다. 문제는 사임한 베크처럼 할더도 특정 순간에 단호히 행동하는 성향을 결여하고 있는지 여부였다. 그리고 만약 결여하고 있지 않다면, 특정 순간에 총통에 대한 충성 맹세를 깨버리고 그에 맞서 결연히 반기를 들 과단성을 지녔는지 여부였다. 베크와 마찬가지로 할더도 비록 처음에는 점점 커지는 반히틀러 음모의 일원이 아니었지만 그 음모를 알고 있었고, 역시 베크와 마찬가지로 그 음모를 지지할 의향이 있어 보였기 때문이다. 참모본부의 새로운 수장으로서 할더는 제3제국의 독재자를 타도하려는 최초의 진지한 음모에서 핵심 인물이 되었다.

반히틀러 음모의 시작

———

국가사회주의 정권이 들어서고 5년 반이 지나자 히틀러에 반대하는 소수의 독일인들은 육군만이 그를 타도할 물리적인 힘을 지니고 있음을 분명하게 깨달았다. 노동계급, 중간계급, 상층계급은 설령 히틀러를 타도하고자 해도 그럴 만한 수단이 없었다. 그들은 나치당 집단들 외에는 아무런 조직도 없었고, 물론 무기도 없었다. 독일의 '저항' 운동에 관해서는 훗날 많은 글들이 쓰였지만, 한줌의 용감하고 품위 있는 사람들이 이끈 그 운동은 분명 처음부터 마지막까지 추종 세력이 없는 미약한 상태에서 벗어나지 못했다.

테러와 염탐으로 지배하는 경찰국가에서는 저항 세력을 유지하는 것 자체가 힘든 일이었다. 게다가 아주 작은 집단이—설령 큰 집단이 존재했다 해도—어떻게 친위대의 기관총이나 전차, 화염방사기에 맞서 반란을 일으킬 수 있었겠는가?

초기에 반히틀러 활동이라 할 만한 것은 민간에서 이루어졌다. 앞에서 언급했듯이 장군들은 나치 체제가 베르사유 조약의 제약을 깨부수고 대규모 육군을 재건하는 의기양양하고 전통에 어울리는 임무를 돌려주자 무척 기뻐했다. 아이러니하게도 훗날 반히틀러 활동에 앞장선 주요 민간인들은 원래 요직에 있으면서 나치즘에 열광하며 총통을 섬기다가 1937년에 히틀러가 승산 없는 전쟁으로 독일을 끌고 들어갈 무렵에야 실상을 깨닫고서 그 열기를 가라앉히기 시작했다.

실상을 맨 먼저 깨달은 이들 중 한 사람은 라이프치히 시장 카를 괴르델러Carl Goerdeler였다. 브뤼닝에 의해 물가통제위원으로 임명된 뒤 히틀러 치하에서 같은 일을 3년 더 했던 사람이다. 내심 보수주의자이자 군

주제 지지자에 독실한 개신교도로서 유능하고 정력적이고 총명하지만 동시에 경솔하고 고집불통이었던 괴르델러는 1936년 반유대주의와 광적인 재무장에 반대해 나치당과 절연하고 두 직책에서 모두 사임한 뒤 반히틀러 활동에 열과 성을 다했다. 그의 초기 행보 중 하나는 1937년 프랑스와 영국, 미국에 가서 나치 독일의 위험성에 관해 차분히 경고한 것이었다.

이어서 얼마 후에 실상을 깨닫고서 결국 음모에 가담한 다른 두 명은 프로이센 주 재무장관 요하네스 포피츠Johannes Popitz와 샤흐트 박사였다. 두 사람 모두 독일 경제를 전쟁 준비에 부합하게 바꿔가는 데 이바지한 공로로 나치당 최고 훈장인 황금명예훈장을 받은 바 있었다. 그들은 1938년에 히틀러의 진짜 목적이 무엇인지 깨닫기 시작했다. 그런데 그들의 과거 행적과 성격 때문에 반히틀러 진영의 핵심층으로부터 완전한 신뢰를 얻지는 못했던 것으로 보인다. 샤흐트는 지나치게 기회주의적이었다. 하셀은 일기에서 제국은행 총재가 "이런 식으로 말하고 저런 식으로 행동하는" 능력을 가지고 있으며 이 점에서는 베크 장군과 프리치 장군도 같은 의견이라고 말했다. 포피츠는 총명했으나 미덥지 못했다. 훌륭한 그리스어 학자이자 탁월한 경제학자였던 포피츠는 베크 장군이나 하셀과 함께 수요일클럽Mittwochsgesellschaft의 일원이었는데, 지식인 16명이 일주일에 한 번씩 모여 철학과 역사, 예술, 과학, 문학 등을 논한 이 모임은 시간이 지남에 따라—또는 남은 시간이 줄어듦에 따라—반히틀러 활동의 중심 중 하나가 되어갔다.

울리히 폰 하셀은 저항운동 지도부 내에서 일종의 외교 고문이 되어 있었다. 아비시니아 전쟁과 에스파냐 내전 기간에 로마 주재 대사 하셀이 베를린으로 보낸 전보들은, 앞에서 언급했듯이, 이탈리아를 프랑스 및 영국과 반목하게 만들고 그리하여 독일 편에 묶어두는 술책에 관한 조언으로 가득했다. 그렇지만 나중에는 프랑스 및 영국과의 전쟁이, 아울러 이탈리아와의 동맹까지 독일에 파멸을 가져올 것이라고 우려하게 되었다. 하셀은 국가사회주의의 저속함을 경멸할 수밖에 없을 정도로 교양이 풍부한 사람이었지만, 나치 정권에서 봉직하는 생활을 자진해 그만두지는 않았다. 그는 1938년 2월 4일 히틀러가 군, 정계, 외무부를 대대적으로 개편할 때 외무부에서 쫓겨났다. 유서 깊은 하노버 귀족 가문 출신이자, 독일 해군 창건자인 대제독 티르피츠의 사위이자, 손끝부터 발끝까지 예스러운 신사였던 하셀은 자기 계급의 수많은 이들과 마찬가지로 나치당에 의해 내쫓기는 충격을 받은 뒤에야 나치 타도를 위한 노력에 큰 관심을 기울였던 것으로 보인다. 그 후로 이 세심하고 지적이고 불안정한 사내는 나치 타도 임무에 끝까지 헌신했고, 앞으로 살펴볼 것처럼 결국 잔혹한 최후를 맞았다.

그들 말고도 대부분 젊은 축에 드는, 별로 알려지지 않은 사람들도 있었다. 그들은 처음부터 나치당에 반대했고 점차 힘을 합해 여러 저항 서클을 결성했다. 그중 한 단체를 이끄는 지식인들 중에 호농이자 천재 극작가[하인리히 폰 클라이스트]의 후손인 에발트 폰 클라이스트Ewald von Kleist가 있었다. 이 인물과 긴밀히 협력한 이들로는 전 사회민주당원이자 《비더슈탄트Widerstand》(저항)의 편집장인 에른스트 니키슈Ernst Niekisch, 그리고 빅토리아 여왕의 주치의와 비밀 고문을 지낸 폰 슈토크마어von Stockmar 남작의 증손자인 젊은 변호사 파비안 폰 슐라브렌도르프Fabian von Schlabrendorff가 있었다. 율리우스 레버Julius Leber, 야코프 카이저Jakob Kaiser, 빌헬름 로이슈너Wilhelm Leuschner 같은 왕년의 노동조합 간부들도 있었다. 두 명의 게슈타포 간부, 즉 형사경찰 수장 아르투어 네베Artur

Nebe와 직업경찰관 한스 베른트 기제비우스Hans Bernd Gisevius는 음모계획이 진행됨에 따라 귀중한 조력자가 되었다. 후자는 뉘른베르크 재판에서 미국 검찰 측의 총애를 받았고, 반히틀러 음모들의 내막을 상세히 밝혀주는 책을 썼다. 다만 대다수 역사가들은 이 책과 저자를 얼마간 가감해서 받아들이고 있다.

또한 독일 명문가의 자손들도 많이 가담했다. 예컨대 유명한 원수의 조카의 손자로 나중에 '크라이자우 서클Kreisauer Kreis'이라는 청년 이상주의자 저항 단체를 결성한 헬무트 폰 몰트케Helmuth von Moltke 백작, 1차 대전 기간에 워싱턴 주재 독일 대사를 지낸 외교관의 조카인 알브레히트 폰 베른슈토르프Albrecht von Bernstorff 백작, 두려움을 모르는 가톨릭 월간지(《바이세 블레터Weiße Blätter》)의 편집장 카를 루트비히 폰 구텐베르크Karl Ludwig von Guttenberg 남작, 그리고 친가와 외가 양쪽으로 저명한 개신교 성직자 가문의 후손으로서 히틀러를 적그리스도로 여기고 "그를 제거하는" 것이 기독교도의 의무라고 믿은 디트리히 본회퍼Dietrich Bonhoeffer 목사가 있었다.

이 용감한 사람들은 대부분 체포되어 고문당한 뒤 밧줄이나 도끼로 처형될 때까지, 아니면 그저 친위대에 살해될 때까지 나치 정권에 굴하지 않았다.

몇 안 되는 이 민간 저항운동의 중핵들은 육군의 관심을 끄는 데 오래도록 별로 성공하지 못했다. 블롬베르크 육군 원수가 뉘른베르크에서 증언했듯이 "1938~39년 이전에 독일 장군들은 히틀러에게 반대하지 않았습니다. 히틀러가 그들이 바라던 결과를 가져왔으므로 반대할 이유가 없었습니다". 괴르델러와 하머슈타인 장군이 얼마간 접촉하긴 했지만, 전 독일 육군 총사령관은 1934년에 퇴역한 터라 현역 장성들 사이에서 영향력이 거의 없었다. 나치 정권 초기에 슐라브렌도르프가 OKW 방첩국 수장 카나리스 제독의 수석 보좌관인 한스 오스터Hans Oster 대령과 접촉해 그가 확고한 반나치일 뿐 아니라 군부와 민간 사이에 가교를 놓을 의향이 있음을 확인했다. 그렇지만 1937년에서 1938년으로 넘어가는 겨울에 히틀러가 개전 결정을 내리고 군 지휘권을 뒤흔들어 직접 틀어쥐고 프리치 장군을 부당하게 대우함으로써 군부에 연달아 충격을 준 뒤에야 일부 장군들은 나치 독재자가 독일에 불러온 위험을 알아차렸다. 1938년 8월 말 체코 위기가 위태로워지는 가운데 베크 장군이 사임하자 장군들은 더욱 각성했으며, 베크의 바람과 달리 동료 장교들 중 그를 따라 사임한 이가 없긴 했지만 이 실각한 참모총장이야말로 반나치 장군들과 민간 저항운동 지도자들을 결속시킬 수 있는 구심점이라는 것이 곧 분명해졌다. 두 집단 모두 베크를 존경하고 신뢰했다.

아울러 두 집단 모두 명확하게 인식한 고려사항이 하나 더 있었다. 이제 히틀러를 저지하려면 무력이 필요한데 육군만이 그것을 보유하고 있다는 사실이었다. 그렇지만 육군 내에서 병력을 소집할 수 있는 사람은 누구인가? 하머슈타인은 아니고 베크도 아니었다. 둘 다 퇴역 장성이었기 때문이다. 두 집단이 깨달았듯이 이제 필요한 것은 베를린 안팎에서 실제로 병력을 지휘하고 따라서 단시간 내에 효과적으로 행동할 수 있는 장군들을 우군으로 끌어들이는 일이었다. 신임 육군 참모총장 할더 장군은 실제로 지휘할 병력을 거느리고 있지 않았다. 브라우히치 장군은 육군 전체를 총괄했지만 그를 온전히 신뢰할 수는 없었다. 음모자들은 브라우히치의 권한은 유용할 테지만 그는 최후의 순간에만 끌어들일 수 있다고 생각했다.

그런데 뜻밖에도 조력할 의향이 있는 핵심 장군 몇 명을 곧 발견해 음모에 가담시켰다. 그중 세 사람은 모험의 성공에 반드시 필요한 지휘권을 쥐고 있었다. 에르빈 폰 비츨레벤 장군은 베를린과 그 주변 일대를 관할하는 지극히 중요한 제3군관구의 사령관이었고, 에리히 폰 브로크도르프-알레펠트Erich von Brockdorff-Ahlefeld 장군은 제23보병사단으로 이루어진 포츠담 수비대의 사령관이었으며, 에리히 회프너Erich Hoepner 장군은 튀링겐 기갑사단장을 맡고 있어서 여차하면 뮌헨에서 베를린을 구하려고 달려들 어떤 친위대 부대든 격퇴할 수 있었다.

이 음모단이 8월 말에 구상한 계획은 히틀러가 체코슬로바키아를 공격하라는 최종 명령을 내리자마자 그를 체포하여 총통 본인이 설치한 인민재판소에 세우는 것이었다. 무모하게도 독일을 유럽 전쟁으로 몰아넣었으므로 더 이상 통치할 자격이 없다는 이유에서 말이다. 뒤이어 짧은 과도기 동안 군부독재를 시행한 뒤 저명한 민간인을 수반으로 하는 임시정부를 조직하고, 이후 적절한 때에 보수적인 민주정부를 구성할 계획이었다.

쿠데타의 성패는 음모의 두 핵심 인물인 할더, 베크 장군과 관련이 있는 두 가지 고려사항에 달려 있었다. 하나는 시기였다. 할더는 히틀러가 체코슬로바키아를 공격하라는 최종 명령을 내리기 48시간 전에 그 사실을 직접 통보받기로 OKW와 합의를 보았다. 그렇게 되면 독일군이 체코 국경을 넘기 전에 계획을 실행할 시간을 벌 수 있었다. 따라서 할더는 히틀러를 체포할 수 있을 뿐 아니라 전쟁으로 치닫게 될 치명적 조치를 막을 수도 있을 터였다.

다른 하나는 베크가 체코슬로바키아 공격은 영국과 프랑스를 끌어들여 유럽 전쟁을 촉발할 테지만 독일은 그런 전쟁을 치를 준비가 되어 있지 않으므로 틀림없이 패할 것이라는 주장으로 사전에 장군들을 설득하고 차후에(히틀러에 대한 재판 중에) 독일 국민을 설득할 수 있어야 한다는 것이었다. 이 과제는 1938년 여름 내내 베크의 의견서들을 짓누른 부담이자 당시 그가 결행하려던 일—히틀러를 타도함으로써 독일을 파멸로 이끌 유럽 분쟁으로부터 독일을 보호하는 일—의 기반이었다.

베크에게, 나아가 세계 대부분의 미래에 안타까운 일이었지만, 대전쟁의 여러 가능성을 더 날카롭게 꿰뚫어본 사람은 최근 사임한 참모총장이 아니라 히틀러였다. 베크는 역사 감각을 갖춘 교양 있는 유럽인이었지만 독일이 체코슬로바키아를 공격할 경우 영국과 프랑스가 그런 사태에 개입하지 않고 의도적으로 자국의 이익을 포기할 가능성을 내다보지 못했다. 역사 감각은 갖추었을지언정 현대 정치에 대한 감각은 갖추지 못했던 것이다. 하지만 히틀러는 갖추고 있었다. 얼마 전부터 히틀러는 체임벌린 총리가 전쟁을 벌이느니 체코를 희생시킬 것이고 그럴 경우 프랑스가 프라하 정부에 대한 조약상의 의무를 이행하지 않으리라는 판단을 더욱 굳히고 있었다.

빌헬름슈트라세의 독일 정부는 지난 5월 14일자 뉴욕 신문들에 실린 기사를 놓치지 않았는데, 체임벌린이 낸시 애스터Nancy Astor 여자작의 저택에서 가진 오찬 때 런던 주재 특파원들에 앞에서 '비보도'를 전제로 말한 내용이었다. 기자들의 보도대로 영국 총리는 독일이 침공을 개시하더라도 영국과 프랑스, 아마도 러시아도 체코슬로바키아를 구하려 들지 않을 것이고, 체코 국가는 현재 형태로 존속할 수 없을 것이고, 영국은 평화를 위해 주데텐란트를 독일에 할양하는 방안을 선호한다고 말했다. 하원에서의 성난 질문 공세에도 불구하고 체임벌린은 미국 신문들 보도의 진실성을 부인하지 않았고, 독일 정부는 이 점에 주목했다.

6월 1일 영국 총리는 일부 비보도를 전제로 영국 기자들 앞에서 발언했고, 이틀 후《타임스》는 체코의 입지를 약화시키는 데 일조한 일련의 사설들 중 첫 번째 것을 게재했다. 그 사설은 체코 정부 측에 "설령 체코슬로바키아로부터의 분리 독립을 의미할지라도" 국내 소수집단들의 "자결권"을 인정할 것을 촉구했고, 주데텐 주민들과 그 밖의 집단들이 바라는 것을 결정하는 수단으로 주민투표를 처음 제안했다. 며칠 후 런던 주재 독일 대사관은 베를린에《타임스》의 해당 사설은 체임벌린의 비보도 발언에 근거하고 그의 견해를 반영한다고 알렸다. 6월 8일, 디르크젠 대사는 주데텐 지역의 분리가 주민투표 이후에 이루어지고 "독일 측이 강제적 조치로 방해하지 않을" 경우 체임벌린 정부가 관망할 것이라고 빌헬름슈트라세에 알렸다.[24]

이 모든 정보는 분명 히틀러에게 희소식으로 들렸을 것이다. 모스크바에서 들려온 소식도 나쁘지 않았다. 6월 말에 소련 주재 독일 대사 프리드리히-베르너 폰 데어 슐렌부르크Friedrich-Werner von der Schulenburg 백작은 소련이 "부르주아 국가", 즉 체코슬로바키아를 "방어하기 위해 출병할 가능성은 거의 없다"라고 베를린에 통지했다.[25] 8월 3일, 리벤트로프는 독일의 주요 재외 사절들에게 체코슬로바키아와 관련해 영국이나 프랑스, 소련이 개입할 우려는 거의 없다고 알렸다.[26]

바로 이날 8월 3일에 체임벌린은 월터 런시먼Walter Runciman 경에게 주데텐 위기의 '중재자'라는 기묘한 임무를 맡기며 체코슬로바키아로 파견했다. 런시먼이 도착한 날 우연히도 프라하에 있던 나는 그의 기자회견에 참석해 그들 일행과 대화를 나누었고, 일기에 "런시먼의 임무 전반에서 냄새가 난다"라고 적었다. 7월 26일 체임벌린은 하원에서 런시먼 파견을 발표하면서 한 가지 거짓말을 했는데, 총리 본인의 그런 행동은 영국 의회 역사상 전례가 없는 일이었다. 총리는 "체코슬로바키아 정부의 요청에 응해" 런시먼을 파견하기로 결정했다고 말했다. 진실은 체임벌린이 자신의 의견을 체코 정부에 강요하기 위해 런시먼을 파견했다는 것이다. 그런데 그 이면에는 더 큰 거짓이 숨어 있었다. 체임벌린은 물론이고 누구나 체코 정부와 주데텐 지도부 사이를 '중재'한다는 런시먼의 임무가 애당초 불가능하고 터무니없는 일임을 알고 있었다. 또한 주데텐 지도자 헨라인이 자유로운 행위자가 아니며 협상 상대가 될 수 없다는 것, 눈앞의 분쟁이 프라하와 베를린 사이의 분쟁이라는 것을 알고 있었다. 첫날 저녁부터 며칠 내내 내가 일기에 분명하게 적었듯이, 체코 정부는 체임벌린이 주데텐란트를 히틀러에게 넘겨주기 위한 사전작업으로 런시먼을 파견했다는 사실을 훤히 알고 있었다. 그것은 비열한 외교 술책이었다.

이제 1938년 여름도 끝나가고 있었다. 런시먼은 주데텐란트와 프라하에서 빈둥거리면서 주데텐 독일인에게는 갈수록 우호적인 제스처를 취하고 체코 정부 측에는 주데텐 독일인이 원하는 것을 허용하라고 점점 더 요구했다. 히틀러와 주변 장군들, 외무장관은 정신없이 바빴다. 8월 23일, 총통은 해군 기동훈련에 즈음해 헝가리 섭정 호르티 미클로시Horthy Miklós 제독과 헝가리 정부 요인들을 킬 만에 정박해 있던 여객선 파트리아Patria 호 선상에서 접견했다. 히틀러는 그들에게 체코 잔치에 끼고 싶으면 서둘러야 할 것이라고 말했다. "식탁에 앉고 싶은 사람은 하다못해 주방에서 일손이라도 거들어야 합니다."[27] 이탈리아 대사 베르나르도 아톨리코Bernardo Attolico도 선상에 손님으로 와 있었다. 그가 리벤트로프에게 무솔리니도 대비를 할 수 있도록 "독일의 체코슬로바키아 침공"의 정확한 날짜를 귀띔해달라고 재촉했지만 독일 외무장관은 답변을 흐렸다. 독일 정부는 파시스트 동맹국의 신중함을 그리 신뢰하지 않았던 것이 분명하다. 당시 폴란드에 대해서는 확신하고 있었다. 여름 내내 바르샤바 주재 독일 대사 한스-아돌프 폰 몰트케Hans-Adolf von Moltke는 폴란드가 자국의 영토나 영공을 소련의 병력이나 항공기가 통과하도록 허용함으로써 체코슬로바키아를 지원하는 방안을 거절할 심산일 뿐 아니라 폴란드 외무장관 유제프 베츠크Józef Beck가 체코 영토의 한 조각인 테신〔폴란드명 치에신〕 지역에 눈독을 들이고 있다고 베를린에 보고했다. 베츠크는 그 여름 유럽에 널리 퍼져 있던 치명적인 근시안을 벌써 드러내고 있었다. 그리고 이 근시안은 결국 베츠크의 상상 이상으로 재앙적인 결과를 가져올 터였다.

OKW(국방군 최고사령부)와 OKH(육군 최고사령부)는 부단히 움직였다. 독일군이 10월 1일을 기해 체코슬로바키아로 쳐들어갈 준비를 마치기 위한 최종 계획이 세워지고 있었다. 8월 24일, OKW의 요들 대령은 히틀러에게 보낸 긴급 문서에서 "독일의 군사 개입을 도발할 '사건'의 **정확한** 시간을 확정하는 것이 가장 중요합니다"라고 강조했다. 결행일의 시점은 그 사건의 시간에 달려 있다고 요들은 설명했다.

결행일을 하루 앞둔 시점 이전에는 어떠한 사전 조치도 취해서는 안 됩니다. 결백을 입증하지 못하면 우리가 그 사건을 조작한 것처럼 보일 것이기 때문입니다. … 만약 기술적인 이유로 그 사건의 시간으로 **저녁**이 적절하다고 생각한다면 결행일은 이튿날이 되어서는 안 되고 그다음 날이 되어야 합니다. … 이 문서의 목적은 국방군이 그 사건에 지대한 관심을 두고 있고 총통의 의도를 제때 통보받아야 한다는 점을 알리는 데 있습니다─방첩국이 그 사건을 계획하는 책임까지 맡지 않는 이상은 말입니다.[28]

체코슬로바키아 습격을 위한 전문적 준비는 여름 끝자락에 얼추 마무리되었다. 그러나 프랑스가 체코에 대한 약속을 지키고자 공격해올 경우 서부 방어는 어떻게 할 것인가? 8월 26일 히틀러는 요들, 서부 방벽 구축을 책임진 엔지니어 프리츠 토트Fritz Todt 박사, 힘러, 그리고 여러 당 간부들을 대동하고서 서부 방어시설 시찰에 나섰다. 8월 27일, 서부방면군을 통솔하는 무뚝뚝하고 유능한 바이에른인 빌헬름 아담 장군이 시찰단에 합류했고, 이어지는 이틀 동안 라인란트 주민들의 성대한 환영식에 그만 거의 도취상태가 된 총통의 모습을 목격했다. 그러나 아담 자신은 별다른 감명을 받지 않았다. 실은 불안한 느낌이 들었다. 29일, 히틀러 전용차량에 동승한 그는 뜻밖에도 별안간 총통과의 독대를 청했다. 장군이 훗날 말한 바에 따르면, 히틀러는 코웃음을 치면서도 힘러를 비롯한 당 동지들을 물러가게 했다. 아담은 단도직입적으로 말했다. 서부 방벽과 관련한 온갖 팡파르에도 불구하고 자기 휘하 병력으로는 그곳을 도저히 지킬 수 없다고 단언했다. 히틀러는 히스테리를 부리며 자신이 어떻게 독일을 영국과 프랑스를 합친 것보다 더 강하게 만들었는지에 관해 장광설을 쏟아내기 시작했다.

"이 방어시설을 지키지 못하는 자는 날건달이오!" 하고 히틀러는 소리쳤다.*

그러나 아담 이외의 다른 장군들 사이에서도 이 문제에 대한 의구심이 커지고 있었다. 9월 3일, 히틀러는 OKW와 OKH의 수장 카이텔과 브라우히치를 베르크호프로 불러들였다. 세 사람은 야전 부대들을 9월

---

* 요들의 일기에 따르면, 히틀러는 개자식(Hundsfott)이라는 더 심한 표현을 썼다.[29] 텔퍼드 테일러는 *Sword and Swastika*에서 아담 장군의 미발표 회고록에 근거해 더 자세히 서술한다.

28일을 기해 체코 접경지대로 이동시키기로 했다. 하지만 OKW는 결행일이 언제인지를 9월 27일 정오까지는 알아야 했다. 히틀러는 '녹색' 작전의 계획에 불만이 있어 몇 가지를 수정하라고 명령했다. 슈문트 소령이 남긴 이 회의의 기록을 보면 브라우히치가—카이텔은 워낙 아첨꾼이라서 목소리를 낼 턱이 없다—서부 방어를 어떻게 할 것이냐는 문제를 다시 한 번 제기한 것이 분명하다. 히틀러는 서부 방어시설 구축의 속도를 높이라는 명령을 내렸다고 큰소리치며 브라우히치의 입을 막았다.[30]

9월 8일, 카를-하인리히 폰 슈튈프나겔Carl-Heinrich von Stülpnagel 장군을 만난 요들은 일기에 서부 진지와 관련한 이 장군의 비관주의에 대해 적었다. 이제 막 시작된 뉘른베르크 전당대회의 광기에 한껏 들뜬 히틀러가 프랑스가 개입하든 말든 체코슬로바키아 침공을 강행할 의도라는 것을 두 사람은 점점 더 분명하게 간파하고 있었다. 평소 낙관적인 요들은 "나 역시 걱정된다는 것을 인정해야겠다"라고 썼다.

이튿날인 9월 9일, 히틀러는 카이텔과 브라우히치, 할더를 뉘른베르크로 불러 밤 10시부터 다음날 새벽 4시까지 회의를 했다. 나중에 카이텔이 요들에게 털어놓고 요들이 다시 일기에 적어놓은 대로, 그 회의 분위기는 굉장히 험악했던 모양이다. 할더는 체코슬로바키아 작전에 대한 참모본부의 계획을 아주 상세히 설명해야 하는 곤란한 처지였다—히틀러가 공격 명령을 내리는 순간에 그를 타도하려는 음모의 핵심 인물이었기 때문이다. 또한 히틀러가 그 계획서를 갈기갈기 찢고 자신뿐 아니라 브라우히치까지 소심하고 군사적으로 무능하다며 질책하는 광경을 지켜봐야 하는 불편한 처지였다.[31] 9월 13일에 요들이 일기에 적은 대로, 카이텔은 뉘른베르크에서의 체험과 독일 육군 수뇌부의 "패배주의"에 "몹시 충격을 받았다".

육군 최고사령부의 패배주의에 대한 고발이 총통에게 전해지고 있다. … 카이텔은 OKW의 어떤 장교든 비판이나 불안정한 생각, 패배주의에 빠지는 꼴을 용납하지 않겠다고 단언한다. … 총통은 육군 총사령관[브라우히치]이 휘하 부대장들에게, 위험을 무릅쓰고 모험을 결행하려는 총통을 깨우칠 수 있도록 자신을 지지해달라고 부탁한 사실을 알고 있다. 그 자신[브라우히치]은 더 이상 총통에게 영향력이 없는 것이다.

이런 이유로 뉘른베르크에는 서리가 내린 듯이 냉랭한 분위기가 감돈다. 총통이 육군의 주요 장군들을 제외한 전 국민의 지지를 받는나는 것은 심히 유감스러운 일이다.

이 모든 일은 큰 뜻을 품은 요들, 히틀러를 우러르던 이 젊은 장교를 매우 슬프게 했다.

정신력 약화, 복종심 부족으로 인한 손해를 명예롭게 메울 수 있는 것은 오로지 [이 장군들의] 행동뿐이다. 1914년 당시와 똑같은 문제다. 육군 내의 유일한 불복종 사례는 바로 이 장군들의 경우이고 그것은 결국 그들의 오만에서 기인한다. 그들은 총통의 천재성을 알아보지 못한 탓에 더 이상 믿지 못하고 더 이상 복종하지 못한다. 그들 다수는 여전히 총통에게서 세계대전 때의 상병 모습만 보고 비스마르크 이래 가장 위대한 정치가의 모습은 보지 못한다.[32]

9월 8일, 육군 최고사령부의 병참 부문 책임자로 할더 음모에 가담하고 있던 슈튈프나겔 장군은 요들과의 대화에서 육군 최고사령부가 체코슬로바키아 공격 5일 전에 히틀러의 명령을 통지받을 것이라는 OKW의 서면 보증을 요구했다. 요들은 날씨의 불확실성 때문에 2일 전에 통지하는 것만 보장할 수 있다고 답했다. 사실 음모단에게는 이것으로 충분했다.

그러나 그들에게는 다른 종류의 보증도 필요했다. 다시 말해 히틀러가 체코슬로바키아 공격을 결행할 경우 영국과 프랑스가 독일을 상대로 개전할 것이라는 자신들의 전망이 과연 옳은지에 대한 보증이었다. 이를 위해 음모단은 믿을 만한 대리인들을 런던으로 보내 영국 정부의 의향이 무엇인지 알아내고, 필요할 경우 영국 정부의 결정에 영향을 주기로 했다. 그 방법은 히틀러가 이 가을의 특정일에 체코를 공격하기로 결정했고, 참모본부는 그 날짜를 알고 있고 침공에 반대하고 있으며 만약 영국이 마지막까지 히틀러 반대 입장을 고수한다면 그 침공을 막기 위해 가장 결정적인 조치를 취할 각오가 되어 있다는 사실을 알리는 것이었다.

OKW 방첩국의 오스터 대령이 고른 음모단의 첫 번째 밀사 에발트 폰 클라이스트는 8월 18일 런던에 도착했다. 히틀러가 체코슬로바키아로부터 원하는 것이라면 무엇이든 주고 싶어서 벌써부터 안달하던 베를린 주재 대사 헨더슨은 영국 외무부에 "그[클라이스트]를 정부관계자가 접견하는 것은 현명하지 않을 것입니다"라고 조언했다.* 그럼에도 외무장관의 수석 외교고문이자 히틀러에 대한 유화책에 반대하는 런던 측 인물들 중 한 사람이던 로버트 밴시터트 경은 클라이스트가 도착한 당일 오후에 그를 만났으며, 아직까지 정치 야인으로 지내던 윈스턴 처칠은 이튿날 그를 접견했다. 이 방문객의 냉철함과 진실함에 감명을 받은 두 사람에게

---

* 독일 외무부의 8월 6일자 공문에 따르면, 헨더슨은 어느 사적인 파티에서 동석한 독일 인사들에게 "영국은 체코슬로바키아를 위해 단 한 명의 수병이나 항공병도 잃을 생각이 없고, 무력으로 시도하지 않는 한 어떤 합리적 해결책에든 동의할 것입니다"라고 말했다.[33]

클라이스트는 지시받은 내용을 거듭 전하면서, 히틀러가 체코 침공 날짜를 이미 정해두었고 그에 반대하는 독일 장군들 대부분이 행동에 나설 테지만 영국이 계속해서 유화책을 편다면 되레 영국 자신의 발등을 찍게 될 것이라고 강조했다. 또 만약 영국과 프랑스가 히틀러가 체코슬로바키아에 군대를 투입할 경우 좌시하지 않을 것임을 공식적으로 천명하고 몇몇 저명한 영국 정치인들이 나치의 침공이 가져올 결과에 관해 독일에 엄중히 경고한다면, 독일 장군들도 그들 나름대로 히틀러를 저지하기 위해 행동할 것이라고 말했다.[34]

처칠은 클라이스트에게 그의 동료들을 고무시킬 만한 무척 울림 있는 편지를 건넸다.

나는 독일 육군이나 공군이 무력으로 체코슬로바키아 국경을 돌파한다면 새로운 세계대전으로 번질 것이라고 확신합니다. 또 1914년 7월 말에도 믿었듯이, 잉글랜드가 프랑스와 함께 진군할 것이라고 굳게 믿습니다. … 아무쪼록 이 점을 오해하지 마십시오. …*

---

* 클라이스트는 8월 23일에 베를린으로 돌아와 베크, 할더, 하머슈타인, 카나리스, 오스터 등 음모에 가담한 동지들에게 처칠의 편지를 보여주었다. 휠러-베넷은 저서 *Nemesis of Power* (p. 413)에서 이렇게 말했다. 자신이 전후 파비안 폰 슐라브렌도르프에게 전해들은 비공식 정보에 따르면, 카나리스는 이 편지의 사본을 두 통 만들어 한 통은 본인이 보관하고 또 한 통은 베크에게 주었으며, 원본은 클라이스트가 포메른 지역 슈멘친에 있는 시골 자택에 숨겼다. 그 원본은 1944년 7월 20일의 히틀러 암살 시도 이후 그 자택에서 게슈타포에 의해 발견되어, 클라이스트가 인민재판소에서 사형선고를 받고 1945년 4월 16일 처형되는 데 근거가 되었다. 사실 처칠의 편지 내용은 음모 당사자들이 상상할 수 있었던 것보다 훨씬 일찍 독일 당국에 알려졌다. 나는 날짜가 없긴 하지만 1938년 9월 6일에 제출된 것으로 알려진 독일 외무부의 한 공문에서 그 사실을 발견했다. 거기에는 "윈스턴 처칠이 독일인 친구에게 보낸 편지의 발췌"라고 쓰여 있다.[35]

밴시터트는 영국 총리와 외무장관에게 즉각 보고서를 제출했을 정도로 클라이스트의 경고를 진지하게 받아들였다. 체임벌린은 핼리팩스 경에게 보낸 편지에서 "그[클라이스트]의 발언을 대부분 무시할" 생각이라고 말하면서도 "우리가 무언가를 하지 않아도 될지 확신이 서지 않습니다"라고 덧붙였다.³⁶ 체임벌린이 한 일은 언론에 얼마간 알리고는 "상의하기 위해서"라며 8월 28일에 헨더슨 대사를 런던으로 부른 것 정도였다.

체임벌린은 베를린 주재 대사에게 두 가지를 지시했다. 하나는 히틀러에게 엄중한 경고를 전하라는 것이었고, 다른 하나는 비밀리에 자신과 총통의 "개인적 접촉"을 주선하라는 것이었다. 본인의 이야기에 따르면, 헨더슨은 첫째 요구에 대해서는 단념하도록 총리를 설득했다.³⁷ 둘째 요구는 그저 기꺼이 성사시킬 생각이었다.*

이것은 뮌헨으로 가는, 히틀러의 무혈의 대승리로 가는 첫 단계였다.

체임벌린의 이런 방침 전환을 알지 못한 베를린의 음모단은 영국 정부에 경고하려고 다시 한 번 시도했다. 8월 21일, 오스터 대령은 베를린 주재 영국 무관에게 대리인을 보내 9월 말을 기해 체코슬로바키아를 침공하려는 히틀러의 의도를 알렸다. 대령은 "만약 국외의 단호한 조치로 인해 히틀러가 막판에 그 의도를 단념할 수밖에 없게 된다면, 그는 그 타격을 이겨내지 못할 것입니다"라고 영국 측에 전했다. "마찬가지로 전쟁

---

* 대사는 7월 18일 베를린에서 핼리팩스 경에게 이렇게 써보낸 바 있었다. "솔직히 저는 프라하가 정말로 매듭을 지을 때가 왔다고 생각합니다. … 베네시가 헨라인을 만족시킬 수 없다면 그는 그 어떤 주데텐 지도자도 만족시킬 수 없을 것입니다. … 우리는 체코 정부에 동조하지 말아야 합니다."³⁸ 헨라인이 히틀러의 도구에 불과할 뿐 아니라 베네시가 도저히 '응할 수 없을' 정도로까지 요구 수준을 계속 높이라는 히틀러의 명령을 미리 받았다는 사실을 헨더슨이 이때까지도 알지 못했다는 것은 상상할 수도 없는 일로 보인다.

이 일어났을 때 프랑스와 잉글랜드가 즉각 개입한다면 히틀러 정권은 무너질 것입니다." 네빌 헨더슨 경은 이 경고를 런던에 충실히 전달하면서도 그것은 "분명히 편향된 생각이고 대체로 선전"이라고 덧붙였다. 위기가 고조될수록 이 세련된 영국 대사의 시야는 점점 더 흐릿하고 좁아졌던 모양이다.

할더 장군은 음모단의 메시지가 영국 측에 효과적으로 전해지지 않는다는 인상을 받고 9월 2일 퇴역한 육군 장교 한스 뵘-테텔바흐Hans Boehm-Tettelbach 전 중령을 자신의 특사로 런던에 보내 영국 육군부 및 군 정보기관과 접촉하려 했다. 할더 자신의 이야기로는, 중령이 런던에서 몇몇 중요 인사를 만나긴 했지만 그들에게 이렇다 할 인상을 주지는 못했던 것으로 보인다.

마지막으로 음모단은 영국이 단호한 태도를 고수하도록 유도하기 위한 최후의 절박한 노력을 기울였다. 독일 외무부와 런던의 독일 대사관을 활용하기로 했던 것이다. 런던 대사관의 참사관 겸 대사대리는 테오도어 코르트Theodor Kordt였고, 그의 남동생 에리히 코르트Erich Kordt는 독일 외무부에서 리벤트로프의 비서실장으로 있었다. 이들 형제의 후견인이 바이츠제커 남작이었는데, 외무차관이자 외무부의 두뇌 같은 존재였던 바이츠제커는 전후에 자신은 반反나치였다고 주장해 물의를 빚었지만 거의 마지막까지 히틀러와 리벤트로프를 보필한 인물이다. 그렇지만 압수된 외무부 문서를 보건대 그가 이 시기에 장군들과 같은 이유로, 즉 체코슬로바키아 침공은 패전으로 이어질 것이라는 이유로 거기에 반대했던 것은 분명하다. 바이츠제커의 묵인하에, 그리고 베크, 할더, 괴르델러와 상의한 후에, 테오도어 코르트가 다우닝 가에 마지막 경고를 전하기로 의견이 모아졌다. 코르트는 대사관의 참사관 신분이라서 영국 당국을 방문하더라도 의심을 받을 리 없었다.

9월 5일 저녁, 체임벌린의 심복 고문인 호러스 윌슨Horace Wilson 경은 코르트가 가져온 정보가 아주 중요하고 긴급을 요한다고 판단해 그를 다우닝 가의 외무장관실로 은밀히 데려갔다. 그곳에서 코르트는 핼리팩스 경에게 히틀러가 9월 16일에 총동원을 발령할 계획이고, 체코슬로바키아 공격을 늦어도 10월 1일까지는 결행하기로 확정했고, 독일 육군이 히틀러가 최종적으로 공격 명령을 내리는 순간에 총통을 타격할 준비를 하고 있으며 영국과 프랑스가 단호한 태도를 유지한다면 성공할 것이라고 직설적으로 말했다. 또 핼리팩스는 9월 12일로 예정된 뉘른베르크 전당대회 폐회 연설이 폭발적인 반응을 불러일으킬 것이고, 체코슬로바키아 문제의 조기 해결을 재촉할 것이며, 그때가 영국으로서는 독일 독재자에 맞서 들고일어날 기회가 될 것이라는 말도 들었다.[39]

꾸준히 다우닝 가의 중요 인물들과 직접 접촉하고 외무장관에게 이 사안에 대한 의견을 솔직하게 밝혔음에도, 코르트 역시 런던 정계의 속내를 파악하지 못했다. 하지만 이틀 후인 9월 7일 《타임스》에 유명한 사설이 실리자 다른 모든 사람과 마찬가지로 그 속내를 잘 알게 되었다.

체코슬로바키아 정부는 국경을 접하는 다른 국가와 인종 면에서 이어지는 주변부의 이질적 주민을 분리시킴으로써 체코슬로바키아를 더 동질적인 국가로 만들려는, 일각의 지지를 받는 계획을 과연 완전히 배제해야 할지 여부를 고려할 만하다. … 체코슬로바키아가 동질적인 국가가 됨으로써 얻을 이익은 접경지대의 주데텐 독일인 거주구역을 잃는 데 따른 명백한 불이익을 보전하고도 남을 것이다.

이 사설은 체코 정부가 주데텐란트를 독일에 넘겨줄 경우 천혜의 요새인 보헤미아 산악지대와 그들 방어시설의 '마지노선'을 모두 잃어 나치 독일을 상대로 무방비가 된다는 자명한 사실을 전혀 언급하지 않았다.

영국 외무부가 《타임스》의 논설은 정부의 견해를 대변하는 것이 아니라고 재빨리 부인했음에도, 코르트는 이튿날 베를린에 전보를 보내 "그 논설은 총리 주위에서 나온 의견이 《타임스》 논설위원에게 전해져서 나왔을" 가능성이 있다고 보고했다. 정말로 그랬을 가능성이 있다!

2차대전 이후로 위기가 빈발하는 요즘은 1938년 9월 6일 시작되어 히틀러의 폐회 연설이 예정된 12일 절정에 달한 뉘른베르크 전당대회가 당시 유럽의 수도들에 안긴 암담하고 거의 견딜 수 없는 긴장감을 상기시키기가 어렵다. 그 연설에서 히틀러는 체코슬로바키아를 상대로 평화를 유지할지 아니면 전쟁을 벌일지에 대한 최종 결정을 전 세계에 천명할 것으로 예상되었다. 그 주간에 나는 위기의 초점인 프라하에 머무르고 있었는데, 주데텐란트의 독일인이 자행하는 폭력, 베를린이 가하는 위협, 독일에 양보하라는 영국 및 프랑스 정부의 압력, 그리고 두 나라가 체코슬로바키아를 궁지에서 저버릴 것이라는 우려에도 불구하고 그 수도가 보여주는—적어도 겉으로는—유달리 평온한 모습이 내 눈에는 이상하게 와 닿았다.

9월 5일, 평화를 지키기 위해서는 자신이 무언가 결정적인 조치를 취해야 한다는 것을 깨달은 베네시 대통령은 주데텐 지도부의 에른스트 쿤트Ernst Kundt와 빌헬름 제베코프스키Wilhelm Sebekovsky를 흐라드차니 궁으로 불러 그들의 요구사항 전체를 서면으로 보여달라고 했다. 그리고 어떤 요구사항이든 수용하겠다고 했다. 이튿날 헨라인 다음가는 주데텐 지도자 카를 헤르만 프랑크Karl Hermann Frank는 "이런, 저들은 전부 다 주었네"라고 외쳤다. 그러나 베네시의 제안은 주데텐 정치인들과 베를린에 있는 그들의 보스들이 가장 원하지 않는 것이었다. 9월 7일, 헨라인은 베를린의 지시대로 체코 정부와의 모든 협상을 끊어버렸다. 그러면서 협상 결렬의 이유로 체코 경찰이 모라프스카-오스트라바에서 월권행위를 했다는 궁색한 핑계를 댔다.

9월 10일, 괴링은 뉘른베르크 전당대회에서 호전적인 연설을 했다. "유럽의 작은 조각 하나가 인류를 괴롭히고 있습니다. … 이 끔찍한 피그미 인종[체코인]이 교양 있는 민족을 억압하고 있고, 그 배후에는 모스크바와 유대인 악마의 영원한 가면이 숨어 있습니다." 하지만 같은 날 베네시는 라디오 방송에서 괴링의 신랄한 비난에 대해 한 마디도 언급하지 않았다. 그것은 차분함과 선의와 상호 신뢰를 호소하는 조용하고 위엄 있는 방송이었다.

그렇지만 표면 아래에서 체코 정부는 긴장하고 있었다. 나는 그날 방송을 마친 베네시 박사를 체코 방송국 홀에서 우연히 만났는데, 수심이 깊은 얼굴을 보건대 자신의 위치가 얼마나 위태로운지 충분히 알고 있는 듯했다. 프라하 중앙역과 공항은 더 안전한 장소로 떠나려고 필사적으로 몰려든 유대인들로 가득했다. 그 주말에는 국민들에게 방독면이 배급되었다. 파리에서 들려온 소식은 프랑스 정부가 전쟁을 예감하면서 공포에 사로잡히기 시작했다는 것이고, 런던발 급보는 체임벌린이 히틀러의 요구를 들어주는—물론 체코를 희생양 삼아—궁여지책을 강구하고 있다는 것이었다.

그리하여 전 유럽은 히틀러가 9월 12일 뉘른베르크에서 무슨 말을 할지 기다리고 있었다. 비록 인정사정없는 엄포 놓기인 데다 체코 국가, 특히 체코 대통령에 대한 악의로 가득차 있긴 했지만, 전당대회 마지막 날 밤 거대한 경기장에 모인 무아지경의 나치 광신자 무리에게 들려준 총통의 연설은 선전포고가 아니었다. 히틀러는 결정을 유보했다—그러나 이는 공식 입장일 뿐이었는데, 우리가 압수된 독일 문서를 통해 알고 있듯이, 10월 1일에 체코 국경을 넘어 공격하기로 이미 결정해둔 터였기 때문이다. 히틀러는 주데텐 독일인을 '공정'하게 대할 것을 체코 정부에 요구하는 데 그쳤다. 공정하게 대하지 않으면 독일이 그렇게 하도록 만들 작정이라는 말과 함께.

히틀러의 일갈은 상당한 반향을 불러왔다. 주데텐란트에서는 반란이 일어나, 이틀간의 격렬한 전투 끝에 체코 정부가 병력을 급파하고 계엄령을 선포하여 진압했다. 헨라인은 국경을 넘어 독일로 빠져나가 이제는 주데텐 지역을 독일에 할양하는 것이 유일한 해결책이라고 주장했다.

앞에서도 언급했듯이 이것은 영국에서 지지를 얻어가던 해결책이었지만, 이를 추진하려면 먼저 프랑스의 동의를 받아야 했다. 히틀러의 연설 다음날인 9월 13일, 프랑스 내각은 이제 임박한 것으로 보이는 독일의 침공이 시작된다면 체코슬로바키아 지원 의무를 지켜야 할지 여부를 놓고 의견이 갈린 채 속절없이 온종일 시간만 허비했다. 그날 저녁 파리 주재 영국 대사 에릭 핍스Eric Phipps 경은 오페라코미크 극장에 있다가 달라디에 총리와의 긴급 회의에 불려갔다. 달라디에는 체임벌린에게 독일 독재자를 상대로 가능한 한 최선의 흥정을 곧장 시도해달라고 호소했다.

추측건대 체임벌린을 재촉할 필요는 별로 없었을 것이다. 같은 날 밤 11시 정각에 영국 총리는 히틀러에게 긴급 메시지를 보냈다.

고조되는 중대한 상황을 고려하여 나는 즉시 귀하를 만나 평화적인 해결책을 찾을 수 있도록 상의하고자 합니다. 나는 항공편을 이용할 것이고 내일 출발할 용의가 있습니다.

귀하를 만날 수 있는 가장 이른 시간을 알려주시고 장소를 제안해주십시오. 되도록 일찍 회답을 주시면 고맙겠습니다.[40]

그보다 두 시간 전에 런던 주재 대사대리 테오도어 코르트는 베를린에 전보를 쳐서 체임벌린이 공보비서를 통해 "주민투표를 포함하는 독일의 광범한 제안을 검토하고, 그것을 이행하는 데 참여하고, 그것을 공식적으로 옹호할 용의가 있다"는 뜻을 알려왔다고 보고했다.[41]

장차 뮌헨에서 완결될 항복이 시작되었던 것이다.

베르히테스가덴의 체임벌린: 1938년 9월 15일
———

"놀랍긴 놀랍군!"("Ich bin vom Himmel gefallen!") 히틀러는 체임벌린의 메시지를 읽고서 이렇게 소리쳤다.[42] 막강한 영 제국의 운명을 짊어진 사람이 자신에게 애원하러 온다는 소식에 히틀러는 깜짝 놀라면서도 기쁨을 감추지 못했다. 더욱이 69세가 되도록 비행기를 한 번도 타본 적 없는 사람이 무려 7시간이나 들여 독일에서도 가장 끝자락인 베르히테스가덴까지 날아온다는 사실에 기분이 우쭐해졌다. 히틀러는 그 여정을 절반으로 줄일 수 있도록 라인 강변 어디쯤에서 만나자고 제안하는 예의조차 차리지 않았다.

1914년에 허버트 애스퀴스Herbert Asquith와 에드워드 그레이Edward Grey 경[1차대전 개전 당시 전자는 총리, 후자는 외무장관이었다]이 하지 못한 일, 즉 독일이 소국을 침공하면 그에 맞서 프랑스뿐 아니라 영국까지 참전할 것임을 독일에 경고하는 일을 하기 위해 총리가 먼 길을 떠난다고 믿은 듯한 영국인들이 얼마나 열광했든 간에,* 히틀러는 독일 기밀문서나 그 후의 사태로 분명하게 드러난 것처럼 체임벌린의 내방이야말로 하늘이 준 선물임을 깨달았다. 영국 지도자에게 "독일의 광범한 제안"을 옹호할 용의가 있다는 것을 런던 독일 대사관으로부터 들어 이미 알고 있던 총통은 영국과 프랑스가 체코슬로바키아를 위해 개입하지는 않을 것이라는 자신의 일관된 판단이 체임벌린의 방문으로 더욱 확실해질 것으로 굳게 믿었다. 실제로 영국 총리와 만난 지 채 한 시간도 지나지 않아 히틀러의 이런 상황 판단은 확신이 되었다.

히틀러가 평소 습관대로 대화의 지분을 거의 독차지하긴 했지만, 처음에는 외교적 실랑이 정도였다.[43] 체임벌린은 9월 15일 정오에 뮌헨 공항에 내려 무개차로 철도역까지 간 다음 특별열차에 올라 세 시간이 걸려 베르히테스가덴에 도착했다. 그는 반대편 선로에서 독일 병사와 포를 실은 열차들이 줄줄이 지나가는 광경을 놓치지 않았다. 히틀러는 역까지 마중 나가진 않았지만 손님을 맞기 위해 베르크호프의 계단 위에서 기다렸다. 독일 통역관 슈미트 박사가 훗날 기억한 대로 그때 비가 내리기 시작해 하늘이 어두워지고 구름이 산봉우리들을 가렸다. 오후 4시였고, 체임벌린은 새벽부터 줄곧 이동해온 터였다.

차를 마신 뒤 히틀러와 체임벌린은 2층의 서재로 올라갔다. 7개월 전에 독재자가 슈슈니크를 접견한 바로 그 방이었다. 헨더슨 대사의 채근

---

* 영국 언론이나 의회에서 체임벌린의 외교 정책을 가장 가혹하게 비판하던 이들조차 총리의 베르히테스가덴 행보에 따뜻한 갈채를 보냈다. 계관시인 존 메이스필드(John Masefield)는 총리를 칭송하는 〈네빌 체임벌린〉이라는 시를 지어 9월 16일자 《타임스》에 게재했다.

에 리벤트로프는 대화에서 빠졌는데, 이 허영심 강한 외무장관은 회담에서 배제된 데 화가 난 나머지 이튿날 슈미트의 회담 속기록을 영국 총리에게 건네지 않았고—유별나지만 전형적인 결례였다—이후 체임벌린은 자신과 히틀러의 발언을 기억에 의존해 떠올리는 수밖에 없었다.

히틀러는 마치 연설을 하듯 자신이 독일 국민을 위해, 평화를 위해, 영국과 독일의 **화해**를 위해 이제껏 해온 온갖 일에 관해 장광설을 늘어놓으며 대화를 시작했다. 그런데 그가 "어떻게든" 해결하겠다고 결심한 문제가 한 가지 있었다. 체코슬로바키아 내에 거주하는 독일인 300만 명을 제국으로 "귀환"시키는 문제였다.*

[슈미트의 공식 기록] 총통은 작은 이류 국가가 천 년 역사를 지닌 막강한 독일 제국을 다소 열등한 국가로 대하는 것을 더 이상 용납하지 않겠다는 자신의 단호한 결의에 대해 그 어떤 의문도 제기되기 않기를 바랐다. … 총통은 49세였고, 만일 독일이 체코슬로바키아 문제로 세계대전에 관여하게 된다면 사나이답게 전력을 다해 조국을 이끌고서 위기를 돌파하겠다고 했다. … 물론 총통은 이 문제로 세계대전이 일어난다면 유감일 것이라고 했다. 그렇지만 이 위험이 자신의 결의를 흔들 수는 없다고 했다. … 총통은 이를 위해 어떠한 전쟁이라도, 설령 세계대전이라도 정면으로 맞서겠다고 했다. 세계의 나머지 국가들은 하고 싶은 대로 하면 될 것이다. 총통은 단 한 발짝도 양보하지 않겠다고 했다.

---

* 독일 역사를 그다지 폭넓게 알지 못했던 듯한 체임벌린은 히틀러와의 대화에서나 하원 보고에서나 이 "귀환"이라는, 히틀러가 잘못 사용한 표현을 그대로 사용했다. 주데텐 독일인은 지난날 오스트리아에 속했을 뿐 독일에는 속한 적이 없다.

거의 한 마디도 끼어들 수 없었던 체임벌린은 인내심이 대단한 사람이긴 했지만 참는 데도 한계가 있었다. 이 대목에서 끼어든 그는 "총통께서 나와의 논의 결과조차 기다리지 않고서 이 문제를 무력으로 해결하고자 결심했다면, 왜 나를 오라고 한 겁니까? 나는 시간을 허비했습니다."

독일 독재자는 그런 식으로 말을 끊기는 데 익숙하지 않았다—이 무렵에는 어떤 독일인도 총통의 말을 자르지 않았다. 체임벌린의 대꾸는 효과가 있었다. 히틀러는 흥분을 가라앉혔다. "어쨌거나 평화적 해결이 아직 가능할지 여부의 문제로" 들어갈 수 있다고 생각했다. 히틀러는 불쑥 제안을 했다.

영국은 주데텐 지역의 분리 독립에 동의하는 것입니까, 아닙니까? … 자결권에 근거하는 분리 독립 말입니다.

이 제안에 체임벌린은 충격을 받지 않았다. 오히려 "이제 문제의 핵심에 이르렀군요"라며 만족감을 표했다. 기억에 근거하는 체임벌린 본인의 서술에 따르면, 그는 영국 내각 및 프랑스와 상의해보기 전에는 확답할 수 없다고 응수했다. 통역하면서 적은 속기록에 근거하는 슈미트의 서술에 따르면, 체임벌린은 그렇게 말하면서도 이렇게 덧붙였다. **"개인적으로는 주데텐 지역을 분리하는 원칙을 인정한다고 말할 수 있습니다. … 귀국해서 정부에 보고하고 나의 개인적 입장을 승인받을 생각입니다."**

이 베르히테스가덴 항복을 시작으로 다른 모든 사태가 잇따랐다.

이 항복에 독일 정부가 놀라지 않았던 것은 분명하다. 베르히테스가덴 회담이 진행되던 때에 헨라인은 에거Eger[체코명은 헤프Cheb]에서 국경을 넘어 독일로 달아나기 직전에 히틀러에게 9월 15일자 비밀 편지를 쓰고 있었다.

저의 총통께
어제 영국[런시먼] 대표단에게 추후 협상의 기반은 … 제국 통일의 달성일 수밖에 없다고 알렸습니다.
체임벌린이 그런 통일을 제안할 수도 있습니다.[44]

이튿날인 9월 16일, 독일 외무부는 워싱턴과 그 밖의 몇몇 재외 공관에 기밀로 전보를 보냈다.

총통은 어제 체임벌린에게 주데텐란트의 참을 수 없는 상태를 단기간 내에 어떻게든 결말짓기로 결심했다고 말했다. 주데텐 독일인의 자치는 더 이상 고려하지 않고 그 지역을 독일에 할양하는 것만 고려하고 있다. 체임벌린은 개인적으로는 동의한다는 뜻을 내비쳤다. 그는 지금 영국 내각과 상의하는 동시에 파리 측과 연락을 취하고 있다. 총통과 체임벌린은 조만간 다시 만날 계획이다.[45]

회담 막바지에 체임벌린은 히틀러로부터 다음번 회담 때까지는 군사적 조치를 취하지 않겠다는 약속을 받아냈다. 그 시점에 영국 총리는 총통의 그 약속을 철석같이 믿었다. 그리고 하루나 이틀 후 사적인 자리에서 이런 말도 했다. "그의 얼굴에서 냉담함과 무자비함이 엿보이긴 했지만, 그가 일단 내뱉은 말은 믿어도 된다는 인상을 받았습니다."[46]

이렇게 영국 지도자가 속 편한 착각에 빠져 있는 동안 히틀러는 체코슬로바키아 침공을 향한 군사적·정치적 계획을 착착 진행시켰다. 자신의 일기에 썼듯이, 요들 대령은 OKW를 대표해 선전부와 함께 "우리 측의 국제법 위반에 대한 비난을 논박하기 위한 공동의 준비"에 힘썼다. 체코 침공은 적어도 독일 측에는 난폭한 전쟁이 될 터였고, 나치의 그런 무법 행위를 정당화하는 것이 괴벨스 박사의 임무였다. 괴벨스의 거짓말은 아주 치밀하게 준비되었다.[47] 9월 17일 히틀러는 헨라인에게 그를 도울 OKW의 참모장교 한 명을 보냈는데, 당시 헨라인은 바이로이트 교외 돈도르프의 성에 자리잡은 새로운 본부에서 주데텐 자유군단을 조직하고 있었다. 이 군단은 오스트리아 무기로 무장하고서 총통의 명령에 따라 체코 정부를 상대로 계속해서 "소요와 충돌"을 일으킬 예정이었다.

9월 18일, 체임벌린이 자신의 항복 방침에 대한 영국 내각과 프랑스 정부의 지지를 얻는 데 몰두한 날은 히틀러와 그의 장군들에게도 분주한 날이었다. 이날, 3개 기갑사단을 포함하는 36개 사단으로 이루어진 5개 군, 즉 제2군, 제8군, 제10군, 제12군, 제14군의 공격 개시 일정이 나왔다. 또 히틀러는 10개 군의 사령관들도 확정했다. 아담 장군은 고분고분하지 않음에도 서부를 총괄하는 사령관으로 그냥 두었다. 그리고 놀랍게도 음모단의 퇴역 장군 두 명을 다시 불러 군 사령관에 임명했다. 베크 장군은 제1군, 하머슈타인 장군은 제4군이었다.

체코슬로바키아에 결정타를 날리기 위한 정치적 사전 공작도 이어졌다. 압수된 독일 외무부 문서들에는 전리품을 같이 차지하자며 헝가리와 폴란드를 상대로 압박 수위를 높이고 있다는 보고가 수두룩하다. 심지어 슬로바키아인까지도 부추겼다. 9월 20일, 헨라인은 슬로바키아인에게 자치 요구를 "더 선명하게" 공식화하라고 재촉했다. 같은 날 히틀러는 헝가리의 임레지 벨러Imrédy Béla 총리와 카녀 칼만Kánya Kálmán 외무장관을 접견하고 헝가리 정부의 우유부단함을 질책했다. 외무부의 한 공문은 이 회담에 대해 길게 보고한다.

우선 총통은 헝가리의 우유부단한 태도를 지적하며 헝가리 신사들을 책망했다. 총통은 세계대전을 무릅쓰고라도 체코 문제를 해결할 각오였다. … [그렇지만] 총통은 잉글랜드도 프랑스도 개입하지 않으리라 확신하고 있었다. 헝가리로서는 함께할 마지막 기회였다. 함께하지 않으면 총통은 헝가리의 이익에 대해 말참견하지 않겠다는 입장이었다. 총통의 견해로는 체코슬로바키아를 파괴하는 것이 최선이다. …

총통은 헝가리 측에 두 가지 요구사항을 제시했다. (1) 헝가리는 권리를 주장하는 영토에서 즉시 주민투표를 시행하도록 요구해야 한다. 그리고 (2) 체코슬로바키아를 위해 제안된 그 어떤 새로운 국경도 보장하지 말아야 한다.[48]

체임벌린이 어떻게 나오든 간에 히틀러는, 헝가리 측에 분명하게 밝힌 대로, 영토를 떼어주고 남는 체코슬로바키아조차 오래 존속하도록 허용할 생각이 없었다. 그리고 영국 총리와 관련하여

총통은 체임벌린에게 독일의 요구를 가차없이 솔직하게 제시하겠다고 언명했다. 그의 견해로는 육군의 행동만이 만족스러운 해결을 가져올 것이다. 그렇지만 체코 정부가 모든 요구를 감수해버릴 위험성도 있었다.

이 가능성은 이후 수상한 낌새를 간파하지 못하는 영국 총리와 회담하는 내내 독재자의 뇌리에서 떠나지 않을 터였다.

베를린의 부추김을 받은 폴란드 정부는 9월 21일, 폴란드계 사람들이 상당수 거주하는 테신 지역에서 주민투표를 시행할 것을 체코 정부에 요구하고 병력을 이 지역의 국경으로 이동시켰다. 이튿날 헝가리 정부도 그 뒤를 따랐다. 또한 같은 날인 9월 22일에 주데텐 자유군단은 독일 친위대 파견대의 지원을 받아 독일 영토 쪽으로 튀어나온 체코 국경도시 아시Aš와 에거를 점령했다.

사실 9월 22일은 유럽 전역이 긴장한 날이있는데, 이날 오전에 체임벌린이 히틀러와 회담하기 위해 다시 독일로 출발했기 때문이다. 그런데 총통을 방문한 두 시점 사이에 영국 총리가 런던에서 무엇을 했는지 이 대목에서 간단히 살펴볼 필요가 있다.

9월 16일 저녁에 런던으로 돌아간 체임벌린은 내각 회의를 소집해 각료들에게 히틀러의 요구사항을 알렸다. 프라하에서 소환된 런시먼 경은 자신의 권고안을 내놓았는데, 깜짝 놀랄 만한 내용이었다. 독일 정부를 달래는 데 열을 올리던 런시먼은 히틀러보다도 더 나갔다. 구태여 주민투표를 할 것도 없이 주데텐 영토 대부분을 독일에 넘겨주는 방안을 주장했던 것이다. 그리고 체코슬로바키아에서 "정당들이나 개인들이" 하는 독일에 대한 모든 비판을 법적 수단으로 틀어막을 것을 강하게 권고했다. 그는 또 체코슬로바키아에 대해서는 설령 산악이라는 장벽과 방어시설을 빼앗길지라도—그래서 무방비 상태가 될지라도—"어떠한 경우에도 인접국들을 공격하지 않을 것과, 다른 국가들에 대한 의무를 이유로 인접국들을 침공하는 조치를 일체 취하지 않을 것을 보장할 만큼 외교 관계를 변경할" 것을 요구했다. 아무리 런시먼이라 해도 이 시점에 영토를 빼앗긴 이후의 체코 국가가 나치 독일을 공격할 위험성을 우려했을

리는 없겠지만, 그의 기상천외한 권고안은 영국 내각에 깊은 인상을 주는 한편 히틀러의 요구에 응하려는 체임벌린의 의도에 힘을 실어주었던 것으로 보인다.*

프랑스의 달라디에 총리와 조르주 보네Georges Bonnet 외무장관은 9월 18일 영국 정부와 협의하기 위해 런던에 도착했다. 체코 측을 참여시킬 생각일랑 아예 없었다. 어떤 대가를 치르더라도 전쟁을 피하려던 영국과 프랑스는 체코가 받아들여야만 하는 공동 제안에 지체 없이 동의했다. "평화의 유지와 체코슬로바키아의 사활적 이익의 보호"를 확보하기 위해 주데텐 독일인이 50퍼센트 이상 거주하는 모든 지역을 독일에 넘겨주라는 제안이었다. 그 대가로 양국은 "정당한 이유 없는 공격에 맞서 … 새로운 국경을 지키는 국제적 보장"에 참여하기로 했다. 그런 보장으로 체코가 지난날 프랑스 및 소련과 체결해둔 상호원조 조약을 대신한다는 뜻이었다. 이는 프랑스 측으로서는 손쉬운 타개책이었으며, 앞으로 살펴볼 것처럼 히틀러를 달래는 일에서 체임벌린을 능가할 각오였던 보네의 주도로 프랑스 정부는 이 방안을 붙잡았다. 그러고는 위선적인 말을 늘어놓았다.

[체코 정부에 보내는 공식 문서] 프랑스와 영국 양국의 정부는 평화라는 대

---

* 런시먼 권고안의 요점이 내각에 제출된 것은 9월 16일 저녁이지만, 이 보고서가 공식적으로 작성된 것은 21일이고, 공표된 것은 저간의 사태 때문에 학술적 의의밖에 갖지 못하게 된 28일이다. 휠러-베넷은 이 보고서의 일부가 9월 21일 이후에 작성된 듯한 인상을 준다고 지적한다. 9월 16일 오전 런시먼이 프라하를 떠났을 때는 아무도, 심지어 히틀러나 주데텐 지도부조차 주데텐란트를 주민투표 없이 독일에 넘기자는 말을 꺼내지 않았다. (Wheeler-Bennett, *Munich*, pp. 111-112. 런시먼 보고서의 텍스트는 British White Paper, Cmd. 5847, No. 1에 있다.)

의를 위해 체코슬로바키아 정부에 요구하는 희생이 얼마나 큰지 알고 있다. 그러나 평화가 유럽 전반, 특히 체코슬로바키아와 공통되는 대의인 까닭에 두 나라는 그것을 보장하는 데 필수적인 조건을 공동으로 솔직하게 제시하는 것이 양국의 의무라고 생각했다.

또한 두 나라는 서두르고 있었다. 독일 독재자는 기다려줄 사람이 아니었다.

총리는 늦어도 수요일[9월 22일]까지, 되도록 그전에 히틀러 씨와 대화를 재개해야 한다. 그런 이유로 우리 양국 정부는 최대한 일찍 회답해줄 것을 귀측에 요청할 수밖에 없다고 생각한다.[49]

이렇게 해서 9월 19일 정오에 프라하 주재 영국 및 프랑스 공사는 체코 정부에 양국의 제안을 공동으로 전달했다. 체코 정부는 이튿날 위엄 있는 공식 문서를 통해 양국의 제안을 받아들일 경우 체코슬로바키아가 "머지않아 독일의 완전한 지배 아래 놓일" 것이라고—앞날을 내다본 듯이—설명하며 거부 입장을 밝혔다. 체코 측은 프랑스의 조약상 의무를 상기시키고 체코 정부가 양보할 경우 장차 유럽에서 프랑스의 입지가 어떻게 될지를 지적한 뒤, 주데텐 문제 전반을 1925년 10월 16일의 독일-체코 조약이 정하는 중재에 맡길 것을 제안했다.*

그러나 영국과 프랑스는 조약의 존엄함 따위가 자기네 진로를 방해하

---

* 영국 정부도 프랑스 정부도 뮌헨 협정으로 이어진 자기네 정책을 정당화하는 문서를 훗날 발행하면서 이 체코 문서의 텍스트를 싣지 않았다는 것은 주목할 만한 사실이다.

도록 놔둘 마음이 없었다. 거부의 문서가 12일 오후 5시에 양국 공사에게 전해지자마자 영국 공사 배질 뉴턴Basil Newton 경은 체코 외무장관 카밀 크로프타Kamil Krofta 박사에게 체코 정부가 고집을 꺾지 않는다면 영국은 앞으로 체코의 미래에 관심을 두지 않을 것이라고 경고했다. 프랑스 공사 M. 드 라크루아M. de Lacroix는 프랑스를 대표해 이 발언을 지지했다.

한편, 런던과 파리에서는 체코의 문서를 떨떠름하게 받아들였다. 체임벌린은 주요 각료를 소집했고, 파리와 밤늦게까지 직통전화를 열어두고 달라디에 및 보네와의 통화에 대비했다. 양국 정부는 프라하를 더욱 압박하기로 의견을 모았다. 체코 정부가 계속 버틴다면 프랑스나 영국의 도움을 기대할 수 없을 것이라고 통보하기로 했다.

이쯤 되자 베네시 대통령은 우방이라고 믿은 나라들로부터 버림받고 있음을 깨달았다. 그는 프랑스만이라도 체코 편에 묶어두려고 마지막 시도를 했다. 20일 오후 8시가 막 지난 시각에 베네시는 크로프타 박사를 시켜 라크루아에게 극히 중요한 질문을 했다. 독일의 침공 시 프랑스는 체코슬로바키아에 대한 약속을 지킬 것인가 지키지 않을 것인가? 그리고 9월 21일 오전 2시 15분에 뉴턴과 라크루아가 베네시를 억지로 깨워 거부 문서를 철회하도록 종용하면서 만약 철회하지 않고 영국-프랑스의 제안을 받아들이지 않으면 체코슬로바키아가 독일과 홀로 싸워야 할 것이라고 단언하자, 대통령은 프랑스 공사에게 그 발언을 서면으로 제시해달라고 요구했다. 베네시는 이미 체념한 상태였을 테지만, 역사를 염두에 두고 있었다.*

9월 21일, 베네시는 잠이 부족한 데다 배반과 파국에 대해 고심하느라 피로에 젖은 채로 온종일 각료, 정당 지도부, 육군 최고사령부와 상의했다. 적의 위협에 맞서 용기를 보여온 그들은 우방들과 동맹국들에 버림받자 무너지기 시작했다. 소련은 어땠을까? 공교롭게도 그날 소비에트 외무인민위원 막심 리트비노프Maxim Litvinov는 제네바에서 연설하는 중에 소련은 체코슬로바키아와의 조약을 지킬 것이라고 다시 말했다. 베네시가 불러들인 프라하 주재 소련 공사도 외무인민위원의 발언을 뒷받침했다. 그러나 체코 측으로서는 안타깝게도 소련과의 조약은 내용상 프랑스가 원조한다는 **조건하에** 소련에 원조를 요구하는 것이었다. 그리고 프랑스는 약속을 저버린 상황이었다.

9월 21일 오후 늦게 체코 정부는 항복하고 영국-프랑스 안案을 수용했다. "우리는 혼자 남았기 때문에 다른 선택지가 없었다"라고 체코 정부는 공식 성명에서 씁쓸하게 설명했다. 베네시는 개인적으로 더 간결하게 말했다. "우리는 비열한 배신을 당했다." 다음날 체코 내각은 총사퇴했고, 육군 감찰감 얀 시로비Jan Syrový 장군이 새로운 '거국일치 내각'의 수반이 되었다.

고데스베르크의 체임벌린: 9월 22~23일

———

베르히테스가덴 회담 때 히틀러가 원했던 것을 체임벌린이 전부 가져가고 있었음에도, 9월 22일 오후 라인 강변의 소도시 고데스베르크에서

———

* 당시 보네의 배반은 독일 역사에 국한해 말하기에는 너무도 복잡하다. 무엇보다 보네는 체코 정부가 항복의 좋은 변명거리로 삼으려고 프랑스 측에 체코를 위해 싸우는 일은 없을 것이라는 성명을 요구했다는 거짓 주장으로 프랑스와 영국의 각료들을 설득하려 했다. 이 이야기는 Wheeler-Bennett, *Munich*; Herbert Ripka, *Munich, Before and After*; Pertinax, *The Grave Diggers of France* 참조.

다시 만났을 때는 두 사람 모두 불안한 심정이었다. 런던 공항에서 영국 총리를 배웅한 독일 대사대리는 황급히 베를린에 전보를 보냈다. "체임 벌린과 그의 일행은 불안감을 가득 안고서 출발했다. … 의심할 나위 없이 체임벌린의 정책에 대한 반감이 커지고 있다."

히틀러는 매우 초조한 상태였다. 22일 아침에 내가 두 사람의 회담이 열릴 드레젠 호텔의 테라스에서 아침식사를 하고 있을 때, 히틀러가 자기 요트를 점검하기 위해 나를 지나쳐 강둑 쪽으로 성큼성큼 내려갔다. 그는 특이한 경련을 일으키는 듯 보였다. 몇 걸음 걸을 때마다 오른쪽 어깨를 신경질적으로 치켜들고 왼다리를 휙 들어올렸다. 눈 밑은 보기 흉하게 거뭇했다. 그날 저녁 내가 일기에 썼듯이 그의 증세는 신경쇠약 직전으로 보였다. 남몰래 나치를 경멸하던 내 독일인 동료 편집책임자는 "양탄자 먹는 놈!Teppichfresser!"이라고 중얼거렸다. 그러고는 히틀러가 지난 며칠 동안 체코 문제로 제정신이 아닌지라 한 차례 이상 완전히 자제력을 잃고서 바닥에 몸을 내던진 채 양탄자의 가장자리를 물어뜯었다고 설명했다. 그래서 "양탄자 먹는 놈"이라고 불린다는 말이었다. 그러고 보니 전날 저녁에 드레젠 호텔에서 나치당 당직자 몇 사람과 이야기하다가 총통을 가리키는 이 표현을 들은 적이 있었다. 물론 속삭이듯이 하는 소리였지만.[50]

체임벌린은 국내에서 자기 정책에 반대하는 목소리가 커져가는 분위기에 불안해하면서도 고데스베르크에 도착하여 스와스티카뿐 아니라 유니언잭[영국 국기]으로도 장식된 거리를 지나 페터스호프의 본부까지 차를 타고 가는 동안 기분이 아주 좋아 보였다. 페터스호프는 라인 강 맞은편(우안) 페터스베르크의 꼭대기에 우뚝 솟은 성채 같은 호텔이었다. 체임벌린은 히틀러가 베르히테스가덴에서 요구했던 모든 것, 심지어 그 이

상의 것을 들어주려고 방문한 참이었다. 남은 일은 세부사항을 정하는 것뿐이었고, 이를 위해 호러스 윌슨 경과 윌리엄 스트랭William Strang(외무부의 동유럽 전문가) 외에 외무부 조약국장 윌리엄 말킨William Malkin 경까지 대동했다.

오후 늦게 영국 총리는 페리를 타고 라인 강을 가로질러 히틀러가 기다리는 드레젠 호텔*로 갔다. 이번에는, 적어도 초반에는 체임벌린 혼자 말했다. 슈미트 박사의 긴 회담 기록으로 미루어 보건대 분명 한 시간 넘게 말을 이어갔다.[51] 총리는 자신이 "힘겨운 협상"을 빌려 영국과 프랑스 내각뿐 아니라 체코 정부까지도 총통의 요구를 수용하도록 설득했다고 설명한 다음 그 요구를 이행할 수 있는 방법의 개요를 아주 구체적으로 언급했다. 런시먼의 조언을 받아들인 체임벌린은 이제 주데텐란트를 주민투표 **없이** 독일에 넘겨줄 용의가 있었다. 주민들이 섞여 있는 지역의 경우 독일인 한 명, 체코인 한 명, 중립국 인사 한 명 이렇게 세 명으로 이루어진 위원회에서 그 귀속을 결정할 수 있을 것이었다. 그리고 체코슬로바키아가 프랑스 및 소련과 체결한 상호원조 조약, 총통이 몹시 혐오하던 조약은 체코슬로바키아에 대한 정당한 이유 없는 공격을 막는, 장차 "완전히 중립적이어야 할" 국제적 보장으로 대체하기로 했다.

평화를 사랑하는 사업가에서 영국 총리가 된 그에게는 이 모든 것이 너무나 간단하고 너무나 합리적이고 너무나 논리적으로 보였다. 어느 목격자의 기록대로, 체임벌린은 명백히 자기만족에 빠진 채 잠시 히틀러의

---

* 히틀러의 초기 나치 동지 드레젠이 운영하던 이 호텔은 1934년 6월 29일에서 30일에 걸친 밤에 총통이 룀을 살해하고 피의 숙청에 나서는 거사를 시작한 곳이었다. 나치 지도자는 생각을 정리하거나 미뤄온 문제를 결정하기 위한 장소로 가끔 이 호텔을 찾곤 했다.

반응을 기다렸다.

"영국, 프랑스, 체코 정부가 주데텐란트를 독일에 넘기는 데 동의했다는 말로 이해했는데, 맞습니까?" 하고 히틀러가 물었다.* 나중에 체임벌린에게 말했듯이, 히틀러는 주데텐란트 이양이 그 정도로 순조롭고 빠르게 진척되었다는 데 크게 놀랐다.

"그렇습니다" 하고 영국 총리가 웃으며 답했다.

"몹시 유감입니다만" 하고 히틀러가 운을 뗐다. "지난 며칠간의 사태 이후로 이 계획은 더 이상 아무 소용이 없습니다."

슈미트 박사의 회고에 따르면 체임벌린은 화들짝 놀라며 고쳐 앉았다. 올빼미 같은 얼굴이 놀라움과 분노로 붉어졌다. 그러나 분개의 이유가 히틀러가 자신을 속였다는 점, 히틀러가 흔한 갈취범처럼 요구가 받아들여지는 순간에 요구의 수준을 높이고 있다는 점에 있지는 않았던 것으로 보인다. 총리는 며칠 후 하원에 제출한 보고서에서 당시의 감정을 이렇게 술회했다.

하원의 여러분께서는 히틀러가 저를 고의로 속였다고 생각하지 않았으면 합니다. 저는 그렇게 생각한 적이 한순간도 없습니다. 이번에 고데스베르크로 찾아가면서는 제가 저번에 제시했던 제안에 관해 그와 차분히 논의하면 그만이라고 생각했습니다. 그런데 그 제안을 수용할 수 없다고 … 들었을

---

* 히틀러는 체코 정부가 영국-프랑스의 제안을 받아들인 사실을 알고 있었다. 체임벌린이 고데스베르크에 도착하기 전날인 9월 21일 오전 11시 30분에 요들은 총통의 부관으로부터 전화를 받았음을 일기에 적어두었다. "5분 전에 총통은 프라하 측에서 무조건 수용하기로 했다는 소식을 들었습니다"라고 부관은 전해왔다. 12시 45분, 요들은 "각 부처의 수장들은 '녹색 작전'에 계속 대비하되 평화적 진입을 위해 필요한 모든 준비를 해두라는 통보를 받았다"라고 썼다.[52] 그렇지만 히틀러가 체임벌린의 설명을 듣기 전까지는 영국-프랑스 안의 세부 조항을 알지 못했을 수도 있다.

때는 큰 충격을 받았습니다.

체임벌린은 체코를 희생양 삼아 그토록 "공들여" 지은 평화의 집이 마치 카드로 쌓아올린 더미가 내려앉듯 와르르 무너지는 광경을 보았다. 체임벌린은 히틀러에게 "실망과 함께 당혹감을 느꼈다". "그는 총통에게 자신에게서 원하던 것을 얻지 않았느냐고 옳게 말할 수 있었다."

이것을 이루기 위해 그[체임벌린]는 정치생명의 모든 것을 걸었다. … 그런 탓에 국내의 일부 집단들로부터 체코슬로바키아를 저버린 채 팔아넘기고 독재자들에게 굴복했다는 비난을 들었다. 잉글랜드에서 출발한 날 아침에는 실제로 야유가 쏟아지기도 했다.

그러나 총통은 영국 총리의 곤경에 아랑곳하지 않았다. 주데텐 지역을 독일이 즉시 **점령**해야 한다고 요구했다. 이 문제를 "늦어도 10월 1일까지는 완전하고도 최종적으로 해결해야 한다"는 입장이었다. 히틀러는 당장 넘겨받아야 할 영토가 어디인지 보여주려고 간단한 지도까지 준비한 터였다.

그러자 체임벌린은 나중에 하원에서 말한 대로 "불길한 예감에 휩싸인" 마음으로 "이제 어떻게 해야 할지 고심하면서" 라인 강을 건너 돌아왔다. 체임벌린이 영국 각료들 및 프랑스 정부 요인들과 직접 혹은 전화로 상의한 뒤에도 별다른 희망이 보이지 않자 런던과 파리 정부는 이튿날 체코 정부에 연락하여 양국이 "동원을 하지 말라고 권고할 책임을 계속 질 수는 없다"고 통고하기로 의견을 모았다.*

그날 저녁 7시 20분에 카이텔 장군은 고데스베르크에서 육군 본부로 전화를 걸었다. "아직 (결행일) 날짜를 확정할 수 없다. 계획대로 계속 준비하라. 녹색 작전을 개시한다 해도 9월 30일 이전은 아닐 것이다. 더 일찍 개시한다면 임시변통해야 할 것이다."[53]

아돌프 히틀러 자신이 딜레마에 빠져 있었기 때문이다. 체임벌린은 알지 못했지만, 5월 위기 이후 OKW에 대한 지령서에서 드러난 총통의 진짜 목적은 "체코슬로바키아를 군사행동으로 파괴하는 것"이었다. 체코 정부가 이미 동의한 영국-프랑스의 제안을 독일이 받아들일 경우, 제 아무리 마지못해 받아들이더라도, 주데텐 독일인이 히틀러에게 넘어갈 뿐 아니라 체코 국가가 무방비가 되어 사실상 파괴될 터였다. 하지만 그것은 군사행동에 의한 파괴가 아니었다. 총통은 지난 5월에 자신을 그토록 불쾌하게 했던 베네시 대통령과 체코 정부를 모욕할 뿐 아니라 서구 열강의 줏대 없음까지도 훤히 드러낼 각오였다. 이를 위해서는 적어도 **군사 점령**이 필요했다. 오스트리아 군사 점령 때처럼 피를 보지 않을 수는 있겠지만 어쨌든 점령해야 했다. 건방진 체코 놈들에게 적어도 그 정도 복수는 하겠다는 심산이었다.

9월 22일 저녁, 두 사람은 더 이상 접촉하지 않았다. 하지만 이 문제를 생각하다 잠을 설치고 라인 강이 내려다보이는 발코니를 서성이며 이른 아침을 보낸 체임벌린은 아침식사를 마치고 자리에 앉아 히틀러에게 편지를 썼다. 독일의 새로운 요구를 체코 측에 전달할 테지만 체코 정부가 수용할 것으로 보이지는 않는다는 내용이었다. 사실 그는 체코 정부가 독일군의 즉시 점령에는 무력으로 저항하리라 확신했다. 하지만 그는 관계국 모두가 주데텐 지역의 독일 할양에 동의했으므로 그것이 실행에

---

* 체코의 동원은 9월 23일 오후 10시 30분에 시작되었다.

옮겨질 때까지 주데텐 독일인 스스로 법과 질서를 지키게 하자고 프라하 측에 넌지시 제의할 생각이었다.

이 타협안에 히틀러가 귀를 기울일 리 없었다. 히틀러는 거의 온종일 총리를 기다리게 하더니 결국 신랄한 비난조의 문서로 회답했다. 이번 회답 역시 체코가 독일을 상대로 저지른 온갖 악행을 늘어놓고 자기 입장을 바꾸기를 거부하면서 전쟁이 "이제 기정사실인 듯합니다"라고 결론짓고 있었다. 체임벌린의 답장은 간결했다. 히틀러에게 새로운 요구사항을 서면으로 작성해 "지도와 함께" 달라고 요청히고는 그것을 프라하 측에 전달할 "중개인" 역할을 자임했다. "여기서 내가 할 수 있는 역할은 더 이상 없어 보입니다"라고 총리는 답장을 끝맺었다. "그러니 잉글랜드로 돌아가려 합니다."

귀국하기 전에 체임벌린은 히틀러와 마지막으로 회담하기 위해 다시 한 번 드레젠 호텔을 찾았다. 회담은 9월 23일 밤 10시 30분에 시작되었다. 히틀러는 자신의 요구사항을 지도와 함께 각서 형식으로 제시했다. 체임벌린은 새로운 시한에 직면했다. 체코 정부는 9월 26일—이틀 후였다—오전 8시까지는 할양할 영토에서 철수를 시작해야 하고 9월 28일까지 완료해야 한다고 적혀 있었다.

"하지만 이건 최후통첩이나 마찬가지입니다!" 체임벌린은 버럭 소리를 질렀다.

"전혀 그렇지 않습니다" 하고 히틀러가 받아쳤다. 체임벌린이 독일어 단어 '명령Diktat'은 이런 경우를 가리키는 말이 아니냐고 쏘아붙이자, 히틀러는 "아니, 명령과는 전혀 다릅니다. 보세요, 이 문서 상단에 '각서'라고 적혀 있습니다"라고 응수했다.

그 순간 부관이 총통에게 긴급 메시지를 가져왔다. 총통은 흘끗 보더니 통역관 슈미트에게 건네며 "체임벌린 씨에게 읽어주게"라고 말했다.

슈미트는 지시대로 했다. "베네시는 방금 라디오 방송으로 체코슬로바키아의 총동원을 발령했다."

나중에 슈미트가 회상했듯이, 방안은 죽은 듯이 고요했다. 이윽고 히틀러가 입을 열었다. "이것으로 결말이 났습니다. 체코는 독일에 영토를 넘길 생각 따위는 조금도 없습니다."

슈미트의 회의록에 따르면, 체임벌린은 동의하지 않았다. 뒤이어 격론이 벌어졌다.

체코가 먼저 동원에 나섰다[라고 히틀러가 말했다]. 체임벌린은 반박했다. 먼저 동원에 나선 쪽은 독일이다. … 총통은 독일이 동원에 나섰다는 것을 부인했다.

그리하여 회담은 새벽까지 이어졌다. 결국 체임벌린이 독일의 각서가 "정말로 최종적인 것인지" 묻고 히틀러가 그렇다고 답하자 총리는

대화를 계속할 이유가 없다고 말했다. 자신은 최선을 다했지만 그것도 허사였다. 무거운 마음으로 떠날 참이었다. 독일에 올 때 품었던 희망이 모두 깨졌으므로.

독일 독재자는 체임벌린이 곤경에서 벗어나기를 원하지 않았다. 그래서 일종의 "양보"로 응수했다.

"이런 경우는 내게도 무척 드문 일이지만" 하고 히틀러는 쾌활하게 말

을 꺼냈다. "귀하의 일에 도움이 된다면 체코의 철수 날짜를 10월 1일로 조정할 용의가 있습니다." 그렇게 말하면서 연필을 쥐고 날짜를 직접 바꿔 썼다. 물론 이는 양보도 무엇도 아니었다. 10월 1일은 애초부터 결행일이었다.*

그런데 이 '양보'에 영국 총리는 감명을 받았던 모양이다. "그는 그 점에 대한 총통의 고려에 무척 고마워했다"라고 슈미트는 적었다. 영국 총리는 그러면서도 자신은 그 제안을 수락하거나 거부할 위치에 있지 않고 그저 전달할 수 있을 뿐이라고 덧붙였다.

그렇지만 얼음장 같던 분위기는 이내 풀렸고, 새벽 1시 30분에 회담이 끝났을 즈음 두 사람은 그간의 온갖 일에도 불구하고 다른 어느 때보다도 가까워 보였다. 호텔 현관에서 7.5미터가량 떨어진, 임시로 방송 스튜디오가 설치된 짐꾼 부스에 있던 나는 두 사람이 작별인사를 나누는 모습을 지켜보았는데, 그들의 화기애애한 모습에 적잖이 놀랐다. 슈미트는 당시 내가 들을 수 없었던 대화를 받아 적었다.

체임벌린은 총통에게 따뜻한 작별을 고했다. 며칠간 대화를 나누다 보니 자신과 총통 사이에 신뢰관계가 생긴 느낌이라고 말했다. … 그는 현재의 어려운 위기를 극복하리라는 희망을 놓지 않았다면서 아직 해결되지 않은 다른 문제들에 관해서도 차후에 같은 마음으로 총통과 논의하면 좋겠

---

* 히틀러의 각서는 지도에 붉은색 음영으로 표시된 넓은 지역들에서 경찰 등을 포함하는 체코의 무장 병력 전체를 10월 1일까지 철수시키도록 요구했다. 국민투표로 미래를 결정할 그 밖의 지역들은 녹색 음영으로 표시되어 있었다. 철수하는 지역들 내에 있는 모든 군사시설은 온전하게 남겨두어야 했다. 모든 상업 자원과 운송 자원, "특히 철도의 모든 차량"은 손상 없이 독일에 넘겨야 했다. "마지막으로 식량, 상품, 가축, 원재료 등은 그대로 두어야 한다."[54] 주데텐란트에 거주하는 체코인 수십만 명은 가재도구나 사육 중인 젖소조차 반출하는 것이 허락되지 않았다.

다고 말했다.

총통은 체임벌린의 말에 사의를 표하고 자신도 비슷한 희망을 가지고 있다고 말했다. 또한 그가 이미 몇 차례 말한 대로 체코 문제는 자신이 유럽에서 제기하는 최후의 영토적 요구라고 덧붙였다.

향후 영토 강탈은 단념하겠다는 이 발언도 떠나는 총리에게 감명을 주었던 듯한데, 나중에 하원에 제출한 보고서에서 히틀러가 그것을 "아주 진지하게" 말했다고 강조했기 때문이다.

새벽 2시경에 체임벌린이 숙소로 돌아오자 한 기자가 "가망 없는 상황입니까, 각하?"라고 물었다.

총리의 답변은 이러했다. "그렇게 말하고 싶지 않습니다. 이제는 체코 측에 달려 있습니다."[55]

터무니없는 요구를 하는 독일 측에도 달려 있다는 생각은 체임벌린의 머릿속에 떠오르지 않았던 것이 분명하다.

실제로 총리는 9월 24일 귀로에 올라 런던에 도착하자마자 히틀러에게 약속한 일을 이행하려 했다. 바로 각료들을 설득해서 나치의 새로운 요구를 수용하도록 하는 일이었다. 그러나 이번에는 예상치 못한 반대에 부딪혔다. 해군장관 더프 쿠퍼Duff Cooper가 단호히 반대하고 나섰다. 놀랍게도 핼리팩스 경까지 비록 주저하긴 했지만 반대 의견을 냈다. 체임벌린은 내각을 움직이지 못했다. 프랑스 정부도 설득하지 못했는데, 프랑스 측은 24일 고데스베르크 각서를 거부하고 같은 날 부분동원령을 내렸다.

달라디에 총리가 이끄는 프랑스 각료들이 9월 25일 일요일 런던에 도착했을 때, 양국 정부는 체코 정부가 고데스베르크 제안을 정식으로 거부했다는 통지를 받았다.* 프랑스로서는 약속을 지켜 체코슬로바키아가 공격을 받으면 원조에 나설 것이라고 확언하는 수밖에 없었다. 하지만 영국이 어떻게 나올지 알아야 했다. 마침내 궁지에 몰린, 또는 그렇게 보인 체임벌린은 만약 프랑스가 체코 정부와 맺은 조약상의 의무에 따라 대독일 전쟁에 관여하게 된다면 영국도 프랑스를 지지할 의무감을 느낄 것이라고 히틀러에게 통지하기로 했다.

그러나 체임벌린은 그에 앞서 독일 독재자에게 마지막으로 호소해보겠다고 했다. 히틀러는 9월 26일 베를린 스포츠궁에서 연설할 예정이었다. 히틀러가 돌아올 수 없는 강을 건너지 않도록 유도하기 위해 체임벌린은 다시 한 번 총통에게 보내는 친서를 휘갈겨 쓴 다음 26일 오후에 충직한 보좌관 호러스 윌슨 경에게 맡겨 베를린으로 부리나케 보냈다. 윌슨은 특별기를 타고 독일 수도를 향해 쏜살같이 날아갔다.

9월 24일 새벽, 체임벌린이 드레젠 호텔을 떠나자 독일 측 인사들은 침울한 기분이 되었다. 이제 전쟁에 직면할 것으로 보였고, 적어도 그들 중 일부는 전쟁을 반기지 않았던 것이다. 나는 늦은 저녁식사를 마치고 호텔 로비에 잠시 머물렀다. 괴링, 괴벨스, 리벤트로프, 카이텔 장군, 그리고 그 하급자들이 우두커니 서서 진지하게 이야기를 나누고 있었다. 그들은 전쟁을 예감하며 정신이 멍해진 듯 보였다.

그날 늦게 베를린에서는 희망이 되살아나는 듯한 분위기가 감지되었다. 내가 느낀 바로 빌헬름슈트라세에서는 영국 총리의 모든 권한을 가

---

* 체코의 회답은 감동적이고 예언적인 것이었다. 체코는 고데스베르크 제안이 "우리에게서 민족 존립의 모든 보호수단을 빼앗는다"라고 일갈했다.[56]

진 체임벌린이 히틀러의 새로운 제안을 프라하에 전하는 데 동의했으므로 영국 지도자는 분명 히틀러의 제안을 지지한 셈이라고 추측했을 것이다. 앞에서 언급했듯이 이 추측은 잘 맞아떨어졌다. 그 시점까지는.

9월 25일 일요일 베를린의 날씨는 인디언 서머 기간답게 따뜻하고 화창해 더할 나위 없이 좋았고, 그해 가을에 그런 주말은 마지막일 것 같아서 그랬는지 주민의 절반이 수도 주변의 호수나 숲으로 몰려들었다. 고데스베르크의 최후통첩을 파리와 런던, 프라하에서 거부하고 있다는 것을 알고 히틀러가 격노했다는 소식에도 불구하고 베를린에는 큰 위기라는 느낌이 없었고 확실히 전쟁열도 없었다. "전쟁이 일어날 거라고는 믿기 어렵다"라고 나는 그날 저녁 일기에 적었다.*

이튿날인 월요일에 상황이 갑자기 악화되었다. 오후 5시, 체임벌린의 친서를 지닌 호러스 윌슨 경이 헨더슨 대사와 영국 대사관 1등서기관 아이번 커크패트릭Ivone Kirkpatrick을 대동하고서 총리 관저에 도착했다.[57] 그들이 보기에 히틀러는 기분이 엉망이었다—아마도 세 시간 후로 예정된 스포츠궁 연설문을 작성하느라 어지간히 애를 쓰고 있었을 것이다.

체임벌린이 고데스베르크에서 경고한 대로 체코 정부 측이 고데스베르크 각서를 "전혀 수용할 수 없다"라고 영국 총리에게 전해왔음을 알리는 친서를 슈미트 박사가 번역해 들려주기 시작했다. 그러자 히틀러는 갑자기 벌떡 일어나 "더 이상 교섭해봐야 아무 의미도 없네!"라고 소리치고는 문 쪽으로 가버렸다.[58]

---

* 고데스베르크 회담이 끝나자 영국과 프랑스의 특파원들—그리고 영국 시민이었던 《뉴욕 타임스》 유럽 총국장—은 프랑스, 벨기에, 네덜란드의 국경까지 허둥지둥 갔다. 아무도 개전 시 억류되고 싶지 않았기 때문이다.

지켜보기 힘든 광경이었다고 독일 통역관은 말한다. "내 면전에서 히틀러는 그 순간에 처음이자 마지막으로 자제력을 완전히 잃어버렸다." 그리고 현장에 있던 영국 측 인사에 따르면, 곧 쿵쿵거리며 자리로 돌아온 총통은 고함을 치며 통역관의 전언을 막았다. "독일인이 깜둥이처럼 취급받고 있네. … 10월 1일에 나는 내가 원하는 곳에서 체코슬로바키아를 가질 걸세. 프랑스나 잉글랜드가 해볼 작정이라면 어디 해보라 그래. … 나는 전혀 개의치 않으니까."

체임벌린의 제안은 체코 정부가 히틀러에게 그가 원하는 주데텐 지역을 넘겨주겠다는 입장이므로 체코 대표단과 독일 대표단이 즉시 회동하여 "그 영토를 이양할 방법을 합의로" 정하자는 것이었다. 체임벌린은 그 회담 자리에 영국 대표단이 동석할 의향이 있다고 덧붙였다. 히틀러의 반응은 체코 측이 먼저 (방금 거부한) 고데스베르크 각서를 수락하고 10월 1일을 기해 이루어질 독일의 주데텐란트 점령에 동의한다면 체코와 세부사항을 협의하겠다는 것이었다. 그리고 48시간 내에―9월 28일 오후 2시까지―수락 회답을 받아야 한다고 말했다.

그날 저녁 히틀러는 돌아갈 길을 끊어버렸다. 청중이 가득 들어찬 베를린 스포츠궁에서 히틀러의 정신 나간 포효를 들으며 경악한 우리에게는 그렇게 보였다. 내가 그때까지 본 적 없는 최악의 발작을 일으킨 듯한 히틀러는 소리를 지르고 악을 쓰면서 "베네시 씨"에 대한 인신공격을 지독하게 퍼부었고, 이제 전쟁이냐 평화냐 하는 문제는 오로지 체코 대통령에게 달려 있고 어쨌거나 10월 1일까지는 주데텐란트를 손에 넣을 것이라고 선언했다. 히틀러는 성이 나서 매도의 말을 마구 쏟아내고 그 자리를 울리는 군중의 환호성을 들으며 몹시 흥분하면서도 영국 총리에게 사탕발림을 할 정도로 약삭빨랐다. 히틀러는 체임벌린의 노력에 감사를 표하고 자신이 제기하는 유럽에서의 영토적 요구는 이번이 마지막이라고 거듭 말했다. 그러고는 "우리는 체코인을 원하지 않습니다!"라고 경멸조로 투덜거렸다.

장광설이 이어지는 내내 나는 히틀러 바로 위의 발코니에 자리를 잡고 그의 발언을 즉석에서 통역해가며 방송하려 애썼지만 그리 성공하지 못했다. 그날 밤 일기에 나는 이렇게 적었다.

… 수년간 관찰해왔지만 오늘밤 그는 처음으로 자제력을 완전히 잃은 것처럼 보였다. 그가 자리에 앉자 괴벨스가 곧장 일어나 마이크에 대고 소리쳤다. "한 가지는 확실합니다. 1918년은 결코 되풀이되지 않을 것입니다!" 히틀러는 괴벨스의 그 말이 마치 자신이 저녁 내내 찾았지만 끝내 발견하지 못한 말이라도 되는 양 격정과 열망이 담긴 눈빛으로 그를 올려다보았다. 순간 히틀러는 벌떡 일어나 내가 결코 잊지 못할 광기 어린 불꽃을 두 눈에 담은 채 오른팔을 크게 돌려 탁자를 쾅 하고 내리치고는 가슴이 찢어져라 외쳤다. "맞습니다!" 그러더니 기진맥진한 듯 의자에 털썩 주저앉았다.

이튿날인 9월 27일 정오에 호러스 윌슨 경을 두 번째로 접견할 때 히틀러는 완전히 회복되어 있었다. 이 특사는 외교관 훈련을 받지는 않았지만 히틀러가 평화적으로 받겠다고만 하면 주데텐란트를 넘겨주려는 열의가 영국 총리 이상은 아닐지라도 그 못지않았던 인물로서, 체임벌린이 자정 직후에 총통의 스포츠궁 연설에 대응해 런던에서 발표한 특별성명을 알리며 히틀러의 관심을 끌었다. 체임벌린은 독일 총리가 체코의 약속을 신뢰하지 않음을 고려하여 영국 정부가 그 약속이 "공정하고 완전하게, 적절히 신속하게" 이행되도록 "도덕적 책임을 질" 생각이라고 말했다. 그는 독일 총리가 이 제안을 거부하지 않을 것으로 믿고 있었다.

그러나 히틀러는 그 제안에 아무런 관심도 보이지 않았다. 더 이상 체임벌린 씨에게 보낼 메시지가 없다고 말했다. 이제는 체코 정부에 달려 있고, 체코 정부는 자신의 제안을 받아들일 수도 거부할 수도 있다고 말했다. 만약 거부한다면 "체코슬로바키아를 파괴할 것이오!"라고 히틀러는 노기등등하게 소리쳤다. 그렇게 몇 번이고 협박하면서도 분명 그 말의 여운을 즐기는 듯했다.

이런 태도는 싹싹한 윌슨에게도 너무 버거웠던 모양이다. 윌슨은 자리에서 일어나 말했다. "그럴 경우에 저는 총리의 위임에 따라 다음과 같이 발언해야 합니다. '만약 프랑스가 조약상의 의무를 이행하기 위해 독일과의 교전에 적극 관여하게 된다면, 영국은 프랑스를 지지할 의무가 있다고 생각한다'라고 말입니다."

"나로서는 그 입장에 주의할 수밖에 없어요"라고 히틀러가 다소 흥분해 대꾸했다. "당신 말은 프랑스가 독일을 공격하기로 결정하면 잉글랜드도 독일을 공격할 의무가 있다는 뜻이군요."

호러스 경이 자신은 그렇게 말하지 않았고 평화냐 전쟁이냐 하는 문제는 결국 히틀러 당신에게 달려 있다고 말하자 이제 꽤 흥분한 총통이 소리쳤다. "프랑스든 잉글랜드든 어디 할 테면 해보세요. 그런 일에는 아무 관심도 없어요. 오늘이 화요일이니 다음주 월요일이면 우리는 전쟁을 벌이고 있을 겁니다."

슈미트의 공식 문서에 따르면, 윌슨은 대화를 이어가고 싶었던 모양이지만 헨더슨 대사가 그만두라고 조언했다. 그러나 경험이 부족한 이 특사는 회담을 마칠 무렵 총통에게 자기 독단으로 한마디했다. "체코 측이 현명하게 판단하도록 힘써보겠습니다"라고 확언했고,* 히틀러는 "그렇게 해주시면 좋겠습니다"라고 답했다. 총통은 아직도 체임벌린을 구슬려서 체코 측이 "현명하게" 판단하도록 다시 한 번 찔러볼 수 있으리라고 생각한 것이 틀림없다. 실제로 그날 저녁 히틀러는 체임벌린에게 보내는, 표현을 영리하게 고른 편지를 구술했다.

그 편지를 쓴 데는 그럴 만한 이유가 있었다. 9월 27일 하루 동안 베를린에서―그리고 다른 곳들에서―많은 일이 있었기 때문이다.

윌슨이 떠난 직후인 오후 1시, 히틀러는 증강된 21개 연대, 즉 7개 사단으로 편제된 강습 부대들을 훈련지에서 체코 국경 인근의 출동 지점으로 이동시키라는 '극비' 명령을 내렸다. "… 9월 30일에는 '녹색'에 대비해 행동을 개시할 준비를 마쳐야 한다. 행동 결정은 하루 전 정오를 기해 내려질 것이다." 몇 시간 후, 총통은 또다른 비밀 동원령을 내렸다. 이 동원령에는 다른 무엇보다 새로운 5개 사단을 서부로 동원하는 조치가 포함되었다.[59]

그러나 히틀러가 군사적 조치를 취하던 바로 그날에 그를 주저하게 만든 일이 벌어졌다. 국민들 사이에 얼마간 전쟁열을 북돋기 위해 히틀러는 1개 차량화사단에 황혼녘―베를린 주민 수십만 명이 사무실에서 거리로 쏟아져 나오는 시간―에 수도를 통과해 행진하라는 명령을 내렸다. 그런데 이는 뜻밖의 실책이 되었다―적어도 최고사령관에게는. 베를린의 선량한 주민들은 전쟁을 상기하기를 원하지 않았던 것이다. 그날 밤 일기에 나는 그 놀라운 장면을 기록했다.

---

* 윌슨의 확언은 독일어로 된 슈미트의 기록에도 영어로 적혀 있다.

장대한 시위행진을 예상하며 린덴 거리의 모퉁이로 나가보니 [군대의] 대열이 빌헬름슈트라세를 돌아 이쪽으로 오고 있었다. 바로 이 거리에서 환호하는 군중이 행진하는 병사들에게 꽃송이를 던지고 여자들이 달려들어 키스를 했다는, 어느 글에서 접한 1914년의 광경을 상상했다. … 그러나 오늘 그들은 구경도 하지 않은 채 지하도로 숨어들었고, 도로변에 서 있던 한줌의 사람들은 입도 벙긋하지 않았다. … 그것은 내가 일찍이 목격한 적 없는 가장 강렬한 반전 시위였다.

한 경찰관의 채근에 빌헬름슈트라세를 따라 라이히스칸츨러플라츠로 가보니 히틀러가 총리 관저의 발코니에 서서 군대를 사열하고 있었다.

그곳에는 200명도 없었다. 히틀러는 침울해 보이다가 화가 난 듯하더니 이내 아직 사열하지 않은 대열을 남겨둔 채 안으로 들어가버렸다. 오늘 내가 본 광경으로 독일 국민들에 대한 나의 신뢰가 조금이나마 되살아났다. 그들은 전쟁에 단호히 반대한다.

총리 관저 안에는 더욱 나쁜 소식이 전해졌다—이번에는 외국에서 온 소식이었다. 부다페스트에서 보내온 전보로, 만약 헝가리가 체코슬로바키아를 군사적으로 공격하면 유고슬라비아와 루마니아가 헝가리군에 맞서 군사행동에 나설 것이라고 헝가리 정부에 통고했다는 내용이었다. 그럴 경우 전쟁이 발칸 반도로 확대될 판이었는데, 이는 히틀러가 원하지 않는 일이었다.

파리에서 전해온 소식은 더욱 심각했다. 독일 대사관 무관에게서 외무부뿐 아니라 OKW와 참모본부까지 수신인으로 하는 '긴급' 전보가 왔다. 무관은 프랑스의 부분동원이 거의 총동원이나 마찬가지라서 "동원 6일째까지 독일 국경에 우선 65개 사단이 배치될 것으로 보인다"라고 경고했다. 히틀러도 알고 있었듯이, 이 병력에 맞설 독일군은 겨우 12개 사단에 불과했고, 그나마 절반은 쓸모가 의심스러운 예비군 부대였다. 게다가 독일 무관은 "독일이 교전 수단을 택한다면 … 십중팔구 알자스 북부와 로렌에서 마인츠 방면으로 즉시 응전할 가능성이 있다"라고 말했다.

마지막으로 이 독일군 장교는 이탈리아 정부가 프랑스군을 프랑스-이탈리아 국경에 묶어두려는 노력을 전혀 하지 않는다고 보고했다.[60] 용감한 동맹자 무솔리니는 결정적인 순간에 히틀러의 기대를 저버리는 듯했다.

그다음으로 미국 대통령과 스웨덴 국왕이 끼어들었다. 하루 전인 26일, 루스벨트는 히틀러에게 평화 유지에 일조해달라고 호소하는 메시지를 보냈다. 이에 히틀러가 평화는 오로지 체코 측 태도에 달려 있다는 답변을 24시간 내에 보냈음에도 미국 대통령은 27일 수요일이 가기 전에 또다른 메시지, 즉 직접적인 이해관계가 있는 모든 나라가 당장 회의를 열자고 제안하는 한편 만약 전쟁이 일어날 경우 전 세계가 히틀러에게 책임을 물을 것임을 시사하는 메시지를 보냈다.[61]

스웨덴 국왕은 자국이 독일의 든든한 우방임을 1914~1918년 전시에 입증했던 대로 한결 솔직했다. 27일 오후에 스톡홀름 주재 독일 공사가 베를린에 보낸 전보가 도착했는데, 스웨덴 국왕이 자신을 급히 불러 히틀러가 10월 1일이라는 기한을 열흘 늘려주지 않으면 불가피하게 세계대전이 벌어질 테고, 그렇게 되면 독일이 혼자서 책임을 뒤집어쓸 뿐 아니라 "현재의 판세를 감안하면" 패전할 수밖에 없을 것이라고 말했다는 내용이었다. 스톡홀름의 냉정하고 중립적인 분위기 속에서 명민한 국왕은 베를린, 런던, 파리의 정부 수뇌부에 비해 적어도 군사 정세만큼은 더 객관적으로 분석할 수 있었다.

아마도 국민 정서상 필요했기 때문인지 루스벨트 대통령은 미국이 전쟁에 개입하지 않을 것이고 "현재의 교섭을 수행하면서" 아무런 의무도 지지 않을 것이라고 강조함으로써 이미 두 차례 드러낸 평화 호소의 기조를 스스로 약화시켰다. 그런 까닭에 워싱턴 주재 독일 대사 한스 디크호프Hans Dieckhoff는 그날 중으로 베를린를 '긴급' 전보를 칠 필요가 있다고 생각했다. 대사는 히틀러가 무력에 의지함으로써 영국의 반발에 부딪힐 경우 "미국의 모든 영향력이 영국 쪽으로 쏠릴 것"이라고 추정할 근거가 있다고 경고했다. 그리고 평소 총통 앞에서는 소심하게 굴었던 그도 "이 점을 강조하는 것은 그것이 저의 의무라고 생각하기 때문입니다"라고 덧붙였다. 대사는 독일 정부가 지난 1914년에 미국의 행보를 오판했던 과오를 다시 범하지 않기를 바랐다.

그러면 프라하는 어땠을까? 흔들릴 징후가 있었을까? 저녁 무렵 독일 무관 투생 대령이 OKW로 전보를 보냈다. "프라하는 차분하다. 마지막 동원 조치가 시행되었다. … 소집 총원 100만 명, 야전군 80만 명으로 추정. …"[62] 이는 독일이 두 전선에서 보유하고 있던 병력만큼이나 많은 훈련된 병력이었다. 체코군과 프랑스군을 합하면 독일군의 두 배 이상이었다.

이런 사실과 사태 추이에 직면한 히틀러는 윌슨의 비개입 메시지, 그리고 체임벌린의 성격이나 전쟁에 대한 극심한 우려를 의식하면서 9월 27일 초저녁에 자리에 앉아 영국 총리에게 보낼 편지를 구술하기 시작했다. 그 편지를 영어로 옮기게 된 슈미트 박사는 독재자가 "극단적인 조치에서" 몸을 빼려 한다는 느낌을 받았다. 그날 저녁 영국 함대에 동원령이 내려지고 있다는 사실을 히틀러가 알았는지 여부는 불분명하다. 레더 제독이 오후 10시에 히틀러를 만날 예정이었음을 감안할 때 독일 해군은 영국 해군의 움직임을 알고 있었는지도 모른다. 오후 8시에 동원령이 떨어지고 오후 11시 38분에 공표되었기 때문에 레더가 히틀러에게 전화로 알렸을 수도 있다. 어쨌거나 총통을 만난 제독은 전쟁을 일으키지 말라고 호소했다.

이 시점에 히틀러가 알고 있었던 것은 프라하가 저항하고, 파리가 신속히 동원하는 중이고, 런던이 강경하게 나오고, 자국민이 전쟁에 무관심하고, 독일의 주요 장군들이 개전에 단호히 반대하고, 고데스베르크 제안에 담은 최후통첩의 시한이 다음날 오후 2시라는 사실이었다.

히틀러의 서한은 체임벌린의 마음을 흔들어놓도록 절묘하게 계산된 것이었다. 히틀러는 온건한 어조로 자신의 제안이 "체코슬로바키아의 존립을 위협하는 것"이라거나 독일군이 분계선에서 멈추지 않을 것이라는 우려를 부인했다. 그리고 체코 측과 세부사항에 관해 협상하고 "체코슬로바키아의 나머지 부분을 공식 보장할" 의향이 있다면서 체코 측이 버티는 까닭은 그저 영국과 프랑스의 도움을 받아 유럽 전쟁을 일으키고 싶기 때문이라고 했다. 그럼에도 불구하고 자신은 평화를 향한 마지막 희망의 문을 열어두겠다고 했다.

[히틀러가 결론지음] 이런 사실들을 고려해 나는 … 그런 책략을 저지하고 프라하 정부로 하여금 마지막 순간에 도리를 깨닫게 하려고 귀하께서 계속 노력해야 할지 어떨지는 귀하의 판단에 맡길 수밖에 없습니다.[63]

막판

런던으로 긴급 타전된 히틀러의 서한은 9월 27일 밤 10시 30분에 체임벌린에게 전해졌다. 총리는 분주한 하루를 마무리하려던 참이었다.

히틀러와의 두 번째 회담을 끝내고 오후 일찍 런던에 도착한 호러스 윌슨 경이 가져온 심란한 소식은 체임벌린과 주요 각료들을 행동에 나서도록 자극했다. 그들은 함대를 동원하고 보조공군을 소집하고 비상사태를 선포하기로 결정했다. 이미 공중폭격에 대비해 공원이나 광장에서 방공호를 파고 있었고, 런던의 학생들을 대피시키기 시작한 터였다.

또 총리는 프라하의 베네시 대통령에게 곧바로 메시지를 보내 자신이 베를린으로부터 입수한 정보에 따르면 "체코슬로바키아 정부가 내일 [9월 28일] 오후 2시까지 독일의 조건을 수용하지 않을 시 독일 육군이 즉각 체코슬로바키아 국경을 넘으라는 명령을 받을 것이 확실합니다"라고 경고했다. 그러나 체코 측에 정직하게 경고한 체임벌린은 메시지의 끝부분에서 다음과 같이 훈계하는 것을 자제하지 못했다. "보헤미아는 독일 육군에 짓밟힐 것이고, 다른 강국 또는 강국들이 취할 수 있는 어떠한 조치도 귀국과 귀국의 국민을 그런 운명에서 구해줄 수 없을 것입니다. 세계대전의 결과가 어떻게 되든 이것은 사실입니다."

이렇듯 체임벌린은 평화냐 전쟁이냐 하는 문제의 책임을 히틀러가 아닌 베네시에게 지웠던 것이다. 그리고 앞에서 언급했듯이 독일 장군들마저 무책임하다고 여긴 군사적 의견을 내놓고 있었다. 그러면서도 체임벌린은 메시지의 끝부분에서 체코 정부가 당장 무엇을 해야 하는지를 직접 알려주는 책임은 떠맡지 않겠다고 했다. 그것은 체코 정부의 몫이라는 뜻이었다.

과연 그랬을까? 베네시가 체임벌린의 첫 번째 전보에 아직 회답하기도 전에 체코 정부가 무엇을 해야 하는지 알려주려는 두 번째 전보가 도착했다. 체코 정부가 10월 1일에 독일군의 제한적 점령—체코 방어시설 바깥에 있는 헵스코Chebsko(독일명 에걸란트)와 아시에 대한 점령—을 받아들이고 독일-체코-영국 국경위원회를 통해 독일 측에 넘겨줄 나머지 지역들을 신속히 정할 것을 제안하는 내용이었다.* 그런 다음 총리는 한 가지 경고를 덧붙였다.

이 계획의 대안은 무력 침공 아니면 국가 해체뿐입니다. 그리고 체코슬로바키아는 헤아릴 수 없는 인명 손실로 이어질 분쟁을 일으킬 수는 있겠지만, 그 분쟁과 결과가 어떻게 나오든 원래의 국경을 복구할 수는 없을 것입니다.[64]

요컨대 체코 정부는 우방들로부터(프랑스도 이 최신 제안을 지지하고 있었다) 설령 체코슬로바키아와 그 동맹국들이 전쟁에서 독일에 이기더라도 주데텐란트를 독일에 할양해야 할 것이라는 경고를 받았던 셈이다. 그 함의는 명백했다. 어차피 주데텐란트를 잃을 텐데 왜 유럽을 전쟁에 빠뜨리느냐는 것이었다.

영국 총리는 이 일을 처리하고 오후 8시 30분에 대국민 방송을 했다.

저 먼 나라의 얼굴도 본 적 없는 사람들 간의 다툼 때문에 여기서 … 우리가

---

* 이 제안은 즉시 히틀러에게 전해달라는 요청과 함께 헨더슨 대사를 통해 오후 11시에 독일 외무부에도 전해졌다.

방공호를 파야 한다니 이 얼마나 끔찍하고 황당하고 믿기 힘든 일입니까!

히틀러는 "원하는 것의 핵심"을 얻었다. 영국이 그가 원하는 것을 체코가 수락하고 이행하도록 보장하겠다고 나선 것이다.

저는 만약 조금이라도 도움이 된다면 세 번째 독일 방문도 주저하지 않겠습니다. …

그렇지만 우리가 강대한 인접국에 맞서는 작은 나라에 아무리 공감한다 해도, 단지 그 나라를 위해 영 제국 전체를 전쟁으로 몰아넣는 결정은 어떠한 경우에도 내릴 수가 없습니다. 우리가 싸워야만 한다면 그보다는 더욱 큰 문제들을 위해 싸워야 합니다. …

저는 마음속 깊이 평화를 사랑하는 사람입니다. 국가 간 무력 충돌은 제게 악몽과도 같습니다. 그러나 어떤 나라가 무력에 의한 공포로 세계를 지배할 결심을 했다고 판단되면, 저는 거기에 저항해야 한다고 생각할 것입니다. 그런 지배 하에서는 자유를 믿는 사람들의 삶도 살 만한 것이 아닐 것입니다. 전쟁은 두려운 것입니다. 우리는 전쟁을 개시하기 전에 그것이 성패가 걸린 정말로 중대한 문제임을 아주 명확히 해두어야 합니다.

휠러–베넷은 이 방송을 들은 영국인 대다수가 영국과 독일이 24시간 내에 전쟁을 벌일 것이라고 내다보며 잠자리에 들었다고 기록했다.[65] 그러나 이 선량한 국민들은 그날 밤 더 늦게까지 다우닝 가에서 무슨 일이 벌어지고 있었는지는 알지 못했다.

오후 10시 30분에 히틀러의 서한이 도착했다. 영국 총리는 그 지푸라기를 덥석 붙잡았다. 그는 총통에게 이런 답신을 보냈다.

서한을 접하고 나니 귀하가 전쟁에 기대지 않고, 지체 없이 핵심적인 것들을 모두 얻을 수 있겠다는 확신이 듭니다. 나는 귀하와 체코 정부 대표단, 또 귀하가 원한다면 프랑스 및 이탈리아 대표단과 함께 당장 양도 절차를 논의하기 위해 직접 베를린으로 갈 용의가 있습니다. 나는 우리가 일주일 내에 합의에 이를 수 있다고 믿습니다. 귀하가 이 오래된 문제의 해결이 며칠 더 지연된다는 이유로 문명의 종언을 초래할 수도 있는 세계대전을 개시하는 책임을 질 것이라고는 믿을 수 없습니다.[66]

또 무솔리니에게도 전보를 보내 총통이 이 계획을 받아들이도록 힘을 실어줄 것과 자신이 제안한 회담에 참석해줄 것을 요청했다.

회담을 열자는 생각은 그전부터 영국 총리의 마음 한구석에 있었다. 일찍이 7월에 네빌 헨더슨 경이 런던으로 전보를 보내 이런 회담을 제안한 바 있었다. 헨더슨 대사의 제안은 독일, 이탈리아, 영국, 프랑스 4개국이 주데텐 문제를 해결하자는 것이었다. 그러나 대사와 총리는 영국 외무부로부터 그런 회담에 다른 국가들이 참여하는 것을 배제하기가 어렵다는 지적을 받았다.[67] '다른 국가들'이란 프라하와 상호원조 협정을 맺어둔 소련, 그리고 당사국 체코슬로바키아였다. 체임벌린은 고데스베르크에서 돌아올 때 히틀러가 소련이 참석하는 회동에는 어떤 경우라도 동참하지 않을 것이라고—매우 정확하게—확신했다. 총리 자신도 소련의 참여를 원하지 않았다. 아무리 편협한 영국인이라도 독일과 전쟁을 벌일 경우 소비에트가 서방 편에 서서 참전하면 엄청난 도움이 되리라는 것을 뻔히 알고 있었고 처칠도 총리에게 그 점을 거듭 지적했지만, 총리는 그런 견해를 간과했던 모양이다. 앞에서 언급했듯이 총리는 오스트리아 병합 후 독일의 또다른 침공을 막을 방법을 논의하기 위해 회담을 열자는 소련 측 제안을 거절한 바 있었다. 모스크바가 체코슬로바키아 측에 조약 준수를 보장하고 당시에 리트비노프가 소련은 약속을 지킬 것이라고 천명하고 있었음에도, 체임벌린은 히틀러에게 주데텐란트를 넘겨줌으로써 평화를 지키겠다는 자신의 결심에 소련이 간섭하는 것을 용납할 의향이 전혀 없었다.

그러나 9월 28일 수요일 전까지만 해도 총리는 회담에서 체코 정부를 배제할 생각이 없었다. 사실 프라하 측이 히틀러의 고데스베르크 요구를 거부한 이후인 25일, 총리는 런던 주재 체코 대사 얀 마사리크Jan Masaryk를 불러 체코슬로바키아가 "독일, 체코슬로바키아, 그 밖의 국가들이 참여할 수 있는 국제회의"를 열어 협상하는 방안에 동의해줄 것을 제안했다. 이튿날 체코 정부는 이 제안을 수용했다. 그리고 방금 살펴본 대로 체임벌린은 27일 심야에 히틀러에게 보낸 메시지에서 자신이 제안한 독일, 이탈리아, 프랑스, 영국의 회담에 "체코 정부의 대표단"이 포함되어야 한다고 명시했다.

'검은 수요일'과 할더의 반히틀러 음모

9월 28일 '검은 수요일'의 동이 틀 무렵 베를린, 프라하, 런던, 파리에는 음울함이 드리워져 있었다. 전쟁이 불가피해 보였다.

요들은 일기에 "더 이상은 대전쟁을 피할 수 없다"라는 그날 아침 괴링의 말을 인용했다. "전쟁은 7년간 이어질 것이고, 우리가 이길 것이다."[68]

런던에서는 방공호 파기, 학생 대피시키기, 병원 비우기가 계속되었다. 파리에서는 시가지를 벗어날 만원열차를 타려는 쟁탈전이 벌어지고 수도를 빠져나가려는 차들이 도로를 가득 메웠다. 서부 독일에서도 비슷한 광경이 펼쳐졌다. 요들은 국경 지대를 떠나는 독일 피난민들의 모습을 그린 조간 보도를 일기에 기록했다. 히틀러가 고데스베르크 제안의 시한으로 정해놓은 오후 2시는 체코슬로바키아의 수락 없이 지나갈 것으로 보였다. 프라하 측에서 수락할 낌새는 전혀 없었다. 그렇지만 다른 징후들은 보였다. 빌헬름슈트라세에서 활발한 움직임이 있었다. 프랑스, 영국, 이탈리아의 대사들이 정신없이 오갔다. 그러나 이에 대해 일반 국민들은 물론이고 독일 장군들마저도 전혀 몰랐다.

일부 장군들, 그중에서도 참모총장 할더 장군은 히틀러를 제거함으로써 끝내 패할 것이 뻔한 유럽 전쟁으로부터 조국을 구할 음모를 결행할 때가 왔다고 보았다. 생존자들의 회고에 따르면* 음모 가담자들은 9월 내내 계획을 짜느라 바빴다.

할더 장군은 방첩국의 오스터 대령 및 그의 상관 카나리스 제독과 긴밀히 연락하면서 그들을 통해 히틀러의 정치적 행보와 외국 정보를 빠짐없이 챙기려 애썼다. 앞에서 언급했듯이 음모단은 9월 말까지는 체코슬로바키아를 공격하겠다는 히틀러의 결심을 런던 측에 알리고, 영국이 프랑스와 함께 독일의 침공에 무력으로 대응하겠다는 의사를 분명하게 밝힐 것을 영국 정부에 간청한 바 있었다. 베를린 군관구를 지휘하는 한편 쿠데타 결행 시 병력 대부분을 제공해야 하는 비츨레벤 장군은 지난 몇

* 여기에는 할더, 기제비우스, 샤흐트 본인의 목격담이 포함된다.[69] 각각의 목격담들 자체에 혼란스럽고 모순되는 대목이 많거니와 서로 상충되는 부분도 있다. 나치 정권에 복무하는 것으로 출발했던 세 사람 모두 전후에는 자신들이 히틀러에 얼마나 반대하고 얼마나 평화를 사랑했는지를 입증하고자 안달했다는 사실에도 유념해야 한다.
외무부에서 리벤트로프의 비서실장이었던 에리히 코르트도 전쟁에서 살아남은 중요한 음모 가담자였다. 그는 뉘른베르크에서 1938년 9월의 사태에 관한 장문의 비망록을 작성했는데, 이 책을 쓰면서 그 기록을 활용할 수 있었다.

달 동안 망설였는데, 런던과 파리가 히틀러에게 동부에서의 재량권을 비밀리에 준 것은 아닌지, 따라서 체코슬로바키아를 둘러싼 전쟁에 관여할 생각이 없는 것은 아닌지 의심했기 때문이다―이는 다른 몇몇 장군들도 품었던 생각으로, 히틀러와 리벤트로프가 그런 의견을 조장했다. 이 의심이 사실이라면, 비슐레벤이나 할더 같은 장군들이 생각하기에 히틀러를 타도하려는 음모는 무의미했다. 제3제국의 이 단계에서 그들의 관심은 독일로서는 승산 없는 유럽 전쟁을 피하기 위해 총통을 제거하는 일에만 있었기 때문이다. 만약 대전쟁의 위험이 정말로 없다면, 그리고 체임벌린이 히틀러에게 그가 체코슬로바키아에서 원하는 것을 전쟁 없이 내어줄 생각이라면, 그들로서는 반란을 꾀할 이유가 없었다.

장군들에게 영국과 프랑스가 진심임을 납득시키기 위해 오스터 대령과 기제비우스는 할더 장군과 비슐레벤 장군이 샤흐트를 만나도록 주선했다. 샤흐트는 독일의 재무장을 위해 자금을 대고 여전히 각료 신분이라서 군부 내에서도 명망이 있었을 뿐 아니라 영국 문제의 전문가로 평가받고 있었다. 샤흐트는 두 장군에게 히틀러가 체코를 상대로 무력을 행사한다면 영국이 싸울 것이라고 장담했다.

9월 13일 심야에 음모단의 일원인 에리히 코르트가 독일 외무부에서 접한 소식, 즉 체임벌린이 체코 위기의 평화적인 해결책을 찾기 위해 "당장 항공편으로 가겠다"고 다급히 제안했다는 소식에 음모단 진영은 발칵 뒤집혔다. 그들은 히틀러가 뉘른베르크 전당대회를 마치고 14일에 베를린으로 돌아올 것으로 예상했고, 코르트에 따르면 그날이나 그다음 날 반란을 감행할 계획이었다. 하지만 총통은 수도로 돌아오지 않았다.* 베를린이 아니라 뮌헨으로 갔다가 14일에 다시 베르히테스가덴으로 가서 이튿날 방문할 영국 총리를 기다렸다.

음모단이 완전히 낙담한 데에는 두 가지 이유가 있었다. 첫째로 그들은 히틀러가 베를린에 있어야만 계획을 실행할 수 있었고, 뉘른베르크 전당대회를 계기로 체코 위기가 더 고조되기만 했으므로 그가 틀림없이 수도로 곧장 돌아올 것이라고 확신하고 있었다. 둘째로 비록 음모단의 일부는 영국 국민과 마찬가지로 체임벌린이 독일의 침공 시 영국이 어떻게 할지와 관련해 지난 1914년에 빌헬름 2세가 저질렀던 과오를 되풀이하지 말라고 히틀러에게 경고하기 위해 베르히테스가덴으로 날아가는 중이라고 안이하게 생각했지만, 코르트는 더 많이 알고 있었다. 코르트는 히틀러에게 "평화적인 해결책을 찾기 위해" 방문하고 싶다고 설명하는 체임벌린의 긴급 메시지를 본 터였다. 더욱이 그는 런던 주재 독일 대사관의 참사관인 형 테오도어 코르트가 보낸 전보까지 봤는데, 내용인즉 영국 총리가 주데텐란트에 관한 히틀러의 요구에 응하기 위해 큰 역할을 할 용의가 있다는 것이었다.

코르트는 이렇게 말한다. "우리의 계획은 재앙적인 영향을 받을 수밖에 없었다. 영국 총리가 히틀러와 '세계 평화'를 논의하기 위해 오고 있는 순간에 히틀러를 타도하고자 반란을 일으키는 것은 터무니없는 일이었을 것이다."

---

* 9월 13일과 14일에 히틀러가 어디 있었는지에 관해서는 역사가들과 음모 당사자들 사이에도 상당한 혼란이 있다. 처칠은 할더 장군의 비망록에 근거해 히틀러가 베르히테스가덴을 떠나 "9월 14일 아침"에 베를린에 도착했고 이 소식을 들은 할더와 비츨레벤이 "그날 저녁 8시에 타격하기로 결정했다"라고 말한다. 이 서술에 따르면 그들은 체임벌린이 베르히테스가덴으로 날아가는 중이라는 소식을 오후 4시에 듣고서 작전을 취소했던 것이다. (Churchill, *The Gathering Storm*, p. 312.) 그러나 할더의 기억은—따라서 처칠의 서술도—분명히 오류다. 현재 미국 의회도서관에 있는 히틀러의 일정표는 그가 13일과 14일에 뮌헨에 있었다는 것, 무엇보다 보어만의 집에서 리벤트로프와 상의했다는 것, 카바레 조넨빙켈(Sonnenwinkel)에 갔다는 것, 14일 밤늦게 오버잘츠베르크로 출발했다는 것 등을 알려준다.

그렇지만 에리히 코르트에 따르면, 음모단의 일원이자 앞에서 언급했듯이 히틀러-체임벌린 회담의 유일한 통역사였던—아울러 유일한 목격자였던—파울 슈미트 박사가 9월 15일 저녁 코르트에게 "미리 정해둔 암호"로 총통이 여전히 체코슬로바키아 전체를 정복할 작정이고 체임벌린에게 "거부되기를 기대하며" 턱없이 무리한 요구사항을 제시했다고 알려주었다. 이 정보는 음모단의 기운을 되살렸다. 코르트가 같은 날 저녁 오스터 대령에게 이 정보를 알렸고, 그리하여 히틀러가 베를린으로 돌아오자마자 계획을 실행하기로 결정했다. "그러나 우선 새를 베를린의 새장에 도로 집어넣어야 한다"라고 오스터는 말했다.

그 새는 9월 24일 오후, 고데스베르크 회담을 마치고 '새장'으로 돌아왔다. 28일 '검은 수요일' 아침, 히틀러는 거의 나흘째 베를린에서 지내고 있었다. 26일에는 스포츠궁에서 폭탄 발언을 하여 돌아갈 길을 없애버린 듯했다. 27일에는 호러스 윌슨 경을 빈손으로 런던으로 돌려보냈고, 그에 대응해 영국 정부는 함대를 동원하는 한편 프라하에 독일의 전격적인 공격이 예상된다고 경고했다. 또 27일 중에 히틀러는 앞에서 언급했듯이 '강습 부대들'에 체코 국경의 전투 위치로 이동해 사흘 후인 9월 30일의 '행동'을 준비하라는 명령을 내렸다.

음모단은 무엇을 기다리고 있었을까? 그들이 상정한 모든 조건이 이제 충족된 상황이었다. 히틀러는 베를린에 있었다. 전쟁을 벌일 작정이었다. 체코슬로바키아 공격 날짜를 9월 30일—이틀 후—로 정해두었다. 당장 반란을 일으키지 않으면 독재자를 타도하고 전쟁을 막기에는 너무 늦어버릴 터였다.

코르트는 음모단이 결행일을 9월 29일로 확정한 날은 9월 27일이었다고 단언한다. 기제비우스는 뉘른베르크 증인석에서 한 증언과 저서에서 장군들—할더와 비츨레벤—이 전날 밤 체임벌린에게 "모욕적인 요구"를 한 히틀러의 "오만한 서한"의 사본을 입수하고는 9월 28일 그날 당장 행동하기로 결정했다고 주장한다.

[기제비우스가 말함] 오스터가 [9월 27일] 밤늦게 이 오만한 서한의 사본을 입수했고, 9월 28일 아침에 내가 그 사본을 비츨레벤에게 가져갔다. 비츨레벤은 그것을 할더에게 가져갔다. 이제 참모총장은 마침내 자신이 바라던, 히틀러가 엄포를 놓는 것이 아니라 전쟁을 원한다는 명백한 증거를 손에 넣은 것이었다.

의분의 눈물이 할더의 두 뺨을 타고 흘러내렸다. … 비츨레벤은 지금이야말로 행동할 때라고 역설했다. 비츨레벤은 브라우히치를 만나러 가자고 할더를 설득했다. 잠시 후 돌아온 할더는 좋은 소식이 있다고 말했다. 브라우히치도 분개하고 있어 아마도 반란에 가담할 것으로 보인다고 했다.[70]

그러나 그 서한의 원문이 복사될 때 변경되었거나 아니면 장군들이 그 내용을 오해했거나 둘 중 하나였을 터인데, 앞에서 언급했듯이 그 서한은 어조가 온건했고, "체코 측과 세부사항을 협상하고" "체코슬로바키아의 나머지 부분을 공식 보장"하겠다고 통 크게 약속하는가 하면, 체임벌린에게 계속해서 노력해달라고 주문하는 유화적인 부분도 들어 있었다. 그리하여 영국 총리가 그 서한을 읽자마자 히틀러에게 전보를 보내 세부사항을 매듭짓기 위한 열강 회담을 제안하는 한편 무솔리니에게 전보를 쳐 자신의 제안을 지지해달라고 요청했을 정도였다.

이러한 막판 회유 노력에 대해 독일 장군들은 전혀 몰랐던 것으로 보이지만, 육군 총사령관 브라우히치 장군은 웬만큼 눈치채고 있었을 것이다. 기제비우스에 따르면, 비슬레벤은 할더의 집무실에서 브라우히치에게 전화를 걸어 모든 것이 준비되었다고 말하고 반란을 직접 이끌어달라고 간청했다. 그러나 육군 총사령관은 입장을 밝히지 않았다. 브라우히치는 할더와 비슬레벤에게 자신이 먼저 총통의 관저로 가서 장군들의 상황 판단이 과연 옳은지 직접 확인해봐야겠다고 말했다. 기제비우스는 비슬레벤이 군관구 사령부로 황급히 돌아갔다고 말한다.

"기제비우스, 때가 왔네!" 비슬레벤이 흥분해 소리쳤다.

9월 28일 오전 11시 정각, 외무부 내 에리히 코르트 책상 위의 전화기가 울렸다. 로마에서 전화를 걸어온 이탈리아 외무장관 치아노가 다급히 독일 외무장관과 통화하기를 원했다. 리벤트로프는 부재중이어서 통화할 수 없다고 하자—총리 관저에 가 있었다—치아노는 자국 대사인 베르나르도 아톨리코에게 전화를 돌려달라고 했다. 독일 측은 그 통화를 엿듣고 기록했다. 알고 보니 통화하려는 사람은 무솔리니 본인이지 그의 사위가 아니었다.

무솔리니: 두체일세. 들리는가?
아톨리코: 예, 들립니다.
무솔리니: 총리에게 지금 당장 면담을 신청하게. 영국 정부가 퍼스 경*을 통해 내게 주데텐 문제를 중재해줄 것을 요청해왔다고 전하게. 견해차는 미미하네. 나와 파시스트 이탈리아가 총리를 지지한다고 전하게. 결정은 총리가 내려야 하네. 하지만 나는 그 제안을 수락하는 데 찬성이라고 전하게.

---

* 로마 주재 영국 대사.

듣고 있나?

아톨리코: 예, 듣고 있습니다.

무솔리니: 서두르게![71]

(통역관 슈미트 박사가 기록한 것처럼) 숨을 헐떡이고 얼굴은 흥분해서 붉게 달아오른 아톨리코 대사가 총리 관저에 도착해보니 프랑스 대사가 벌써 히틀러와 밀담을 나누고 있었다. 프랑수아-퐁세 대사는 총리 관저에 도착하기까지 꽤나 고생했다. 체임벌린보다 한 술 더 뜨려고 마음먹은 프랑스 외무장관 보네는 전날 야심한 시각에 베를린 주재 대사에게 전화를 걸어 최대한 일찍 히틀러를 만나 주데텐란트를 영국의 안보다 훨씬 더 넓은 범위로 넘겨주려는 프랑스의 안을 제시하라고 지시했다. 9월 27일 오후 11시에 히틀러에게 전해진 영국 총리의 계획은 10월 1일까지 주데텐란트의 제1구역을 점령―아주 작은 고립영토[飛地]에 대한 그저 명목상의 점령―하도록 해준다는 제안이었던 데 비해, 이번 프랑스의 계획은 10월 1일까지 이 분쟁 지역을 대부분 포함하는 세 개의 광대한 구역을 이양한다는 제안이었다.

독일로서는 솔깃한 제안이었지만, 이것을 전달하기까지 프랑스 대사는 큰 고초를 겪어야 했다. 대사는 9월 28일 오전 8시에 전화로 독일 총리와의 면담을 신청했지만 10시가 되도록 응답을 받지 못하자 자국 무관을 급히 육군 참모본부로 보내서 아직 전달하지 못한 제안을 독일 장군들에게 전하려 했다. 영국 대사의 힘도 빌렸다. 전쟁을 막기 위해서라면―어떤 대가를 치르더라도―누구에게나 기꺼이 편의를 제공하려던 네빌 헨더슨 경은 괴링에게 전화를 걸었고, 이 원수는 자신이 면담 약속을 잡아보겠다고 말했다. 실은 헨더슨 본인도 총통과의 면담 약속을 잡으려고 애쓰던 중이었는데, 무엇보다 체임벌린이 전날 늦은 밤까지 쓴 "총리의 마지막 친서", 즉 히틀러가 원하는 모든 것을 "전쟁 없이, 지체 없이" 얻게 해주겠다고 그에게 확약하고 세부사항을 조율하기 위한 열강 회담을 제안하는 친서를 히틀러에게 전하라는 지시를 받은 터였기 때문이다.[72]

히틀러는 오전 11시 15분에 프랑수아-퐁세를 접견했다. 프랑스 대사의 눈에 히틀러는 초조하고 긴장한 듯 보였다. 대사는 급하게 그린 지도를 여봐란 듯이 펼쳤다. 지도에는 체코슬로바키아의 주요 동맹국이 이제 히틀러에게 냉큼 넘겨주려고 하는 체코 영토의 큰 덩어리들이 표시되어 있었다. 대사는 총통에게 프랑스의 제안을 받아들여 유럽을 전쟁에 빠뜨리지 말라고 촉구했다. 리벤트로프의 부정적인 발언에도 불구하고(프랑수아-퐁세 본인의 말로는 이 발언에 "단호히" 대처했다고 한다), 히틀러는 감명을 받았다―슈미트가 기록했듯이 특히 후한 영토 제안을 표시한 프랑스 대사의 지도에.

11시 40분, 회견은 갑자기 중단되었다. 아톨리코가 총통에게 전달할 무솔리니의 긴급 메시지를 가지고 막 도착했다고 알리는 소리가 들려왔던 것이다. 숨을 헐떡이는 이탈리아 대사를 맞이하러 히틀러는 슈미트와 함께 방에서 나갔다.

"두체의 긴급 메시지를 가져왔습니다!" 원래부터 쉰 목소리인 아톨리코가 제법 떨어져서 말했다.[73] 메시지를 전달한 아톨리코는 무솔리니가 총통에게 동원을 삼갈 것을 간청했다고 덧붙였다.

현장을 목격한 유일한 증인인 슈미트의 말대로라면, 바로 이 순간에 평화의 결정이 내려졌다. 시점은 정오 정각, 체코에 대한 히틀러의 최후통첩의 시한이 두 시간 남은 때였다.

히틀러는 분명히 안도하는 말투로 "내가 제안을 받아들인다고 두체에게 전해줘요"라고 아톨리코에게 말했다.[74]

그날의 나머지 시간은 기대 밖이었다. 아톨리코와 프랑수아-퐁세에 이어 헨더슨 대사가 총통을 만났다.

"나의 위대한 친구이자 동맹인 무솔리니의 요청으로 병력 동원을 24시간 연기했습니다"라고 히틀러는 헨더슨에게 말했다.* 그리고 제안 받은 열강 회담 같은 다른 문제들에 관해서는 무솔리니와 다시 상의한 뒤 결정하겠다고 했다.[75]

뒤이어 베를린과 로마 사이에 전화가 숱하게 오갔다—슈미트는 두 파시스트 독재자가 한 차례 직접 통화했다고 말한다. 최후통첩이 만료되는 9월 28일 오후 2시가 되기 몇 분 전에 히틀러는 결단을 내리고 서둘러 영국, 프랑스, 이탈리아의 정부 수반들에게 다음날 정오에 뮌헨에서 만나 체코 문제를 해결하자며 초대장을 보냈다. 프라하와 모스크바에는 초대장을 보내지 않았다. 독일의 공격 시 체코슬로바키아의 영토 보전을 공동으로 보장하는 소련의 간섭을 용납하지 않겠다는 뜻이었다. 체코는 자국에 대한 사형 선고 자리에 참석할 기회조차 얻지 못했다.

네빌 헨더슨 경은 회고록에서 당시 평화를 지킨 공로를 대부분 무솔리니에게 돌렸고, 유럽 역사의 이 장에 관해 쓴 역사가들 대다수도 이 견해를 지지했다.** 그러나 이는 분명 지나치게 관대한 평가다. 이탈리아는 유럽 열강들 중에서 최약체였고, 그 군사력은 독일 군부의 문서에서 뚜렷이 드러나듯이 독일 장군들이 농담거리로 치부할 정도로 대수롭지

---

* 앞에서 언급했듯이, 히틀러는 이미 모든 가용 병력을 동원한 상태였다.
** 앨런 불록은 이렇게 말한다. "국면을 바꾼 것은 거의 확실히 무솔리니의 개입이었다."(*Hitler: A Study in Tyranny*, p. 428)

않았다. 독일이 계산에 넣은 강국은 영국과 프랑스뿐이었다. 그리고 처음부터 전쟁 없이도 주데텐란트를 얻을 수 있다는 주장으로 히틀러를 설득하려 애쓴 사람은 영국 총리였다. 뮌헨 회담을 가능케 하고 따라서 정확히 11개월 동안 평화를 지킨 사람은 무솔리니가 아니라 체임벌린이었다. 그 위업으로 인해 영국과 그 동맹국들과 우방들이 치른 대가에 관해서는 나중에 고찰할 테지만, 훗날 드러났듯이 그 대가는 어떻게 계산하더라도 도저히 감당할 수 없는 것이었다.

'검은 수요일' 오후 3시 5분 전, 암담했던 아침녘보다는 덜 어두워 보이는 시간에 영국 총리는 하원에서 연설을 시작했다. 체코 위기와 이를 해결하기 위해 자신과 영국 정부가 수행한 역할을 자세히 설명하는 연설이었다. 여전히 불확실하지만 그래도 전보다는 나아진 상황을 그려 보였다. 무솔리니가 히틀러의 동원을 24시간 연기하는 데 성공했다는 소식도 전했다. 그때가 4시 15분, 체임벌린의 연설이 1시간 20분이나 계속되다가 막 끝날 참이었다. 그 순간 연설이 중단되었다. 귀족석에 앉아 있던 핼리팩스 경이 재무부 각료석으로 건넨 문서를 재무장관 존 사이먼 경이 다시 총리에게 건넸다.

[체임벌린이 발언함] 존경하는 의원님들의 무솔리니 씨에 대한 견해가 어떻든 간에, 저는 모두가 그의 … 평화를 위한 제스처를 환영하리라고 생각합니다.

총리는 잠시 멈추고 문서를 홀끗 보더니 미소를 지었다.

그뿐이 아닙니다. 의원 여러분에게 말씀드리고 싶은 것이 아직 남아 있습니다. 저는 방금 히틀러 씨로부터 내일 오전에 뮌헨으로 와달라는 초대를 받았습니다. 그는 무솔리니 씨와 달라디에 씨도 초대했습니다. 무솔리니 씨는 수락했고, 달라디에 씨도 틀림없이 수락할 겁니다. 제 답변이 무엇인지는 굳이 말씀드리지 않아도 될 것입니다. …

군이 언급할 것까지도 없었다. 의회제도의 어머니 격인 이 유서 깊은 영국 의회는 그 역사상 전례가 없는 집단 히스테리 반응을 보였다. 마구 고함을 지르고 의사일정표를 공중으로 아무렇게나 날려버렸다. 많은 의원들이 눈물을 흘리는 가운데 누군가의 목소리가 마치 모두의 깊은 감동을 표현하는 듯 그 난장판을 뚫고 들려왔다. "정말 다행입니다, 총리!"

체코 공화국 창건자의 아들이자 런던 주재 체코 대사로서 외교관석에서 이 광경을 지켜보던 얀 마사리크는 자기 눈을 믿을 수가 없었다. 나중에 그는 장차 모든 희생을 치러야 할 조국이 과연 뮌헨에 초대받을지 알아보기 위해 다우닝 가의 총리와 외무장관을 찾아갔다. 체임벌린과 핼리팩스는 초대받지 못할 거라고, 히틀러가 그것을 꺼릴 거라고 답했다. 마사리크는 신을 경외하는 두 영국인을 노려보다가 마음을 다잡았다.

그러고는 결국 이렇게 말했다. "만약 여러분이 세계 평화를 지키기 위해 우리나라를 희생시킨다면, 제가 누구보다 먼저 갈채를 보낼 겁니다. 그러나 지키지 못한다면, 신사 여러분, 신께서 여러분의 영혼을 구원해주시길!"[76]

그렇다면 비츨레벤의 말마따나 이 운명적인 날의 정오 직전에 자신들의 때가 왔다고 믿었던 음모단의 장군들과 민간인들, 즉 할더 장군과 비츨레벤 장군, 샤흐트, 기제비우스, 코르트, 그 밖의 사람들은 어땠을까? 그 답은 그들 자신의 말로 간결하게 요약할 수 있다―한참 후에 모든 일이 끝나고 나서, 그들이 지난날 길고도 지독한 전쟁으로 독일을 온통 폐허로 만든 히틀러의 파멸적인 바보짓에 얼마나 반대했는지를 전 세계를 향해 입증하고자 안달하던 때에 내놓은 답변이다.

그들은 하나같이 주장했다. 네빌 체임벌린이야말로 악당이다! 체임벌린이 뮌헨으로 가는 데 동의하는 바람에 히틀러와 나치 정권을 타도하려던 계획을 정말이지 최후의 순간에 취소할 수밖에 없었다!

오래 설린 뉘른베르크 재판이 거의 끝나가던 1946년 2월 25일, 할더 장군은 미국 측 검사진의 한 명인 뉴욕의 젊은 변호사 샘 해리스Sam Harris 대위에게 비공개 심문을 받았다.

[할더가 말함] 군사력으로 제국총리 관저와 관청들, 특히 당원들과 히틀러의 측근들이 관리하는 부처들을 점거하여, 유혈 사태를 피한다는 명확한 의도를 가지고 그 집단을 독일 민족 전체 앞에서 심판할 계획이었습니다. … 그날[9월 28일] 정오에 비츨레벤이 제 집무실로 찾아왔습니다. 우리는 그 문제를 논의했습니다. 그는 제게 실행 명령을 내려달라고 요청했습니다. 시간이 얼마나 필요한지 등의 다른 세부사항도 논의했습니다. 이 논의 도중에 영국 총리와 프랑스 총리가 추가 회담을 위해 히틀러를 만나러 오는 데 동의했다는 소식이 전해졌습니다. 비츨레벤이 있을 때였습니다. 그래서 저는 실행 명령을 철회했습니다. 그것으로 결국 행동에 돌입할 이유가 사라졌기 때문입니다. …

우리는 성공하리라 굳게 확신하고 있었습니다. 하지만 체임벌린이 오기로 한 이상 전쟁의 위험이 일거에 사라졌습니다. … 무력행사의 위기가 지나갔습니다. … 우리는 새로운 기회가 오기를 기다릴 수밖에 없었습니다. …

"만약 체임벌린이 뮌헨으로 오지 않았다면 그 계획이 실행되었을 것이고 히틀러도 축출되었을 것이라는 말인가요?" 해리스 대위가 물었다.

"제가 말할 수 있는 건 그 계획이 실행되었으리라는 것뿐입니다" 하고 할더 장군이 대답했다. "성공했을지 여부는 알지 못합니다."[77]

뉘른베르크 재판 때나 전후에 쓴 저서에서 자신이 반히틀러 음모들에서 맡았던 역할을 분명히 과장한 샤흐트 박사도 9월 28일에 음모를 결행하지 못한 책임을 체임벌린에게 돌렸다.

이후 역사의 진로를 보건대 비츨레벤과 나의 이 첫 쿠데타 시도가 독일의 운명에서 정녕 전환점이 될 만한 유일한 시도였음이 아주 분명하다. 그것은 적절한 때에 계획되고 준비된 유일한 시도였다. … 1938년 가을에는 히틀러를 대법원의 재판에 회부하는 것이 아직 가능했지만, 이후 그를 몰아내려는 모든 노력은 그의 목숨을 빼앗으려는 시도를 내포할 수밖에 없었다. … 나는 적절한 때에 쿠데타를 준비했고 막 성공하려던 찰나였다. 그러나 역사는 나에게 등을 돌렸다. 외국 정치인들의 개입은 내가 도저히 예견할 수 없는 일이었다.[78]

그리고 뉘른베르크 증인석에서 샤흐트를 단호히 옹호한 기제비우스는 이렇게 말을 보탰다.

불가능한 일이 일어났습니다. 체임벌린과 달라디에가 뮌헨으로 날아오고 있었습니다. 그것으로 우리의 반란은 끝장났습니다. 그래도 몇 시간 동안 저는 무슨 수를 쓰든 반란을 일으킬 수 있다고 계속 생각했습니다. 하지만 승리한 총통을 상대로 해서는 군이 결코 반란을 일으키지 않으리라는 것을 비츨레벤이 제 앞에서 논증했습니다. … 체임벌린이 히틀러를 구했습니다.[79]

정말 그랬을까? 혹시 행동하지 못한 민간인들과 장군들의 변명에 불과한 것은 아닐까?

뉘른베르크에서 심문을 받던 중에 할더 장군은 "혁명적 행동"이 성공하려면 세 가지 조건이 전제된다고 해리스 대위에게 설명했다.

첫째 조건은 분명하고 결연한 지도력입니다. 둘째 조건은 국민 대중이 혁명의 이념에 선뜻 동조하는 것입니다. 셋째 조건은 적절한 시간의 선택입니다. 우리의 견해로는 첫째 조건인 분명하고 결연한 지도력은 갖추어져 있었습니다. 둘째 조건도 충족되었다고 보았습니다. … 독일 국민이 전쟁을 원하지 않았기 때문입니다. 독일 민족은 전쟁을 우려해 혁명적 행동에 동의할 의향이 있었습니다. 셋째 조건 — 적절한 시간의 선택 — 도 괜찮았습니다. 48시간 내에 군사행동 실행 명령이 내려올 것으로 예상했기 때문입니다. 이런 이유로 우리는 성공을 굳게 확신했습니다.
그런데 그때 체임벌린이 찾아온 바람에 전쟁의 위험이 일거에 사라졌습니다.

첫째 조건이 충족되었다는 할더 장군의 주장은 의문의 여지가 있다. "분명하고 결연한 지도력"이 있었다면 장군들이 나흘 동안 주저할 이유가 없었을 것이기 때문이다. 그들은 히틀러와 그의 정권을 쓸어버릴 군사력을 언제든 동원할 수 있었다. 비츨레벤은 베를린 일대의 1개 군단 전체 — 제3군단 — 를 지휘했고, 브로크도르프-알레펠트는 포츠담 인근의 정예 보병사단을 통솔했으며, 회프너는 남쪽의 기갑사단을 거느렸고, 수도의 고위 경찰관 헬도르프 백작과 슐렌부르크 백작은 충분히 무장한 대규모 경찰력으로 언제든 지원해올 수 있었다. 음모 당사자들에 따르면 이들 모두가 압도적인 군사력으로 음모를 결행하자는 할더의 지시를 그저 기다리고만 있었다. 그런데 히틀러가 전쟁을 일으킬까 두려워 죽을 지경이던 베를린 주민들은—내가 직접 보고 판단한 바로는—쿠데타를 즉각 지지했을 것이다.

만약 체임벌린이 뮌헨으로 향하는 데 동의하지 않았다면 할더와 비츨레벤이 **결국** 행동에 돌입했을지 여부는 결코 확정적으로 답할 수 없는 문제다. 당시 두 장군의 특이한 태도, 즉 히틀러 정권의 폭정과 테러를 끝내기 위해서가 아니라 그저 패전을 피하기 위해 히틀러를 타도하는 데 관심을 쏟았던 태도를 감안하면, 뮌헨 회담이 예정되지 않았을 경우 이들이 행동에 나섰을 가능성이 있다. 음모가 얼마나 잘 준비되었는지, 군대는 어느 정도나 진군할 용의가 있었는지, 할더와 비츨레벤은 명령을 내린다는 결정에 실제로 얼마나 가까이 다가갔는지 확증하는 데 필요한 정보는 지금까지 줄곧 부족했다. 전후에 자신들이 국가사회주의에 반대했음을 입증하려 안달하던 몇 안 되는 음모 가담자들의 진술이 있긴 하지만, 그들이 스스로를 변호하고자 말하고 쓴 것들은 대개 서로 상충되고 혼란스럽다.*

---

* 일례로 OKW 군수경제국의 탁월한 수장이자 음모단의 일원인 게오르크 토마스(Georg Thomas) 장군은 반란 실패의 이유에 대해 이렇게 말했다. "이 계획의 실행은 불행히도 좌절되었는데, 이 임무에 지명된 사령관[비츨레벤]의 견해에 따르면 젊은 장교들은 이런 종류의 정치적 행동을 하기에는 믿을 만하지 않은 것으로 밝혀졌기 때문이다." *Schweizerische Monatshefte* 1945년 12월호에 실린 토마스의 글 "Gedanken und Ereignisse" 참조.

음모단의 주장대로 그들이 계획을 결행하려던 찰나였다면, 체임벌린의 뮌헨 여정 발표는 그들에게 확실히 허를 찌르는 소식이었을 것이다. 히틀러가 곧 전쟁을 치르지 않고도 중요한 정복을 달성할 것이 확실한 때에 장군들이 그를 전범으로 체포해 법정에 세우는 데 성공할 가망은 거의 없었다.

이렇듯 온통 불확실한 것들 중에서 한 가지 확실한 것은—샤흐트 박사도 인정할 수밖에 없었지만—독일의 반대파가 히틀러를 몰아냄으로써 제3제국을 재빨리 끝내고 독일과 세계를 전쟁에서 구해낼 절호의 기회가 다시는 찾아오지 않았다는 사실이다. 일반화의 위험을 무릅쓰고 말하자면, 독일인은 자기네 실패의 책임을 외국인에게 돌리는 단점이 있다. 뮌헨 회담, 그리고 뒤이은 모든 재앙적 결과에 대한 체임벌린과 핼리팩스, 달라디에와 보네의 책임은 실로 막중하다. 그러나 독일의 장군들과 민간인들의 한 집단이 '반란'을 일으킬 것이라는 경고를 이 외국인들이 아주 진지하게 받아들이지 않은 책임은 어느 정도 용서받을 수 있을 것이다. 독일에서 장군들이나 민간인들의 대다수는 이때까지도 대단한 능력으로 히틀러를 섬겨왔기 때문이다. 이 외국인들, 또는 적어도 런던과 파리의 조언자들 중 일부는 최근 독일 역사의 흉흉한 사실들을 떠올렸을지도 모른다. 예컨대 독일 육군은 옛 오스트리아인 상병이 집권하도록 돕고, 그가 재무장 기회를 준 것에 환호하고, 국가사회주의 치하에서 개인의 자유를 말살하는 움직임에 외견상 반대하지 않고, 같은 육군의 슐라이허 장군이 살해되고 그 총사령관 프리치 장군이 비열한 날조에 의해 해임되었음에도 아무것도 하지 않고, 최근에는 오스트리아 강탈에 동조하면서 실제로 군사력까지 제공한 사실이 있었다. 런던과 파리에서 히틀러에 대한 유화책을 주도한 사람들에게 얼마만큼의 책임을 지울 수 있든 간에, 그리고 그 책임이 명백히 크다 해도, 독일 장군들 자신과 민간인 공모자들이 적절한 순간에 행동하지 않은 사실에는 변함이 없다.

뮌헨에서의 항복: 1938년 9월 29~30일

바이에른의 이 바로크풍 도시에서, 지난날 허름하고 작은 카페들의 어두침침한 뒷방에서 정치인으로서 변변찮은 첫발을 내딛고 거리에서 맥주홀 폭동의 낭패를 봤던 이 도시에서 아돌프 히틀러는 9월 29일 낮 12시 30분에 영국, 프랑스, 이탈리아 정부의 수반들을 마치 정복자처럼 맞이했다.

그날 아침 일찍 히틀러는 예전 오스트리아-독일 국경에 위치한 도시 쿠프슈타인으로 가서 무솔리니를 만나 곧 열릴 회담에서 공동보조를 취하기 위한 기준을 정했다. 뮌헨으로 가는 열차 안에서 히틀러는 사뭇 호전적인 분위기로 체코슬로바키아를 어떻게 '해치울' 작정인지를 두체에게 지도를 보여주며 설명했다. 그날 시작하는 회담에서 곧장 좋은 결과를 얻지 못하면 무력에 호소할 것이라고 말했다. 당시 동석했던 치아노는 총통이 이렇게 덧붙였다고 전한다. "게다가 프랑스와 잉글랜드에 맞서 우리가 서로 손잡고 싸워야 할 시간이 올 겁니다." 무솔리니도 동의했다.[80]

체임벌린은 사전에 달라디에를 만나 두 파시스트 독재자를 상대할 두 서방 민주국가의 공동 전략을 짜려는 그런 노력을 기울이지 않았다. 사실 뮌헨에서 영국 및 프랑스 대표단과 연락하고 있던 우리 다수는 체임벌린이 히틀러와 조속히 합의에 이르는 방안을 아무에게도, 체코는 물론이고 심지어 프랑스에게도 방해받지 않겠다고 굳게 결심한 채로 뮌헨에

왔다는 것을 그날 시간이 갈수록 분명하게 알게 되었다.* 그날 온종일 정신이 멍한 것처럼 헤맨 달라디에의 경우에는 애당초 경계할 필요가 없었지만, 결의를 다진 체임벌린은 신중하기 그지없었다.

쾨니히스플라츠의 이른바 퓌러하우스Führerhaus에서 오후 12시 45분에 시작된 회담은 용두사미였고 히틀러에게 그가 원하는 것을 그가 원하는 때에 정확히 주는 절차에 지나지 않았다. 독일어, 프랑스어, 영어로 각각 통역할 것을 요구받은 불굴의 통역사 슈미트 박사는 처음부터 "전반적으로 우호적인 분위기"를 감지했다. 훗날 헨더슨 대사는 "대화의 어떤 단계도 가열되지 않았다"라고 회고했다. 회담을 주재하는 사람은 없었다. 격식 없이 진행되었고, 전후에 공개된 독일 측 회의록[81]으로 판단하건대 영국 총리와 프랑스 총리는 히틀러의 성미에 맞추느라 꽤 애를 썼다. 심지어 히틀러가 다음과 같이 맨 먼저 입을 열었을 때도 그랬다.

총통은 이미 스포츠궁 연설에서 어떻게든 10월 1일에는 진군할 것이라고 단언한 터였다. 이런 행위는 폭력적 성격을 띨 것이라는 회답을 총통은 받아둔 터였다. 따라서 이 행위에서 그런 성격을 없애야 하는 과제가 생겼다. 그렇지만 행동은 당장 해야 했다.

세 번째로 발언에 나선 무솔리니가―달라디에의 차례는 맨 나중이었다―"문제의 실질적 해결을 이루기 위해" 명확한 서면 제안을 가져왔다

---

* 전날 저녁 6시 45분에 체임벌린은 베네시 대통령에게 메시지를 보내 뮌헨 회담을 정식으로 통지했다. "나는 체코슬로바키아의 이해관계를 충분히 염두에 둘 것입니다. … 독일. 체코슬로바키아 양국 정부의 입장을 절충할 길을 찾으려는 의도로 그곳[뮌헨]에 갑니다." 베네시는 즉시 회답했다. "뮌헨에서는 체코슬로바키아에 알리지 않은 채로는 그 무엇도 결정되지 않도록 해주시기 바랍니다."[82]

고 말했을 때, 회담은 본론에 이르렀다. 그 문서가 어디에서 나온 것인지는 흥미진진한 문제인데, 내 생각에 체임벌린은 그것을 죽을 때까지 몰랐을 것이다. 프랑수아-퐁세나 헨더슨의 회고록을 보면 두 사람 역시 몰랐던 것이 분명하다. 사실 그 이야기는 두 독재자가 횡사하고 한참 뒤에야 알려졌다.

당시 두체가 자신의 타협안이라고 속인 제안은 전날 베를린 외무부에서 괴링과 노이라트, 바이츠제커가 리벤트로프 외무장관 몰래 급히 짜낸 것이었다. 이 세 사람은 리벤트로프의 판단을 신뢰하지 않았다. 그 문서는 괴링의 손에 들려 히틀러에게 갔다가 이렇게 해도 괜찮겠다는 말을 들은 다음 슈미트 박사에 의해 급히 프랑스어로 번역되어 이탈리아 대사 아톨리코에게 전해졌고, 로마에서 뮌헨행 열차를 타기 직전이던 이탈리아 독재자에게 아톨리코가 전화로 읽어주었다. 따라서 이 약식 회담의 유일한 의제일 뿐 아니라 결국 뮌헨 협정이 된 기본적 조항들까지 담은 '이탈리아의 제안'은 실은 베를린에서 꾸며낸 독일의 제안이었던 것이다.*

무솔리니의 제안은 척 보기만 해도 이미 퇴짜 맞은 히틀러의 고데스베르크 요구와 거의 판박이라는 것이 분명했을 텐데도 달라디에나 체임

---

* 에리히 코르트는 1948년 6월 4일, '미합중국 대 에른스트 바이츠제커' 사건을 심리한 뉘른베르크의 미합중국 군사법정 제4부에 증인으로 출석해 무솔리니의 제안이 본래 독일에서 작성된 것이었다고 말했다. *Documents on German Foreign Policy*, II, p. 1005에는 이 재판의 공식 기록의 요약문이 실려 있다. 또 코르트는 저서 *Wahn und Wirklichkeit*에서도 이 이야기를 언급한다. 슈미트 박사(*Hitler's Interpreter*, p. 111)는 코르트의 증언을 입증하고, 두체의 제안서 번역은 그 전날 베를린에서 이미 한 적이 있어 "쉬웠다"라고 말한다. 이탈리아 외무장관 치아노는 9월 29~30일 뮌헨에서 쓴 일기에서, 무솔리니가 작성한 문서는 "실은 전날 저녁에 독일 정부가 바라는 것이라며 우리 대사관에서 전화로 말해준 것"이었다고 말한다. (*Ciano's Hidden Diary, 1937~38*, p. 167)

벌린, 그리고 그들을 보좌하고자 뮌헨에 와 있던 양국의 베를린 주재 대사들에게는 그렇지 보이지 않았던 모양이다. 독일 측 기록에 따르면 프랑스 총리는 "두체의 제안이 객관적이고 현실적인 정신으로 작성된 것이라며 환영"했고, 영국 총리 "역시 두체의 제안을 환영하고 자신도 이 제안과 같은 취지의 해법을 구상했다"라고 힘주어 말했다. 헨더슨 대사는 훗날 썼듯이 무솔리니가 "히틀러의 제안과 영국-프랑스의 제안을 조합해 요령 있게 제시했다"라고 보았고, 프랑수아-퐁세 대사는 회담 참석자들이 "호러스 윌슨이 작성한 영국의 각서"를 바탕에 두고 논의한다는 인상을 받았다.[83] 어떤 대가를 치르더라도 유화책을 펴기로 작정한 영국 및 프랑스의 정치인들과 외교관들을 속이기란 얼마나 쉬웠겠는가!

참석자 모두가 '이탈리아의' 제안을 따뜻하게 환영하고 나자 몇 가지 세부사항을 조율하는 일만 남았다. 사업가 출신으로 재무장관을 역임했던 체임벌린은 아니나 다를까 독일에 이양할 주데텐란트 내의 공유 재산을 누가 체코 정부에 보상할 것인지를 알고 싶어했다. 프랑수아-퐁세에 따르면, 다소 창백하고 근심스러운 얼굴에 프랑스와 영어로 오가는 대화를 무솔리니만큼은 알아듣지 못해 짜증이 난 듯한 히틀러가 순간 격하게 보상은 없을 것이라고 소리쳤다. 체임벌린은 주데텐란트에서 다른 곳으로 이주하는 체코인들이 가축마저 데려갈 수 없다는 조항(고데스베르크 제안의 요구사항 중 하나였다)에 이의를 제기하며 "이건 농민들은 쫓아내지만 가축은 남겨둔다는 뜻입니까?" 하고 목소리를 높였다. 그러자 히틀러가 폭발했다.

"그런 자잘한 일에 허비하기에는 우리의 시간이 너무 아깝습니다!" 하고 체임벌린에게 소리쳤다.[84] 영국 총리는 이 문제에서 손을 뗐다.

처음에 체임벌린은 체코 대표가 동석해야 한다고, 아니면 적어도 "접촉 가능해야" 한다고 고집했다. 그리고 영국은 "체코 정부가 확약하지 않는 한, 그 지역[주데텐]이 [무솔리니의 제안대로] 10월 10일까지 비워지리라는 것을 당연히 보장할 수 없습니다"라고 말했다. 달라디에는 체임벌린을 뜨뜻미지근하게 지지했다. 그는 프랑스 정부가 "이 문제에 관한 체코 정부의 지연 행위는 결코 용인하지 않을 것입니다"라고 말하면서도 "필요하다면 상의할 수 있는 체코 대표가 참석하는 편이 이로울 것입니다"라고 자기 입장을 밝혔다.

그러나 히틀러는 요지부동이었다. 체코 대표의 참석을 용납하지 않겠다고 했다. 달라디에는 유순하게 굴복했지만, 체임벌린은 결국 작은 양보를 얻어냈다. 체임벌린의 제안대로 체코 대표와 접촉할 수 있도록 그를 "옆방에" 대기시키기로 의견을 모았다.

그리하여 오후 회담이 진행되는 동안 베를린 주재 체코 공사 보이테흐 마스트니 박사와 프라하 외무부의 후베르트 마사리크Hubert Masarik 박사가 실제로 도착해 냉랭한 안내를 받으며 옆방으로 들어갔다. 그 방에서 그들은 오후 2시부터 7시까지 천장이 내려앉는 느낌을 받으며 꼼짝없이 기다렸다. 7시가 되자 과거 런시먼 파견단의 일원이었고 이번에는 체임벌린을 수행한 프랭크 애슈턴-그와트킨Frank Ashton-Gwatkin이 들어와 나쁜 소식을 전했다. 큰 틀의 합의에 이르렀고 아직 세부 내용을 알려줄 수는 없지만 프랑스-영국의 안보다 훨씬 "더 가혹한" 합의라고 했다. 마사리크가 체코 정부는 들을 수 있지 않느냐고 따져 물었다. 그러자 이 영국인은 마사리크가 나중에 본국 정부에 보고한 대로 "당신은 강대국들의 입장이 얼마나 곤란한지 알지 못하고 히틀러와 협상하는 일이 얼마나 힘든지도 이해하지 못하는 것 같습니다"라고 대꾸했다.

오후 10시, 불운한 두 체코인은 영국 외무장관의 충직한 고문인 호러스 윌슨 경 앞으로 안내되었다. 윌슨은 체임벌린을 대신해 그들에게 4개국 협정의 요지를 알리고 체코인이 당장 철수해야 하는 주데텐 지역들을 표시한 지도를 건넸다. 두 사절이 항의하려 하자 영국 관료는 말을 잘랐다. 그러더니 더는 할 말이 없다면서 방에서 곧장 나가버렸다. 두 사절은 함께 있던 애슈턴-그와트킨에게 계속 항의했으나 소용이 없었다.

애슈턴-그와트킨은 자리를 뜨려고 하면서 훈계를 했다. "여러분이 수락하지 않으면 정말이지 단독으로 독일 측과 상대해야 할 겁니다. 프랑스 측은 여러분에게 이 사안에 관해 좀 더 부드럽게 말할 테지만, 그들도 생각은 같습니다. 내 말은 믿어도 됩니다. 그들은 사심이 없습니다."

두 체코 사절에게는 분명 모질게 들렸겠지만, 이 말은 진실이었다. 9월 30일 오전 1시 직후,* 히틀러와 체임벌린, 무솔리니, 달라디에는 차례로 뮌헨 협정에 서명했다. 협정에 따라 독일 육군은 총통이 줄곧 입에 올려

---

* 협정은 실제로 9월 30일 새벽에 서명되었지만 날짜는 9월 29일로 되어 있었다. 거기에 규정된 바로는 "독일인이 주로 거주하는 영토"에 대한 독일의 점령이 10월 1일부터 10월 7일까지 네 단계에 걸쳐 독일군에 의해 실행될 터였다. 나머지 영토는 '국제위원회'가 경계를 정한 후 "10월 10일까지" 점령하기로 했다. 이 위원회는 4대국 및 체코슬로바키아 대표들로 구성될 예정이었다. 영국, 프랑스, 이탈리아는 "해당 영토에서의 철수는 현존하는 어떠한 시설도 파손되는 일 없이 10월 10일까지 완료되어야 하고, 해당 시설들에 대한 손상 없이 철수를 이행할 책임은 체코슬로바키아 정부가 진다"는 데 동의했다.

여기에 더해 '국제위원회'는 민족구성이 복잡한 지역들에서 "11월 말 이전에" 주민투표를 실시하여 새로운 국경을 최종 확정하기로 했다. 또한 협정의 부대조항에서 영국과 프랑스는 "정당한 이유 없는 침공에 맞서 체코슬로바키아 국가의 새로운 국경에 대한 국제적 보증과 관련한 … 제안을 지지한다. 폴란드계 및 헝가리계 소수집단 문제가 … 해결된 후 독일과 이탈리아는 각각 체코슬로바키아에 보증을 할 것이다"라고 언명했다.[85]

주민투표 약속은 결코 이행되지 않았다. 독일과 이탈리아는 폴란드계 및 헝가리계 소수집단 문제가 해결된 상황에서도 체코슬로바키아에 향후 침공하지 않겠다는 보증을 하지 않았으며, 뒤에 가서 언급하겠지만, 영국과 프랑스도 자국의 보증을 지키려 하지 않았다.

온 대로 10월 1일에 체코슬로바키아를 향해 진군을 개시하고 10월 10일까지 주데텐란트 점령을 완료할 수 있게 되었다. 히틀러는 고데스베르크에서 얻지 못했던 것을 드디어 얻었다.

그런데 괴로운—적어도 피해자에게는—문제가 남아 있었다. 무엇을 언제까지 포기해야 하는지를 체코 정부에 통고하는 일이었다. 히틀러와 무솔리니는 의례의 이 부분에는 관심이 없어서 발을 빼고 해당 과제를 체코슬로바키아의 맹방인 프랑스의 대표단, 그리고 영국의 대표단에게 떠넘겼다. 그 장면은 마사리크가 체코 외무부에 제출한 공식 보고서에 생생하게 그려져 있다.

오전 1시 30분, 우리는 회담이 열렸던 홀로 안내되었다. 체임벌린 씨, 달라디에 씨, 호러스 윌슨 경, 레제Léger 씨[프랑스 외무부 사무국장], 애슈턴-그와트킨 씨, 마스트니 박사, 그리고 내가 있었다. 숨이 막힐 듯한 분위기였다. 선고가 내려지기 직전이었다. 초조한 기색이 역력한 프랑스 측은 법정에서 프랑스의 위신을 지키려 안달하는 듯했다. 체임벌린 씨는 긴 모두발언에서 협정에 관해 언급하고 협정문을 마스트니 박사에게 건넸다. …

체코 측에서 몇 가지 질문을 던졌다. 그러나

체임벌린 씨는 하품을 숨기려 애쓰지도 않은 채 연신 하품을 했다. 나는 달라디에 씨와 레제 씨에게 협정에 대한 우리 정부의 성명이나 회답을 기대하느냐고 물었다. 달라디에 씨는 눈에 띄게 초조해 보였다. 레제 씨가 말하기를 네 정치인에게는 시간이 별로 없다고 했다. 그는 급하고 천박하리만치 무심한 어조로 우리 측의 회답은 필요하지 않고, 자신들은 해당 계획이 수락된 것으로 보기 때문에 우리 정부가 그날 늦어도 오후 3시까지 베를린에 대표를 파견해 국제위원회에 참석토록 해야 한다고 말하고, 끝으로 베를린에 파견될 체코 담당관은 첫 구역의 철수에 관한 세부사항을 확정하기 위해 토요일에는 베를린에 대기하고 있어야 한다고 덧붙였다.

그는 우리에게 대단히 거칠게 말했다. 그는 분명 프랑스인이었다. … 체임벌린 씨는 무료함을 숨기지 않았다. 그들은 우리에게 조금 수정된 지도를 건넸다. 그런 다음 우리와의 용건은 끝났으니 가도 좋다고 했다.[86]

나는 그 운명적인 밤에 회담을 끝낸 뒤 퓌러하우스의 넓은 계단을 거만하게 걸어 내려오던 히틀러의 눈에서 엿보인 승리의 광채, 특별히 민병대 제복을 차려입은 무솔리니의 건방진 몸짓, 레기나 팔라스트Regina Palast 호텔로 돌아가는 체임벌린의 하품과 기분 좋게 졸린 모습을 기억하고 있다.

[그날 밤 내가 일기에 씀] 반면 달라디에는 흠씬 두들겨 맞고 풀이 죽은 사람처럼 보였다. 그는 체임벌린에게 작별 인사를 하려고 레기나 호텔로 갔다. … 누군가 질문했다, 아니 질문을 시작하려 했다. "각하, 협정에 만족하십니까?" 그는 무언가를 말하려는 듯 돌아보았지만 너무 피곤하고 낙담하여 말이 나오지 않았다. 그저 입을 다문 채 비틀거리며 문을 나섰다.[87]

체임벌린은 세계 평화에 관한 히틀러와의 협의를 아직 끝마친 게 아니었다. 이튿날인 9월 30일 이른 아침, 몇 시간의 수면으로 생기를 되찾고 전날의 성취에 기분이 좋아진 체임벌린은 유럽 정세에 대해 더 의논하고 본국에서 자신의 정치적 입지를 강화할 만한 작은 양보를 얻어내고자 뮌헨의 개인 아파트에 머물고 있는 총통을 찾아갔다.

통역을 맡아 이 예정 밖의 만남을 유일하게 목격한 슈미트 박사에 따르면, 히틀러는 안색이 어둡고 기분도 좋지 않았다. 활기 넘치는 영국 정부 수반이 독일이 "뮌헨 협정의 실행에서 관대한 태도를 취할" 것이라 믿는다고 말하고, 체코가 "이의를 제기할 만큼 비합리적으로 나오지" 않기를 바라며 설령 그렇게 나온다 해도 히틀러가 "민간인에게 끔찍한 손실을 입힐" 프라하 폭격에 나서지 않기를 소망한다고 떠드는 동안, 정작 히틀러는 멍하니 듣고만 있었다. 이는 슈미트 박사가 외무부 공식 문서로 기록하지 않았다면, 전날 밤 독일 독재자에게 그토록 비굴하게 항복한 처지라고 해도 영국 총리의 입에서 나왔다고는 도저히 믿기 어려운 장황하고 두서없는 발언의 시작에 불과했다. 심지어 오늘날에도 이 압수된 문서를 읽노라면 이게 정말인지 믿기 힘들 지경이다.

그러나 영국 지도자가 여기까지 한 말은 뒤이을 발언의 서곡일 뿐이었다. 체임벌린은 에스파냐 내전(독일과 이탈리아의 '의용군'이 프랑코 장군 편에 서서 승리를 거두고 있었다)을 끝내기 위해 더욱 협력할 것과 군비 축소, 세계 경제의 발전, 유럽의 정치적 평화, 심지어 소련 문제의 해결까지 함께 추구할 것을 제안하는 등 시무룩한 독일 독재자에게 끝도 없는 장광설을 주절주절 늘어놓은 뒤, 무언가를 적어둔 서류 한 장을 호주머니에서 꺼내더니 둘이서 공동으로 서명하여 즉시 공개하자고 말했다.

우리, 독일 총통 겸 총리와 영국 총리는 오늘 다시 만나 영독 관계가 양국과 유럽에 가장 중요한 문제라는 인식에 동의했다.

우리는 전날 밤에 체결된 협정과 영독 해군 협정을 다시는 서로 전쟁하지 않기를 소망하는 양국 국민들의 바람의 상징으로 여긴다.

우리는 협의의 방법을 양국과 관련 있는 다른 어떤 문제라도 다루기 위해 채택할 것임을 결의하고, 혹시 있을지 모르는 불화의 근원을 제거하고 그리하여 유럽의 평화를 보장하는 데 기여하려는 노력을 계속해나가기로 다짐한다.

슈미트 박사가 공식 보고서에 기록한 대로, 히틀러는 이 선언서를 읽고서 얼른 서명했다. 체임벌린을 크게 만족했다. 통역사는 총통이 "별로 내키지 않으면서도 … 그저 체임벌린을 만족시키기 위해" 선언서에 동의한다는 인상을 받았다. 체임벌린은 "총통에게 진심으로 감사를 표하고 … 이 문서로 기대할 수 있는 커다란 심리적 효과를 강조했다."

물론 착각에 빠진 영국 총리는 훨씬 나중에 독일과 이탈리아의 기밀 문서를 통해 드러난 사실, 즉 히틀러와 무솔리니가 이미 이 뮌헨 회담에서 언젠가 영국에 맞서 '서로 손잡고' 싸우기로 뜻을 모았다는 사실을 알지 못했다. 조금 뒤에 살펴볼 것처럼 체임벌린은 히틀러의 울적한 마음속에서 발효되고 있던 그 밖의 다른 복안들도 꿰뚫어보지 못했다.[88]

체임벌린은 ─ 파리로 돌아간 달라디에와 마찬가지로 ─ 의기양양하게 런던으로 귀환했다. 득의만면한 총리는 히틀러와 함께 서명한 선언서를 휘휘 흔들면서 다우닝 가로 몰려든 대규모 군중을 맞았다. "친애하는 네빌!"이라며 반기는 연호와 〈참으로 좋은 사람이니까For He's a Jolly Good Fellow〉라는 활기찬 노랫소리가 들리자 체임벌린은 미소를 띤 채 다우닝 가 10번지의 2층 창가에서 몇 마디 인사말을 했다.

"여러분! 이번에 명예로운 평화와 함께 독일에서 다우닝 가로 돌아온 것은 우리 역사상 두 번째입니다.* 나는 그것이 우리 시대의 평화라고 믿습니다."

《타임스》는 "전장에서 승리하고 귀환한 정복자 가운데 이보다 더 고귀한 월계관을 쓰고 있는 이는 없었다"라고 잘라 말했다. 체임벌린에게 경의를 표하는 '국민 감사 기금' 운동이 자발적으로 일어났지만 총리는 정중히 거절했다. 더프 쿠퍼 해군장관만이 내각에서 사임했고, 뒤이은 하원 토의에서 여전히 야인으로 지내던 윈스턴 처칠이 "우리는 일관되게 모든 면에서 완패했습니다"라는 잊기 어려운 말로 입을 열었다가, 나중에 기록된 바로는, 이 발언에 대한 항의가 빗발쳐서 연설을 잠시 중단할 수밖에 없었다.

프라하의 분위기는 당연히 완전 딴판이었다. 9월 30일 오전 6시 20분, 독일 대사대리는 체코 외무장관 크로프타를 잠자리에서 깨워 뮌헨 협정 전문과 함께 그날 오후 5시에 베를린에서 열리는, 합의사항의 실행을 감독할 '국제위원회' 제1차 회의에 체코 측 대표 2명을 출석시키라는 요구서를 건넸다.

오전 내내 흐라드차니 궁에서 정계 및 군부의 지도부와 상의한 베네시 대통령으로서는 이 요구에 따르는 것 말고 달리 대안이 없었다. 영국과 프랑스는 체코슬로바키아를 저버렸을 뿐 아니라 베네시가 뮌헨 협정을 거부할 경우 히틀러의 무력행사를 지지할 것이었기 때문이다. 1시가 되기 10분 전에 체코슬로바키아는 공식 성명의 표현대로 "세계에 이의를 제기하며" 항복했다. "우리는 버림받았습니다. 우리는 혼자입니다"라고 신임 총리 얀 시로비 장군은 오후 5시 방송에서 체코 국민에게 씁쓸하게 알렸다.

---

* 첫 번째는 1878년에 디즈레일리가 베를린 강화조약의 서명을 마치고 돌아온 일을 가리킨다.

영국과 프랑스는 자신들이 꼬드기고 배신한 이 국가를 끝까지 압박했다. 이날 영국과 프랑스, 이탈리아의 사절들은 크로프타를 찾아가 체코 측이 마지막 순간에 항복을 뒤엎지 않겠다는 다짐을 받으려 했다. 독일 대사대리 안도어 헨케Andor Hencke는 베를린에 보내는 전보에서 그 광경을 이렇게 묘사했다.

프랑스 사절이 크로프타에게 위로의 말을 전하려는데 외무장관이 먼저 입을 열었다. "우리는 이 상황을 강요당했습니다. 이제 모든 게 끝났습니다. 오늘은 우리 차례이지만, 내일은 다른 이들의 차례일 겁니다." 영국 사절은 체임벌린이 최선을 다했다고 간신히 밀했지만 그 역시 외무장관에게서 같은 말을 들었다. 외무장관은 완전히 낙담해 있었고 한 가지 바람밖에 없는 듯했다. 세 사절이 어서 방을 나가주었으면 하는 것이었다.[89]

베네시 대통령은 베를린의 강압에 못 이겨 10월 5일 사임했고, 목숨이 위태롭다는 게 분명해지자 영국으로 날아가 망명했다. 대통령직은 시로비 장군이 임시로 대행했다. 11월 30일, 선량하지만 유약하고 노쇠한 66세의 대법원장 에밀 하하Emil Hácha 박사가 국민의회에서 아직 남아 있는, 이제 공식 국명 표기에 옆줄을 넣기로 한 체코-슬로바키아의 대통령으로 선출되었다.

체임벌린과 달라디에가 뮌헨에서 독일 측에 미처 넘겨주지 못한 체코슬로바키아 영토에 대해서는 이른바 '국제위원회'가 이양 절차를 맡았다. 이 급조된 기구는 베를린 주재 영국 대사, 프랑스 대사, 체코 공사, 그리고 독일 외무부 차관 바이츠제커 남작으로 구성되었다. 독일에 추가로 할양할 영토에 대한 모든 논란은 독일에 유리하게 정리되었고, 히틀러와

OKW가 무력에 의존할 것이라는 협박도 한 차례 이상 있었다. 10월 13일, 위원회는 뮌헨 협정에서 규정한 분쟁 지역들에서의 주민투표를 결국 실시하지 않기로 표결했다. 그럴 필요가 없다는 뜻이었다.

폴란드 정부와 헝가리 정부는 이 속수무책 국가에 군사행동 위협을 가하고는 그 영토의 한 조각이라도 얻고자 마치 독수리처럼 달려들었다. 폴란드는 그 후 12개월 동안 이 책의 주요 인물로 등장할 외무장관 유제프 베츠크의 강력한 주장에 따라 주민 22만 8000명 중 13만 3000명이 체코인인 테신 일대의 영토 약 650제곱마일을 차지했다. 헝가리는 11월 2일, 리벤트로프와 치아노가 배분한 보상으로 더 큰 조각, 즉 마자르인 50만 명과 슬로바키아인 27만 2000명이 거주하는 7500제곱마일을 얻었다.

게다가 국토의 가장자리를 잃고 이제 무방비가 된 이 나라는 베를린의 강압에 못 이겨 파시스트적 성향이 강한 친독일 정부를 수립해야 했다. 이제부터 체코슬로바키아 국가의 존속은 제3제국 지도자의 처분에 좌우될 판이었다.

뮌헨 회담의 결과

———

뮌헨 협정의 조건에 따라 히틀러는 고데스베르크에서 요구했던 것을 사실상 손에 넣었으며, 그의 협박에 굴복한 '국제위원회'는 훨씬 더 많은 것을 그에게 넘겨주었다. 1938년 11월 20일에 최종 결정을 내린 국제위원회는 주데텐 독일인 280만 명과 체코인 80만 명이 거주하는 1만 1000제곱마일의 영토를 독일에 할양하라고 체코슬로바키아에 강요했다. 이 지역에는 프랑스의 마지노선을 제외하면 그때까지 유럽에서 가장 막강한 방어선을 구축한 체코의 방대한 방어시설들이 모두 존재했다.

그것만이 아니었다. 체코슬로바키아의 철도, 도로, 전화, 전신의 체계가 모조리 혼란에 빠졌다. 독일 측 추산에 따르면, 국토가 잘려나간 이 나라는 석탄의 66퍼센트, 갈탄의 80퍼센트, 화학제품의 86퍼센트, 시멘트의 80퍼센트, 섬유의 80퍼센트, 철강의 70퍼센트, 전력의 70퍼센트, 목재의 40퍼센트를 상실했다. 번창하던 공업국이 하룻밤 사이에 쪼개져 파산한 것이다.

뮌헨 협정 당일 밤에 요들이 기쁨에 겨운 필치로 일기를 쓸 수 있었던 것은 놀랄 일이 아니다.

뮌헨 협정이 서명되었다. 하나의 세력으로서의 체코슬로바키아는 끝났다. … 총통의 천재성과 세계전쟁마저 불사한다는 결의가 다시 한 번 무력 행사 없이 승리를 가져왔다. 회의적이고 나약하고 의심 많은 국민들이 마음을 고쳐먹고 그런 마음을 계속 유지하기를 희망한다.[90]

의심 많은 국민 대다수는 마음을 고쳐먹었고, 그렇지 않은 소수는 절망에 빠졌다. 베크, 할더, 비츨레벤 같은 장군들과 그 밖의 민간인 협력자들은 또다시 오판한 것으로 드러났다. 히틀러는 총 한 발 쏘지 않고도 자신이 원하던 것을 얻고 다시금 주목할 만한 정복을 이루어냈다. 총통의 위신은 더욱 높아졌다. 나를 포함해 뮌헨 협정 이후 독일에 머물고 있던 그 누구도 당시 독일 국민의 환희를 잊을 수 없을 것이다. 그들은 전쟁을 피했다는 데 안도했다. 또한 히틀러가 체코슬로바키아뿐 아니라 영국과 프랑스를 상대로 무혈 승리를 거두었다는 자긍심에 들떠 있었다. 그 무혈 승리는 히틀러가 불과 6개월 만에 오스트리아와 주데텐란트를 정복하여 주민 1000만 명과 남동유럽을 지배할 길을 여는 방대한 전략적 영토를 제3제국에 보탰다는 사실을 상기시켰다. 게다가 단 한 명의 독일인도 잃지 않았다! 히틀러는 독일 역사상 보기 드문 천재의 본능으로 중유럽 약소국들의 약점뿐 아니라 서방의 두 주요 민주국가인 영국과 프랑스의 약점까지 간파하여 그들을 자신의 의지대로 움직였다. 그리고 **정치전**政治戰의 새로운 전략과 기법을 고안하고 구사하여 실제 전쟁을 불필요하게 만드는 경이로운 성공을 거두었다.

겨우 4년 반 만에 이 미천한 출신의 남자는 무장해제를 당하고 혼란스러운 데다 거의 파산한 상태였던 독일, 유럽의 강대국들 중 최약체였던 독일을 구세계 최강이라고 평가받는, 심지어 영국이나 프랑스까지 포함해 다른 모든 국가들을 벌벌 떨게 하는 지위로까지 끌어올렸다. 이렇게 독일이 어지러울 정도로 상승하는 동안 베르사유의 승전국들은 그 어떤 단계에서도, 독일을 제지할 만한 힘이 있을 때조차 감히 제지하려는 시도를 하지 않았다. 실제로 히틀러가 이룬 최고의 정복으로 기록된 뮌헨 협정에서 영국과 프랑스는 기를 쓰며 총통을 지지했다. 다른 무엇보다도 특히 히틀러를 놀라게 한 것은—베크 장군이나 하셀 장군 같은 소규모 반대파들은 확실히 경악했다—영국 및 프랑스 정부를 좌우하는 사람들 (총통은 뮌헨 협정 이후 사석에서 이들을 가리켜 경멸조로 "버러지들"이라고 불렀다) 중 그 누구도 나치 지도자의 연이은 공세 행동에 무력으로 대응하지 않은 것이 장차 어떤 결과를 가져올지 깨닫지 못했다는 사실일 것이다.

영국에서는 윈스턴 처칠 혼자만 깨달았던 것으로 보인다. 처칠은 10월 5일 하원 연설에서 뮌헨 협정의 영향에 관해 간단명료하게 지적했다.

우리는 일관되게 모든 면에서 완패했습니다. … 우리는 제1급 재앙의 한복판에 있습니다. 도나우 강을 따라 … 흑해에 이르는 길이 열렸습니다. … 중유럽과 도나우 강 유역의 모든 나라는 … 베를린에서 사방으로 퍼져나가는 … 나치 정치의 방대한 체제로 차례차례 끌려들어갈 것입니다. … 그리고 그것이 끝이라고 생각해서는 안 됩니다. 시작일 뿐입니다. …

그러나 처칠은 정부 바깥에 있었고 그의 말은 주목받지 못했다.

프랑스와 영국이 뮌헨에서 항복할 필요가 있었을까? 아돌프 히틀러가 허세를 부렸던 건 아닐까?

모순처럼 들릴지 모르지만, 오늘날 우리가 알고 있는 답은 모두 '아니요'라는 것이다. 히틀러와 가까운 사이였고 전쟁에서 살아남은 장군들은 하나같이 뮌헨 협정이 타결되지 않았다면 히틀러가 1938년 10월 1일에 체코슬로바키아를 공격했을 것이라는 데 동의하고, 런던과 파리, 모스크바에서 아무리 망설였을지라도 결국에는 영국과 프랑스, 소련이 전쟁에 휩쓸려 들어갔을 것이라고 추정한다.

그리고—제3제국 역사의 이 국면에서 가장 중요한 점인데—독일 장군들은 자국이 순식간에 패전했을 것이라는 데 만장일치로 동의한다. 체임벌린과 달라디에 지지자들—당시 절대다수였다—의 주장, 즉 뮌헨 협정이 서방을 전쟁뿐 아니라 패전에서도 구했고 그에 따라 런던과 파리가 독일 공군의 맹렬한 폭격에 쑥대밭이 되는 사태를 막았다는 주장은 깨끗이 논박되었다. 적어도 이 마지막 두 논점에 관해서는 당시 사정을 제일 잘 알 만한 위치에 있었던 독일 장군들, 특히 히틀러와 가장 가까웠고 처음부터 끝까지 가장 광신적으로 히틀러를 지지한 장군들에 의해 인상적으로 논박되었다.

후자의 장군들 가운데 우두머리 격은 히틀러에게 알랑거리고 줄곧 그의 곁에 머문 OKW 총장 카이텔 장군이었다. 뉘른베르크 재판 때 뮌헨 협정에 대한 독일 장군들의 반응은 어땠느냐는 심문에 카이텔은 증인석에서 이렇게 답변했다.

우리는 군사작전에 이르지 않아서 무척 기뻐했습니다. … 체코슬로바키아의 국경 방어시설에 대한 공격 수단이 불충분하다고 줄곧 판단하고 있었기 때문입니다. 순전히 군사적인 관점에서 볼 때 우리로서는 국경 방어시설 돌파에 필요한 공격 수단이 미비했습니다.[91]

연합국 측 군사 전문가들은 언제나 독일 육군이 체코슬로바키아를 쉽게 유린할 것이라고 가정했다. 그러나 실제로는 그렇지 않았을 것이라는 카이텔의 증언에 더해 독일 야전사령관들 중 가장 탁월한 축에 들었던 만슈타인 원수의 증언도 살펴봐야 한다. 뉘른베르크에서 자신의 차례가 되어 증언할 때 만슈타인(카이텔이나 요들과 달리 이 재판에 목숨이 걸린 처지는 아니었다)은 뮌헨 회담 당시 독일의 정세에 관해 이렇게 설명했다.

만약 전쟁이 터졌다면 우리로서는 사실상 서부 국경도 폴란드 국경도 효과적으로 방어할 수 없었을 것이고, 체코슬로바키아가 어떻게든 방어에 나섰다면 우리에게 체코의 방어시설을 돌파할 만한 수단이 없었으므로 그 지점에서 막혔을 것입니다.*[92]

---

* 히틀러조차 체코의 요새선을 시찰한 뒤에는 적어도 어느 정도는 그 점을 인정했다. 나중에 히틀러는 단치히 주재 국제연맹 고등판무관 카를 부르크하르트(Carl Burckhardt) 박사에게 이렇게 말했다. "뮌헨 이후 체코슬로바키아의 군사력을 내부로부터 점검할 입장에 있을 때 우리는 그것

OKW의 '두뇌' 요들은 뉘른베르크 증인석에서 스스로를 변호할 때 이렇게 말했다.

> 거대한 공사 현장에 불과한 서부 방어시설들에서 5개 전투사단과 7개 예비사단으로 프랑스군 100개 사단에 대항한다는 것은 말도 안 되는 일이었습니다. 그런 일은 군사적으로 불가능했습니다.[93]

이 독일 장군들이 인정하듯이 히틀러의 육군이 체코 요새를 돌파할 만한 수단을 확보하지 못한 채 서부에서 프랑스군의 압도적인 전력에 대응하기가 "군사적으로 불가능"한 상황에 있었다면, 더욱이 앞에서 언급한 대로 육군 참모총장이 가망 없는 전쟁을 피하기 위해 총통 타도 준비를 했을 정도로 독일 장군들 사이에서 반발이 심했다면, 왜 영국과 프랑스의 참모부는 이런 사실을 알지 못했던 것일까? 아니면 알고 있었을까? 알고 있었다면, 영국과 프랑스의 정부 수반은 왜 뮌헨에서 자국의 중대한 이익을 그토록 많이 포기해야 했을까? 이런 의문들의 답을 찾다 보면 아직도 분명하게 밝혀지지 않은, 뮌헨 회담 당시의 수수께끼들 중 하나에 봉착하게 된다. 군사 문제에 관심이 많은 처칠마저도 자신의 방대한 회고록에서 그 수수께끼에 대해서는 거의 언급하지 않는다.

양국의 참모부와 정부 역시 독일 육군 참모본부가 유럽 전쟁에 반대한다는 사실을 몰랐을 리는 만무하다. 이미 지적했듯이 베를린의 음모단이 8월과 9월에 적어도 네 개의 경로를 통해 영국 측에 경고했고, 우리

을 살펴보다가 크게 당황했습니다. 우리는 심각한 위험을 무릅쓴 격이었습니다. 체코 장군들이 준비한 계획은 강력했습니다. 이제 나는 우리 장군들이 자제를 촉구하고 나선 이유를 이해합니다."
(Pertinax, *The Gravediggers of France*, p. 5)

가 알고 있듯이 이 문제가 체임벌린 본인의 귀에도 들어갔기 때문이다. 9월 초에 파리와 런던은 베크 장군의 사임과 이 가장 탁월하고 재능 있는 참모총장의 반발이 독일 육군에 끼친 자명한 영향에 관해 틀림없이 알고 있었을 것이다.

당시 베를린에서는 영국과 프랑스의 군 정보기관이 꽤 우수하다는 것을 대체로 인정했다. 런던과 파리의 군 수뇌부가 독일 육군 및 공군의 명백한 약점이나 양면 전쟁의 불가능성을 몰랐다고 믿기는 극히 어렵다. 프랑스 육군 참모총장 모리스 가믈랭Maurice Gamelin 장군이—타고난 극도의 조심성에도 불구하고—100개 사단에 가까운 병력으로 독일 서부의 5개 정규사단과 7개 예비사단을 압도하여 일거에 쓸어버린 뒤 독일 깊숙이 진격해 들어갈 수 있다는 것을 대체 어떻게 의심할 수 있었겠는가?

훗날 본인이 자세히 말한 대로[94] 가믈랭은 전반적으로 거의 의문을 갖지 않았다. 9월 12일, 히틀러가 뉘른베르크 전당대회 폐회식에서 고함을 치며 체코슬로바키아를 협박한 날에 이 프랑스군 대원수는 달라디에 총리에게 만약 전쟁이 일어난다면 "민주국가들이 강화를 명령할 것입니다"라고 장담했다. 가믈랭은 이런 낙관론의 이유를 설명하는 서한으로 자신의 의견을 뒷받침했다고 말한다. 9월 26일, 고데스베르크 회담 이후 체코 위기가 최고조에 달했을 때 프랑스 정부 지도부의 런던 행차에 동행한 가믈랭은 체임벌린에게도 같은 의견을 거듭 밝히면서, 군사 정세 분석으로 자신의 확신을 입증하여 영국 총리뿐 아니라 흔들리는 자국 총리의 기운까지 북돋우려 했다. 이 시도는 실패했던 것으로 보인다. 달라디에가 뮌헨으로 날아가기 직전에 가믈랭은 마지막으로 프랑스의 안전을 위험에 빠뜨리지 않을 수 있는 주데텐란트 영토 양도의 한계를 총리에게 간략히 설명했다. 체코의 주요 방어시설뿐 아니라 철도 간선, 전략적으로 중요한 철도 지선, 주요 방위산업은 독일에 넘겨주지 말아야 한다고 당부했다. 무엇보다 독일이 모라비아 고개를 떼어내도록 허용해서는 안 된다고 했다. 이는 대독일 전쟁에서 프랑스가 체코슬로바키아의 지원을 조금이라도 받을 생각이었다면 훌륭한 조언이었겠지만, 앞에서 언급했듯이 달라디에는 그런 조언에 기대어 행동할 사람이 아니었다.

뮌헨 협정 당시 체임벌린이 항복한 한 가지 이유는 런던이 독일의 폭격에 초토화될 것을 두려워했기 때문이라는 이야기가 많았으며, 프랑스 측도 자국의 멋들어진 수도가 공습에 파괴될지도 모른다는 끔찍한 전망에 전전긍긍했으리라는 것은 의문의 여지가 없다. 그러나 오늘날 알려져 있는 당시 독일 공군의 전력을 고려하면, 영국과 프랑스의 총리뿐 아니라 런던과 파리의 주민들도 상황을 지나치게 우려했던 셈이다. 독일 공군은 육군과 마찬가지로 체코슬로바키아에 대항하는 데 집중하고 있었고, 따라서 역시 육군과 마찬가지로 서부에서 본격적인 행동에 나설 수가 없었다. 독일이 런던과 파리를 공격하기 위해 폭격기 몇 대를 서부에 배치할 여력이 있었다 해도 과연 목적지까지 날아가기나 했을지는 극히 의문이다. 영국과 프랑스의 전투기에 의한 방어력이 약하긴 했지만, 독일은 설령 전투기를 보유하고 있었다 해도 그것을 폭격기 호위에 붙일 수가 없었다. 전투기 기지가 너무 멀리 있었기 때문이다.

뮌헨 협정 덕에 두 서방 민주국가가 독일의 재무장을 따라잡을 시간을 1년 가까이 벌 수 있었다는 주장도 나왔다―프랑수아-퐁세 대사와 헨더슨 대사가 가장 적극적으로 주장했다. 그러나 그런 주장은 사실들로 논박된다. 처칠은 "뮌헨 협정으로 '얻었다'고 하는 1년의 숨 돌릴 틈으로 인해 영국과 프랑스는 히틀러의 독일에 비하면 뮌헨 위기 때보다 훨씬 더 나쁜 입장에 놓이게 되었다"라고 썼고,[95] 연합국 측의 진지한 군사사가들도 이 견해를 지지했다. 뒤에 가서 언급하겠지만 1년 후 독일의 모든 군사적 통계가 이 견해를 뒷받침하며, 물론 뒤이은 사태는 남은 의문을 모조리 털어낸다.

독일 기밀문서와 독일 인사들의 전후 증언을 살필 수 있게 된 지금 시점에서 돌아보면, 뮌헨 협정 당시에는 할 수 없었던 정세 요약을 다음과 같이 할 수 있다.

1938년 10월 1일에 독일은 소련은 말할 것도 없고 체코슬로바키아를 상대로, **그리고** 프랑스와 영국을 상대로 전쟁을 벌일 만한 입장이 아니었다. 전쟁을 일으켰다면 순식간에 완패했을 것이고, 그것으로 히틀러와 제3제국은 끝장났을 것이다. 만약 마지막 순간에 독일 육군의 중재를 통해 유럽 전쟁을 피했다면, 히틀러는 체코슬로바키아를 공격하라는 최종 명령을 내리자마자 그를 체포할 계획을 실행하는 할더와 비츨레벤을 비롯한 음모단에 의해 타도되었을 것이다.

히틀러는 10월 1일에 '어떻게든' 주데텐란트로 진군하겠다고 호언장담함으로써 외나무다리의 먼 곳까지 스스로 나아간 셈이었다. 베크 장군이 예견했듯이 히틀러는 "옹호할 수 없는 상황"에 처해 있었다. 온갖 단정적 협박과 선언을 쏟아낸 뒤 외나무다리를 기어서 돌아오려 했다면, 독재정이 으레 그런 만큼, 특히 히틀러의 독재정이 심했던 만큼 그가 오래 살아남을 가능성은 거의 없었을 것이다. 히틀러의 입장에서 후퇴하기란 불가능하진 않았을지라도 극히 어려웠을 테고, 설령 그런 시도를 했을지라도 유럽에서, 독일 국민들 사이에서, 그리고 무엇보다 독일 장군들 사이에서 위신을 잃은 터라 십중팔구 파국을 맞았을 것이다.

히틀러에게 그가 원하는 것을 주려는 체임벌린의 완강하고 광적인 고집, 베르히테스가덴과 고데스베르크 방문, 그리고 결국 운명적인 뮌헨 여정은 히틀러를 외나무다리에서 구하는 한편 유럽과 독일, 육군에서의 그의 위치를 몇 주 전까지는 상상도 못했을 정도로 강화했다. 또한 서방 민주국가들이나 소련을 상대하는 제3제국의 힘을 헤아릴 수 없을 정도로 키워주었다.

프랑스 측에 뮌헨 협정은 재앙이었으며, 파리에서 이를 충분히 깨닫지 못했다는 것은 도무지 이해할 수 없는 일이다. 유럽에서 프랑스의 군사적 우위는 무너졌다. 인구가 거의 두 배인 제3제국이 총동원에 나설 경우 프랑스는 사국 육군이 독일 육군의 절반을 넘을 수 없었기 때문에, 그리고 무기 제조 능력에서도 독일에 뒤졌기 때문에 독일—그리고 이탈리아—의 동쪽 측면에 있는 다른 약소국들과 공들여 동맹관계를 맺어둔 터였다. 그 약소국들인 체코슬로바키아, 폴란드, 유고슬라비아, 루마니아는 다 합하면 잠재적 군사대국이 될 터였다. 그런데 이제 견고한 산악 방어시설 후면에 배치되어 더 큰 규모의 독일 병력을 억제해오던 잘 훈련되고 잘 무장된 체코의 35개 사단을 잃은 것이었다. 이는 프랑스군에 막대한 손실이었다. 그런데 이게 전부가 아니었다. 뮌헨 협정 이후 동유럽의 다른 동맹국들이 프랑스의 서면 약속을 어떻게 신뢰할 수 있었겠는가? 이제 프랑스의 동맹국이라는 것에 얼마나 가치가 있었겠는가? 바르샤바, 부쿠레슈티, 베오그라드의 답변은 가치가 별로 없다는 것이었다. 그리고 이 수도들은 아직 시간이 있을 때 나치 정복자와 최대한 유리한 거래를 하려고 앞다투어 움직였다.

모스크바에서는 황급한 움직임은 없었으나 동요는 보였다. 소련이 체코슬로바키아 및 프랑스 두 나라와 군사적 동맹관계였음에도 프랑스 정부는 소련을 뮌헨 협정에서 배제하자는 독일 및 영국의 의견에 별다른 이견 없이 동조했다. 스탈린은 이 모욕을 잊지 않았고, 두 서방 민주국가는 몇 달 후에 그 대가를 비싸게 치를 터였다. 뮌헨 협정 체결 나흘 뒤인 10월 3일, 모스크바 주재 독일 대사관의 참사관 베르너 폰 티펠슈키르히Werner von Tippelskirch는 이 협정이 소비에트의 정책에 끼친 "영향"에 관해 베를린에 보고했다. 그는 스탈린이 "결론을 내릴 것"이라고 생각했고, 소련이 "외교 정책을 재고"하고 맹방 프랑스에는 조금 거리를 두고 독일에는 "더 적극적"으로 임할 것이라고 확신했다. 사실 이 독일 외교관은 "작금의 상황이 소련과 새롭고 더 폭넓은 경제 협정을 체결할 좋은 기회를 독일에 제공한다"라고 생각했다.[96] 이것은 독일 기밀문서 가운데 베를린과 모스크바 사이에서 막 살랑거리기 시작한 변화의 바람을 최초로 언급한 문서다. 처음에는 아무리 가볍게 불었다 해도 그 바람은 1년 안에 중대한 결과를 가져올 것이었다.

   놀라운 성공을 거두고 체코슬로바키아뿐 아니라 서방 민주국가들에까지 굴욕을 안겼음에도, 히틀러는 뮌헨 회담의 결과에 실망했다. 샤흐트는 베를린으로 돌아오던 중에 히틀러가 친위대 수행단에게 "그놈[체임벌린]이 나의 프라하 입성을 망쳐버렸어!" 하고 외치는 소리를 들었다.[97] 프라하 입성은 히틀러가 1년 전 11월 5일에 장군들 앞에서 의사표명을 한 이래 그들에게 끊임없이 털어놓은, 자신이 정말로 원해온 일이었다. 오스트리아와 체코슬로바키아 정복은 동부에서 생존공간을 확보하고 서부에서 프랑스와 군사적 담판을 짓는 대공세를 위한 예비행동에 지나지 않는다고 히틀러는 장군들에게 설명했다. 9월 20일에 헝가리 총리에게 말했듯이 최선은 "체코슬로바키아를 파괴하는 것"이었다. 그것만이 "유일하게 만족스러운 해결책을 제공"한다고 했다. 히틀러가 우려하던 것은 체코 정부가 자신의 모든 요구를 순순히 받아들일 "위험"뿐이었다.

그런데 체임벌린이 그 유명한 우산을 움켜쥔 채 뮌헨까지 와서는 체코 정부에 히틀러의 모든 요구를 받아들일 것을 강요했고, 그리하여 히틀러에게서 군사적 정복의 기회를 앗아가버렸다. 기록에서 분명하게 드러나는 대로, 이것이 뮌헨 협정 이후 히틀러의 비비 꼬인 생각이었다. 나중에 히틀러는 장군들에게 이렇게 털어놓았다. "주데텐-독일 영토로 만족할 수 없다는 것을 나는 처음부터 분명하게 알고 있었네. 그것은 부분적 해결에 지나지 않아."[98]

뮌헨 협정 며칠 후, 녹일 독재자는 전체적 해결을 위한 계획의 실행에 착수했다.

제13장

체코슬로바키아의 소멸

뮌헨 협정에 서명하고 채 열흘도 지나기 전에—심지어 주데텐란트에 대한 평화적 군사 점령이 완료되기도 전에—아돌프 히틀러는 OKW 총장 카이텔 장군에게 긴급 일급비밀 메시지를 보냈다.

1. 보헤미아와 모라비아에서 체코의 모든 저항을 분쇄하려면 현재 상황에서 어떤 증강이 필요한가?
2. 새로운 병력을 재편성하거나 전선에 배치하는 데에는 시간이 얼마나 필요한가?
3. 예정된 동원 해제와 귀환 조치 이후에 같은 목표를 실행하려면 시간이 얼마나 필요한가?
4. 10월 1일의 대비 태세를 갖추려면 시간이 얼마나 필요한가?[1]

카이텔은 10월 11일에 상세한 답변을 담은 전보를 총통에게 보냈다. 그리 많은 시간이 필요하지 않고 대규모 증강도 필요하지 않았다. 주데텐 지역에는 이미 3개 기갑사단과 4개 차량화사단을 포함하는 24개 사단이 주둔해 있었다. "OKW는 현재 체코의 저항이 약한 상황임을 감안할 때 증강 없이 작전을 개시할 수 있을 것이라고 생각합니다."[2]

그러자 안심한 히틀러는 열흘 뒤 군 수뇌부에게 자기 생각을 알렸다.

일급비밀

베를린, 1938년 10월 21일

군의 향후 과제들과 이 과제들에서 비롯되는 전쟁 수행의 준비 작업은 내가 차후 지령에서 정할 것이다.

그 지령이 시행될 때까지 군은 항상 다음의 우발 사태들에 대비해야 한다.

1. 독일 국경 유지.

2. 체코슬로바키아의 나머지 부분 정리.

3. 메멜 구역 점령.

발트 해 연안의 항구도시 클라이페다Klaipėda(독일명 Memel)는 인구가 약 4만 명으로, 독일이 베르사유 조약 이후 리투아니아에 넘겨준 곳이었다. 리투아니아는 오스트리아나 체코슬로바키아보다 더 작고 약했기 때문에 이 도시를 장악하는 것은 독일 국방군에게는 아무 일도 아니었고, 히틀러도 지령서에서 이곳이 그저 '병합'될 것이라고 언급하는 데 그쳤다. 체코슬로바키아의 경우에는

잔존한 체코슬로바키아의 정책이 독일에 적대적으로 변한다면 언제든 분쇄할 수 있어야 한다.

그런 우발 사태에 대한 국방군의 대비 작업은 규모 면에서 '녹색'보다 훨씬

작을 것이다. 그렇지만 예정된 동원 조치를 취소할 것이므로 군은 훨씬 더 높은 대비 태세를 갖춰야 한다. 이 목적을 위해 배정된 부대들의 편성, 전투 명령, 대비 태세를 평시에 기습에 맞추어 정비하여 체코슬로바키아가 조직적 저항에 나설 가능성을 아예 없애야 한다. 목표는 보헤미아와 모라비아를 신속히 점령하고 슬로바키아를 떼어내는 것이다.[3]

물론 슬로바키아 분리는 병력 사용 없이 정치적 수단으로 가능했다. 이를 위해 독일 외무부가 투입되었다. 10월 초 며칠간 리벤트로프와 그의 보좌진은 헝가리 정부 측에 슬로바키아 내의 이권을 요구하도록 종용했다. 그런데 독일이 그렇게 부추길 필요도 없이 탐욕에 눈이 먼 헝가리 측이 당장 슬로바키아를 집어삼키겠다고 말하자 빌헬름슈트라세에서 제동을 걸었다. 독일 정부는 이 땅의 미래에 대한 다른 계획을 갖고 있었기 때문이다. 프라하 정부는 이미 뮌헨 협정 직후에 슬로바키아에 광범한 자치권을 인정한 상황이었다. 독일 외무부는 당분간 이 해법을 "용인"하라고 권고했다. 당시 독일이 구상하던 슬로바키아의 미래는 외무부 정무국장 에른스트 뵈르만Ernst Woermann 박사의 10월 7일자 공문에 요약되어 있다. "독립 슬로바키아는 구조적으로 약할 것이고, 따라서 동부로 진출해 정착하려는 독일의 욕구를 최대로 높일 것이다."[4]

이때 제3제국은 새로운 전환점에 서 있었다. 히틀러는 처음으로 비독일인의 땅을 정복하려던 참이었다. 지난 6주 넘게 히틀러는 사적으로든 공적으로든 체임벌린에게 주데텐란트가 유럽에서의 자신의 마지막 영토적 요구라고 확언하던 터였다. 그리고 도통 이해하기 어려울 정도로 영국 총리가 히틀러의 말을 곧이곧대로 받아들이긴 했지만, 그로서는 독일 독재자가 지난날 독일 국경 바깥에 거주했지만 이제는 그 안쪽에 있는 독일인들을 흡수하고 나면 정복을 멈출 것이라고 믿을 만한 근거가 없는 것도 아니었다. 총통은 제3제국 안에 체코인까지 거주하는 상황을 원하지 않는다고 거듭 말하지 않았던가? 《나의 투쟁》과 수많은 공개 연설에서 독일이 강해지려면 인종적으로 순수해야 하고 따라서 외국인, 특히 슬라브인을 받아들여서는 안 된다는 나치 이론을 되풀이하지 않았던가? 이는 사실이었다. 그러나 히틀러는—아마 런던에서는 잊어버렸을 테지만—《나의 투쟁》의 여러 페이지에 걸쳐 거창한 표현으로 독일의 미래는 동부에서 생존공간을 정복하는 데 달려 있다고 설교하기도 했다. 이 공간은 천년이 넘도록 슬라브인이 차지하고 있었다면서 말이다.

깨진 유리 주간

──

1938년 가을, 나치 독일은 또다른 전환점에 이르렀다. 그 사건은 나중에 당내에서 '깨진 유리 주간'이라고 부른 기간에 일어났다.

11월 7일, 헤르셸 그린슈판Herschel Grynszpan이라는 17세 독일계 유대인 난민이 파리 주재 독일 대사관의 3등서기관 에른스트 폼 라트Ernst vom Rath에게 총을 쏴서 치명상을 입혔다. 이 청년의 아버지는 얼마 전에 화물열차에 실려 폴란드로 추방된 유대인 1만 명 중 한 명이었다. 그래서 그린슈판은 이에 대한 복수 외에도 나치 독일 내에서의 전반적인 유대인 박해에 대한 복수라는 의미에서 독일 대사 요하네스 폰 벨체크Johannes von Welczeck 백작을 살해하려고 대사관을 찾아간 것이었다. 그런데 무슨 용무로 찾아왔는지 응대하려다가 젊은 3등서기관이 총에 맞은 것이다. 라트의 죽음에는 아이러니가 있었다. 그가 반나치적 태도를 보여 게슈타포에게 미행을 당하고 있었거니와 독일 지도부의 반유대주의적 일탈 행위에 단 한 번도 동조한 적이 없는 사람이었기 때문이다.

11월 9일에서 10일에 걸친 밤, 히틀러와 괴링을 위시한 당 수뇌부가 뮌헨에서 맥주홀 폭동 연례 기념행사를 끝마친 직후, 제3제국에서 일찍이 없었던 최악의 포그롬Pogrom〔유대인 학살〕이 일어났다. 괴벨스 박사와 그가 통제하는 독일 신문에 따르면, 그것은 파리 살해사건 소식에 촉발된 독일인 대중의 '자발적' 시위였다. 그러나 전후에 그 시위가 얼마나 '자발적'이었는지를 보여주는 문서들이 백일하에 드러났다.[5] 그 문서들은 전전戰前 나치 시대의 기밀문서 가운데 그 실상을 가장 훤히 알려주는 —그리고 가장 섬뜩한— 자료에 속했다.

11월 9일 저녁, 당내 법정의 수석재판관 발터 부흐 소령이 작성한 기밀 보고서에 따르면, 괴벨스가 그날 밤 "자발적 시위"를 "조직하고 실행"하라는 지령을 내렸다. 하지만 실제로 시위를 조직한 이는 친위대에서 힘러 다음가는 2인자로서 보안국과 게슈타포를 총괄하는 34세의 사악한 라인하르트 하이드리히였다. 그날 저녁 텔레타이프로 보낸 그의 지령서가 전후 압수된 독일 문서에 들어 있다.

11월 10일 오전 1시 20분, 하이드리히는 국가경찰과 보안국의 모든 본부 및 지부에 긴급 텔레타이프 메시지를 보내 당과 친위대의 지도부와 함께 "시위의 조직에 관해 논의"하라고 지시했다.

a. 독일인의 인명이나 재산을 해치지 않는 조치만을 취해야 한다. (예를 들어 주변에 불이 붙을 위험이 없을 경우에만 유대교 회당을 불태워야 한다.) [괄호는 원문 그대로]

b. 유대인의 사업체와 개인 아파트는 파괴해도 되지만 약탈해서는 안 된다. …

d. …

ii. 경찰은 시위를 방해해서는 안 된다. …

v. 기존 감옥들에 수용할 수 있는 한 유대인, 특히 부유한 유대인을 최대한 많이 체포해야 한다. … 체포하면 되도록 일찍 수감할 수 있도록 적절한 강제수용소에 즉시 연락해야 한다.

독일 전역이 공포의 밤이었다. 유대교 회당, 유대인의 주택과 상점이 불길에 휩싸였고, 몇몇 유대인 남녀와 어린이가 불길을 피해 탈출하다가 총격 등으로 살해되었다. 이튿날인 11월 11일, 하이드리히는 예비 기밀 보고서를 작성해 괴링에게 제출했다.

유대인 상점과 주택 파괴의 규모는 아직 수치로 확정할 수 없다. … 파괴된 상점 815채, 불타거나 파괴된 주택 171채는 방화에 관한 한 실제 손실의 일부분일 뿐이다. … 유대교 회당 119채가 불탔고, 또다른 76채가 완파되었다. … 유대인 2만 명이 체포되었다. 사망자는 36명으로 보고되었고 중상자도 36명으로 집계되었다. 사망자와 부상자는 모두 유대인이다. …

그날 밤 살해된 유대인의 최종 수치는 예비조사 수치의 몇 배일 것으로 추정된다. 하이드리히 본인은 예비 보고서를 제출하고 하루 뒤에 약탈당한 유대인 상점의 숫자로 7500채를 제시했다. 또 강간도 몇 건 있었는데, 부흐 소령의 당내 법정은 자체 보고서로 판단하건대 강간이 살인보다 더 나쁘다고 여겼던 모양이다. 비유대인과 유대인의 성교를 금하는 뉘른베르크법을 위반한 것이기 때문이다. 그런 범죄자들은 당에서 제명하고 일반법원으로 넘겼다. 부흐 소령은 유대인을 살해하기만 한 당원들은 그저 명령을 수행한 데 지나지 않으므로 "처벌할 수 없다"고 주장했다. 이 점에 관해 그는 아주 솔직했다. "공중은 스스로 인정하든 안 하든 간에 11월 9일의 운동과 같은 정치 운동들이 당에 의해 조직되고 지휘되었다는 것을 한 사람도 빠짐없이 알고 있다"라고 썼다.*

파리에서 라트가 살해당한 결과로 독일에 거주하는 무고한 유대인이 겪은 시련은 살해와 방화, 약탈만이 아니었다. 유대인은 재산이 파괴된 데 따른 대가를 스스로 치러야 했다. 마땅히 그들에게 가야 할 보험금은 국가에서 몰수했다. 게다가 그들은 괴링의 표현대로 "가증스러운 범죄 등등에 대한" 처벌로서 집단으로 10억 마르크의 벌금을 물어야 했다. 이 추가 벌금은 11월 12일 비대한 괴링 원수가 주재하고 각료와 고위 관료 12명이 참석한 터무니없는 회의에서 산정되었다. 이 회의의 속기록이 지금도 일부분 남아 있다.

여러 독일 보험사들은 껍데기만 남은 건물(유대인 상점이 입점하긴 했으나 대부분 비유대인의 소유였다)과 파손품에 대한 보험금을 계약대로 지급하려다가는 파산할 처지였다. 보험사들의 대변인 격으로 불려온 힐가르트Hilgard라는 사람은 깨진 유리창 값만 해도 500만 마르크(125만 달러)라고 괴링에게 말했다. 그리고 갈아끼울 유리는 대부분 독일에 매우 부족한 외화를 지불해가며 외국에서 수입해와야 했다(깨진 유리 조각이 밤거리에서 반짝반짝 빛나는 모습에 빗대어 이 사건을 '수정의 밤'이라 일컫기도 한다).

---

* 부흐 소령의 보고서는 제3제국에서의 사법의 진상을 알려준다. 그는 한 대목에서 "유대인을 살해한 다음과 같은 사건들에서는 법적 처분이 보류되거나 가벼운 처벌이 내려졌다"라고 쓰고 그런 '사건들'을 여럿 열거하면서 피살자들과 살인자들을 거명했다. "당원 아우구스트 프륄링, 유대인 골드베르크 부부를 사살하고 유대인 시나손을 사살한 일로 … 당원 빌리 베링, 요제프 하이케, 유대인 로젠바움을 사살하고 유대인 여성 츠비니키를 사살한 일로 … 당원 하인리히 슈미트, 에른스트 메클러, 유대인 일조퍼를 익사시킨 일로 …" 등등.

"이렇게 계속할 수는 없네!" 독일 경제의 제왕이기도 했던 괴링이 외쳤다. "이 모든 걸 감당할 수는 없어. 무리야!" 그러고는 하이드리히를 돌아보며 소리쳤다. "자네가 그 비싼 것들을 잔뜩 부수는 대신에 유대인이나 200명쯤 죽였으면 좋았을 텐데!"*6

"35명이 살해되었습니다." 하이드리히가 자신을 변호할 생각으로 대꾸했다.

일부분 남아 있는 속기록은 1만 단어 분량이지만, 이날 회의의 분위기가 처음부터 끝까지 이렇게 심각했던 것은 아니다. 괴링과 괴벨스는 유대인에게 더 굴욕을 주자고 주장하며 아주 즐거워했다. 선전장관은 유대인을 투입해 유대교 회당의 잔해를 싹 치우고 정리한 다음 회당 부지를 주차장으로 바꾸자고 말했다. 또 유대인을 학교, 극장, 영화관, 휴양지, 해수욕장, 공원, 심지어 독일의 숲까지 포함해 모든 장소에서 배제해야 한다고 역설했다. 유대인 전용 객차와 객실을 마련하되 아리아인이 모두 앉은 후에만 이용할 수 있게 하자고 제안하기도 했다.

그러자 괴링이 웃으며 말했다. "그렇지, 열차가 붐비면 유대인을 차버리고 도착할 때까지 화장실에서 혼자 앉아 있게 하자."

괴벨스가 유대인이 숲에 들어가는 것을 금지하자고 진지하게 요구했을 때 괴링은 이렇게 대꾸했다. "유대인에게 숲 한쪽에는 들어갈 수 있게 해주고 유대인을 더럽게 닮은 동물들—엘크의 구부러진 코가 그놈들과 비슷해—도 함께 넣어주고서 순응하게 만들자."

1938년이라는 결정적인 시기에 제3제국의 지도부는 허구한 날 이런

---

* 뉘른베르크 법정에서 정말로 그렇게 말했느냐는 잭슨 판사의 심문에 괴링은 이렇게 답변했다. "네, 그 순간 기분이 나쁘고 흥분해서 그렇게 말했습니다. … 진심으로 말한 건 아닙니다."

대화를 나누면서 시간을 보냈다.

그러나 국가가 선동하고 조직한 포그롬 때문에 생긴 2500만 마르크에 달하는 손실을 누가 보상할 것이냐는 문제는 특히 이제 나치 독일의 경제적 안녕을 책임져야 하는 괴링에게는 꽤 중대한 문제였다. 힐가르트는 보험사들을 대변해서 만약 유대인과의 보험계약을 제대로 이행하지 않는다면 국내외적으로 독일 보험에 대한 신뢰를 잃고 말 것이라고 지적했다. 그러면서도 그는 중소 보험사들이 파산하지 않고 지급할 수 있는 방법을 알지 못했다.

이 문제를 괴링은 재빨리 해결했다. 보험사들이 유대인에게 보험금을 전액 지급하되 국가가 그 금액을 몰수해 보험사들의 손실의 일부를 메워준다는 것이었다. 회의 기록으로 판단하건대 한 무리의 미치광이들을 상대한다고 느꼈을 법한 힐가르트는 이 해결책에 만족하지 않았다.

괴링: 유대인은 보험사로부터 환급받을 테지만 그 돈은 몰수될 것이오. 보험사들은 손실 전부를 보상하지 않아도 될 테니 어느 정도 이익이 남을 테지. 힐가르트 씨, 당신 운이 아주 좋은 줄 알라고.

힐가르트: 그럴 이유가 없습니다. 우리가 손실 전부를 보상하지 않아도 된다는 걸 가리켜 귀하는 이익이라고 말하는군요!

이런 식의 대화에 익숙지 않았던 원수는 어리둥절해진 사업가를 곧장 윽박질렀다.

괴링: 잠깐! 당신이 법적으로 500만 마르크를 지불해야 하는데 별안간 나처럼 다소 비대한 천사가 나타나 100만 마르크는 당신이 가져도 된다고 말한

다면, 도대체 그게 이익이 아니면 뭐요? 나는 당신과 절반씩, 아니면 당신이 부르는 대로 나눌 의향이 있소. 척 보기만 해도 알 수 있지. 당신 몸이 그냥 만족감으로 들끓는구만. 당신 아주 수지맞은 거야!

이 보험사 중역은 좀체 요점을 알아듣지 못했다.

힐가르트: 모든 보험사가 손해입니다. 지금도 그렇고 앞으로도 그렇습니다. 누구에게 물어봐도 그렇게 말할 것입니다.
괴링: 그러면 얼마 안 남은 유리창이 그나마 덜 박살나게 하는 일에나 신경 쓰게!

원수는 이 상업적 사고에 치우친 남자에게 질려버렸다. 힐가르트 씨는 쫓겨나 역사의 망각 저편으로 사라졌다.

한 외교관은 대담하게도 유대인에게 추가 조치를 취할 때 미국 여론을 고려하자고 제안했다.* 그 말을 들은 괴링은 버럭 소리를 질렀다. "그 날건달들의 나라! … 그 깡패 국가의 여론을!"

회의 참석자들은 한참을 더 논의한 끝에 유대인 문제를 다음과 같이 해결하기로 했다. 유대인을 독일 경제에서 배제한다. 유대인의 모든 기

---

* 베를린 주재 미국 대사 휴 윌슨(Hugh Wilson)은 괴링의 회의 이틀 후인 11월 14일, 본국의 루스벨트 대통령에게 "상의하기 위해서" 소환된 뒤 베를린으로 귀임하지 않았다. 워싱턴 주재 독일 대사 한스 디크호프는 같은 날, 독일 포그롬의 결과로 "여기서는 태풍이 몰아치고 있다"라고 베를린에 보고했고, 11월 18일 본국에 소환되어 역시 워싱턴으로 귀임하지 않았다. 11월 30일, 워싱턴 주재 독일 대사대리 한스 톰젠(Hans Thomsen)은 본국 정부에 양국의 "긴장 관계"와 "기밀자료의 보안이 미비"한 대사관의 상황을 고려해 "정치적 기밀서류들"을 베를린으로 옮길 것을 암호로 권고했다. 그러면서 "그 서류들은 워낙 양이 많아서 유사시 신속히 파기할 수 없다"라고 덧붙였다.[7]

업, 보석과 예술품을 포함하는 모든 재산은 아리아인에게 양도하고, 이자는 운용할 수 있지만 원금에는 손을 댈 수 없는 채권 형태로 유대인에게 어느 정도 보상한다. 유대인을 학교, 휴양지, 공원, 숲 등에서 차단하는 문제, 모든 재산을 몰수한 뒤 추방하거나 국내의 게토에 가두고 강제 노동을 시키는 문제는 추후에 위원회에서 검토하기로 한다.

회의 막바지에 하이드리히가 말했듯이 "유대인을 경제생활에서 배제한다 해도 주된 문제, 즉 유대인을 독일에서 내쫓는 문제는 남아" 있었다. 예전 로즈 장학생으로 자신이 나치 정부에서 "전통적이고 기품 있는 독일"을 대표한다고 자부하던 재무장관 슈베린 폰 크로지크 백작은 "유대인을 외국으로 내쫓기 위해서라면 무슨 일이든 해야 합니다"라고 동조했다. 게토에 관해 이 독일 귀족은 "저는 게토의 전망이 아주 밝다고 생각하지 않습니다. 게토라는 것 자체가 그리 기분 좋은 발상은 아닙니다"라고 온화하게 말했다.

거의 4시간이 지난 오후 2시 30분에 괴링은 회의를 끝마쳤다.

마지막으로 한 마디만 하겠습니다. 독일 유대인은 가증스러운 범죄 등등에 대한 벌로 10억 마르크를 기부해야 합니다. 이것은 효과가 있을 겁니다. 그 막돼먹은 족속은 다시는 살인을 저지르지 못할 겁니다. 말이 난 김에 하자면, 나는 독일에 유대인이 한 명도 없으면 좋겠습니다.

장차 이 사내와 이 나라와 그 총통은 유대인에게 훨씬 더 심한 고통을 줄 터였다. 그것도 얼마 안 가서 말이다. 불길이 치솟고 폭행이 자행된 1938년 11월 9일 밤을 기점으로 제3제국은 스스로 선택한, 되돌아가지 못할 어둡고 야만적인 길을 걷게 되었다. 그전에도 꽤 많은 유대인이 살해되고 고문과 강탈을 당했지만, 이런 범죄는, 강제수용소에서 일어난 것을 제외하면, 대부분 국가 당국이 방관하거나 외면하는 가운데 갈색셔츠 무뢰한들이 사디즘과 탐욕에 사로잡혀 저지른 일이었다. 그런데 이번에는 독일 정부 자체가 대규모 포그롬을 조직하고 실행했다. 11월 9일 밤에 유대인 회당과 주택과 상점에서 벌어진 살인, 약탈, 방화는 정부의 소행이었다. 때맞춰 관보《라이히스게제츠블라트Reichsgesetzblatt》에 정식으로 법령들을 게재하여―그중 셋은 괴링이 회의를 연 날에 게재되었다―유대인 사회에 10억 마르크의 벌금을 물리고, 그들을 경제에서 배제하고, 그들의 남은 재산을 빼앗고, 그들을 게토로―그리고 더 처참한 곳으로―내몬 것도 정부였다.

세계 여론은 오랜 기독교·인문주의 문화를 자랑하는 나라에서 자행된 그런 야만 행위에 충격을 받고 혐오감을 느꼈다. 그런데 히틀러는 오히려 세계의 반응에 격분하고 그런 반응은 "유대인의 세계 음모"의 힘과 규모를 입증하는 것일 뿐이라고 확신했다.

돌이켜보면 11월 9일에 독일 유대인을 공포에 빠뜨린 사건과 그 직후에 취한 가혹하고 무자비한 조치가 결국에는 독재자와 그의 정권, 그의 나라를 완전한 파멸로 이끄는 치명적인 악화 추세의 전조였음을 쉽게 알 수 있다. 히틀러의 과대망상의 증거는 앞에서 살펴본 대로 이 책 곳곳에 스며들어 있다. 그러나 이때까지 그는 자신과 자기 나라의 상승이 기대되는 중대한 국면에서는 대개 과대망상을 억제할 수 있었다. 그런 순간에 대담할 뿐 아니라 결과를 신중하게 계산한 후에만 행동하는 그의 천재성은 연이어 경이로운 성공을 가져다주었다. 하지만 11월 9일과 그 후의 추이에서 분명하게 드러났듯이, 당시 히틀러는 자제력을 잃고 있었다. 과대망상이 우세를 점하고 있었다. 11월 12일 괴링 회의의 속기록은 문제의 11월 밤 홀로코스트의 책임이 결국 히틀러에게 있었음을 알려준다. 그 행동 개시에 필요한 승인을 해준 장본인이 그였다. 독일인의 삶에서 유대인을 배제하도록 괴링을 압박한 사람도 그였다. 이제부터 제3제국의 절대적 주인은 그동안 그를 숱하게 구해준 자제력을 좀처럼 발휘하지 않을 터였다. 그리고 그의 천재성과 그의 나라의 천재성이 몇 차례 더 놀라운 정복을 이루어낼 터였지만, 독재자와 그의 나라를 결국 자멸로 이끌 독성 씨앗은 이미 뿌려진 뒤였다.

히틀러의 병에는 전염성이 있었다. 마치 바이러스가 퍼지듯 나라 전체가 그 병에 걸렸다. 내가 개인적 체험을 토대로 증언할 수 있듯이, 많은 독일인이 개개인으로서는 미국인이나 영국인이나 그 밖의 다른 외국인 못지않게 11월 9일의 불바다에 경악했다. 그러나 기독교교회의 지도부도, 장군들도, '선량한' 독일의 다른 어떤 대표들도 즉시 공개적으로 항의의 목소리를 내지 않았다. 그들은 프리치 장군이 말한 "불가피한 일", 또는 "독일의 숙명"에 고개를 숙였다.

뮌헨 회담 당시의 분위기는 곧 가라앉았다. 자르브뤼켄에서, 바이마르에서, 뮌헨에서 히틀러는 그 가을에 심통 사나운 연설을 하면서 바깥세계, 특히 영국 측에 그대들 일에나 신경쓰고 "제국의 국경 안에 있는 독일인의 운명"에는 관심을 끄라고 경고했다. 그 운명은 오로지 독일의 일이라고 부르짖었다. 독일 정부를 달래고자 그토록 애를 썼던 네빌 체임벌린마저도 이 정부의 본성을 깨닫기까지 그리 오래 걸리지 않았다. 다사다난했던 1938년이 불길한 1939년으로 넘어가던 무렵, 영국 총리는 유럽의 평화를 위해 총통의 비위를 맞추고자 몸소 그토록 노력했건만 이제 그 총통이 배후에서 뭔가를 꾸미고 있음을 눈치채기 시작했다.*

뮌헨 협정 이후 오래지 않아 리벤트로프는 로마로 향했다. 당시 그는

전쟁을 벌이려고 "작정하고 있었다"라고 치아노는 10월 28일 일기에 썼다.[8]

[독일 외무장관이 무솔리니와 치아노에게 발언함] 총통은 우리가 몇 년 사이에, 아마도 3년이나 4년 내에 서방 민주국가들과 불가피하게 전쟁을 치를 것이라고 확신한다. … 체코 위기로 우리는 힘을 보여주었다! 우리는 선수를 칠 수 있는 이점을 가지고 있으며 문제 해결의 명수다. 공격당할 리 없다. 군사 정세는 아주 좋다. [1939년] 9월 이후라면 민주주의 대국들과 전쟁을 치를 수 있다.**

젊은 이탈리아 외무장관이 보기에 리벤트로프는 "허영심 강하고 경박하고 수다스러운" 사람이었다. 그런 이유로 일기에 "두체는 그의 머리통만 보아도 뇌가 작다는 것을 알 수 있다고 말한다"라고 덧붙였다. 독일 외무장관이 로마를 방문한 것은 지난번 뮌헨에서 이탈리아 측에 초안을 건넨, 독일-일본-이탈리아의 군사동맹에 서명하도록 무솔리니를 설득하기 위해서였다. 하지만 무솔리니는 핑계를 대며 시간을 끌었다. 치아

---

* 1939년 1월 28일, 핼리팩스 경은 루스벨트 대통령에게 "이미 1938년 11월에 히틀러가 1939년 봄의 또다른 대외적 모험을 계획하고 있다는 징후가 나타났는데 그것이 갈수록 확실해지고 있습니다"라고 은밀히 경고했다. 이어서 영국 외무장관은 "보고에 따르면 히틀러는 리벤트로프, 힘러 등의 동조를 얻어 추후 동부에서의 행동을 위한 준비로서 서방 열강에 대한 공격을 고려하고 있습니다"라고 말했다.[9]

** 10월 28일 슈미트 박사가 작성한, 리벤트로프가 로마에서 치아노와 나눈 대화의 독일어 기록은 리벤트로프의 호전적 태도, 그리고 독일과 이탈리아가 "지금 당장 서방 민주국가들과의 무력 충돌"에 대비해야 한다는 그의 발언을 확인해준다. 이 회담에서 리벤트로프는 치아노에게 뮌헨 협정으로 미국 내 고립주의자들의 힘이 드러났으므로 "미국을 두려워할 이유가 전혀 없습니다"라고 장담하기도 했다.[10]

노가 쓴 대로 무솔리니는 아직 영국과 프랑스에 빗장을 걸어버릴 마음이 없었다.

히틀러는 프랑스를 영불해협 건너편의 동맹국과 떼어놓을 궁리를 하며 그해 가을을 보냈다. 10월 18일, 베르히테스가덴 산꼭대기의 으스스한 산채인 독수리 둥지*에서 귀국 인사차 찾아온 프랑스 대사 프랑수아-퐁세를 접견했을 때, 히틀러는 영국에 매서운 공격을 퍼부었다. 대사의 눈에 총통은 얼굴이 창백하고 피곤해 보이긴 했지만 영국을 맹비난하지 못할 정도는 아니었다. 영국은 연신 "무력행사 으름장"만 놓는다. 영국은 이기적이고 "우월한" 체를 한다. 뮌헨 정신을 훼손하는 쪽은 영국이다. 기다 능등. 프랑스는 다르다. 히틀러는 프랑스와는 더 우호적이고 긴밀한 관계를 맺고 싶다고 말했다. 이를 입증하기 위해, 양국의 현재 국경을 보장하고(그리하여 알자스-로렌에 대한 권리 포기를 재확인하고) 향후 어떤 분쟁이든 협의를 통해 해결할 것을 제안하는 우호조약에 당장 서명할 의향이 있다고까지 말했다.

그 조약은 1938년 12월 6일 파리에서 독일 외무장관과 프랑스 외무장관에 의해 정식으로 체결되었다. 그 무렵에는 프랑스도 뮌헨 협정 당시의 패배주의적인 공황상태에서 어느 정도 벗어난 입장이었다. 조약이 체결된 날에 나는 우연히도 파리에 머물고 있었는데, 무언가 냉랭한 분위기였다. 리벤트로프가 차를 타고 지나갈 때 거리에는 행인이 전혀 없었

---

* 3년 동안 엄청난 비용을 들여 지은 이 기상천외한 은신처는 찾아가기 어려운 장소였다. 산비탈을 빙빙 도는 급커브 도로를 16킬로미터 달린 다음 바위를 뚫어서 낸 긴 지하 통로를 지난 뒤 승강기를 타고 124미터를 올라가면 해발 1800미터 높이에 걸터앉은 이 산장에 당도한다. 그곳에서는 숨이 멎을 듯 아름다운 알프스 산맥의 파노라마가 눈에 들어온다. 저 멀리 잘츠부르크도 보인다. 훗날 프랑수아-퐁세는 독수리 둥지를 묘사하며 이런 의문을 던졌다. "이 건물은 정상적인 정신의 산물일까, 아니면 과대망상에 짓눌리고 지배와 고독의 환영에 사로잡힌 정신의 산물일까?"

으며, 쥘 잔네Jules Jeanneney나 에두아르 에리오Édouard Herriot 등 프랑스 정계 및 문단의 주요 인사들은 나치 손님을 위한 사교파티에 참석하기를 거부했다.

보네와 리벤트로프의 이 회담에서 비롯된 하나의 오해는 이후의 사태에 얼마간 영향을 주었다. 독일 외무장관의 주장에 따르면, 보네가 그에게 뮌헨 협정 이후 프랑스는 더 이상 동유럽에 관심을 두지 않을 것이라고 확언하고, 이는 프랑스가 독일 측에 이 지역, 특히 잔존 체코슬로바키아와 폴란드에 관한 재량권을 준다는 것을 의미한다고 해석까지 해주었다. 보네는 이를 부인했다. 슈미트의 회의록에 따르면, 보네는 동유럽에서의 독일의 세력권을 인정해달라는 리벤트로프의 요구에 "뮌헨 이후에 상황이 근본적으로 바뀌었습니다"라고 말했다.[11] 이 모호한 발언을 교활한 독일 외무장관은 히틀러에게 이렇게 왜곡해서 전달했다. "파리에서 보네는 동부와 관련된 문제들에는 더 이상 관심이 없다고 확언했습니다." 뮌헨에서 프랑스가 금세 항복하는 모습을 보았던 총통은 이미 그 말처럼 확신하고 있었다. 그러나 리벤트로프의 전언은 진실이 아니었다.

슬로바키아 '독립'을 '얻다'

___

히틀러가 뮌헨에서 엄숙하게 약속했던 잔존 체코슬로바키아에 대한 독일의 보장은 어떻게 되었을까? 베를린 주재 신임 프랑스 대사 로베르 쿨롱드르Robert Coulondre가 1938년 12월 21일 독일 외무차관 바이츠제커에게 이렇게 물었을 때, 외무차관은 체코슬로바키아의 운명은 독일 수중에 있고 자신은 영국-프랑스가 보장한다는 발상을 거부한다고 답변했다. 지난 10월 14일에 체코 신임 외무장관 프란티셰크 흐발코프스키

František Chvalkovský가 뮌헨을 방문해 히틀러의 손에 들린 부스러기를 초라하게 구걸하면서 독일이 체코의 쪼그라든 국경에 대한 영국-프랑스의 보장에 동참할 것인지 물었을 때, 총통은 비웃듯이 "영국과 프랑스의 보장은 아무 소용이 없고 … 유효한 보장은 독일만이 할 수 있습니다"라고 대꾸했다.[12]

그러나 1939년에 들어서서도 독일의 보장은 불투명했다. 그 이유는 간단했다. 총통은 그런 보장을 해줄 의사가 없었던 것이다. 그런 보장은 그가 뮌헨 협정 직후부터 짜기 시작한 계획에 지장이 될 터였다. 보장하기는커녕 오히려 체코슬로바키아 자체를 머지않아 없앤다는 계획이었다. 맨 먼저 할 일은 슬로바키아를 꼬드겨 이탈시키는 것이었다.

뮌헨 협정이 체결되고 보름쯤 지난 10월 17일, 괴링은 슬로바키아의 두 지도자 페르디난트 듀르찬스키Ferdinand Ďurčanský와 알렉산데르 마흐Alexander Mach, 그리고 슬로바키아 내 독일계 소수집단의 지도자 프란츠 카르마진Franz Karmasin을 접견했다. 자치 슬로바키아의 신임 부총리 듀르찬스키는 괴링에게 슬로바키아가 진정으로 원하는 것은 "독일과 정치적·경제적·군사적으로 매우 긴밀한 관계를 맺는, 완전한 독립"이라고 확언했다. 같은 날짜 외무부의 한 기밀공문에는 괴링이 슬로바키아의 독립을 반드시 지지하기로 결정했다고 적혀 있다. "슬로바키아를 잃은 체코 국가는 점점 우리 뜻에 좌우될 것이다. 동부에 대한 작전을 위해서는 슬로바키아 내 공군 기지가 매우 중요하다."[13] 10월 중순, 체코슬로바키아 문제에 관한 괴링의 생각은 그러했다.

여기서부터는 독일 계획의 두 갈래를 따라가야 한다. 한 갈래는 슬로바키아를 프라하로부터 떼어내는 것이었고, 또하나의 갈래는 체코의 남은 영토인 보헤미아와 모라비아에 대한 군사 점령으로 이 국가를 청산할 준비를 하는 것이었다. 앞에서 언급했듯이 히틀러는 1938년 10월 21일, 국방군에 이 청산 작업의 실행을 준비하라고 명령했다.* 12월 17일, 카이텔 장군은 그가 말하는 "10월 21일자 지령 보충"을 발표했다.

일급비밀

'잔존 체코 국가의 청산'과 관련해 총통은 다음과 같은 명령을 내렸다.

작전은 특별히 언급할 만한 저항이 없을 것이라는 가정 하에 준비하라.

외부 세계의 눈에는 분명히 평시의 행동으로 보여야지 유사 전쟁행위로 보여서는 안 된다.

그러므로 동원을 통한 증강 없이 **오직** 평시 병력으로만 수행해야 한다. ...[14]

체코슬로바키아의 새로운 친독일 정부는 히틀러를 기쁘게 하고자 노력했지만, 새해에 들어 자국의 계획이 소용없음을 깨닫기 시작했다. 1938년 크리스마스 직전에 체코 내각은 총통을 더 기쁘게 하려고 공산당을 해체하고 독일계 학교에서 유대인 교사를 모두 정직시켰다. 1939년 1월 12일, 체코 외무장관 흐발코프스키는 독일 외무부에 보낸 메시지에서 자국 정부는 "독일에 대한 충성과 선의를 입증하기 위해 독일이 바라는 것들을 두루 만족시키려 노력할 것"이라고 강조했다. 같은 날 흐발코프스키는 프라하 주재 독일 대사대리에게 "체코슬로바키아가 독일 제국에 편입될 날이 임박했다"라는 소문이 퍼지고 있다고 알려주었다.[15]

흐발코프스키는 체코의 남은 조각들이라도 지킬 수 있을지 알아보고

---

* 11월 24일에 히틀러는 또다른 기밀지령을 내려 국방군에 단치히 군사 점령을 준비하라고 지시했지만, 실제 단치히 점령은 나중에 시작되었다. 총통은 이미 체코슬로바키아를 최종적으로 정복하는 국면 이후까지 내다보고 있었던 것이다.

자 히틀러를 설득해 1월 21일에 베를린에서 만나기로 했다. 그 만남은 체코 측에 괴로운 일이었다—다만 체코 정부가 이 만남 직후에 맞닥뜨릴 사건만큼 괴롭지는 않았다. 상대를 괴롭히려고 단단히 마음먹은 막강한 독일 독재자 앞에서 체코 외무장관은 납작 엎드렸다. 히틀러는 체코슬로바키아가 "독일의 온건함" 덕에 파국을 면했다고 말했다. 그럼에도 체코 정부가 기존과는 다른 태도를 보이지 않으면 "절멸시킬" 작정이었다. 그리고 체코 측이 "어린 학생의 허튼소리" 정도인 그들의 "역사"는 잊고 독일의 지시대로 행동해야 한다고 했다. 그것만이 구제받을 유일한 길이었다. 구체적으로 체코슬로바키아는 국제연맹에서 탈퇴하고, 육군의 규모를—"어차피 중요하지도 않으니"—대폭 줄이고, 반코민테른 협정에 가입하고, 외교 정책에서 독일의 지시를 받아들이고, 독일의 동의 없이는 새로운 산업 시설을 갖추지 않는다는 조건으로 독일과 특혜 무역협정을 체결하고,* 독일 제국에 우호적이지 않은 모든 관료와 편집책임자를 해임하고, 마지막으로 독일이 뉘른베르크법으로 한 것처럼 유대인에게서 법의 보호를 박탈해야 했다. ("우리 함께 유대인을 파괴합시다"라고 히틀러는 손님에게 말했다.) 같은 날 리벤트로프는 흐발코프스키에게 추가 요구를 하면서 체코 측이 당장 기존 방침을 수정하고 독일의 지시대로 움직이지 않으면 "파국적 결과"를 맞을 거라고 협박했다. 히틀러 앞에서는 그토록 종처럼 굴면서도 자신이 우위를 점할 수 있는 상대는 누구든 무

---

* 히틀러는 체코슬로바키아 국립은행에서 금 보유고의 일부를 독일 제국은행으로 넘길 것을 요구하기도 했다. 요구한 총액은 금으로 3억 9120만 코루나였다. 2월 18일, 괴링은 독일 외무부에 이런 지시의 글을 써 보냈다. "갈수록 어려워지는 통화 사정을 고려해 나는 금으로 3000만~4000만 라이히스마르크를 [체코 국립은행으로부터] 즉시 우리 소유로 옮겨올 것을 강력히 주장한다. 총통의 중대한 명령을 실행하기 위해 이 금액이 급히 필요하다."[16]

레하게 대하고 괴롭힌 독일 외무장관은 흐발코프스키에게 독일의 새로운 요구를 영국과 프랑스에 전하지 말고 잠자코 이행하라고 지시했다.[17]

그러면서 체코 국경에 대한 독일의 보장은 전혀 걱정하지 말라고 했다! 파리와 런던에서는 이 문제를 별로 신경쓰지 않았던 모양이다. 뮌헨 협정 이후 넉 달이 지났건만 히틀러는 영국과 프랑스의 보장에 독일도 동조하겠다는 약속을 이행하지 않고 있었다. 결국 2월 8일에 영국-프랑스의 공동 구상서口上書가 베를린에 전달되었다. 그 문서에는 "체코슬로바키아의 보장과 관련해 뮌헨에서 합의한 양해를 실행할 최선의 방법에 관한 독일 정부의 견해를 알려주시면 좋겠습니다"라고 적혀 있었다.[18]

압수된 독일 외무부 문서에서 확인할 수 있듯이, 히틀러는 답장의 초고를 직접 썼지만 2월 28일까지 회답하지 않았다. 답장에서 히틀러는 아직 독일이 보장할 때가 아니라고 말했다. 독일은 "먼저 체코슬로바키아 국내 정세가 분명해지기를 기다려야" 한다는 입장이었다.[19]

총통은 이미 뚜렷한 목표를 가지고서 이 "국내 정세"에 영향을 끼치고 있었다. 2월 12일, 히틀러는 베를린 총리 관저에서 슬로바키아 지도부 중 한 명으로 장기간 투옥되어 체코 정부에 원한을 품고 있던 보이테흐 투카 박사를 접견했다. 이 회견에 관한 독일 기밀공문에서 강조하는 대로, 히틀러를 "저의 총통"이라고 부른 투카 박사는 독일 독재자에게 슬로바키아에 독립과 자유를 달라고 간청했다. "우리 민족의 운명을 저의 총통, 귀하의 손에 맡깁니다"라고 박사는 말했다. "우리 민족은 귀하에 의한 완전한 해방을 기다리고 있습니다."

히틀러는 다소 둘러대는 답변을 했다. 유감스럽게도 슬로바키아의 문제를 사전에 이해하지 못했다고 말했다. 슬로바키아인이 독립을 원한다는 것을 미리 알았다면 뮌헨 회담 때 처리했을 것이라고도 했다. "슬로바키아가 독립적이라는 것은 총통에게 위안이 되는 사실이었다. … 총통은 언제라도, 심지어 오늘이라도 슬로바키아의 독립을 보장할 수 있을 것이다."[20] 이는 투카 박사에게도 위안이 되는 말이었다. 훗날 그는 "이날이 내 생애 최고의 날이었다"라고 말했다.

그리하여 이제 체코슬로바키아 비극의 다음 막이 오르게 되었다. 프라하의 체코 정부가 그 막을 조금 일찍 올린 것은 이 역사 이야기를 가득 채우는 아이러니들 중 하나였다. 1939년 3월 초에 체코 정부는 지독한 딜레마에 빠져 있었다. 앞에서 언급했듯이 독일 정부가 조장한 슬로바키아와 루테니아의 분리주의 운동(루테니아의 경우에는 이 작은 땅을 병합하고자 갈망하던 헝가리 정부도 조장했다)은 이제 진압하지 않으면 체코슬로바키아를 해체시킬 지경이었다. 그럴 경우 히틀러가 프라하를 점령할 게 확실했다. 그렇다고 해서 체코 중앙정부가 분리주의파를 진압할 경우 총통이 그에 따른 혼란을 틈타 역시 프라하로 진격하리라는 것 역시 확실한 일이었다.

체코 정부는 사뭇 주저하고 더는 도발을 견딜 수 없게 된 후에야 비로소 둘째 대안을 선택했다. 체코슬로바키아 대통령 에밀 하하 박사는 3월 6일에 루테니아 자치정부를, 3월 9일에서 10일에 걸친 밤에 슬로바키아 자치정부를 해산했다. 이튿날에는 슬로바키아 총리 몬시뇰 요제프 티소Josef Tiso, 투카 박사, 듀르찬스키를 체포하라고 명령하고 슬로바키아에 계엄령을 선포했다. 베를린에 그토록 굽실거리던 체코 정부의 한 차례 용기 있는 행보는 곧 국가를 파멸로 이끌 재앙이 되었다.

비틀거리던 프라하 정부의 신속한 조치에 베를린은 깜짝 놀랐다. 괴링은 햇빛 찬란한 산레모로 휴가를 떠나고 없었다. 히틀러는 오스트리아 병합 1주년 기념행사에 참석하기 위해 빈으로 막 떠나려던 참이었다. 하지만 이 즉흥 조치의 달인은 체코 소식을 듣고서 정신없이 직무에 몰두했다. 3월 11일, 히틀러는 최후통첩을 통해 보헤미아와 모라비아를 차지하기로 결정했다. 그날 히틀러의 명령에 따라 카이텔 장군이 최후통첩의 초안을 작성해 독일 외무부로 보냈다. 저항하지 말고 군사 점령을 받아들일 것을 체코 정부에 요구하는 내용이었다.[21] 그렇지만 당분간은 "일급 군사기밀"이었다.

이제 히틀러가 슬로바키아를 '해방'시킬 시간이 되었다. 프라하에서 슬로바키아 자치정부를 대표하던 카롤 시도르Karol Sidor는 하하 대통령에 의해 몬시뇰 티소를 대신하는 신임 총리에 임명되었다. 3월 11일 토요일, 슬로바키아 정부 소재지 브라티슬라바로 돌아간 시도르는 새 내각의 회의를 소집했다. 이 슬로바키아 정부 회의는 밤 10시에 예상치 못한 낯선 손님들에 의해 중단되었다. 오스트리아 나치 총독인 부역자 자이스-잉크바르트, 오스트리아 나치 대관구장 요제프 뷔르켈Josef Bürckel이 독일 장군 다섯 명을 대동하고서 회의장에 불쑥 들어와 각료들에게 즉시 슬로바키아의 독립을 선포하라고 다그쳤다. 그러면서 지시대로 하지 않으면 슬로바키아 문제를 당장 확실하게 해결하겠다고 결심한 히틀러가 슬로바키아의 운명에서 손을 뗄 것이라고 했다.[22]

체코 정부와의 모든 연계를 끊는 데 반대한 시도르는 시간을 벌려고 했지만, 수도원에 연금 중이라던 몬시뇰 티소가 그곳을 탈출해 이튿날 아침 이제는 각료가 아니면서도 내각 회의를 열라고 요구했다. 독일 고위 관료들이나 장군들이 또다시 방해하는 일이 없도록 시도르는 자신의 아파트에서 회의를 소집하려다가 이곳도 안전하지 못하게 되자—독일 돌격대원들이 도시를 장악하고 있었기 때문이다—현지 신문사의 사무소로 장소를 옮겼다. 그곳에서 티소는 시도르에게 방금 뷔르켈이 보내온, 총통을 만나러 당장 베를린으로 오라고 초대하는 내용의 전보를 받았다고 알렸다. 뷔르켈은 만약 초대를 거절하면 독일군 2개 사단이 도나우 강을 건너 브라티슬라바로 진격할 것이고, 그렇게 되면 슬로바키아는 독일과 헝가리가 나누어 차지할 것이라고 협박했다. 이튿날인 3월 13일 월요일 아침 빈에 도착한 이 땅딸막한 고위성직자*는 베를린에 열차편으로 갈 생각이었으나 독일 측이 그를 비행기에 밀어넣고 히틀러의 면전까지 날려보냈다. 총통은 허비할 시간이 없었다.

티소와 듀르찬스키가 3월 13일 저녁 7시 40분에 베를린의 총리 관저에 도착해서 보니 히틀러 옆에 리벤트로프뿐 아니라 최고위 두 장군인 브라우히치 독일 육군 총사령관과 카이텔 OKW 총장까지 있었다. 독일 측은 신경쓰지 않았을지도 모르지만, 슬로바키아 측으로서는 총통 특유의 언짢은 심기도 눈에 들어왔다. 이번에도 압수된 기밀 회담록 덕분에 우리는 순식간에 과대망상에 빠지는 독재자의 뒤틀린 심중을 들여다볼 수 있고, 결코 세상에 알려지지 않을 것이라고 확신한 채 터무니없는 거짓말을 지어내고 무시무시한 협박의 말을 내뱉는 모습을 지켜볼 수 있다.[23]

"체코슬로바키아가 더 이상 잘려나가지 않은 것은 오로지 독일 덕입니다"라고 히틀러는 말했다. 독일 제국은 "최대한의 자제력"을 보여주었

---

* 내 기억에 몬시뇰 티소는 거의 키만큼이나 옆으로 넓은 사람이었다. 엄청난 대식가이기도 했다. 그는 언젠가 파울 슈미트 박사에게 "흥분상태가 되면 나는 햄을 반 파운드 먹는데, 그러면 신경이 가라앉습니다"라고 말했다. 티소는 나중에 교수형을 당했다. 1945년 6월 8일 미군 당국에 체포된 뒤 재건 체코슬로바키아 측에 넘겨졌고, 4개월간 재판을 받은 끝에 1947년 4월 15일에 사형선고를 받고 4월 18일에 집행되었다.

다. 그러나 체코 정부는 이에 감사하지 않는다. 이어서 히틀러는 쉽사리 흥분을 끌어올리며 "지난 몇 주 사이에 도저히 견딜 수 없는 상황이 되었습니다. 예전 베네시의 고집이 되살아났습니다"라고 말했다.

슬로바키아도 총통을 실망시켰다. 뮌헨 회담 이후 총통은 우방인 헝가리 정부가 슬로바키아를 탈취하는 것을 허용하지 않아 그들과 "사이가 틀어진" 터였다. 총통은 슬로바키아가 독립을 원한다고 생각하고 있었다.

총통은 이 문제를 **아주 짧은 시간 안에** 명확히 정리하기 위해 티소를 호출한 것이다. … 문제는 슬로바키아가 과연 독립국으로서 존속하기를 원하는지 여부다. … 그것은 며칠이 아니라 몇 시간이면 매듭지을 수 있는 문제다. 슬로바키아가 독립을 원한다면, 총통은 그것을 지지하고 보증까지 할 것이다. … 만약 슬로바키아가 망설이거나 프라하로부터 분리되기를 거부한다면, 총통은 슬로바키아의 운명을 방관하며 더는 책임지지 않을 것이다.
[강조는 원문 그대로]

이어서 독일의 회담록은 리벤트로프가 "슬로바키아 국경에서의 헝가리 병력의 이동을 알리는, 방금 받은 보고서를 총통에게 건넸다"라고 전한다. "총통은 이 보고서를 읽고서 티소에게 그 내용을 말하고 슬로바키아가 서둘러 결정을 내려주었으면 하는 바람을 표명했다."

티소는 그 자리에서는 결정을 내리지 않았다. 히틀러에게 "총리의 말에 충격을 받아, 명확한 결정을 즉시 내리지 못하는 것을 양해"해달라고 말했다. 그러면서도 슬로바키아 정부가 "총통의 선의를 받을 가치가 있다는 것을 입증"하겠다고 재빨리 덧붙였다.

슬로바키아 측은 독일 외무부에서 밤늦게까지 이어진 회의에서 본인들의 말대로 그 가치를 입증했다. 당시 브라티슬라바에서 히틀러의 첩보원으로 활동했고 그 전년에는 오스트리아 병합 전야에 빈에서 활동했던 빌헬름 케플러의 뉘른베르크 법정 증언에 따르면, 티소는 독일 정부의 도움을 받아 어떤 전보의 초안을 작성했다. 티소가 브라티슬라바로 돌아가자마자 슬로바키아 '총리' 명의로 독일에 보낼 예정이었던 그 전보는 슬로바키아의 독립을 선언하고 총통에게 새로운 국가의 보호를 맡아줄 것을 긴급히 요청하는 내용이었다.[24] 이 전보는 바로 1년 전에 괴링이 구술한, 자이스-잉크바르트 명의로 히틀러에게 독일 병력을 오스트리아로 보내달라고 호소한 '전보'를 떠올리게 한다. 이 무렵 나치의 '전보' 수법은 완벽한 수준이었다. 티소는 상당히 축약한 전보를 3월 16일에 때맞춰 타전했고, 히틀러는 즉각 "슬로바키아 국가의 보호를 맡게 되어" 기쁘다고 회신했다.

3월 13일 밤 외무부에서 리벤트로프도 슬로바키아의 '독립' 선언문을 작성한 뒤 티소가 브라티슬라바로 가져갈 수 있도록 제때에 슬로바키아어로 번역했다. 그리고 이튿날인 3월 14일 화요일에 '총리'가 그 선언문—어느 독일 정보원의 보고에 따르면 문장이 조금 변경된 것이었다—을 의회에서 낭독했다. 적어도 토의라도 해보려던 몇몇 슬로바키아 의원들의 시도는 독일계 소수집단의 지도자 카르마진에 의해 좌절되었는데, 그는 독립 선언을 조금이라도 지체하면 독일군이 이 나라를 점령할 것이라고 경고했다. 의심하던 의원들은 이 협박에 꼬리를 내렸다.

그리하여 1939년 3월 14일, '독립' 슬로바키아가 탄생했다. 영국 사절들이 이 탄생의 경위를 런던에 서둘러 보고했는데, 뒤에 가서 언급할 것처럼 체임벌린은, 히틀러가 뮌헨 회담에서 미처 매듭짓지 못했던 일을 3월 14일 당일 저녁에 완결하자, 슬로바키아의 '분리 독립'을 되레 자국의 체코슬로바키아에 대한 보장을 이행하지 않을 구실로 재빠르게 써먹었다.

마사리크와 베네시의 체코슬로바키아 공화국은 이제 생명력이 남아 있지 않았다. 그리고 프라하에서 괴로워하던 지도부는 다시 한 번 히틀러의 간계에 빠져 체코슬로바키아 비극의 마지막 장을 꾸미게 되었다. 당황한 고령의 하하 대통령은 총통에게 접견을 요청했다.* 히틀러는 정중히 승낙했다. 그 회견은 히틀러의 경력을 통틀어 가장 철면피하게 행동할 기회 중 하나였다.

3월 14일 오후, 체코슬로바키아 대통령이 도착하기를 기다리는 독일 독재자는 이미 특유의 솜씨로 무대를 치밀하게 꾸며놓고 있었다. 히틀러가 교묘하게 획책한 슬로바키아와 루테니아의 독립 선언 이후 프라하 정부로서는 체코의 중심부인 보헤미아와 모라비아만 남은 처지였다. 사실상 체코슬로바키아―이 나라가 침공을 받을 경우 영국과 프랑스가 그 국경을 보장하기로 되어 있었다―는 소멸한 것 아니었을까? 체코슬로바키아의 국경을 보장하기로 엄숙히 약속했던 뮌헨 회담 때의 파트너 체임벌린과 달라디에는 벌써 '돌아서버렸다'. 히틀러는 두 사람이 그런 태도를 취하리라는 것을 알고 있었다―그리고 그대로 되었다. 이로써 외국의 간섭이라는 우려는 사라졌다. 그렇지만 히틀러는 만전을 기하기 위

---

* 이 점에 관해서는 의견이 갈린다. 일부 역사가들은 독일 측이 하하에게 베를린으로 오도록 강요했다고 주장해왔다. 이 주장의 근거는 아마도 베를린 주재 프랑스 대사의 전보일 텐데, 대사는 이 소식을 "믿을 만한 정보원에게서" 들었다고 했다. 그러나 훗날 발견된 독일 외무부 문서들에서는 하하가 먼저 연락했다는 것이 분명하게 드러난다. 그는 3월 13일에 프라하의 독일 공사관을 통해 히틀러와의 회견을 요청했고, 14일 오전에 또다시 요청했다. 히틀러는 14일 오후에 회견에 동의했다.[25]

해—자신의 다음 행보가 국제법의 모호한 기준에 비추어 적어도 서류상으로는 아주 적법하고 정당한 행동으로 보이도록 하기 위해—회견을 청해온 허약하고 노쇠한 하하를 다그쳐 자신이 한때 군사력으로 달성하려던 해결책을 받아들이게 했다. 그리하여 오스트리아 병합이나 뮌헨 협정으로 유럽에서 유일하게 무혈 정복이라는 새로운 수법에 통달해 있음을 입증했던 히틀러는 체코슬로바키아 대통령이 실제로, 또 공식적으로 그해결책을 요청했다는 모양새를 연출할 수 있었다. 히틀러가 독일 국내에서 권력을 장악할 때 완벽에 가깝도록 꼼꼼히 챙겼던 '합법성'의 외양은 비독일 영토를 정복하는 과정에서도 그대로 유지될 터였다.

히틀러는 독일인이나 그 밖의 속이기 쉬운 다른 유럽인들을 우롱하기 위한 사전작업도 했다. 며칠 전부터 독일인 선동가들은 프라하, 브르노, 이흘라바 등 체코의 여러 도시에서 소동을 일으키려 하고 있었다. 그들은 큰 성공을 거두지 못했는데, 프라하 주재 독일 공사관에서 보고한 대로 체코 "경찰에게는 설령 도발해올지라도 독일인 상대로는 아무 조치도 취하지 말라는 지시가 내려졌기" 때문이다.[26] 이 시도가 실패했음에도 괴벨스 박사는 독일의 신문을 채찍질해 불쌍한 독일인에 대한 체코인의 테러 행위를 미친 듯이 날조하게 했다. 프랑스 대사 쿨롱드르가 파리에 알렸듯이, 그 날조 기사들은 지난 주데텐 위기 동안 괴벨스가 지어낸 것들과 똑같은 이야기에 똑같은 제목이었다—임신한 독일인 여성이 짐승 같은 체코인들에게 구타당했다는 기사, 무방비 상태의 독일인들이 체코 야만인들에게 공격당해 온통 '피바다Blutbad'가 되었다는 기사까지 똑같았다. 히틀러는 자존심 강한 독일 국민들을 향해 이러한 동포들을 언제까지고 무방비 상태로 두지 않겠다고 확약할 수 있었다.

지금까지 살펴본 것이 오늘날 우리가 독일 문서고의 자료를 바탕으로 알고 있는, 3월 14일 밤 10시 40분 하하 대통령과 흐발코프스키 외무장관을 태운 열차가 베를린 안할트 역으로 들어오던 때의 상황과 히틀러의 계획이다. 대통령은 심장 질환 때문에 비행기를 탈 수 없었다.

하하 박사의 시련

___

독일의 의전은 완벽했다. 체코 대통령은 국가원수에 걸맞은 공식 의전으로 대우받았다. 역에는 의장병이 서 있었고, 독일 외무장관이 직접이 귀빈을 맞이하고 그의 딸에게 멋진 꽃다발을 안겼다. 체코 일행이 묵은 호화로운 아들론 호텔의 최고급 스위트룸에는 하하 양을 위한 초콜릿이 마련되어 있었다─누구나 자신처럼 단것을 좋아한다고 여긴 아돌프 히틀러의 개인 선물이었다. 그리고 고령의 대통령과 외무장관이 총리 관저에 도착하자 친위대 의장병이 경례를 올렸다.

두 사람은 오전 1시 15분까지 히틀러 앞으로 안내되지 않았다. 하하는 자신에게 무슨 일이 닥칠지 틀림없이 알고 있었을 것이다. 열차가 체코 영토를 떠나기 전에 그는 독일 병력이 이미 체코의 중요한 공업도시 모라프스카-오스트라바를 점령했고 이제 보헤미아와 모라비아의 외곽지대 전역을 공격할 태세라는 소식을 프라하로부터 들었다. 그리고 한밤중에 총통의 서재로 들어가서 보니 히틀러 옆에 리벤트로프와 바이츠제커뿐 아니라 산레모에서 휴가를 보내다 급히 불려온 괴링 원수와 카이텔 장군까지 서 있었다. 이 사자굴로 들어갈 때 하하 박사는 분명 히틀러의 돌팔이 의사 테오도어 모렐Theodor Morell 박사가 대기하고 있음을 알아채지 못했을 것이다. 하지만 그 의사는 그곳에 대기 중이었고, 거기에는 그럴 만한 이유가 있었다.

독일의 기밀 회담록은 처음부터 비참한 광경이 펼쳐졌음을 알려준다. 불운한 하하 박사는 존경받는 대법원 판사라는 배경에도 불구하고 인간적 품위를 모두 버리고서 으스대는 독일 총통에게 굽실거렸다. 아마도 대통령은 히틀러의 아량에 호소하고 자국민을 위해 무언가를 지키려면 그 방법밖에 없다고 생각했을 것이다. 그러나 그런 동기에도 불구하고, 독일 측이 기록한 기밀문서에 보이는 그의 말은 오랜 세월이 지난 오늘날 읽어도 역겨움을 자아낸다. 하하는 자신이 정치에 결코 관여하지 않았다고 히틀러에게 확언했다. 체코슬로바키아 공화국을 세운 마사리크와 베네시를 만난 적이 거의 없거니와 그나마 만나본 모습도 좋지는 않았다고 했다. 또 그들의 정권은 자신에 "이질적"이라고 했다—"너무 이질적이라서 [뮌헨 협정 이후] 정권이 교체되자마자 과연 독립국인 것이 체코슬로바키아에 좋은 일인지 자문했을 정도였다."

그는 체코슬로바키아의 운명이 총통의 수중에 있다고 확신했고, 그 수중에 있어야 안전하다고 믿었다. … 다음으로 그는 자신이 가장 염려하는 일, 즉 자국민의 운명을 거론했다. 체코슬로바키아는 국가로서의 삶을 영위할 권리가 있다는 자신의 견해를 이해할 만한 사람이 바로 총통이라고 그는 생각했다. … 체코슬로바키아는 베네시 체제의 지지자들이 아직도 많이 존재한다는 이유로 비난받고 있다. … 체코 정부는 모든 수단을 강구하며 그들의 입을 틀어막으려 하고 있다. 그가 할 말은 이것이 전부였다.

그런 다음부터는 아돌프 히틀러가 발언을 독점했다. 히틀러는 마사리크와 베네시의 체코슬로바키아가 독일 및 독일인에게 저질렀다는 온갖 악행을 열거하고, 유감스럽게도 체코 정부는 뮌헨 협정 이후에도 바뀌지 않았다고 거듭 말하고는 요점을 짚었다.

총통은 고령을 무릅쓴 대통령의 이번 여정이 그의 나라에 큰 이익이 될 것이라고 결론지었다. 이제 독일의 개입이 시간문제에 지나지 않았기 때문이다. … 그는 어떤 국가에도 적의를 품고 있지 않았다. 잔존 체코슬로바키아 국가가 어떻게든 존재하는 것은 오로지 그의 성실함 덕분이었다. … 지난해 가을에 그는 공존이 가능하다고 생각해서 최종 결론을 내리려 하지 않았지만, 만약 베네시와 같은 경향이 사라지지 않으면 이 국가를 완전히 파괴할 것이라는 생각에는 의문의 여지가 없었다.

그런 경향은 사라지지 않았으며, 히틀러는 그런 '사례'를 들었다.

그리하여 지난 3월 12일 일요일에 주사위가 던져졌다. … **그는 독일 병력에 침공 명령과 함께 체코슬로바키아를 독일 제국에 편입시키라는 명령을 내렸다.** [강조는 원문 그대로]

"하하와 흐발코프스키는 마치 돌로 변한 것처럼 앉아 있었다"라고 슈미트 박사는 적었다. "두 눈만이 그들이 살아 있음을 보여주었다." 하지만 히틀러는 아직 할 말이 남아 있었다. 튜턴족의 공포로 위협해 두 손님의 기를 꺾을 작정이었다.

[히틀러가 이어서 발언함] 독일 육군은 오늘 이미 진격을 개시했고, 그에 저항한 병영들은 무자비하게 분쇄되었다.
내일 아침 6시 정각에 독일 육군은 모든 방면에서 체코로 진입할 것이고,

공군은 체코 비행장들을 점령할 것이다. 두 가지 가능성이 있다. 한 가지 가능성은 독일 병력의 진입이 전투로 번지는 것이다. 그 경우에 저항은 완력에 의해 분쇄될 것이다. 또 한 가지 가능성은 독일 병력의 진입이 평시의 방식으로 이루어지는 것이고, 그 경우에 총통은 체코슬로바키아에 관대한 생활 방식, 자치, 일정한 국가적 자유를 허용하기가 쉬울 것이다.

그는 이 모든 일을 증오로 인해 하는 것이 아니라 독일을 지키기 위해서 하고 있다. 지난해 가을에 만약 체코슬로바키아가 굴복하지 않았다면, 체코 국민은 몰살당했을 것이다. 그가 그렇게 하는 것을 아무도 막지 못했을 것이다. 전투가 벌어졌다면 … 체코 육군은 이틀 만에 소멸되었을 것이다. 물론 독일군 일부도 죽었을 테지만, 그랬다면 그에게서 증오가 생겨나 자기 보존을 위해서라도 자치를 인정하지 않았을 것이다. 세계는 이 일에 조금도 신경쓰지 않을 것이다. 그는 외국 신문을 읽을 때면 체코 국민에게 동정심을 느꼈다. 독일 속담을 빌리자면 이런 느낌이었다. "무어인은 할 일을 했네. 무어인은 가도 되네." …

이것이 하하를 이곳으로 오게 한 이유였다. 이것이 총통으로서는 체코 국민에게 베풀 수 있는 마지막 호의였다. … 아마도 하하의 방문으로 최악의 사태는 피할 수 있을 것이다. …

시간은 흘러가고 있었다. 6시 정각에 병력은 진격을 개시할 것이다. 민망한 말이지만 체코군 1개 대대에 독일군 1개 사단이 대적한다. 총통은 이제 그[하하]에게 흐발코프스키와 함께 방에서 나가 어떻게 할지 상의해서 결정하도록 권하려 했다.

어떻게 할 것인가? 기력을 잃은 고령의 대통령은 그것을 결정하기 위해 굳이 그 자리를 뜰 필요까지도 없었다. 그는 곧장 히틀러에게 "저희 입장은 아주 분명합니다. 저항은 어리석은 행동일 겁니다"라고 말했다. 그러면서도 대통령은— 오전 2시가 조금 지난 시간이었으므로—어떻게 4시간 만에 저항하지 말라고 전 국민을 제지할 수 있겠느냐고 물었다. 총통은 자신이 동료들과 상의해보는 편이 낫겠다고 대꾸했다. 독일군은 이미 이동 중이고 멈출 수 없었다. 하하는 당장 프라하에 연락을 취해야 했다. 독일 기록에 따르면 히틀러는 이렇게 말했다. "중대한 결정이었지만, 그는 두 국민 사이에 장기적인 평화의 가능성이 열리는 것을 보았다. 만약 다른 결정이 내려졌다면, 그는 체코슬로바키아의 소멸을 보았을 것이다."

이 말과 함께 히틀러는 손님들을 잠시 내보냈다. 오전 2시 15분이었다. 옆방에서 괴링과 리벤트로프는 두 희생자를 한층 강하게 압박했다. 베를린 주재 프랑스 대사는 믿을 만하다고 판단되는 정보원에 근거해 당시 장면을 묘사한 공식 전보를 파리에 보냈는데, 그것에 따르면 하하와 흐발코프스키는 자국민에게 가해진 굴욕에 항의했다. 그들은 항복 문서에 서명하지 않겠다고 선언했다. 서명하면 국민들로부터 영원히 저주받을 것이라고 했다.

[쿨롱드르가 전보에 씀] 독일 각료들[괴링과 리벤트로프]은 인정사정없었다. 그들은 문서가 놓인 탁자를 에워싸고 하하 박사와 흐발코프스키 씨를 문자 그대로 사냥했다. 손님들에게 계속해서 문서를 들이밀고, 손에 펜을 쥐어주고, 계속 거부하면 두 시간 내에 프라하의 절반이 폭격으로 재가 될 것이며 그마저 시작일 뿐이라고 끊임없이 다그쳤다. 폭격기 수백 대가 이륙 명령을 기다리고 있고, 만약 서명이 이루어지지 않으면 아침 6시에 명령이 내려질 것이라고 했다.*

그 순간, 제3제국의 드라마가 절정에 이를 때마다 용케도 그 모든 장소에 있었던 듯한 슈미트 박사는 괴링이 소리쳐 모렐 박사를 부르는 소리를 들었다.

"하하가 기절했소!" 괴링이 소리쳤다.

두 나치 불량배는 기절한 체코 대통령이 자기들 손에 죽은 것이 되면, 슈미트의 말마따나 "대통령이 총리 관저에서 살해되었다고 내일이라도 전 세계에 소문이 날 것"을 우려했다. 모렐 박사의 특기는 주사 놓기였는데—훨씬 나중에 주사를 놓다가 하마터면 히틀러를 죽일 뻔한 적도 있었다—그때 하하 박사에게 바늘을 찔러 그의 의식을 회복시켰다. 얼마간 기운을 되찾은 대통령은 독일 측이 쥐어준 전화기를 들고서 리벤트로프가 급히 연결하라고 지시해둔 특별회선을 통해 프라하 정부와 통화했다. 그는 체코 내각에 그 자리에서 일어난 사태를 알리고 항복을 권고했다. 명운이 다해가는 공화국의 대통령은 모렐 박사의 두 번째 주사를 맞고서 좀 더 의식을 찾은 다음 히틀러 앞으로 비틀비틀 걸어가 자국의 사형집행 영장에 서명했다. 1939년 3월 15일 오전 4시 5분 전이었다.

그 영장 문면은 슈미트의 말대로 "히틀러가 사전에" 준비해둔 것이었으며, 하하가 기절해 있는 동안 이 독일 통역관은 역시 "사전에" 작성해둔 공식 성명서를 서둘러 베껴 적었다. 하하와 흐발코프스키는 그 성명서에도 서명해야 했다. 그 내용은 다음과 같다.

---

* 뉘른베르크 증인석에서 괴링은 자신이 하하에게 "아름다운 프라하를 폭격해야 한다면 유감일 것이오"라고 말했음을 인정했다. 그 협박을 정말로 실행할 의도는 없었다—"그럴 필요는 없었을 겁니다"라고 괴링은 설명했다. "하지만 그렇게 말하면 설득에 힘이 실려 만사가 풀릴 거라고 생각했습니다."[27]

오늘 총통은 상대의 요청에 따라 체코슬로바키아 대통령 하하 박사와 체코슬로바키아 외무장관 흐발코프스키 박사를 외무장관 폰 리벤트로프가 동석한 가운데 베를린에서 접견했다. 이번 회담에서는 현재의 체코슬로바키아 영토에서 벌어진 최근 몇 주 동안의 사태로 조성된 심각한 상황을 지극히 솔직하게 검토했다.

양측은 모든 노력의 목표가 중유럽 이 지역에서의 안녕과 질서, 평화를 지키는 데 있다는 확신을 한목소리로 표명했다. 체코슬로바키아 대통령은 이 목표에 부응해 궁극적인 평화를 달성하고자 체코 국민과 국가의 운명을 독일 제국 총통의 손에 자신 있게 맡긴다고 선언했다. 총통은 이 선언을 수락하고, 독일 제국의 보호 아래 체코 국민을 받아들이고 그들의 특질에 적합한 민족 생활의 자주적 발전을 보장한다는 의사를 표명했다.

이 정도면 히틀러의 궤변이 절정에 이르렀다고 해야 할 것이다.

여성 비서들 중 한 명에 따르면, 히틀러는 서명을 마치고 집무실로 달려가서는 그곳에 있던 여성들을 전부 껴안고서 소리쳤다. "오늘은 내 생애 최고의 날일세! 내 이름은 역사에 가장 위대한 독일인으로 기록될 거야!"

체코슬로바키아의 종말이 독일 종말의 시초일 수도 있다는 생각은 그에게 떠오르지 않았다―어떻게 그런 생각이 들 수 있었겠는가? 오늘날에는 누구나 알고 있듯이, 이 1939년 3월 15일―카이사르가 암살당할 것으로 예언된 날―새벽의 바로 앞에는 전쟁과 패배, 재앙으로 이어지는 길이 펼쳐져 있었다. 그것은 짧은 길이자 거의 직선만큼이나 곧은 길이었다. 그리고 그 길에 올라 돌진하기 시작한 이상, 과거의 알렉산드로

스나 나폴레옹과 마찬가지로 히틀러도 멈출 수가 없었다.[28]

3월 15일 오전 6시, 독일군은 보헤미아와 모라비아로 쇄도했다. 저항은 없었고, 저녁 무렵 히틀러는 지난 뮌헨 회담 때 체임벌린에게 속아서 빼앗겼다고 생각한 프라하로 의기양양하게 입성할 수 있었다. 베를린을 떠나기 전 그는 독일 국민에게 거창한 성명을 발표하여 자신이 끝장낼 수밖에 없었던 체코 정부의 "난폭한 만행"과 "테러"에 관한 지겨운 거짓말을 반복한 다음 "체코슬로바키아는 소멸했습니다!"라고 자랑스럽게 선언했다.

그날 밤 히틀러는 보헤미아 왕들의 유서 깊은 본거지로서 블타바 강 기슭에 높이 솟은 흐라드차니 성에 묵었다. 이 성은 히틀러가 경멸한 마사리크와 베네시가 거주하며 중유럽 역사상 최초의 민주국가를 위해 일한 곳이기도 했다. 총통의 복수는 완결되었다. 그가 발표한 일련의 성명에서 잘 드러나듯이, 그것은 달콤한 복수였다. 이로써 히틀러는 체코인에 대한 불타는 원한, 30년 전 빈에서 부랑자로 지내던 시절부터 오스트리아인으로서 마음속 깊이 간직했고 지난해 베네시가 독일의 전능한 독재자에게 감히 대들었을 때 다시 불붙은 원한을 모두 갚았다.

이튿날 흐라드차니 성에서 히틀러는 보헤미아와 모라비아를 독일의 보호령으로 삼는다고 선포했다. 체코인에게 "자율과 자치"를 허용하겠다고 공언하긴 했지만, 보호령이라는 표현 그대로 그들을 완전히 독일의 압제하에 두는 조치였다. 모든 권한은 총통이 임명할 '제국보호자'와 그의 국무장관 및 민정수석에게 넘어갔다. 영국과 프랑스의 성난 여론을 달래기 위해 히틀러는 한직으로 밀려났던 '온건한' 노이라트를 불러내 제국보호자에 임명했다.* 주데텐의 최고위 두 지도자 콘라트 헨라인과 깡패 카를 헤르만 프랑크는 각각 보호령의 민정수석과 국무장관에 임명되어 체코인에게 복수할 기회를 잡았다. 얼마 지나지 않아 독일 경찰의 우두머리 힘러는 보호령의 목을 졸랐다. 이를 위해 그는 악명 높은 프랑크를 보호령의 경찰 수장이자 친위대 고급장교에 임명했다.**

[히틀러가 보호령 성립을 선포하며 말함] 천 년 전부터 보헤미아, 모라비아 지방은 독일 민족의 생존공간의 일부를 이루어왔다. … 체코슬로바키아는 내재적으로 생존능력이 없음을 보여주었고, 그 때문에 지금 실질적 해체의 희생물이 되었다. 독일 제국은 이들 지역에서의 지속적인 분란을 용인할 수 없다. … 그러므로 독일 제국은 자기보존의 법칙에 따라 중유럽에서 온당한 질서를 재구축하기 위해 이제 결정적으로 개입할 것을 결의한다. 독일 제국은 그 천 년의 역사 동안 독일 민족의 위대함과 유능함에 힘입어 유일하게 이 과제에 착수할 것을 요청받는다는 사실을 이미 입증했기 때문이다.

그리하여 프라하와 체코 땅에 독일적 야만성으로 가득찬 긴 밤이 내려앉았다.

---

* 뉘른베르크 증인석에서 노이라트는 히틀러가 자신을 제국보호자에 임명했을 때 "전혀 뜻밖"이었고 그 일을 맡기가 "불안"했다고 말했다. 그렇지만 이번 임명으로 영국과 프랑스에 "더 이상 체코슬로바키아에 적대적인 정책을 취할 생각이 없음"을 납득시키고 싶다는 히틀러의 설명을 듣고서 그 직책을 받아들였다고 한다.[29]
** 여기서 시간을 건너뛰어 방금 이야기한 드라마의 몇몇 등장인물에게 무슨 일이 일어났는지 알아보면 흥미로울 것이다. 프랑크는 전후에 체코 법정에서 사형선고를 받고 1946년 5월 22일에 프라하 근교에서 공개 교수형에 처해졌다. 헨라인은 1945년 체코 저항군에 붙잡힌 뒤 자살했다. 흐발코프스키는 베를린 주재 보호령 대표로 활동하다가 1944년에 연합군의 폭격으로 사망했다. 하하는 1945년 5월 14일 체코 측에 체포되었지만 재판을 받기 전에 죽었다.

3월 16일, 히틀러는 앞에서 언급했듯이 실은 베를린에서 작성했던 티소 총리 명의의 '전보'에 응하는 모양새로 슬로바키아 역시 선의의 보호 아래 두었다. 독일군은 그 '보호'를 실행하고자 곧장 슬로바이카로 진입했다. 3월 18일, 히틀러는 빈에서 '보호 조약'을 승인했다. 그런데 3월 23일 베를린에서 리벤트로프와 투카 박사가 서명한 내용대로 그 조약에는 슬로바키아 경제를 활용할 배타적 권리를 독일 측에 주는 비밀의정서가 붙어 있었다.[30]

체코슬로바키아의 동쪽 끝에 해당하는 루테니아에 대해 말하자면, 3월 14일 선포된 '카르파토-우크라이나 공화국'으로서의 독립은 겨우 24시간 지속되는 데 그쳤다. 이 공화국은 히틀러에게 '보호'해달라고 호소했으나 소용이 없었다. 히틀러는 이 영토를 이미 헝가리에 넘겨준 터였다. 압수된 독일 외무부 문서고에는 3월 13일 헝가리 섭정 호르티 미클로시가 아돌프 히틀러에게 보낸 흥미로운 친필 서신이 남아 있다.

각하, 진심으로 감사드립니다! 저는 얼마나 행복한지 표현할 길이 없습니다. 이 상류 지역[루테니아]은 헝가리에는 — 저는 과장된 말을 싫어합니다 — **사활이 걸린 문제**이기 때문입니다. … 우리는 그 문제와 열심히 씨름하고 있습니다. 계획은 이미 짜두었습니다. 16일 목요일에 국경에서 모종의 사건이 발생할 것이고, 토요일에는 대규모 공세가 뒤따를 것입니다.[31]

곧 밝혀진 대로, 국경의 '사건'은 필요하지 않았다. 헝가리군은 독일군이 서쪽에서 진입하는 때에 맞춰 3월 15일 오전 6시에 루테니아로 무턱대고 진입했으며, 이튿날 그 영토는 헝가리에 정식으로 병합되었다.

이렇게 해서 하하가 베를린 총리 관저에 도착한 오전 1시 15분에 시작된 3월 15일 하루가 저물 무렵, 히틀러가 말한 대로 체코슬로바키아는 소멸하고 말았다.

영국과 프랑스는 뮌헨 회담에서 체코슬로바키아가 침공당하지 않도록 보장하겠다고 엄숙히 서약했음에도 이 나라를 구하려는 움직임은 조금도 보이지 않았다.

뮌헨 회담 이후 히틀러뿐 아니라 무솔리니도 영국이 너무 약해지고 그 총리도 너무 유순해져서 더 이상 런던에 신경쓸 필요가 없다는 결론에 도달했다. 1939년 1월 11일, 체임벌린은 핼리팩스 경과 함께 영국-이탈리아 관계를 개선하고자 로마를 방문했다. 두 영국 신사가 도착했을 때 우연히도 로마 역에 있었던 나는 손님들을 맞는 무솔리니의 얼굴에 "능글맞은 웃음이 살짝" 걸려 있었다고 일기에 적었다. 그들 일행이 역을 벗어날 때 보니 "무솔리니는 사위[치아노]와 무언가 비꼬는 말을 주고받으며 농담을 하고 있었다".[32] 물론 무슨 말을 하는지 알아들을 수는 없었지만, 치아노는 나중에 자신의 일기에서 당시 농담의 요지를 밝혔다.

[치아노가 1월 11일과 12일에 씀] 체임벌린 도착. … 우리는 이 사람들과 얼마나 멀리 떨어져 있는가! 다른 세계다. 저녁식사 후에 그것에 대해 두체와 이야기를 나누었다. "이 남자들은 영 제국을 세운 프랜시스 드레이크 같은 걸출한 모험가들과는 같은 재료로 만들어지지 않은 모양이야. 결국 길게 이어진 부자 가문의 고리타분한 후손들이지. 장차 그들이 제국을 잃게 될 걸세" 하고 두체가 말했다.

영국은 싸우려 하지 않는다. 되도록 천천히 물려나려고 할 뿐, 싸우지 않는다. … 영국 측과의 대화는 끝났다. 아무것도 이루어지지 않았다. 나는 리벤트로프에게 전화를 걸어 이번 방문은 '커다란 레모네이드'[소극]였다고 말했다. …

[치아노가 1월 14일에 씀] 나는 두체를 따라 체임벌린을 배웅하러 역으로 갔다. … 열차가 움직이기 시작하고 그의 동포들이 〈참으로 좋은 사람이니까〉를 부르기 시작했을 때 체임벌린의 두 눈은 눈물로 가득했다. "이 짤막한 노래는 뭔가?" 하고 두체가 물었다.[33]

주데텐 위기 동안 히틀러는 체임벌린의 견해에 신경쓰긴 했지만, 압수된 독일 문서에는 그 후 히틀러가 영국의 보장―아울러 뮌헨 협정―에도 불구하고 잔존 체코슬로바키아를 분쇄하는 자신의 조치를 영국 총리가 어떻게 생각할지에 대해 조금이라도 신경썼음을 시사하는 구절은 전혀 없다. 3월 14일 베를린에서 히틀러가 하하에게 굴욕을 안기려고 기다리고 있을 때, 그리고 런던 하원에서 독일의 슬로바키아 '분리 독립' 공작과 그것이 프라하 침공에 대한 영국의 보장에 어떤 영향을 끼칠지를 놓고 성난 질문들이 제기되었을 때, 체임벌린은 흥분해서 이렇게 답변했다. "그런 침공은 일어나지 않았습니다."

그러나 이튿날인 3월 15일에 그런 침공이 일어나자 체임벌린은 슬로바키아의 '독립' 선언을 영국이 약속을 지키지 않을 변명거리로 삼았다. "이 선언의 결과, 우리가 국경을 보장하겠다고 제의했던 국가는 내분으로 종말을 고했습니다. 따라서 국왕 폐하의 정부는 이 의무에 더 이상 얽매일 수 없습니다."

이처럼 히틀러의 전략은 완벽하게 통했다. 히틀러는 체임벌린에게 빠져나갈 기회를 주었고, 체임벌린은 그 기회를 붙잡았다.

흥미로운 사실은 체임벌린이 히틀러의 약속 위반을 비난할 생각조차

하지 않았다는 것이다. 체임벌린은 "위반행위를 비난하는, 내가 보기에는 충분한 근거도 없이 떠드는 소리를 그간 너무도 자주 들은 터라 이제는 그런 성격의 비난이라면 전혀 동조하고 싶지 않습니다"라고 말했다. 그는 총통을 비난하는 말은 단 한마디도 입에 올리지 않았다. 심지어 하하를 홀대하고 3월 15일 새벽 총리 관저에서 비열하기 짝이 없는 사기 행각을—그 시점에는 아직 세부 내용이 알려지지 않았지만—벌인 일에 대해서도 비난하지 않았다.

그날 영국의 항의—항의라고 부를 수 있다면*—가 맹탕이었던 것, 그리고 독일 정부가 그 항의—그리고 영국과 프랑스의 뒤이은 불평—를 아주 오만하게 대하고 경멸한 것은 놀랄 일이 아니다.

국왕 폐하의 정부는 타국 정부들이 더 직접적으로 관심을 둘 만한 사안에 불필요하게 개입할 의향이 없다. … 그러나 독일 정부도 분명 이해할 테지만, 영국 정부는 유럽에서 신뢰와 긴장 완화를 가져올 모든 노력의 성공에는 깊은 관심을 두고 있다. 영국 정부는 이 전반적인 신뢰의 증대를 후퇴시킬 중유럽에서의 모든 행동을 강하게 비판할 것이다. …[34]

3월 15일 헨더슨 대사를 통해 핼리팩스 경의 공식 메시지로서 리벤트로프에게 전달된 이 문서에는 그날의 구체적인 사건들에 대한 언급이 전혀 없었다.

프랑스 측은 적어도 구체적이었다. 베를린 주재 신임 프랑스 대사 로베르 쿨롱드르는 영국 대사에게서 느껴지는 나치즘에 대한 환상도, 체

---

* 3월 16일 체임벌린은 하원에서 "지금까지" 독일 정부에 아무런 항의도 하지 않았다고 말했다.

코인에 대한 경멸도 품고 있지 않았다. 15일 아침에 쿨롱드르는 리벤트로프와의 회견을 요구했지만, 허영심과 복수심이 강한 독일 외무장관은 패배한 민족에게 굴욕을 안기려는 요량으로 이미 히틀러와 함께 프라하로 향하고 있었다. 리벤트로프 대신 바이츠제커 외무차관이 정오에 쿨롱드르를 접견했다. 대사는 체임벌린이나 헨더슨은 아직 꺼낼 준비가 되지 않은 말을 곧장 꺼냈다. 다시 말해 독일이 보헤미아와 모라비아에 대한 군사 개입으로 뮌헨 협정과 12월 6일의 프랑스-독일 선언을 모두 위반했다고 지적했다. 훗날 자신이 줄곧 반나치였다고 완강하게 주장할 폰바이츠제커 남작은 당시 리벤트로프에게 칭찬받을 만한 오만한 자세로 프랑스 대사를 상대했다. 이 회견 장면을 기록한 바이츠제커 본인의 문서에 따르면

나는 대사에게 꽤 날카로운 말투로 그가 훼손되었다고 단언한 뮌헨 협정에 대해서는 언급하지 말고 우리에게 어떤 강의도 하지 말라고 말했다. … 나는 그에게 전날 밤 체코 정부와 체결한 협정을 고려할 때 프랑스 대사가 항의하는 이유를 알 수 없고 … 그가 대사관으로 돌아가면 새로운 훈령이 와 있을 것이라서 대사도 마음을 누그러뜨릴 것으로 확신한다고 말했다.[35]

사흘 후인 3월 18일, 영국 정부와 프랑스 정부가 국내의 성난 여론에 부응하여 늦게나마 독일 제국에 정식으로 항의했을 때, 바이츠제커는 스승 리벤트로프를 한참 능가하는 오만불손함을 선보였다—이번에도 본인의 서술에 따르면 그렇다. 독일 외무부 서류철에서 발견된 한 공문에서 바이츠제커는 분명히 고소해하는 말투로 자신이 어떻게 프랑스의 공식 항의서를 수리하는 것조차 거부했는지 이야기한다.

나는 즉시 그 항의서를 봉투에 도로 넣어 대사에게 들이밀면서 체코-슬로 바키아 문제에 관해서는 그 어떤 항의도 수리하기를 단호히 거부한다고 말 했다. 나는 현재 이 대화도 기록에 남기지 않을 것이라고 했고, 쿨롱드르 씨 에게 이 초안을 수정할 것을 본국 정부에 촉구하라고 권고했다. …[36]

쿨롱드르는 당시의 헨더슨과 달리 독일 측이 윽박지른다고 해서 자세 를 낮출 만한 사절이 아니었다. 그는 프랑스 정부의 항의서는 충분히 숙 고한 후에 작성한 것이고 그것의 수정을 본국에 주문할 생각이 없다고 쏘아붙였다. 그래도 외무차관이 항의서 수리를 계속 거부하자 대사는 외 교상의 관례를 상기시키며 프랑스는 자국의 견해를 독일 정부에 알릴 완 벽한 권리를 가지고 있다고 역설했다. 결국 바이츠제커는, 본인 서술에 따르면, "우리에게 우편으로 배달된 것으로 치겠습니다"라고 말하며 항 의서를 자기 책상에 내려놓았다. 하지만 이 무례한 행동에 앞서 다음과 같이 생각했다.

법적 관점에서 보면 총통과 체코-슬로바키아 국가의 대통령이 도출한 선언 이 존재한다. 체코 대통령은 본인의 요청에 따라 베를린을 방문하자마자 자국의 운명을 총통의 손에 맡기고 싶다고 단언했다. 나는 프랑스 정부가 당사국들보다 더 깐깐하게 굴고 베를린과 프라하 사이에서 정식으로 결정 된 사안에 참견하리라고는 상상도 하지 못했다.*

---

* 쿨롱드르 측에서 본 이 회견 기록은 프랑스 황서(黃書)에 실려 있다(No. 78, pp. 102-103, 프랑 스어판). 쿨롱드르는 바이츠제커의 서술을 확인해준다. 훗날 뉘른베르크 법정에서 바이츠제커는 그 회견에 관한 공문을 쓰면서 자신의 실제 반나치적 활동을 감추기 위해 나치적 정서를 일부러 과 장한 것이라고 주장했다. 그러나 그 회견에 대한 쿨롱드르의 서술은 바이츠제커가 전혀 과장하지

3월 18일 오후 늦게 싹싹한 영국 대사가 자국 정부의 항의서를 전해 왔을 때, 바이츠제커는 전혀 딴판으로 행동했다. 당시 영국은 "지난 며칠 간의 사태를 뮌헨 협정의 완전한 부인으로 여길" 수밖에 없고 "독일의 군사행동"에 "합법성의 근거가 전혀 없다"라는 입장이었다. 바이츠제커는 대사의 발언을 기록하면서 영국의 항의서가 프랑스의 항의서만큼 강경하지 않다는 점에 주목했다. 프랑스 측은 "독일 점령의 합법성을 인정하지 않을 것"이라고 말했기 때문이다.

헨더슨 대사는 하루 전인 3월 17일에 바이츠제커를 방문해 본국으로부터 '상의' 취지의 호출을 받았다고 알렸다. 외무차관에 따르면 대사는 자기에게 "체임벌린이 정적을 상대로 사용할 수 있는 논거들"에 관한 의견을 타진했다. "헨더슨은 영국의 경우 체코슬로바키아 영토에 대한 직접적인 관심은 없다고 설명했다. 그[헨더슨]의 우려는 미래에 더 치우쳐 있었다."[37]

히틀러가 체코슬로바키아를 파괴했음에도 영국 대사는 부임국 정부의 본성을 깨닫지 못했던 것으로 보이고, 또 그날 자신이 대표하는 본국 정부에서 무슨 일이 벌어지고 있는지도 알지 못했던 것으로 보인다.

히틀러가 체코슬로바키아를 소멸시키고 이틀이 지난 3월 17일, 네빌 체임벌린은 갑자기 뜻밖의 큰 깨달음을 경험했기 때문이다. 다만 그 깨달음에 이르기까지는 상당한 압박이 필요했다. 체임벌린에게는 매우 놀랍게도, 영국의 대다수 신문(《데일리 메일》은 그렇지 않았지만 심지어 《타임스》까지도)과 하원은 히틀러의 최근 침공에 격렬하게 반발했다. 더 심각한 것은 의회 내 체임벌린 지지자들 다수와 각료의 절반이 등을 돌려 히

_____

않았음을 드러내는 많은 증거들 중 하나일 뿐이다.

틀러에 대한 더 이상의 유화책에 반대한 일이었다. 특히 핼리팩스 경은, 독일 대사가 베를린에 보고한 대로, 총리가 눈앞의 현실을 직시하고 당장 기존 방침을 바꾸어야 한다고 강경하게 주장했다.[38] 체임벌린은 정부 수반과 보수당 당수로서의 입지가 흔들린다는 것을 퍼뜩 깨달았다.

체임벌린의 태도는 느닷없이 돌변했다. 3월 16일 저녁까지만 해도 존 사이먼 경이 정부를 대표해 하원에서 체코 측에 아주 냉소적이고 '뮌헨 정신'에 부합하는 연설을 했고, 그리하여 신문기사에 따르면 하원 의원 들의 "보기 드물게 격한 분노"를 자아냈다. 이튿날, 자신의 70세 생일 전날에 체임벌린은 고향 도시 버밍엄에서 연설을 하기로 되어 있었다. 그리고 이를 위해 사회복지에 중점을 둔 국내 문제에 관한 원고를 작성해 둔 터였다. 오후에 버밍엄으로 가는 열차에서, 프랑스 외교소식통이 내게 전해준 바에 따르면, 체임벌린은 마침내 결단을 내렸다. 그는 준비해 둔 연설문을 버리고 전혀 다른 연설문을 급하게 작성했다.

라디오 방송을 타게 된 그 연설에서 체임벌린은 영국 전역과 세계 여러 지역의 사람들에게 이틀 전에 하원에서 부득이하게 행한 "매우 억제되고 조심스럽고 … 다소 냉정하고 쌀쌀맞은 발언"에 대해 사과했다. "오늘밤 저는 그 발언을 정정하고자 합니다."

총리는 마침내 아돌프 히틀러가 자신을 속였다는 것을 알았다고 했다. 그리고 주데텐란트가 유럽에서의 마지막 영토적 요구라거나 "체코인을 원하지 않는다"고 했던 총통의 여러 확약을 다시금 열거했다. 그런데 히틀러는 그 모든 것을 어겼다―"그는 법을 자기 마음대로 주물렀습니다".

지금 우리는 이 영토 탈취가 체코슬로바키아의 국내 소요 때문에 불가피했다는 말을 듣고 있습니다. … 설령 소요가 있었다 해도 외부에서 조장한 것 아닐까요? … 이것은 낡은 모험의 끝일까요 아니면 새로운 모험의 시작일까요? 약소국에 대한 마지막 공격일까요 아니면 또다른 공격이 뒤따를까요? 사실상 전 세계를 무력으로 지배하려는 첫걸음일까요? … 저는 현재로서는 예측할 수 없는 정세 속에서 새롭고 명시적이지 않은 책무에 이 나라를 끌어들일 의향은 없습니다만, 전쟁을 무의미하고 잔혹한 일로 생각한다는 이유로 이 나라가 기개를 잃고서 그런 도전이 닥쳤을 때 거기에 전력으로 저항하는 데 동참하지 않을 것이라고 가정한다면, 그것보다 더 큰 착각은 없을 것입니다.

이것은 체임벌린에게도 영국에도 갑작스럽고 운명적인 전환점이었다. 그리고 바로 다음날, 빈틈없는 런던 주재 독일 대사는 히틀러에게 경고했다. 헤르베르트 폰 디르크젠이 3월 18일 독일 외무부에 장문의 보고서를 보내 "독일에 대한 영국의 태도에 근본적인 변화는 일어나지 않았다는 환상을 품어서는 안 될 것이다"라고 알렸던 것이다.[39]

누구든《나의 투쟁》을 읽은 사람이라면, 지도를 흘낏 보고 슬로바키아 내 독일군의 새로운 배치를 확인한 사람이라면, 뮌헨 협정 이래 독일의 모종의 외교적 행보를 눈치챈 사람이라면, 또는 지난 12개월간 오스트리아와 체코슬로바키아를 무혈 정복한 히틀러의 동태에 관해 숙고한 사람이라면 누구나 총통의 '약소국' 목록에서 어떤 나라가 다음 차례가 될지 분명하게 알 수 있었을 것이다. 다른 사람들과 마찬가지로, 체임벌린도 그것을 잘 알고 있었다.

3월 31일, 히틀러가 프라하에 입성하고 16일 뒤, 영국 총리는 하원에서 이렇게 말했다.

폴란드의 독립을 명백히 위협하는 행동이 취해지고 그리하여 폴란드 정부가 국군으로 저항할 수밖에 없다고 판단하게 되는 사태에 이를 경우, 국왕 폐하의 정부는 즉시 폴란드 정부를 힘닿는 데까지 지원할 의무가 있다고 생각할 것입니다. 영국 정부는 폴란드 정부에 이런 취지로 확약했습니다. 여기에 덧붙이자면, 프랑스 정부도 이 문제에 관해서 우리 정부와 똑같은 입장임을 밝힐 권한을 저에게 주었습니다.

이제 폴란드의 차례였다.

제14장

폴란드의 차례

1938년 10월 24일, 뮌헨 협정이 체결되고 채 한 달이 지나지 않은 때에 리벤트로프는 베를린 주재 폴란드 대사 유제프 립스키를 베르히테스가덴의 그랜드호텔로 초청하여 세 시간 동안 오찬을 함께했다. 폴란드는 독일과 마찬가지로, 그리고 실제로 독일과 공모하여 체코 영토의 한 조각을 막 차지한 터였다. 오찬 대화는 독일 외무부의 공문에서 강조하는 대로 "매우 우호적인 분위기"에서 진행되었다.[1]

그렇긴 해도 나치 외무장관은 거의 지체하지 않고 본론으로 들어갔다. 폴란드와 독일 간의 현안을 전반적으로 해결할 때가 왔다고 말했다. 무엇보다 "단치히에 관해 폴란드와 이야기할" 필요가 있다고 했다. 단치히는 독일에 "반환"되어야 한다는 뜻이었다. 또 리벤트로프는 폴란드 회랑지대를 가로지르는 고속도로와 복선철도를 건설하여 독일 본토와 단치히 및 동프로이센을 연결하고 싶다고 말했다. 이 도로와 철도에서 독일은 공히 치외법권을 누려야 했다. 마지막으로 히틀러는 폴란드가 소련에 맞서는 반코민테른 협정에 가입하기를 원했다. 이 모든 양보의 대가로 독일은 폴란드-독일 조약의 기한을 10년에서 20년으로 연장하고 폴란드 국경을 보장할 의향이 있었다.

리벤트로프는 이 문제들을 "극비로" 거론하는 것이라고 강조했다. 그러면서 베츠크 외무장관에게 보고할 때는 "구두로" 할 것을 립스키 대사에게 권고했다. "그러지 않으면 외부로, 특히 언론에 새어나갈 위험이 있기 때문"이었다. 립스키는 바르샤바에 보고하겠다고 약속하면서도 자신이 보기에 단치히 반환은 "가능성이 없다"라고 경고했다. 또 독일 외무장관에게 히틀러가 근래에 단치히 협약의 어떠한 변경도 지지하지 않는다고 폴란드 측에 두 차례나—1937년 11월 5일과 1938년 1월 14일에—확약한 사실을 상기시켰다.[2] 리벤트로프는 즉답을 바라는 건 아니라면서도 폴란드 측에 "신중히 생각해보기를" 권고했다.

바르샤바 정부가 생각을 정리하는 데는 긴 시간이 필요하지 않았다. 일주일 후인 10월 31일, 베츠크 외무장관은 베를린 주재 대사에게 전보를 보내 독일 측에 어떻게 회답할지 상세히 지시했다. 하지만 립스키는 11월 19일에야 리벤트로프와 회동할 수 있었다—나치는 폴란드 정부가 충분히 생각한 다음 대응해오기를 원했던 것이 분명하다. 회답은 부정적이었다. 다만 폴란드는 양해의 제스처로 단치히에 대한 국제연맹의 보장을 이 자유도시의 지위에 관한 독일-폴란드 협정으로 대체할 의사가 있다고 나섰다.

립스키가 리벤트로프에게 읽어준 각서에서 베츠크는 "다른 모든 해결책, 특히 그 자유도시를 독일 제국에 편입시키려는 모든 시도는 불가피하게 분쟁으로 이어질 수밖에 없다"라고 말했다. 그리고 작고한 폴란드 독재자 유제프 피우수츠키 원수가 1934년 불가침 협정을 교섭하던 중에 독일 측에 경고했던 말을 덧붙였다. "단치히 문제는 폴란드에 대한 독일의 의도를 가늠하는 확실한 평가기준이다."

그런 답변이 리벤트로프의 입맛에 맞을 리 없었다. "베츠크의 입장에는 유감"이라면서 그는 폴란드 정부에 "독일의 제안은 신중하게 고려할 만한" 것이라고 조언했다.³

단치히와 관련해 퇴짜를 놓은 폴란드 측에 히틀러는 한층 극적인 반응을 보였다. 리벤트로프와 립스키의 회동 닷새 후인 11월 24일, 히틀러는 삼군 총사령관들에게 새로운 지령을 내렸다.

일급비밀

총통은 다음과 같이 명령한다. 1938년 10월 21일의 지령서에서 말한 세 가지 우발 사태*와는 별개로 단치히 자유국가를 독일군의 기습으로 점령할 수 있도록 준비해야 한다.

그 준비는 다음의 조건에 의거해 이루어질 것이다. 바로 **폴란드를 상대로 전쟁을 치르는 상황이 아니라** 정치적으로 유리한 상황을 이용해 단치히를 **준혁명적으로** 점령하는 조건이다. …

이 목표를 위해 동원하는 부대에 메멜 점령 임무까지 부여해서는 안 된다. 그래야 유사시 두 작전을 동시에 진행할 수 있다. **해군**은 해상으로부터의 공격으로 육군의 작전을 지원할 것이다. … 국방군 각군의 계획은 1939년 1월 10일까지 제출해야 한다. [강조는 원문 그대로]

불과 닷새 전에 베츠크가 독일의 단치히 탈취 시도는 "불가피하게" 분쟁으로 이어질 것이라고 경고했음에도, 아직 히틀러는 전쟁을 치르지 않

---

* 앞에서 언급했듯이 세 가지 '우발 사태'란 잔존 체코슬로바키아의 정리, 메멜 구역 점령, 그리고 독일 국경 유지를 말한다.

고도 단치히를 얻을 수 있다고 확신하고 있었다. 단치히 현지의 나치들이 이 도시를 통제하고 있었거니와, 앞에서 언급한 주데텐의 경우와 마찬가지로 베를린의 명령까지 받고 있었다. 단치히에서 "준혁명적" 상황을 조장하는 것은 그리 어렵지 않은 일이었다.

오스트리아와 주데텐란트 무혈 정복을 지켜본 1938년이 저물어갈 무렵, 히틀러는 또다른 정복에 정신이 팔려 있었다. 정복할 곳은 잔존 체코슬로바키아, 메멜, 그리고 단치히였다. 슈슈니크나 베네시의 콧대를 꺾는 것은 쉬운 일이었다. 이제는 유제프 베츠크의 차례였다.

그러나 새해 초입인 1939년 1월 5일에 베르히테스가덴에서 폴란드 외무장관을 접견했을 때, 총통은 슈슈니크나 조만간 하하 대통령을 상대할 방식으로 베츠크를 상대할 준비가 아직 되어 있지 않았다. 그전에 잔존 체코슬로바키아부터 정리해야 했다. 폴란드와 독일의 기밀 회담록에서 분명하게 드러나듯이, 히틀러는 평소보다 유화적인 태도를 보였다. 히틀러는 우선 "베츠크 씨를 도울 만반의 준비가 되어 있습니다"라고 운을 뗐다. 그러고는 "특별히" 마음에 걸리는 것이 있느냐고 물었다. 베츠크는 단치히가 그렇다고 답변했다. 곧 단치히가 히틀러의 마음에도 걸린다는 것이 분명해졌다.

총통은 손님에게 "단치히는 독일이고, 언제까지고 독일일 테고, 조만간 독일의 일부가 될 겁니다"라고 말했다. 그러면서도 히틀러는 "단치히에서 기정사실을 꾸며낼 공작은 하지 않을 겁니다"라고 확약했다.

히틀러는 단치히를 원했고, 폴란드 회랑지대를 가로지르는 독일 고속도로와 철도를 원했다. 자신과 베츠크가 "종래의 낡은 방침에서 벗어나 완전히 새로운 노선의 해결책을 찾는"다면 양국에 모두 공평한 협정에 이를 것으로 확신한다고 했다.

베츠크는 확신이 서지 않았다. 이튿날 리벤트로프에게 털어놓은 대로 베츠크는 총통에게 너무 노골적으로 굴고 싶지 않다면서도 "단치히 문제는 아주 어려운 문제입니다"라고 답변했다. 베츠크는 히틀러의 제안에서 폴란드 몫의 "등가물"을 찾지 못했다고 했다. 그러자 히틀러는 폴란드가 "회랑지대를 포함하는 독일과의 국경을 조약으로 보장받는" "커다란 이점"을 얻는다고 지적했다. 베츠크는 별로 내키지 않았던 모양이지만, 결국 단치히 문제를 더 생각해보기로 했다.[4]

그날 밤 이 문제를 심사숙고한 폴란드 외무장관은 이튿날 뮌헨에서 리벤트로프와 회담했다. 베츠크는 독일과의 이전 회담들은 모두 낙관론으로 가득했던 것과 달리 히틀러와 회담한 뒤인 지금은 "처음으로 비관적인 기분"이 들었다고 총통에게 전해달라고 리벤트로프에게 부탁했다. 특히 총통이 제기한 단치히 문제와 관련해 그는 "협정 체결 가능성이 전혀 안 보입니다"라고 말했다.[5]

이 책에 등장하는 다른 수많은 사람들과 마찬가지로 당시 베츠크 대령도 현실을 깨닫고 그런 비관적 견해에 이르기까지 상당한 시간이 걸렸다. 대다수 폴란드인처럼 베츠크 역시 맹렬한 반러시아파였다. 게다가 그는 프랑스도 싫어했는데, 1923년 파리에 폴란드 무관으로 주재하다가 프랑스 육군 관련 문서를 팔아넘겼다는 혐의로 추방당한 이래 이 나라에 원한을 품어오고 있었다. 1932년 11월에 폴란드 외무장관이 된 이 남자가 독일 쪽으로 돌아선 것은 자연스러운 일이었을 것이다. 그는 나치 독재정에 처음부터 친근감을 느꼈고, 지난 6년간 자국과 제3제국의 관계를 더 가깝게 만들고 프랑스와의 오랜 유대를 약화시키고자 힘써온 터였다.

독일과 국경을 접하는 국가들 가운데 길게 보아서 가장 우려스러운 나라는 폴란드였다. 그런데 폴란드만큼 독일의 위험에 둔감한 국가도 없었다. 베르사유 조약의 조항들 중에 회랑지대를 확정하여 폴란드에 바다로 나갈 통로를 열어준—그리고 독일 제국과 동프로이센을 갈라놓은—것만큼 독일인을 분개시킨 조항도 없었다. 옛 한자동맹의 항구 단치히를 독일로부터 분리하여 국제연맹이 감독하되 폴란드가 경제적으로 지배하는 자유도시로 바꿔놓은 조치도 똑같이 독일 여론의 분노를 자아냈다. 약하고 평화적인 바이마르 공화국마저 폴란드에 의한 독일 제국의 절단을 결코 받아들이지 않았다. 일찍이 1922년에 젝트 장군은, 앞에서 언급했듯이, 독일 육군의 태도를 다음과 같이 규정했다.

폴란드의 존재는 견딜 수 없고, 독일의 삶에 필수적인 조건과 양립할 수 없다. 폴란드는—스스로의 약함과 우리의 조력을 얻은 소련 측 조치의 결과로—사라져야 하고 사라질 것이다. … 폴란드의 소멸은 독일의 정책상 근본적 동인 중 하나가 되어야 한다. … [이것은] 소련이라는 수단에 의해, 즉 소련의 조력을 얻어 달성할 수 있다.

이 얼마나 정확한 예언인가!

독일은 회랑지대를 이루는 포젠 지방과 폴란드령 포메른(포모제) 지방을 포함해 베르사유 조약으로 폴란드에 넘겨준 독일 영토 거의 전부가 실은 지난날 프로이센, 러시아, 오스트리아 삼국이 폴란드 국가를 무너뜨리고 분할한 시기에 프로이센이 강탈한 영토라는 사실을 잊고 있었다—또는 아마도 기억하고 싶지 않았을 것이다. 그 영토의 주민은 천 년이 넘도록 폴란드인이었고, 여전히 대부분 그러했다.

베르사유 조약을 통해 되살아난 국가들 가운데 폴란드만큼 고난의 길을 걸은 국가도 없었다. 재탄생한 이후 초기 격동기에 폴란드는 러시아, 리투아니아, 독일, 그리고 심지어 체코슬로바키아까지를 상대로 침략전쟁을 일으켰다—마지막 전쟁은 석탄이 풍부한 테신 지역을 놓고 벌어졌다. 150년에 걸쳐 정치적 자유를 빼앗겼고 그리하여 자치라는 근대적 경험이 없었던 폴란드인은 안정된 정부를 수립하지도, 경제와 농업 부문의 문제를 스스로 풀어가지도 못했다. 1918년 혁명의 영웅 피우수츠키 원수는 1926년에 바르사바로 진군하여 정부를 장악했고, 한때 사회주의자였음에도 혼란한 민주정을 점차 자신의 독재정으로 대체해갔다. 1935년에 사망하기 전 그가 취한 마지막 조치들 중 하나는 히틀러와 불가침 조약을 체결한 것이었다. 1934년 1월 26일에 체결된 이 조약은 앞에서 서술한 대로 독일의 동부 인접국들과 동맹을 맺고 있던 프랑스의 안보체제를 뒤흔들고 국제연맹과 그 집단안보 개념을 약화시킨 초기 요인들 중 하나였다. 피우수츠키가 사망한 후로는 대체로 소수의 '대령들', 즉 1차대전 기간에 러시아를 상대로 피우수츠키 휘하에서 싸웠던 옛 폴란드 군단의 지도부가 폴란드를 통치했다. 이들의 우두머리는 에드바르트 시미그위-리츠Edward Śmigły-Rydz 원수였는데, 유능한 군인이긴 했지만 결코 정치인은 아니었다. 외교 정책은 어쩌다 보니 베츠크 대령이 맡게 되었다. 1934년 이후로 베츠크의 외교 정책은 갈수록 친독일 쪽으로 기울었다.

그것은 자살 정책일 수밖에 없었다. 실제로 베르사유 이후 유럽에서 폴란드의 위치를 생각해보면, 1930년대의 폴란드인이 그 이전 수백 년 동안에도 이따금 그랬듯이 민족성에 내재하는 모종의 치명적인 결점으로 인해 자기파괴로 치달았다는 결론, 그리고 역시 과거에 이따금 그랬듯이 이 기간에 최악의 적은 그들 자신이었다는 결론을 피하기 어렵다. 단치히와 회랑지대가 온존하는 한, 폴란드와 나치 독일 사이에 평화가 지속될 수는 없었다. 그렇다고 해서 폴란드가 인접한 두 대국 소련 및 독일 쌍방과 반목하는 사치를 부릴 수 있을 만큼 강하지도 않았다. 폴란드와 소련의 관계는 이미 세계대전과 내전으로 약해진 소련을 1920년에 폴란드가 공격하고 뒤이어 야만적인 분쟁을 치른 이래로 한결같이 나빴다.*

소련과 결연히 대립하는 나라의 우정을 얻는 동시에 그 나라를 제네바와 파리로부터 떼어놓고, 그리하여 베르사유 체제를 약화시키기 위해 히틀러는 1934년에 폴란드-독일 협정의 체결을 주도했다. 그것은 독일 국내에서 인기 있는 행보가 아니었다. 젝트 장군 시절부터 친소련, 반폴란드적이었던 독일 육군은 분통을 터뜨렸다. 그러나 이 협정은 한동안 히틀러에게 감탄이 나올 정도로 도움이 되었다. 폴란드의 돈독한 우정은 히틀러가 먼저 처리해야 할 일들—라인란트 재점령, 독립 오스트리아와 체코슬로바키아 파괴—을 처리하는 데 도움이 되었던 것이다. 독일을 강화하고, 독일 서쪽을 약화시키고, 독일 동쪽을 위협한 이 모든 조치를 바르샤바의 베츠크와 그의 측근 대령들은 도무지 설명할 수 없는 맹목적이고 호의적인 시선으로 방관했다.

---

* 이 전쟁의 결과, 폴란드는 소련의 희생으로 동부 국경을 민족지적인 커즌 선(Curzon Line)〔1차 대전 후 1919년에 연합국에서 제안한 분계선〕에서 동쪽으로 240킬로미터 넓혔다. 그리하여 우크라이나인 450만 명과 벨라루스인 150만 명이 폴란드의 통치를 받게 되었다. 따라서 폴란드의 서부 국경과 동부 국경은 각각 독일과 소련으로서는 받아들일 수 없는 것이었다. 1939년 여름에 베를린과 모스크바가 접근하기 시작했을 때 서방 민주국가들은 이 사실을 놓쳤던 것으로 보인다.

새해의 첫머리부터 본인 말마따나 히틀러의 요구 탓에 비관적인 기분에 잠겼던 폴란드 외무장관은 봄이 찾아오면서 훨씬 더 의기소침했다. 히틀러가 1939년 1월 30일 집권 기념일에 제국의회 연설에서 "독일과 폴란드의 우정"에 대해 따뜻한 표현으로 말하고 그 우정이 "유럽에서의 정치생활을 안정시키는 요소들 중 하나"라고 단언하긴 했지만, 리벤트로프는 그보다 나흘 앞서 바르샤바를 국빈 방문했을 때 한층 솔직하게 이야기했다. 리벤트로프는 베츠크에게 히틀러가 제기한 단치히와 회랑지대를 가로지르는 교통로 문제를 다시 제기하면서 그것은 "지극히 온당한" 요구라고 역설했다. 그러나 이 문제뿐 아니라 소련에 맞서는 반코민테른 협정에 대한 폴란드 가입 문제와 관련해서도 독일 외무장관은 만족스러운 답변을 얻지 못했다.[6] 베츠크 대령은 독일 친구들을 경계하고 있었다. 사실 그는 꿈틀대기 시작했다. 2월 26일, 바르샤바 주재 독일 대사는 베츠크가 먼저 런던에 연락해 3월 말에 방문하고 싶다고 타진했고 그이후 파리를 방문할 수도 있다고 베를린에 보고했다. 몰트케 대사가 전보에 적었듯이, 비록 늦긴 했지만 폴란드는 "단치히 문제로 독일과 충돌이 일어날 것을 우려하여 … 서방 민주국가들과 접촉하기를 바라고" 있었다.[7] 아돌프 히틀러의 게걸스러운 식욕을 달래려 애썼던 다른 수많은 사람들과 마찬가지로, 베츠크의 눈에서도 비늘이 벗겨지고 있었다.

3월 15일 히틀러가 보헤미아와 모라비아를 점령하고 '독립' 슬로바키아를 보호하기 위해 병력을 보냈을 때, 그 비늘은 완전히 벗겨졌다. 그날 아침 폴란드는 이미 북쪽의 포메른과 동프로이센의 국경이 독일 육군에 가로막힌 것처럼 이제 남쪽 슬로바키아 국경도 독일 병력에 가로막혔다. 폴란드의 군사 정세는 하룻밤 사이에 불안정해졌다.

1939년 3월 21일은 유럽이 전쟁을 향해 돌진하는 이야기에서 기억해 둘 만한 날이다.

그날 베를린, 바르샤바, 런던에서는 긴박한 외교 활동이 펼쳐졌다. 프랑스 공화국 대통령은 보네 외무장관을 대동한 채 국빈 자격으로 영국 수도에 도착했다. 체임벌린은 프랑스 측에 양국과 폴란드, 소련이 함께 유럽에서 더 이상의 침략을 막기 위한 조치를 즉시 상의한다는 내용의 4개국 공식 선언을 발표하자고 제안했다. 그보다 사흘 전에 소련의 리트비노프는—1년 전, 오스트리아 병합 이후에 했던 것처럼—히틀러를 공동으로 저지하기 위한 유럽 회의를 열자고 제안했다. 이번에는 프랑스, 영국, 폴란드, 소련, 루마니아, 터키 6개국이었다. 하지만 영국 총리는 그 제안이 "시기상조"라고 생각했다. 그는 모스크바를 전혀 신뢰하지 않았고, 소련이 포함된다면 기껏해야 4개국의 "선언"이 될 것이라고 생각했다.*

체임벌린의 제안은 3월 21일 당일 바르샤바의 영국 대사를 통해 베츠크에게 전달되었다. 영국의 제안에는 소련도 포함되는 만큼 베츠크는 다소 차가운 반응을 보였다. 폴란드 외무장관은 체임벌린보다도 더 소련을 불신했거니와, 소련의 군사 원조가 무가치하다는 영국 총리의 견해까지 공유했다. 베츠크는 재앙이 닥치기 직전까지 이 견해를 완강하게 고수할 터였다.

---

* 체임벌린은 3월 26일 한 사신(私信)에 이렇게 썼다. "솔직히 말하면 나는 소련을 깊이 불신합니다. 나는 설령 소련이 공세에 나설 의사가 있다고 해도 효과적인 공세를 유지할 능력이 있을 것이라고는 전혀 믿지 않습니다. 소련의 동기도 불신합니다. … 더구나 소련은 여러 약소국, 특히 폴란드, 루마니아, 핀란드로부터 증오와 의심을 사고 있습니다." (Feiling, *The Life of Neville Chamberlain*, p. 603)

그러나 이 3월 21일에 장차 폴란드의 운명에 가장 큰 영향을 끼칠 사건이 베를린에서 일어났다. 리벤트로프는 정오에 만나자며 폴란드 대사를 초대했다. 립스키 대사가 회동 후 보고서에 적은 대로, 리벤트로프는 그에게 전에 없이 차갑고 공격적인 태도를 보였다. 리벤트로프는 총통이 "폴란드의 태도에 갈수록 경악하고 있습니다"라고 경고했다. 독일은 단치히 반환과 회랑지대를 통과하는 고속도로 및 철도에 대한 요구에 폴란드가 만족스러운 답변을 주기를 바라고 있었다. 이것이 우호적인 폴란드-독일 관계를 유지하기 위한 조건이었다. "폴란드는 소련과 독일 사이에서 중도를 택할 수 없다는 것을 깨달아야 합니다"라고 리벤트로프는 잘라 말했다. 폴란드가 구제받을 길은 "독일, 그리고 독일 총통과 합리적인 관계"를 맺는 것뿐이었다. 거기에는 양국 공동의 "반소비에트 정책"이 포함되었다. 더욱이 총통은 베츠크가 "조속히 베를린을 방문할 것"을 바라고 있었다. 리벤트로프는 폴란드 대사에게 급히 바르샤바로 가서 외무장관에게 상황이 어떠한지 직접 설명하라고 강하게 충고했다. 립스키는 베츠크에게 이렇게 보고했다. "[히틀러와의] 회담을 미뤄서는 안 되고 혹시 미룰 경우 총리는 폴란드가 자신의 모든 제안을 거부하고 있다는 결론에 이를 것이라고 리벤트로프는 충고했습니다."[8]

막간의 가벼운 공세

립스키는 빌헬름슈트라세를 떠나기 전에 리벤트로프에게 리투아니아 외무장관과 무슨 대화를 나누었는지 혹시 이야기해줄 수 있느냐고 물었다. 리벤트로프는 두 사람이 "해결이 필요한" 메멜 문제를 논의했다고 대답했다.

사실 리벤트로프는 리투아니아 외무장관 유오자스 우르프시스Juozas Urbšys가 전날 로마에서 귀국하는 길에 베를린에 들렀을 때 그를 만나 메멜 구역을 당장 독일에 반환하라고 요구했다. 불응하면 "총통이 전광석화의 속도로 행동할 것"이었다. 리벤트로프는 리투아니아 정부가 "외국의 지원"을 기대하며 스스로를 기만해서는 안 된다고 경고했다.⁹

실제로 몇 달 전인 1938년 12월 12일, 프랑스 대사와 영국 대사대리는 메멜의 독일계 주민들이 반란을 꾀한다는 보도와 관련해 독일 정부의 주의를 촉구하면서 영국과 프랑스가 공동으로 보장한 메멜 협약이 지켜질 수 있도록 독일 정부가 영향력을 행사해줄 것을 요구했다. 독일 외무부는 회답에서 영국과 프랑스의 공동 요구에 "놀라움과 경악"을 표했으며, 리벤트로프는 그런 요구를 한 번이라도 더 해올 경우 "사실 우리는 프랑스와 영국이 마침내 독일의 일에 간섭하는 데 지쳤을 것이라고 짐작했다"라고 양국 대사관에 통보할 것을 지시했다.¹⁰

한동안 독일 정부, 특히 당과 친위대의 지도부는 오스트리아와 주데텐란트 사건으로 이제는 익숙해진 수법에 따라 메멜의 독일계 주민을 조직해왔다. 앞에서 언급했듯이 독일군도 이 일에 협력할 것을 요구받았으며, 뮌헨 협정 3주 후에 히틀러는 군 수뇌부에 잔존 체코슬로바키아를 청산하는 한편 메멜 점령을 준비하라고 명령했다. 육지에 둘러싸인 오스트리아와 주데텐란트로 진격할 때 해군 측으로서는 공을 세울 기회가 없었으므로, 이번에는 메멜을 해상에서 공략하기로 결정했다. 11월에 이 모험을 위한 해군 계획서가 '슈테틴 수송훈련Transport Exercise Stettin'이라는 암호명으로 작성되었다. 히틀러와 레더 제독은 작게나마 해군력을 과시하고 싶었던 나머지, 총통이 프라하에 의기양양하게 입성한 지 꼭 일주일이 되는 3월 22일, 무방비 상태인 리투아니아가 독일의 최후통첩에 미처 굴복하기도 전에 항구도시 시비노우이시치에Świnoujście에서 포켓전함pocket battleship〔독일의 도이칠란트급 장갑함에 영국 측이 붙인 별칭〕 도이칠란트Deutschland 호에 탑승해 실제로 출동했다.

3월 21일, 먼 훗날 자신은 나치의 잔혹한 수법을 혐오했노라고 선언할 바이츠제커는 이때 리투아니아 정부에 "한시가 급하다"면서 전권대사를 "내일 특별기로" 베를린으로 보내 메멜 구역을 독일에 넘기겠다는 문서에 서명하라고 통보했다. 리투아니아 정부 측 인사들은 3월 22일 오후에 순순히 도착하긴 했지만, 해상의 전함에서 뱃멀미 중인 히틀러에게 독촉을 받은 리벤트로프가 직접 압박을 가했음에도 굴복하지 않고 꾸물거렸다. 압수된 독일 문서에서 드러나듯이, 그날 밤 총통은 도이칠란트 호에서 리벤트로프에게 두 차례 긴급 무선전보를 보내 리투아니아 측이 독일의 요구대로 항복했는지 물었다. 독재자와 그의 제독은 메멜 항을 포격하며 쳐들어가야 할지 여부를 서둘러 판단해야 했다. 마침내 3월 23일 오전 1시 30분, 리벤트로프는 리투아니아 측이 서명했다는 소식을 총통에게 무선으로 보고할 수 있었다.[11]

23일 오후 2시 30분, 히틀러는 새로 점령한 이 도시에 또다시 의기양양하게 입성했고, 메멜 시립극장에서 '해방'된 기쁨에 어쩔 줄 모르는 독일인 군중을 앞에 두고 연설을 했다. 이곳에서 또다시 베르사유 조약의 한 조항이 파기되었다. 다시금 무혈 정복이 이루어졌다. 당시 총통은 알 수 없었지만, 이번이 그의 마지막 무혈 정복이었다.

폴란드에 떨어진 불똥

폴란드 주재 독일 대사 한스-아돌프 폰 몰트케가 이튿날 바르샤바에서 베를린에 보고한 대로, 독일의 메멜란트 병합은 폴란드 정부에 "매우 불쾌한 뜻밖의 소식"이었다. "주된 이유는 이제 단치히와 회랑지대의 차례일 것이라고 대체로 우려한다는 데 있다"라고 그는 덧붙였다.[12] 또 대사는 독일 외무부에 폴란드의 예비군이 소집되고 있다고 알렸다. 다음날인 3월 25일, 방첩국 수장 카나리스 제독은 폴란드가 세 기수 상당의 예비병들을 동원해 단치히 주변에 집결시키고 있다고 보고했다. 카이텔 장군은 이 조치가 "폴란드 측의 공격 의도"를 보여준다고는 생각하지 않았지만, 그가 보기에 육군 참모본부는 "좀 더 심각하게 관찰하고 있었다".[13]

히틀러는 3월 24일에 메멜에서 베를린으로 돌아와 이튿날 육군 총사령관 브라우히치 장군과 길게 대화했다. 이 대화에 대한 후자의 비밀 메모를 보면, 지도자는 아직 폴란드를 딱히 어떻게 처치하겠다는 속내를 굳히지 않았던 듯하다.[14] 사실 히틀러의 요동치는 머릿속은 여러 모순으로 어지러웠을 것이다. 립스키 대사는 다음날인 3월 26일 베를린으로 돌아올 예정이었지만, 총통은 그를 만나고 싶어하지 않았다.

[브라우히치가 적음] 립스키는 3월 26일 일요일에 바르샤바에서 돌아올 것이다. 그는 폴란드가 단치히와 관련해 어떤 식으로든 합의를 볼 용의가 있는지 물어보도록 위탁받은 입장이었다. 총통은 3월 25일 밤에 자리를 떴는데, 립스키가 돌아왔을 때쯤에는 이미 다른 곳에 있고자 했던 것이다. 리벤트로프가 먼저 교섭의 물꼬를 틀 것이다. 총통은 단치히 문제를 무력으로 해결하기를 바라지 않는다. 자칫 폴란드가 영국의 품에 안기는 상황을 바라지 않을 것이다.

단치히 군사 점령은 폴란드 정부가 단치히를 자발적으로 양보하는 책임을 자국민을 상대로 질 수 없고 이 문제를 기정사실화해서 해결하는 편이 더 쉬울 것이라고 립스키가 암시하는 경우에만 고려해야 할 것이다.

이 기록은 당시 히틀러의 의식과 성향을 들여다본 흥미로운 통찰이다. 석 달 전에 히틀러는 베츠크에게 단치히 점령을 기정사실화하는 일은 없을 것이라고 직접 확약한 바 있었다. 게다가 폴란드 국민이 단치히를 독일에 넘겨주는 것을 결코 감내하지 않을 것이라고 강조한 폴란드 외무장관의 말을 히틀러는 기억하고 있었다. 만약에 독일군이 단치히를 그냥 징악해버리면, 폴란드 정부로서는 이 '기정사실'을 받아들이기가 더 쉽지 않을까? 이제껏 외적의 약점을 간파하고 그것을 활용하는 데 천재성을 보여온 히틀러의 판단력은 이때 거의 처음으로 흔들리기 시작했다. 폴란드를 통치하는 '대령들'은 평범한 어중이떠중이였지만, 단치히에서의 기정사실은 그들이 결코 원하지 않는 결과, 또는 결코 받아들이지 않을 결과였다.

히틀러는 내심 이 자유도시를 최우선시하면서도, 뮌헨 협정으로 주데텐란트를 얻은 뒤 체코슬로바키아를 노렸던 것과 마찬가지로 단치히를 차지한 이후에는 어떻게 할지도 생각하고 있었다.

[브라우히치가 씀] 당분간 총통은 폴란드 문제를 해결할 생각이 없다. 그렇지만 해결하기 위한 노력은 이어가야 한다. 가까운 미래의 해결책은 특별히 유리한 정세에 근거해야 할 것이다. 그럴 경우 향후 수십 년 동안에는 폴란드를 정치적 변수로 고려할 필요가 없을 정도로 철저히 때려눕혀야 한다. 총통은 국경선을 동프로이센의 동쪽 경계에서 오버슐레지엔의 동단으로 옮기는 것과 같은 해결책을 염두에 두고 있다.

브라우히치는 그렇게 바뀔 국경선이 무엇을 의미하는지 잘 알고 있었다. 그것은 베르사유 조약으로 부인된 독일의 전전戰前 동부 국경이자 폴란드가 존재하지 않던 시절에 널리 인정받던 국경이었다.

히틀러가 폴란드의 회답에 얼마간 의심을 품었다 해도, 3월 26일 일요일에 립스키 대사가 베를린으로 돌아와 자국의 회답을 서면 각서의 형태로 제출했을 때 그 의심은 싹 사라졌다.[15] 리벤트로프는 즉시 그 각서를 읽고 거절하면서 폴란드의 동원 조치를 맹비난하고 그것이 "불러올 수 있는 결과"에 대해 경고했다. 또 단치히 영역 내로 폴란드 병력이 조금이라도 침입한다면 곧 독일 제국에 대한 침략 행위로 간주하겠다고 잘라 말했다.

폴란드의 서면 회답은 회유적인 언어로 쓰이긴 했지만 독일의 요구를 단호히 거절하는 것이었다. 폴란드는 회랑지대를 통과하는 독일의 도로와 철도 교통의 편의를 증진하기 위한 논의를 계속해갈 의향이 있다면서도, 그런 교통수단에 치외법권을 주는 것은 거부했다. 단치히와 관련해 폴란드는 국제연맹의 협약을 폴란드-독일 보장으로 대체할 의향은 있었으나 그 자유도시를 독일의 일부로 넘겨줄 의향은 없었다.

이 무렵 나치 독일은 자국의 요구가 약소국에 거절당하는 것에 익숙하지 않으며, 리벤트로프는 립스키에게 "이건 다른 국가가 취했던 위험한 조치들을 상기시키는군요"라고 말했다—이는 명백히 체코슬로바키아를 가리키는 표현이었는데, 폴란드 역시 히틀러의 체코 해체에 일조한 바 있었다. 이틀날 립스키가 리벤트로프의 호출을 받고 외무부를 다시 찾아갔을 때, 오스트리아와 체코슬로바키아를 상대로 대성공을 거둔 책략을 이제 폴란드를 상대로 구사하려는 제3제국의 속셈이 립스키의 눈에는 여실해 보였을 것이다. 나치 외무장관은 폴란드에 거주하는 독일계 소수집단이 박해를 받는다는 소식에 분통을 터뜨리면서 그것이 "독일 국내에 처참한 인상"을 준다고 말했다.

결론으로서 [독일] 외무장관은 더 이상 폴란드 정부를 신뢰할 수 없다고 말했다. … 어제 폴란드 대사가 제출한 제안은 문제 해결의 단초로 여길 수 없었다. 그런 이유로 두 나라의 관계는 급속히 악화되고 있었다.[16]

바르샤바는 빈이니 프라하만큼 맥없이 겁을 집어먹지는 않았다. 이튿날인 3월 28일 베츠크는 독일 대사를 불러, 단치히에 대한 폴란드의 쿠데타가 개전 이유가 된다는 리벤트로프의 선언에 응수해 폴란드 역시 이 자유도시의 지위를 변경하려는 독일의 시도든 나치가 우세한 단치히 의회의 시도든 개전 이유로 여길 수밖에 없다고 전했다.

그러자 독일 대사는 "당신은 총검을 들이대고 교섭하기를 원하는군요!" 하고 소리쳤다.

이에 베츠크는 "그건 바로 당신들의 방식입니다" 하고 받아쳤다.[17]

각성한 폴란드 외무장관은 베네시보다 더 단호하게 베를린에 맞설 수 있었는데, 무엇보다 1년 전만 해도 체코슬로바키아에 대한 히틀러의 요구를 들어주려고 기를 쓰던 영국 정부가 이제 폴란드와 관련해서는 정반대로 굴고 있음을 알고 있었기 때문이다. 베츠크는 폴란드는 소련과 어떤 식으로든 엮이기를 거부한다고 선언함으로써 영국의 4개국 성명 제안을 직접 무력화시켰다. 그 대안으로 베츠크는 3월 22일 바르샤바 주재 영국 대사 하워드 케너드Howard Kennard 경에게 제3제국이 침공 위협을 가해올 경우 그에 대해 협의하기 위한 영국-폴란드 비밀 협정을 즉시 체결하자고 제안했다. 하지만 단치히와 회랑지대에 인접한 독일군의 동태와, 폴란드에 대한 독일의 요구(교활한 베츠크는 영국 측에 이를 부인했다)를 우려하는 영국 정보기관의 보고에 놀란 체임벌린과 핼리팩스는 단순한 '협의' 그 이상을 원했다.

3월 30일 저녁, 케너드는 베츠크에게 독일의 침공에 대비할 상호원조 협정에 관한 영국-프랑스 제안을 제시했다.* 그런데 이 조치를 취하기도 전에 사태가 전개되었다. 독일의 폴란드 공격이 곧 개시될 가능성이 있다는 새로운 보고를 받은 영국 정부는 같은 날 저녁 베츠크에게 연락하여 폴란드의 독립에 대한 영국의 일방적인 잠정 보장에 이의를 제기할 것이냐고 물었다. 체임벌린은 이 사안에 대한 의회의 질의에 답하기 위해 다음날까지 베츠크의 입장을 알아야 했다. 베츠크는―얼마나 안도했을지 상상할 수 있을 것이다―반대하지 않았다. 실은 케너드에게 "주저 없이 동의합니다"라고 말했다.[18]

이튿날인 3월 31일, 앞에서 언급했듯이 체임벌린은 하원에서 폴란드가 공격받아 거기에 저항할 경우 영국과 프랑스가 "폴란드 정부를 즉시 힘닿는 데까지 지원할" 것이라는 역사적인 선언을 했다.

1939년 3월 말의 주말에 나는 때마침 베를린에 있었는데, 갑작스럽게 전해진 영국의 일방적인 폴란드 보장 소식은 당시 그곳에 있던 누구에게나 도무지 이해할 수 없는 조치로 보였을 것이다. 독일의 서쪽과 동쪽 땅

---

* 케너드에게 보낸 훈령 전보[19]를 보면 소련은 따돌림을 당한 게 분명하다. 그 전보에는 이렇게 적혀 있었다. "만약 소비에트 연방이 계획의 개시에 공공연히 관여할 경우 사태를 수습하려는 우리의 시도가 좌절되리라는 것이 분명해지고 있다. 근래에 폐하의 재외 사절들이 보내온 여러 전보는 소련을 포함시키면 우리의 건설적인 노력의 성공이 위태로워질 뿐 아니라, 반코민테른 협정 참가국들의 관계가 공고해지는 동시에 다수의 우방국 정부들 사이에서 불안이 조성될 것이라고 경고했다."

에서 그런 보장을 얼마나 환영했든 말이다. 앞에서 언급했듯이 1936년에 독일군이 비무장지대 라인란트로 진군했을 때도, 1938년에 오스트리아를 차지하고 유럽 전쟁을 벌이겠다고 위협해 주데텐란트를 차지했을 때도, 심지어 2주 전에 체코슬로바키아를 강탈했을 때도, 소련의 지지를 받는 영국과 프랑스는 아주 적은 희생만 치르고도 히틀러를 저지하는 조치를 취할 수 있었다. 그러나 평화에 굶주린 체임벌린은 번번이 그런 행보를 피했다. 그뿐이 아니었다. 체임벌린은 본인 말마따나 정치생명을 걸면서까지 나서서 아돌프 히틀러가 인접국들에서 원하는 것을 얻을 수 있도록 도와주었다. 반면에 오스트리아의 독립을 지키기 위해서는 아무 것도 하지 않았다. 체임벌린은 체코슬로바키아의 독립을 분쇄하려는 독일 독재자에게 동조했다. 당시 체코슬로바키아는 독일의 국경 동쪽에 존재하는 진정으로 민주적인 유일한 국가이자 서방 측의 유일한 우방이었고, 국제연맹과 집단안보 개념을 지지하고 있었다. 그는 영국이 프랑스에 겨우 2개 사단만 파병할 수 있던 때에, 그리고 독일 장군들에 따르면 독일 육군이 양면 전쟁을 치를 수 없고 체코 방어시설을 돌파할 수조차 없던 때에, 견고한 산악 방어시설 뒤에 단단히 자리잡은 잘 훈련되고 잘 무장된 체코슬로바키아군 35개 사단이 지닌 **서방 측**의 군사적 가치를 아예 고려하지도 않았다.

그런데 경솔하게도 그런 식으로 많은 기회를 날려버린 체임벌린이 느닷없이 히틀러의 잔존 체코슬로바키아 점령에 격렬히 반발하며—이해할 만한 행동이긴 했지만—동유럽의 한 나라, 정치에 서투른 '대령들'의 군사정권이 통치하는 나라를 일방적으로 보장하겠다고 나선 것이다. 그 '대령들'로 말하자면, 그때까지 히틀러와 긴밀히 협력하고, 체코슬로바키아를 분할하는 독일 정부의 편에 마치 하이에나 무리처럼 가담하고,

영국과 더불어 독일의 점령을 거들고, 바로 그 점령으로 인해 이제 폴란드를 군사적으로 방어 불능의 나라로 전락시킨 장본인들이었다.* 더욱이 체임벌린은 소련의 지원을 애써 구해보지도 않고서 이 막판 위험을 감수했는데, 이미 나치의 추가 침공을 공동으로 저지하자는 소련 측의 제안을 연내에 두 번이나 거절한 바 있었다.

결국 체임벌린은 1년이 넘도록 영국이 절대로 하지 않을 것이라고 단호히 역설했던 바로 그 일, 즉 영국이 전쟁에 돌입할지 여부의 결정을 다른 나라에 맡기는 일을 한 셈이었다.

그럼에도 영국 총리의 느닷없는 조치는 비록 늦긴 했지만 아돌프 히틀러에게 완전히 새로운 상황을 선사했다. 이제부터는 영국이 히틀러의 추가 침공을 방해할 것으로 보였다. 서방 민주국가들이 어떻게 대응할지 논쟁하며 방관하는 동안 한 번에 한 나라씩 차지해가는 수법을 히틀러는 더 이상 사용할 수 없었다. 더욱이 체임벌린의 행보는 독일에 대항하는 국가들의 연합을 결성하려는 최초의 진지한 움직임으로 보였다. 독일로서는 거기에 제대로 대응하지 못할 경우 비스마르크 이래 독일 제국에 악몽과도 같았던 고립에 또다시 직면할 수도 있었다.

---

* 체임벌린은 폴란드의 군사력이 약하다는 사실을 모를 수가 없었다. 바르샤바 주재 영국 무관 스워드(Sword) 대령은 1주일 전인 3월 22일에 "삼면을 독일과 접하는" 폴란드의 재앙적인 전략적 위치와 폴란드군의 결핍, 특히 현대식 무기와 장비의 결핍에 관한 장문의 보고서를 런던으로 보냈다.[20] 4월 6일 베츠크 대령이 런던에서 상호원조 협정을 논의하고 있을 때, 스워드 대령과 바르샤바 주재 영국 공군 무관 바첼(Vachell) 대령은 다시 좀 더 비관적인 새 보고서를 보냈다. 바첼은 향후 12개월 동안 폴란드 공군은 "보유 항공기가 약 600대에 불과할 것이고, 그중 다수는 독일 항공기의 적수가 되지 못한다"라고 강조했다. 스워드는 폴란드 육군과 공군 모두 현대식 장비가 너무 부족해 독일의 총공격에 제한된 저항만 할 수 있을 뿐이라고 보고했다. 케너드 대사는 두 무관의 보고서를 요약하여 폴란드는 독일에 맞서 회랑지대도 서부 국경도 방어하지 못할 것이고 폴란드 심장부의 비스와강까지 후퇴할 수밖에 없을 것이라고 런던에 알렸다. 그리고 폴란드에는 "따라서 우호적인 소련이 무엇보다 중요하다"라고 덧붙였다.[21]

백색 작전

———

체임벌린이 폴란드를 보장한다는 소식에 독일 독재자는 특유의 분노를 터뜨렸다. 때마침 방첩국 수장 카나리스 제독과 함께 있었던 히틀러는 전자에 따르면 발을 쾅쾅 구르며 실내를 이리저리 오가고, 대리석 탁자를 주먹으로 쿵 내리치고, 분노로 얼굴이 일그러진 채 영국을 향해 "그놈들을 스튜 냄비에 처넣어 숨통을 끊어놓을 거야!" 하고 소리쳤다.[22]

이튿날인 4월 1일, 히틀러는 빌헬름스하펜에서 열린 전함 티르피츠Tirpitz 호의 진수식에서 연설을 했는데, 자제하기 어려울 정도로 전의에 불타고 있어서 그랬는지 마지막 순간에 돌연 라디오 생방송을 중지시키고는 녹음 후에 편집하여 내보내라고 지시했다.* 심지어 그 녹음방송 버전에도 영국과 폴란드에 대한 경고의 말이 군데군데 들어 있었다.

그들[서방 연합국]이 위성국가들을 만들고 독일에 대치시키는 동안 오늘의 독일이 끝까지 참을성 있게 좌시할 것이라고 판단한다면, 그들은 우리를 전전戰前의 독일로 착각하는 것입니다.

이들 국가를 위해 불속에서 밤을 꺼낼 각오가 되어 있다고 떠벌리는 사람은 자기 손가락이 덴다는 것을 알아야 합니다. …

———

* 실제로 미국 라디오 방송망을 통한 중계방송이 히틀러가 연설을 시작한 뒤 중단되었다. 이 때문에 뉴욕에서는 히틀러가 암살당했다는 보도가 나왔다. 중계방송이 돌연 중단되었을 때, 나는 베를린 독일방송국 단파(短波) 부서 조정실에서 뉴욕 컬럼비아 방송국(CBS)으로의 중계를 살펴보고 있었다. 나의 항의에 독일 측 담당자들은 히틀러가 직접 지시를 내렸다고 답변했다. 채 15분도 지나기 전에 뉴욕의 CBS는 내게 암살 보도를 확인해달라는 전화를 걸어왔다. 나는 빌헬름스하펜과 연결된 개방 전화회선을 통해 연설 현장에서 소리치는 히틀러의 목소리를 들을 수 있었으므로 그 보도를 쉽게 부인할 수 있었다. 그날 총통은 방탄유리 보호막 안에서 연설을 했기 때문에 그를 저격하기는 어려웠을 것이다.

그들이 다른 나라들에서 '우리는 무장할 것이다, 계속해서 더 무장할 것이다'라고 말한다면, 나는 그 정치인들에게 이렇게 말해줄 뿐입니다. "당신들은 결코 나를 쓰러뜨릴 수 없다!" 저는 이 길을 계속 가기로 결심했습니다.

생방송을 중지시킨 데서도 알 수 있듯이 히틀러는 외국 여론을 과도하게 자극하지 않으려고 조심했다. 그날 베를린에서는 히틀러가 체임벌린에 대한 첫 번째 응수로 영국-독일 해군 조약을 파기할 것이라는 보도가 나왔다. 그러나 연설에서는 영국이 더 이상 이 조약에 집착하지 않는다면 독일은 "이것을 매우 차분하게 받아들일 것입니다"라는 데 그쳤다.

그전부터 수없이 해온 대로 히틀러는 평화를 바라는 익숙한 표현으로 연설을 끝맺었다. "독일은 다른 민족을 공격할 의도가 없습니다. … 이런 신념에 따라 3주 전에 저는 다음번 전당대회를 '평화의 당대회'로 명명하기로 결정했습니다." '평화의 당대회'는 1939년의 여름이 지나가면서 점점 더 아이러니한 구호가 되어갔다.

이 연설은 대중 소비용이었다. 이틀 후인 4월 3일, 히틀러는 체임벌린과 베츠크 대령에 대한 자신의 진짜 회답을 극비리에 하달했다. 그것은 '백색 작전'을 개시하라는 일급비밀 지령이었는데, 독일군에 내려진 이 지령서의 사본은 겨우 다섯 부만 만들어졌다. '백색 작전'은 이후의 세계사에서 크게 부각될 암호명이었다.

일급비밀
백색 작전

현재 폴란드의 태도로 보아 … 필요하다면 이 방면에서의 위협을 영구히 제거하기 위한 군사적 대비의 개시가 요구된다.

1. 정치적 필요조건과 목표

… 목표는 폴란드의 군사력을 파괴하고 동부에서 국방의 필요조건을 충족시키는 상황을 조성하는 데 있다. 단치히 자유도시는 늦어도 교전 발생과 함께 독일국 영토의 일부라고 선언될 것이다.

이 경우에 정치 지도부의 임무는 가능하다면 폴란드를 고립시키는 것, 다시 말해 교전 상대를 폴란드 히나로 한정하는 것이다.

프랑스에서 심화되는 국내 위기와 그에 따른 영국의 조심성은 그리 멀지 않은 미래에 그런 상황을 초래할지도 모른다.

러시아의 개입은 … 폴란드에 어떤 식으로든 이로울 것이라고는 예상할 수 없다. … 이탈리아의 태도는 로마-베를린 추축에 의해 결정된다.

2. 군사적 결론

독일 국방군 증강의 큰 목표들은 향후에도 서방 민주국가들과의 적대 정도에 의해 결정될 것이다. '백색 작전'은 이런 대비 과정을 예방 차원에서 미리 보완하는 것일 뿐이다. …

우리가 강력한 기습공격으로 전쟁을 개시하고 신속히 전과를 거두는 데 성공한다면, 교전 발생 이후에도 폴란드의 고립을 훨씬 더 쉽게 유지할 수 있을 것이다. …

3. 국방군의 과제

국방군의 과제는 폴란드군을 섬멸하는 것이다. 이 목적을 위해 기습공격을 노리고 준비해야 한다.

단치히 관련 지령은 다음과 같았다.

단치히 기습점령은 유리한 정세를 활용하면 '백색 작전'과 별개로 실행 가능할지도 모른다. … 육군에 의한 점령은 동프로이센에서부터 실행될 것이다. 해군은 해상에서 개입하여 육군의 행동을 지원할 것이다.

〈백색 작전〉은 긴 문서이며 몇 가지의 '동봉문서', '별첨문서', '특별명령'이 붙어 있다. 그 대부분은 4월 11일에 하나로 묶여 재발령되었고, 당연히 교전 시점이 다가옴에 따라 나중에 다른 것들이 추가되었다. 하지만 히틀러는 이미 4월 3일에 다음과 같은 지령들을 백색 작전에 추가했다.

1. 1939년 9월 1일 이후로 어느 시점에든 작전을 실행할 수 있도록 준비해야 한다.

히틀러가 주데텐란트를 얻기 한참 전에 미리 실행 날짜—1938년 10월 1일—를 정해두었던 것처럼 더 중요한 1939년 9월 1일이라는 날짜도 지켜질 것이었다.

2. 국방군 최고사령부[OKW]는 '백색 작전'의 엄밀한 진행표를 작성하는 임무를 맡고 국방군 삼군이 시간을 맞춰 행동할 수 있도록 조율해야 한다.
3. 국방군 삼군의 계획과 진행표의 세부는 1939년 5월 1일까지 OKW에 제출해야 한다.[23]

이제 문제는 히틀러가 오스트리아 정부나 (체임벌린의 도움을 받아) 체코 정부를 찍어 눌렀던 것처럼 폴란드 정부를 찍어 눌러 자신의 요구를 수용하도록 몰아붙일 수 있는지 여부, 아니면 폴란드가 입장을 고수하면서 나치가 침공하면 거기에 저항할지, 저항한다면 무엇으로 저항할지 여부였다. 나는 그 답을 찾기 위해 4월 첫째 주를 폴란드에서 보냈다. 내가 살펴본 바로는 폴란드 정부는 히틀러의 위협에 굴복하지 않을 것이고 국토를 침략당하면 맞서 싸울 테지만 지금 군사적으로나 정치적으로나 비참한 상태라는 것이 그 답이라면 답이었다. 폴란드의 공군은 구식이었고 육군은 신속히 기동하기가 어려웠으며 전략적 위치는 삼면이 독일에 둘러싸여 거의 절망적이었다. 게다가 독일의 서부 방벽〔지크프리트선〕이 강화된 터라 독일이 폴란드를 공격할 경우 영국과 프랑스가 독일로 진격하기란 극히 어려웠다. 마지막으로, 고집불통인 폴란드의 '대령들'은 설령 독일군이 바르샤바 코앞까지 오더라도 소련의 지원을 받는 데 동의하지 않을 게 뻔했다.

사태는 빠르게 전개되었다. 4월 6일, 베츠크 대령은 런던에서 영국의 일방적인 보장을 잠정 상호원조 조약으로 변경하는 문서에 서명했다. 영구적인 조약은 세부사항이 정리되는 대로 체결될 것이라는 발표가 나왔다.

이튿날인 4월 7일, 무솔리니는 알바니아로 파병하여 이 산악지대 작은 나라를 에티오피아에 이어 정복 영토에 추가했다. 알바니아는 무솔리니에게 그리스와 유고슬라비아를 상대할 발판을 제공했고, 유럽의 긴장된 분위기에서 감히 추축국에 반항하려는 소국들을 더욱 초조하게 만들었다. 독일 외무부 문서에서 드러난 대로, 알바니아 정복은 사전에 이 조치를 통보받은 독일의 완전한 찬성하에 실행된 것이었다. 4월 13일, 프랑스와 영국은 그리스와 루마니아의 안전을 보장하는 조치로 여기에 맞섰다. 양 진영은 저마다의 대오를 꾸리기 시작했다. 4월 중순에 괴링은 로마에 도착해 15일과 16일 두 차례 무솔리니와 장시간 회담하여 리벤트로프를 잔뜩 짜증나게 했다.[24] 두 사람은 "전면 충돌"에 대비하려면 "2~3년이 필요하다"는 데 동의했지만, 괴링은 설령 전쟁이 더 일찍 일어난다 해도 "추축국은 아주 강력한 위치에" 있으며 "상정되는 그 어떤 적이라도 무찌를 수 있다"고 힘주어 말했다.

4월 15일에 로마와 베를린에 전해진 루스벨트 대통령의 호소문이 화제가 되었다. 치아노에 따르면, 두체는 처음에 그 호소문을 읽지 않으려했고 괴링은 회답할 가치도 없다고 잘라 말했다. 무솔리니는 그것이 "소아마비 탓"이라고 생각했지만, 괴링은 "루스벨트는 초기 정신질환을 앓고 있다"는 인상을 받았다. 히틀러와 무솔리니에게 보낸 전보에서 미국 대통령은 직설적인 질문을 던졌다.

귀하는 귀국의 군대가 다음과 같은 독립국들의 영토를 공격하거나 침략하지 않을 것이라는 확약을 해주시겠습니까?

이어서 폴란드, 발트 국가들, 소련, 덴마크, 네덜란드, 벨기에, 프랑스, 영국을 포함하는 31개국이 나열되어 있었다. 미국 대통령은 그런 불가침 보장을 "적어도 10년", 또는 "더 멀리 내다본다면 25년"까지 해주기를 바랐다. 그렇게 해준다면 미국은 세계가 지고 있는 "무장의 막대한 부담"을 줄이고 국제 교역의 길을 열기 위한 세계 규모의 "토론"에 참여하겠다고 약속했다.

루스벨트는 히틀러에게 "귀하는 귀하와 독일 국민이 전쟁을 바라지 않는다고 거듭 확언했습니다. 그 말이 진실이라면 전쟁은 필요 없을 것입니다"라고 말했다.

오늘날 알려져 있는 바를 고려하면 그 전보 내용은 순진한 호소처럼 보인다. 그런데 총통은 퍽 당황하여 그냥 뭉개버리는 것은 상책이 아니라고 생각했다. 하지만 곧장 회답하지는 않고 4월 28일에 제국의회를 특별 소집하여 그 자리에서 연설을 통해 회답하려 했다.

압수된 독일 외무부 문서에서 드러난 대로, 그에 앞서 4월 17일 독일 외무부는 루스벨트가 언급한 국가들 중 폴란드, 소련, 영국, 프랑스를 제외한 나머지 모두 국가에 회람 진보를 보내 두 가지 질문을 했다. 귀국은 독일로부터 어떤 식으로든 위협을 받는다고 느끼는가? 귀국은 루스벨트에게 그런 제안을 할 권한을 주었는가?

리벤트로프는 관련국들에 주재하는 독일 사절들에게 보낸 전보에서 이렇게 말했다. "우리는 두 질문 모두 부정 답변을 받을 것으로 믿지만, 특별한 이유로 즉시 진정한 확답을 받고자 한다." 여기서 말한 "특별한 이유"가 무엇인지는 히틀러의 4월 28일 연설을 통해 밝혀질 터였다.

4월 22일까지 독일 외무부는 유고슬라비아, 벨기에, 덴마크, 노르웨이, 네덜란드, 룩셈부르크를 포함하는 대부분의 국가들이 "두 질문에 모두 부정 답변을 했다"라고 총통에게 보고할 수 있었다―그 답변으로 그들 정부가 제3제국을 보는 눈이 얼마나 순진한 것이었는지도 곧 드러날 터였다. 그렇지만 루마니아는 "제국 정부야말로 위협이 발생할지 여부를 스스로 알 만한 위치에 있다"라는 가시 돋친 답변을 보내왔다. 북쪽 발트해 연안의 작은 나라 라트비아는 처음에 독일이 어떤 답변을 기대하는지 이해하지 못했다. 그러나 독일 외무부가 곧 라트비아를 다음과 같이 지도했다. 4월 18일, 바이츠제커는 리가〔라트비아의 수도〕 주재 독일 사절에게 전화를 걸어

루스벨트의 전보에 대한 우리의 질문에 라트비아 외무장관이 보낸 답변을 이해할 수 없다고 말했다. 사실상 다른 모든 정부는 이미 회답했고 당연히 부정적인 반면에 문테르스Munters 씨는 미국의 이 터무니없는 선전을 자국의 내각 회의에서 검토하고 싶어했다. 문테르스 씨가 우리의 질문에 즉각 '아니요'라고 답하지 않는다면, 우리는 라트비아를 루스벨트 씨와 기꺼이 공모하려는 나라의 하나로 여길 것이다. 나는 폰 코체[독일 사절] 씨에게 이런 식으로 한 마디만 해도 문테르스 씨로부터 명확한 답변을 얻을 수 있을 것으로 생각한다고 말했다.[25]

과연 그러했다.

루스벨트에 대한 히틀러의 회답

———

유럽 국가들의 회답은 히틀러에게 강력한 무기가 될 만했다. 1939년 4월 28일 화창한 봄날에 제국의회 연설을 기세 좋게 시작한 히틀러는 그 답변을 능숙하게 활용했다. 그 연설은 그때까지 내가 들어본 히틀러의 중요한 공개 연설 중 가장 길어서, 무려 2시간 넘게 걸렸다. 여러 면에서, 특히 독일인과 나치 독일의 우방들에 대한 호소력이라는 측면에서 그 연설은 분명 그때까지 히틀러가 행한 연설 중 가장 탁월한 것이었다. 나에게는 확실히 그렇게 들렸다. 유창함과 교활함, 반어법, 빈정거림, 위선의 측면에서 그 연설은 히틀러가 다시는 다다르지 못할 새로운 수준에 도달했다. 그리고 애초에 독일인을 위해 준비한 것이었지만 독일의 모든 라디오 방송국뿐 아니라 세계 전역의 다른 수백 개 방송국을 통해서도 중계되었다. 미국에서는 주요 방송망을 통해 송출되었다. 히틀러의 연설이 그날만큼 전 세계의 많은 청중에게 가닿은 것은 전무후무한 일이었다.*

연설에서 히틀러는 평소처럼 먼저 베르사유 조약의 부당성과 그로 인해 독일 민족이 짊어진 여러 불의와 오랜 고통에 대해 장광설을 늘어놓은 뒤, 불안한 유럽을 뒤흔든 영국과 폴란드에 먼저 응수했다.

히틀러는 영국에 대한 찬미와 우정을 표명한 다음 영국이 자신을 신뢰하지 않고 독일을 상대로 새로운 '포위 정책'을 편다고 공격한 뒤, 1935년의 영국-독일 해군 조약을 파기한다고 선언했다. 그는 "조약의 기반이 사라졌습니다"라고 말했다.

폴란드에 대해서도 마찬가지였다. 히틀러는 단치히 및 회랑지대와 관련해 폴란드 측에 제안했던 내용(그때까지 비밀로 지켜왔다)을 공개하면서 그것이 "유럽의 평화를 위하는, 상상할 수 있는 최대한의 양보"였다고 말하고, 폴란드 정부가 이 "단 한 번뿐인 제안"을 거절했다고 제국의회에 알렸다.

나는 폴란드 정부의 이런 이해할 수 없는 태도를 유감으로 생각했습니다. … 가장 나쁜 일은 지금 폴란드가 1년 전의 체코슬로바키아와 마찬가지로 거짓말을 하는 국제적 선전의 압력을 받아 병력을 소집해야 한다고 믿는다는 것입니다. 독일이 단 한 명도 소집하지 않았고 폴란드에 대한 적대 행위

---

* 연설 당일에 바이츠제커는 워싱턴 주재 독일 대사대리 한스 톰젠에게 전보를 쳐 미국에서 최대한 많은 사람들이 총통의 연설을 들을 수 있도록 힘쓰라고 지시하고 이를 위해 자금을 추가로 지급할 것이라고 약속했다. 5월 1일 톰젠은 이렇게 답신했다. "연설에 대한 관심이 전례 없이 높습니다. 그래서 계획대로 이곳에서 영문 연설문을 인쇄하여 … 온갖 계층과 직업을 망라하는 수만 명에게 발송하라고 지시했습니다. 그 비용은 아래와 같습니다."[26]

를 전혀 고려하지 않았음에도 말입니다. 이것은 그 자체로 매우 유감스러운 일이며, 후세인들은 언젠가 이 제안, 내가 지난번에 제시한 … 진정으로 유일무이한 타협안을 … 거절한 것이 정말로 옳았는지 여부를 판가름할 것입니다.

이어서 독일이 폴란드를 공격할 속셈이라는 보도들은 "세계 신문의 날조일 뿐"이라고 했다. (연설을 듣고 있던 수천만 명 중 어느 누구도 불과 3주 전에 히틀러가 국방군에 "늦어도" 9월 1일까지는 폴란드를 분쇄할 준비를 마치라는 서면 명령을 내린 사실을 알지 못했다.) 연설은 더 이어졌다. 신문의 날조에 넘어간 폴란드는 영국과 협정을 맺었는데, "특정 상황에서는 폴란드가 독일에 맞서 군사행동을 취하도록 강요하는" 협정이었다. 따라서 폴란드는 독일과의 불가침 협정을 파기한 것이다! "그러므로 나는 그 협정이 … 폴란드에 의해 일방적으로 깨져버렸고 그렇기 때문에 더 이상 존재하지 않는다고 봅니다."

정작 본인이 두 개의 정식 조약을 일방적으로 파기해버린 히틀러는 이제 두 조약을 대체할 협정을 교섭할 생각이라고 제국의회에서 설명했다. "나는 그런 방안을 정말로 환영합니다. 그런 일이 성사된다면 나보다 더 기뻐할 사람도 없을 것입니다." 앞에서도 언급했듯이 이는 히틀러가 조약을 파기할 때면 써먹은 오래된 수법이었는데, 비록 그는 간파하지 못했겠지만 더는 통하지 않을 터였다.

그다음으로 히틀러는 루스벨트 대통령에게 화살을 돌렸다. 이 대목에서 독일 독재자의 능변은 절정에 이르렀다. 보통의 사람이 듣기에 히틀러의 연설은 분명 위선과 기만의 악취를 풀풀 풍겼다. 그러나 제국의회의 엄선된 의원들에게, 그리고 독일인 수백만 명에게 히틀러의 능수능란한 빈정거림과 반어법은 그야말로 희열이었다. 총통이 언제 끝날지 모르게 미국 대통령을 점점 더 세게 조롱하는 동안 배불뚝이 의원들은 몸을 흔들며 왁자지껄 웃음을 터뜨렸다. 히틀러는 루스벨트 전보의 논점들을 하나씩 언급하고 잠시 침묵을 지켰다가 살짝 미소를 짓기까지 하고는 마치 교사처럼 낮은 목소리로 '답변'이라는 한 단어를 입 밖에 냈다―그런 다음 말했다. (히틀러가 몇 차례 잠시 침묵하다가 나지막이 '답변Antwort'이라고 말하던 모습이 여전히 내 뇌리에 떠오른다. 그렇게 잠깐씩 침묵이 이어지는 동안 연단 의장석의 괴링은 키득거리지 않으려고 안간힘을 썼으나 소용이 없었고, 제국 의회 의원들은 '답변'이라는 소리를 신호로 환호성을 지르고 폭소를 터뜨릴 준비를 하고 있었다.)

루스벨트 씨는 자신이 보기에 모든 국제문제는 교섭 회의석상에서 해결할 수 있는 것이 분명하다고 단언합니다.

답변: … 이 문제들의 해결책을 정말로 회의석상에서 찾을 수 있다면 나로서는 아주 다행일 겁니다. 그렇지만 나의 의구심은 미국 스스로 회의의 효과가 의심스럽다는 것을 가장 통렬하게 표명했다는 사실에 근거합니다. 역사상 최대 규모의 교섭 자리는 … 세계의 모든 민족을 대변하는, 미국 대통령의 의지에 따라 창설된 국제연맹이었습니다. 그렇지만 이 노력에서 맨 먼저 발을 뺀 국가는 미합중국이었습니다. … 나는 수년간 무의미하게 참가한 다음에야 미국의 선례를 따르기로 했습니다. …

미국 북부와 남부의 충돌이 회의석상에서 결정되지 않은 것처럼 북아메리카의 자유도 회의석상에서 얻은 것이 아닙니다. 결국 북아메리카 대륙 전체의 정복으로 귀결된 무수한 투쟁에 대해서는 아무 말도 않겠습니다.

이를 언급하는 까닭은 오로지 루스벨트 씨 당신의 견해가, 비록 틀림없이 모두의 존중을 받을 만하지만, 당신 나라의 역사에서도 세계의 다른 나라들 역사에서도 그 정당성이 입증되지 않는다는 것을 보여주기 위함입니다.

히틀러는 독일이 지난날 토론하기 위해서가 아니라 무엇을 해야 하는지 듣기 위해 회의─베르사유 회의─에 참석한 적이 있음을 루스벨트에게 상기시켰다. 당시 독일의 대표들은 "수Sioux 족〔북아메리카의 토착민 부족〕의 족장들이 겪은 것보다도 심한 수모를 겪었습니다".

마침내 히틀러는 31개국 중 어느 나라도 공격하지 않겠다고 확약해달라는 루스벨트의 요청에 대한 답변의 핵심에 이르렀다.

답변: 루스벨트 씨는 독일의 정책에 어느 나라가 위협을 느끼고 어느 나라가 위협을 느끼지 않는지를 어떻게 알았을까요? 혹시 루스벨트 씨는 자국 내에 분명 이런저런 문제가 산적해 있을 텐데도 타국의 국민들과 정부들 내면의 영적·정신적 인상까지 자진해서 살펴보는 것일까요?
끝으로 루스벨트 씨는 독일군이 타국을 공격하지 않고 특히 다음과 같은 독립국들의 영토나 속령을 침략하지 않겠다는 확약을 달라고 요구하고 있습니다. …

그런 다음 히틀러는 각국의 이름을 천천히 소리 내어 읽었는데, 내 기억에 그렇게 읽어나갈수록 회의장 내의 웃음소리가 점점 커졌다. 돌이켜 보건대 그 자리의 어떤 의원도, 아니 나를 포함해 베를린의 어느 누구도 히틀러가 교활하게도 폴란드라는 이름을 슬쩍 빼버렸다는 사실을 알아채지 못했을 것이다.

그러고서 히틀러는 비장의 수를 꺼냈다. 아니, 비장의 수라고 생각하던 것을 꺼내들었다.

답변: 나는 여기에 거명된 나라들을 상대로 우선 그들이 위협을 받는다고 느끼기는 하는지, 둘째로 무엇보다 미국 대통령의 이 질문이 그들 나라의 제안에 의해 나온 것인지, 적어도 동의를 얻어 제기된 것인지를 애써 확인했습니다.

그 국가들의 답은 하나같이 부정적이었습니다. … 내가 거명한 국가들과 국민들 중 일부에 조회해볼 수 없었던 것은 사실입니다. 그들 국가 자체가—예를 들면 시리아가 있습니다—현재 자유를 갖고 있지 못하고, 오히려 민주국가들의 군사적 대리인에 의해 점령되어 있고, 따라서 그들의 권리를 박탈당한 상태이기 때문입니다.

그렇지만 이 사실은 논외로 하더라도, 독일과 국경을 접하는 모든 국가는 … 루스벨트 씨가 기묘한 전보로 요청해온 것보다 훨씬 더 구속력 있는 확약을 받았습니다. …

여기서 루스벨트 씨에게 한두 가지 역사적 오류를 환기시켜야겠습니다. 일례로 그는 아일랜드를 거명하면서 독일이 아일랜드를 공격하지 않을 것이라는 성명을 요구합니다. 그런데 나는 방금 아일랜드의 데 발레라 총리 Taoiseach*의 연설문을 읽었는데, 퍽 이상하게도, 그리고 루스벨트 씨의 의견과는 반대로, 총리는 독일이 아일랜드를 억압한다고 고발하지 않고 오히려 잉글랜드가 아일랜드를 계속 침략한다고 비난합니다. …

이와 마찬가지로 루스벨트 씨는 현재 팔레스타인을 독일 병력이 아니라 영

---

* 히틀러는 신중하게도 총리를 가리키는 이 게일어 단어를 사용했다.

국 병력이 점령하고 있다는 사실, 그리고 이 나라의 자유가 가장 잔혹한 무력행사에 의해 제약받고 있다는 사실을 명백히 놓치고 있습니다. …

그럼에도 히틀러는 "거명된 국가들 각각에 루스벨트 씨가 바라는 확약을 해줄" 용의가 있었다. 그뿐이 아니었다! 히틀러의 두 눈이 환하게 빛났다.

나는 이 기회에 무엇보다 미합중국 대통령에게 그가 가장 신경쓰는 영토들, 즉 미합중국 자체와 아메리카 대륙의 다른 국가들에 관해 확약하겠습니다.
나는 여기서 엄숙히 선언합니다. 미국의 국내외 영토를 독일이 공격하거나 침략할 의도를 가지고 있다는 식의 주장은 모두 순전한 기만이자 터무니없는 허위입니다. 군사적 가능성에 관한 한 그런 주장들이 오직 어리석은 상상에서만 비롯될 수 있다는 사실은 완전히 별개로 치더라도 말입니다.

제국의회 회의장은 웃음소리로 진동했다. 히틀러는 미소조차 띠지 않은 채 근엄한 자세를 아주 감명 깊게 유지했다.
그런 다음 맺음말을 했다—내 생각에 그때까지 히틀러가 독일인에게 들려준 발언 중 가장 유창한 달변이었다.

루스벨트 씨! 귀국의 수많은 국민과 막대한 부로 말미암아 당신이 전 세계의 역사와 모든 민족의 역사에 책임감을 느낀다는 것을 나는 충분히 이해합니다. 그에 비하면 나는 훨씬 더 변변찮고 작은 영역에 놓여 있습니다. …
지난날 나는 세계의 다른 국가들의 약속을 믿은 탓에, 그리고 민주정부들의 악정 탓에 완전한 파멸에 직면한 국가를 인수했습니다. … 나는 독일 국내의 혼돈을 극복하고, 질서를 복구하고, 생산량을 어마어마하게 늘리고 … 교통을 발전시키고, 훌륭한 도로를 깔고, 운하를 파고, 새로이 거대한 공장들을 짓도록 하는 동시에 우리 국민의 교육과 문화를 증진하려 노력했습니다.

나는 실업자 700만 명 모두에게 다시 한 번 유용한 일자리를 찾아주는 데 성공했습니다. … 독일 국민을 정치적으로 통합했을 뿐 아니라 재무장시키기까지 했습니다. 또 나는 어떤 국민도 어떤 인간도 도저히 견딜 수 없는 최악의 압제를 규정한, 448개 조항에 이르는 조약을 낱낱이 파기하고자 노력했습니다.

나는 1919년에 빼앗긴 제국의 영토들을 되찾았습니다. 나는 우리에게서 떨려나가 비참하게 살아가던 독일인 수백만 명을 다시 고국으로 이끌었습니다. … 그리고 그 과정에서, 루스벨트 씨, 피 한 방울 흘리게 하지 않았고, 우리 국민을, 따라서 다른 나라 국민을 전쟁의 참화 속으로 데려가지도 않았습니다. …

이에 비하면 루스벨트 씨, 당신의 과제는 훨씬 더 쉽습니다. 내가 제국의 총리가 된 1933년에 당신은 미합중국의 대통령이 되었습니다. 처음부터 당신은 세계에서 가장 크고 부유한 국가들 중 하나의 원수로서 출발했습니다. … 귀국의 여건이 워낙 나은 터라 당신은 전 세계적인 문제들에 관심을 기울일 만한 시간과 여유를 가질 수 있었습니다. … 당신의 관심과 제안의 범위는 내 경우에 비하면 훨씬 광대한 권역에 걸쳐 있습니다. 나의 세계는, 루스벨트 씨, 신의 섭리로 정해졌고 따라서 내가 일해야 하는 세계는 불행히도 훨씬 더 작기 때문입니다. 다만 내게 그 세계는 다른 무엇보다도 귀중한 곳입니다. 나의 국민으로 국한된 세계이기 때문입니다!

그렇지만 나는 이 길에서 내가 우리 모두의 관심사에, 즉 전 세계의 정의와 안녕, 진보, 그리고 평화에 가장 크게 이바지할 수 있다고 믿습니다.

독일 국민을 현혹시킨 이 연설은 히틀러의 최고 걸작이었다. 그러나 그 후 며칠 동안 유럽 여기저기를 돌아다닌 사람이라면 쉽게 알 수 있었 듯이, 이번 연설은 그때까지 들어본 히틀러의 여러 연설과 달리 더 이상 외국의 국민이나 정부를 속이지 못했다. 독일인과 달리 그들은 속임수의 미로를 간파하고 있었던 것이다. 그리고 그들은 독일 총통이 비록 능수 능란한 변설로 루스벨트에게 창피를 주긴 했지만 미국 대통령이 던진 근 본적인 질문에 답하지 않았다는 것을 깨달았다. 총통은 침략을 끝마쳤는 가? 폴란드 공격은 할 것인가?

나중에 밝혀졌듯이, 이번 연설은 히틀러가 평시에 행한 것 중에서 가 장 탁월한 마지막 공개 연설이었다. 지난날의 오스트리아인 방랑자는 천 재적인 웅변술로 현세에서 도달할 수 있는 곳까지 올라갔다. 이제부터는 전사로서 역사의 틈새를 만들어내고자 시도할 터였다.

여름을 나려고 베르히테스가덴 산장으로 물러난 히틀러는 5월 5일 베 츠크 대령의 의회 연설과 같은 날 독일 정부에 공식 각서로 전달된 폴란 드의 회답에 아무런 공식 반응도 내비치지 않았다. 폴란드의 성명과 베 츠크의 연설은 위엄 있고 유화적이되 단호한 답변이었다.

한 국가가 요구사항을 공식화하고 다른 한 국가가 그 요구사항을 변경 없 이 수용해야 한다면 그 교섭은 분명 교섭이 아니다.

소련의 개입 (1)

———

4월 28일 제국의회 연설에서 히틀러는 평소 습관처럼 하던 소련 공격을 하지 않았다. 소련에 대한 언급은 한마디도 없었다. 베츠크 대령은 회답에서 독일이 내비친 "당면 쟁점들에서 한참 벗어난" "다른 여러 암시"를 언급하며 "필요할 경우 이 문제로 되돌아갈" 권리를 여전히 보유한다고 말했다―은근한 표현을 쓰긴 했지만 분명 폴란드를 반코민테른 협정에 끌어들이려던 독일의 이전 노력을 가리키는 말이었다. 베츠크는 알지 못했고 체임벌린도 마찬가지였지만, 그런 반소련의 노력을 당시 독일은 그만두려 했다. 베를린과 모스크바에서는 새로운 발상이 싹트고 있었다.

장차 세계에 엄청난 영향을 끼칠 나치 독일과 소비에트 연방의 협약을 위한 움직임이 양국 수도에서 시작된 것이 정확히 언제였는지 규명하기는 어렵다. 초기 동향의 미묘한 변화 중 하나는, 앞에서 지적했듯이 과거 뮌헨 협정 나흘 후인 1938년 10월 3일에 나타났다. 그날 모스크바 독일 대사관의 참사관이 스탈린은 자신이 배제된 채 결정된 주데텐 해결책에서 모종의 결론을 이끌어낼 것이고 그 결론이 독일에 "더 긍정적"일 것이라고 베를린에 보고한 바 있었다. 이 외교관은 양국 간에 "더 폭넓은" 경제 협력이 필요하다고 강하게 주장했고, 1주일 후에 보낸 두 번째 전보에서 다시금 협력을 호소했다.[27] 10월 말경에 모스크바 주재 독일 대사 프리드리히-베르너 폰 데어 슐렌부르크 백작은 독일 외무부에 "조만간 인민위원회 의장 몰로토프와 접촉해 독일-소비에트 관계를 해치는 문제들의 해결을 꾀할 계획"이라고 보고했다.[28] 그때까지 모스크바에 극히 적대적이었던 히틀러의 태도를 감안하면, 모스크바 대사 자신이 그런 계획을 떠올렸을 가능성은 거의 없다. 틀림없이 베를린에서 모종의 암시를 받았을 것이다.

이 점은 압수된 외무부 문서고에 관한 조사를 통해 분명하게 밝혀졌다. 독일 측이 생각하기에 첫 단계는 양국의 통상 관계를 개선하는 것이었다. 1938년 11월 4일자 독일 외무부 공문은 "괴링 원수의 집무실에서 적어도 우리의 대소련 교역, 특히 소련산 원재료와 관련한 교역을 재개할 것을 강력히 요구"했음을 드러낸다.[29] 소련-독일 경제 협정의 만료 시점은 1938년 말이었으며, 빌헬름슈트라세의 서류철들은 협정 갱신을 둘러싼 교섭이 난항을 겪는 모습을 보여주는 기록으로 가득하다. 양측은 서로를 강하게 의심하면서도 막연히 타협점을 향해 다가서고 있었다. 12월 22일, 모스크바에서 소련의 통상 관료들과 독일의 경제 분쟁 해결의 명수 율리우스 슈누레Julius Schnurre가 장시간 회담했다.

새해 벽두에 베를린 주재 소련 대사 알렉세이 메레칼로프Alexei Merekalov는 평소 자주 찾던 빌헬름슈트라세를 방문해 "독일-소비에트 경제 관계에서 새 시대를 열고픈 소련의 바람"을 전했다. 그 후 몇 주간 희망적인 대화가 오가다가 1939년 2월 들어 거의 결렬되기에 이르렀는데, 표면상 이유는 주요 교섭을 모스크바와 베를린 중 어디서 진행할 것이냐는 문제였다. 그러나 진짜 이유는 1939년 3월 11일자 독일 외무부 경제정책국 국장의 공문으로 드러났다. 독일이 소련의 원재료를 탐내고 괴링도 그전부터 줄기차게 얻고자 했지만, 제3제국에는 소련에 제공할 교환 품목이 없었다. 국장은 "교섭의 결렬"에 대해 "독일의 원재료 상황을 고려할 때 실로 유감스러운" 일이라고 생각했다.[30]

하지만 양국의 경제 관계를 개선하려던 첫 시도가 당장은 실패했다 할지라도, 그 외에 다른 변화의 기미가 있었다. 1939년 3월 10일, 스탈린은 모스크바에서 열린 제18차 당대회의 첫 회합에서 긴 연설을 했다.

사흘 후, 세심한 슐렌부르크 대사는 베를린에 장문의 보고서를 보냈다. 대사는 "스탈린의 빈정거림과 비판이 이른바 침략국들, 특히 독일을 향하기보다 영국을 훨씬 더 날카롭게 겨냥했다는 점에 주목할 만하다"고 생각했다. 대사는 스탈린이 "민주국가들의 약점은 … 그들이 집단안보 원칙을 포기하고 불간섭과 중립화 정책으로 돌아선 사실로 명백히 드러난다. 이 정책의 기저에는 침략국들의 주의를 다른 희생자들 쪽으로 돌리고픈 바람이 깔려 있다"라고 지적한 점에 주목했다. 그런 다음 서방 연합국에 대한 소비에트 독재자의 비난의 말을 이렇게 인용했다. 연합국은

독일을 더 동쪽으로 밀어내면서 손쉬운 먹잇감을 약속하고 "볼셰비키와 전쟁을 시작하기만 하면 다른 모든 일은 저절로 풀릴 것이다"라고 말하고 있다. 이것은 거의 부추기는 것이나 마찬가지로 보인다. … 독일에 대한 소비에트 연방의 분노를 자아내고 … 뚜렷한 이유도 없이 독일과의 충돌을 유발하는 데 … 그 목표가 있는 것처럼 보인다. …

결론으로서 스탈린은 지도 방침을 다음과 같이 정식화했다.

1. 모든 나라와의 화평에 힘쓰고 경제 관계를 공고히 하는 정책을 계속 추구한다.
2. … 위험을 대신 무릅쓰게 하는 짓을 예사로 저지르는 주전론자들에 의해 우리나라가 분쟁에 휘말리지 않도록 한다.[31]

이는 소련에서 최종 결정을 도맡는 사람의 입에서 나온 명백한 경고

였다. 소비에트 연방은 영국과 프랑스의 위험을 덜어주기 위해 나치 독일과의 전쟁에 말려들 생각이 없다는 것이다. 이 경고는 런던에서는 무시당했을지라도, 적어도 베를린에서는 주목을 받았다.*

그럼에도 스탈린의 연설이나 그 직후에 오간 여러 외교적 대화를 보면, 소련의 외교 정책은 비록 조심스럽기는 해도 여전히 활짝 열려 있던 것이 분명하다. 3월 15일 나치가 체코슬로바키아를 점령하고 사흘 뒤, 앞에서 언급했듯이 소련 정부는 또다른 침략행위를 막을 방법을 논의할 6개국 회의를 제안했다가 체임벌린에게 "시기상조"라는 이유로 거절당했다.** 그때가 3월 18일이었다. 이틀 후 독일 대사가 베를린에 황급히 타전한 모스크바 정부의 공식 성명에 따르면, 소련은 폴란드와 루마니아에 "그들이 침략의 희생자가 될 경우" 원조하겠다고 제안한 적이 없

---

* 모스크바발 AP 통신 기사(3월 12일자 《뉴욕 타임스》에 실렸다)는 소련을 독일과의 전쟁에 휘말리게 하려는 시도를 스탈린이 비난한 뒤 모스크바 외교가에서 소련과 독일의 화해 가능성에 대한 이야기가 나왔다고 알렸음에도, 영국 대사 윌리엄 시즈(William Seeds) 경은 그런 대화에 끼지 않았던 것으로 보인다. 스탈린의 연설에 관해 보고한 전보에서 시즈는 그럴 가능성에 대해 전혀 언급하지 않았다. 반면에 전 모스크바 주재 미국 대사로 당시 브뤼셀에 주재하던 서방 외교관 조지프 E. 데이비스(Joseph E. Davies)는 스탈린의 연설에서 타당한 결론을 이끌어냈다. 3월 11일 일기에 그는 이렇게 썼다. "그 연설은 대단히 의미심장한 성명이다. 거기에는 소비에트 정부가 침략국들을 상대로 '비현실적인' 반대를 계속하느라 지쳐가고 있다는, 영국과 프랑스 정부에 보내는 분명한 경고의 메시지가 담겨 있다. 이것은 … 영국 외무부와 소비에트 연방 간의 … 교섭에 실로 불길한 징조다. 내가 여태껏 본 적 없는 실로 중대한 위험 신호다." 3월 21일, 데이비스는 키 피트먼(Key Pittman) 상원의원에게 보낸 편지에 이렇게 썼다. "… 히틀러는 스탈린을 프랑스와 영국으로부터 떼어놓으려고 사력을 다하고 있습니다. 영국과 프랑스가 정신 차리지 않으면 히틀러가 성공할 것이라고 저는 우려하고 있습니다."[32]

** 3월 19일, 핼리팩스 경은 런던 주재 소련 대사 이반 마이스키(Ivan Maisky)에게 6개국 회의를 되도록 부쿠레슈티에서 열면 좋겠다는 소련의 제안을 왜 "수용할 수 없는" 것인지 설명하면서, 자국으로서는 부쿠레슈티에 갈 시간을 낼 수 있는 사절이 없다고 말했다. 소련이 이렇게 퇴짜를 맞고 기분이 상한 탓에 분명 그 후 소련과 영국-프랑스 간의 교섭이 틀어져버린 것이다. 나중에 마이스키는 영국 보수당 하원의원 로버트 부스비(Robert Boothby)에게 소련의 제안을 거절한 일이 "효과적인 집단안보 정책에 또다른 치명타"가 되었고 그것으로 리트비노프의 운명이 결정되었다고 말했다.[33]

었다. "폴란드도 루마니아도 소비에트 정부에 원조를 구하지 않았고 그들이 위협받고 있다는 통고도 전혀 없었다"라는 것이 그 이유였다.[34]

3월 31일에 영국 정부가 폴란드에 대한 일방적인 보장을 발표한 것은 스탈린의 확신, 즉 영국이 소련보다 폴란드와의 동맹을 선호하고 또 체임벌린이 뮌헨 협정 때와 마찬가지로 유럽의 협조 체제에서 소련을 배제할 의도라는 확신을 더욱 굳히는 데 일조했을 것이다.[35]

이런 상황에서 독일과 이탈리아는 확실한 기회를 엿보기 시작했다. 이제 외교 문제에서 히틀러에게 중대한 영향을 끼칠 수 있게 된 괴링은 4월 16일 로마에서 무솔리니를 만나 스탈린이 최근 공산당대회에서 행한 연설을 거론했다. 괴링은 "소련이 자본주의 열강을 위한 총알받이로 쓰이는 일은 용인하지 않을 것이다"라는 소비에트 독재자의 성명에 감명을 받은 터였다. 괴링은 "관계 개선을 염두에 두고서 … 소련의 의중을 조심스럽게 떠볼 수는 없는지 총통에게 여쭤보겠습니다"라고 말했다. 그런 다음 무솔리니에게 "총통의 최근 연설에서는 소련에 대한 언급이 전혀 없었습니다"라고 상기시켰다. 이 회담에 대한 독일 측 기밀문서에 따르면, 두체는 추축국이 소련과 화해하는 발상을 두 팔 벌려 환영했다. 이 탈리아 독재자 역시 모스크바의 변화를 감지했고, 화해가 "비교적 쉽게 이루어질" 수도 있다고 생각했다.

[무솔리니가 말함] 목표는 소련이 스탈린 연설의 취지에 따라 영국의 포위 정책에 냉랭하고 비호의적인 태도를 취하도록 유도하는 것이겠지요. … 게다가 금권정치 및 자본주의에 맞서 이데올로기 투쟁을 벌인다는 점에서 추축국은 소련 정권과 어느 정도 같은 목표를 가지고 있습니다.[36]

이는 추축국의 정책으로 보면 급격한 방향전환이었으며, 체임벌린이 이 사실을 알았다면 틀림없이 놀랐을 것이다. 아마 리트비노프도 놀랐을 것이다.

괴링과 무솔리니가 회담한 4월 16일 당일, 소비에트 외무인민위원은 모스크바 주재 영국 대사를 접견한 자리에서 영국, 프랑스, 소련의 3자 간 상호원조 조약을 정식으로 제안했다. 그러자면 이 조약을 실행하기 위해 삼국 간에 군사협정을 체결하고, 바라건대 조인국들이 폴란드까지 끌어들여 나치 독일에 위협을 당한다고 느끼는 중유럽과 동유럽의 모든 국가를 보장할 필요가 있었다. 이는 제3제국에 대항하는 동맹을 맺기 위한 리트비노프의 마지막 노력이었으며, 집단행동으로 히틀러를 저지하는 정책에 자신의 경력을 건 소련 외무장관은 분명 이 목표를 위해 서방 민주국가들과 소련의 단합을 이루어내는 데 마침내 성공할 것이라고 생각했을 것이다. 처칠은 5월 4일 연설에서 아직 런던에서는 소련의 제안을 받아들이지 않았다고 불평하면서 "소련의 적극적인 지원 없이는 나치의 침략에 맞서 동부전선을 지켜낼 방법이 없습니다"라고 말했다. 확실히 폴란드를 포함해 동유럽의 다른 어떤 국가도 그 지역에서 전선을 유지할 만한 군사력을 보유하지 못하고 있었다. 그럼에도 소련의 제안에 런던과 파리는 곤혹스러워했다.

그렇지만 그 제안이 거절당하기도 전에 스탈린은 기존 노선을 뒤집는 중대한 움직임을 보이기 시작했다.

리트비노프가 모스크바의 영국 대사에게 폭넓은 제안을 하고 하루 지난 4월 17일, 베를린 주재 소비에트 대사는 독일 외무부의 바이츠제커를 방문했다. 바이츠제커가 공문에 적은 대로, 근 1년 전에 대사직에 부임한 메레칼로프의 첫 방문이었다. 먼저 독일과 소련의 경제에 관해 잠시 대화한 뒤, 대사는 화제를 정치로 돌리고서

[바이츠제커가 씀] 내게 독일-소련 관계를 어떻게 생각하느냐고 단도직입으로 물어왔다. … 대사는 대강 다음과 같이 말했다.

이제껏 소련의 정책은 직선 경로를 달려왔다. 이데올로기적 차이는 소련과 이탈리아의 관계에 별다른 악영향을 끼치지 않았고 독일과의 관계 역시 나빠질 이유가 없다. 소련은 독일과 반독일 서방 민주국가들 간에 빚어지고 있는 마찰을 활용한 적이 없고 그럴 의향도 없다. 소련으로서는 우리와 정상적인 관계를 이어가지 않을 이유가 없고, 정상적인 관계에서 한층 개선된 관계로 나아갈 수 있다.

대화의 키를 잡고 있던 메레칼로프 씨는 이 발언과 함께 회담을 끝냈다. 그는 하루이틀 내에 모스크바를 찾을 예정이다.[37]

소비에트 대사가 돌아간 소련 수도에서는 무언가 일이 벌어지고 있었다. 그 일은 5월 3일에 알려졌다. 그날 소비에트 신문들 맨 뒷면 구석에 있는 '단신' 난에 조그마한 기사가 실렸다. "리트비노프 씨가 외무인민위원직에서 자진해 물러났다." 후임자는 인민위원회 의장 뱌체슬라프 몰로토프Vyacheslav Molotov였다.

독일 대사대리는 이튿날 이 교체 사실을 베를린에 보고했다.

갑작스러운 교체는 이곳에서 천만뜻밖이었는데, 리트비노프가 영국 대표단과 한창 교섭 중이었고 5월 1일의 퍼레이드에서 스탈린의 바로 옆에 서 있었기 때문이다. …

리트비노프가 5월 2일까지도 영국 대사를 접견했고 전날 신문에서는 퍼레이드의 주빈으로 다뤄지기까지 했던 만큼, 그의 사임은 분명 스탈린의 즉흥적인 결정에 따른 것으로 보인다. … 지난번 당대회에서 스탈린은 소련이 분쟁에 말려들지 않도록 주의하라고 당부했다. 유대인이 아닌 몰로토프는 스탈린의 "가장 친근한 친구이자 가장 긴밀한 협력자"라는 평을 듣는다. 그의 임명은 향후 외교 정책이 스탈린 자신이 정해놓은 노선을 엄격히 지키면서 수행되도록 보장하려는 의도로 읽힌다.[38]

전격적인 리트비노프 해임의 의미는 누구에게나 명백해 보였다. 그것은 소비에트 외교 정책의 급격하고 과감한 전환을 의미했다. 리트비노프는 집단안보와 국제연맹의 권한 강화, 영국-프랑스와의 군사동맹을 통해 나치 독일에 맞서 소련의 안보를 지키려는 정책의 가장 열성적인 주창자였다. 체임벌린이 그런 동맹에 주저한 것은 이 소련 외무인민위원에게 치명타였다. 스탈린은 리트비노프의 정책이 실패했다고 판단했다―모스크바에서 중요한 것은 그 자신의 판단뿐이었다. 더구나 그 정책은 소련을 독일과의 전쟁에, 서방 민주국가들이 십중팔구 어떻게든 관여하지 않을 전쟁에 빠뜨릴 위험이 있었다. 스탈린은 새로운 노선을 시험해볼 때라고 결론지었다.* 체임벌린이 히틀러를 달랠 수 있었다면, 소

---

* 출간된 리트비노프의 일기(*Notes for a Journal*)를 어느 정도나마 신뢰할 수 있다면, 스탈린은 소련이 배제된 뮌헨 협정 이후 외무인민위원 교체를 꾀했다. 이 일기의 한 대목에 따르면, 1938년 말 스탈린은 리트비노프에게 "독일과 협정을 맺고 … 폴란드에도 해를 끼치지 않을 용의"가 있다고 말했다. 1939년 1월 일기에는 "그들이 나를 해임하기로 결정한 듯하다"라고 적혀 있고, 같은 날 기록에서 그는 자신과 베를린 주재 소비에트 대사관 간의 모든 연락은 이제 스탈린을 거쳐야 하고, 메레칼로프 대사가 스탈린의 지시에 따라 곧 바이츠제커와 교섭하기 시작해 히틀러에게 '지금까지는 협정을 맺을 수 없었지만 이제는 할 수 있다'라고 알릴 예정이었음을 드러낸다. 이 일기는 다소 모호

련 독재자라고 못할 것 있겠는가? 독일 대사관이 베를린에 보낸 전보에서 강조했듯이, 유대인 리트비노프를 유대인이 아닌 몰로토프로 교체한 조치에는 나치 고위층에 모종의 영향을 주었으면 하는 기대가 담겼을 것이다.

이런 교체의 의미를 독일 정부가 놓치지 않게 하려는 생각에서 소비에트 대사대리 게오르기 아스타호프Georgi Astakhov는 5월 5일 독일 외무부의 동유럽 경제 전문가 율리우스 슈누레 박사와 협의할 때 이 문제를 꺼냈다.

[슈누레가 보고함] 아스타호프는 리트비노프 해임을 언급하고 … 이 일이 소련에 대한 우리의 태도에 변화를 가져올 것인지 알고자 했다. 그는 몰로토프라는 인물의 중요성을 강조하고, 외교 전문가는 결코 아니지만 소비에트의 향후 외교 정책에서 아주 중요한 역할을 맡을 것이라고 말했다.[39]

이 대사대리는 또 독일 측에 지난 2월에 중단된 통상 교섭을 재개할 것을 요청했다.

영국 정부는 소련이 4월 16일에 제안한 군사동맹에 대해 5월 8일에야 회답했다. 이 반응은 사실상 거절이나 마찬가지였다. 이로써 모스크바에서는 체임벌린이 히틀러의 폴란드 탈취를 막기 위해 소련과 군사협정을 맺는 방안을 꺼린다는 의구심이 더욱 커졌다.

그러므로 소련이 독일에 접근하는 데 더 박차를 가한 것은 놀랍지 않

하다. 소련에 관한 연구의 권위자 에드워드 핼릿 카(Edward Hallett Carr) 교수는 이 일기를 검토한 뒤 비록 일부분은 순전히 창작이라고 할 정도로 각색되었지만 대부분은 리트비노프의 견해를 꽤 정확하게 드러낸다고 보았다.

다. 5월 17일, 아스타호프는 다시 외무부에서 슈누레를 만나 통상 문제를 논의한 뒤 더 큰 문제로 화제를 돌렸다.

[슈누레가 보고함] 아스타호프는 독일과 소련 사이에 외교 정책상의 충돌이 없고 따라서 양국 간에 적의가 있을 이유가 전혀 없다고 말했다. 소련 내에서는 확실히 독일의 위협을 느끼고 있다. 하지만 모스크바에서 그러한 느낌과 불신감을 없애는 것은 틀림없이 가능한 일이다. … 나의 부수적인 질문에 답하면서 그는 영국-소비에트 교섭과 관련해 현재 상태로는 영국이 바라는 결과가 실현될 가능성은 거의 없다는 취지로 발언했다.[40]

사흘 후인 5월 20일, 슐렌부르크 독일 대사는 모스크바에서 몰로토프와 길게 회담했다. 신임 외무인민위원은 "몹시 우호적인" 태도로 독일 대사에게 **필요한 정치적 기반**이 조성되면 양국 간의 경제 교섭을 재개할 수 있다고 알렸다. 이는 크렘린 궁의 새로운 접근법이었지만 빈틈없는 몰로토프는 이야기를 신중하게 풀어나갔다. 슐렌부르크가 그 "정치적 기반"이 무엇을 뜻하냐고 묻자 몰로토프는 두 정부 모두 생각해야 하는 무언가라고 답했다. 교활한 외무인민위원에게서는 무엇 하나 끄집어낼 수 없었다. 슐렌부르크는 베를린에 "그는 꽤나 고집스러운 태도로 유명하다"라고 알렸다. 소련 외무부에서 돌아가던 길에 대사는 소비에트 외무인민위원 대리 블라디미르 포촘킨Vladimir Potemkin을 찾아가 몰로토프가 어떤 성격의 정치적 기반을 원하는지 알 수 없었다고 말했다. "나는 포촘킨 씨에게 알아봐 달라고 부탁했다"라고 슐렌부르크는 보고했다.[41]

베를린과 모스크바 사이에 재개된 접촉은 베를린 주재 프랑스 대사의 빈틈없는 시선을 피하지 못했다. 리트비노프가 해임되고 나흘 후인 5월

7일, 쿨롱드르는 총통의 측근에게서 얻은 정보라며 독일이 소련과의 화해를 추구하고 있고 이것은 다른 무엇보다 폴란드의 네 번째 분할로 귀결될 것이라고 프랑스 외무부에 알렸다. 이틀 후 프랑스 대사는 파리로 또 다른 전보를 보내 "독일이 폴란드의 분할을 겨냥하는 제안을 소련 측에 했다는, 또는 하고 있다"는 새로운 소문이 베를린에 떠돈다고 전했다.[42]

강철 조약

국방군 수뇌부가 이탈리아의 군사력을 깔봤음에도, 당시 히틀러는 서두르지 않는 무솔리니와 달리 이탈리아와의 군사동맹 체결을 재촉했다. 4월에 양국 최고사령부 간의 참모 회의가 시작되었으며, 카이텔은 이탈리아 삼군의 상태도 재무장 진척 정도도 썩 좋아 보이지 않는다는 "인상"을 OKW에 전했다. 카이텔은 전쟁을 조기에 결판내야 하고 그러지 않으면 이탈리아군이 이탈할 것이라고 생각했다.[43]

4월 중순에 일기에 썼듯이,[44] 치아노는 독일이 언제든 폴란드를 공격할 수 있고 이탈리아로서는 아직 대비하지 못한 유럽 전쟁에 돌입할 기세임을 감지하면서 갈수록 불안해졌다. 4월 20일, 베를린에 주재하는 아톨리코 대사가 로마로 전보를 쳐서 폴란드에 대한 독일의 행동이 "임박"했다고 알렸을 때, 치아노는 대사에게 이탈리아가 허를 찔리지 않도록 급히 자신과 리벤트로프의 회담 약속을 잡으라고 지시했다.

양국 외무장관은 5월 6일 밀라노에서 만났다. 치아노는 이탈리아가 적어도 3년간은 전쟁을 피하고 싶다는 뜻을 독일 측에 강조하라는 무솔리니의 지시를 문서 형태로 받아둔 터였다. 그런데 리벤트로프는 독일도 그 정도의 기간은 평화를 유지하는 데 동의한다고 했다. 이탈리아 측으로서는 놀라운 반응이었다. 사실 치아노가 보기에 독일 외무장관은 "처음으로" "기분 좋고 차분한 정신 상태"였다. 두 사람은 유럽 정세를 검토하고 소련과 추축국의 관계를 개선하기로 합의한 뒤 저녁 만찬장으로 자리를 옮겼다.

만찬이 끝난 뒤 무솔리니는 전화로 회담 결과를 확인하고자 했다. 치아노가 잘되었다고 답하자, 두체는 순간 묘안을 떠올렸다. 그는 독일과 이탈리아가 군사동맹을 맺기로 결정했다는 공식 성명을 언론에 공개하라고 사위에게 지시했다. 리벤트로프는 처음에 망설였다. 그는 결국 이 문제를 히틀러의 결정에 맡기기로 했고, 총통은 전화를 받고서 무솔리니의 제안에 선뜻 동의했다.[45]

이렇듯 무솔리니는 1년 넘게 망설인 끝에 갑작스러운 충동에 이끌려 히틀러와 운명을 함께하게 되는 돌이킬 수 없는 결정을 내렸다. 이는 이탈리아 독재자가 독일 독재자와 마찬가지로 1939년까지 얼음장처럼 냉철하게 국익을 추구할 수 있도록 해준 굳센 자제력을 잃기 시작한 첫 징후 중 하나였다. 그 결과는 머지않아 무솔리니에게 재앙으로 나타날 터였다.

'강철 조약'으로 알려진 양국의 조약은 5월 22일 베를린의 총리 관저에서 예상대로 성대하게 체결되었다. 치아노는 리벤트로프에게 안눈치아타Annunziata[수태고지를 뜻하는 이탈리아어] 훈장을 수여했는데, 이탈리아 외무장관이 알아챘듯이 이 일로 괴링은 노발대발했을 뿐 아니라 눈물까지 보였다. 사실 이 포동포동한 원수는 동맹을 이끈 실제 주역은 자신이므로 그 훈장도 자신의 몫이라고 불평하는 등 한바탕 소란을 피웠다.

"저는 마켄젠[로마 주재 독일 대사]에게 괴링에게도 훈장을 하나 주도록 힘쓰겠다고 약속했습니다"라고 치아노는 보고했다.

치아노가 보기에 히틀러는 좀 더 늙고 눈가의 주름도 더 깊어지긴 했지만 "느긋하고 차분하고 덜 공격적"이었다. 아마도 수면부족 탓이었을 것이다.* 총통은 최상의 기분으로 두 외무장관이 문서에 서명하는 모습을 지켜보았다.

그것은 직설적인 표현이 담긴 군사동맹으로, 히틀러가 고집해 전문前文에 집어넣은 한 문장 탓에 그 공격적 성격이 두드러졌다. 그 문장은 "이데올로기의 내적 친밀성으로 단합한" 양국이 **"생존공간을 확보하기 위해** 서로 손잡고 힘을 합쳐 행동하기로 결의한다"라고 선언했다. 조약의 핵심은 제3조에 있다.

만약 체결국들의 바람과 소망에 어긋나게 한 체결국이 다른 한 국가 또는 국가들과의 호전적 분쟁에 휘말릴 경우, 다른 체결국은 즉시 동맹으로서 원조하고 지상과 해상과 공중에서 모든 군사력으로 지원한다.

제5조는 전쟁 발발 시 둘 중 어느 나라든 단독으로 휴전이나 강화를 맺지 않는다고 규정했다.[46]

그러나 나중에 밝혀졌듯이, 먼저 무솔리니가 제3조를 따르지 않고 결국 이탈리아가 제5조를 지키지 않을 터였다.

---

* 치아노의 5월 22일 일기는 총통과 그 주위의 기묘한 인물들에 관한 흥미로운 일화로 가득하다. 괴벨스 부인은 총통이 그의 벗들을 밤새도록 붙잡아둔다고 불평하고 "말하는 쪽은 항상 히틀러예요! 게다가 했던 말을 또 하고 또 해서 손님들을 지루하게 하죠"라며 소리쳤다. 치아노는 "총통이 어느 아리따운 여성에게 다정한 감정을 품고 있다"라는 식의 말도 들었다. "나이 스물의 그 여성은 아름답고 고요한 눈, 반듯한 이목구비, 멋진 몸매를 지니고 있다. 이름은 지크리트 폰 라푸스(Sigrid von Lappus)다. 두 사람은 서로를 자주 친밀하게 바라본다." (*The Ciano Diaries*, p. 85.) 본인도 주위에 여성이 꽤 많았던 치아노는 흥미를 느꼈던 것이 분명하다. 이 시기에 베를린행이 거의 허락되지 않았던 히틀러의 정부 에바 브라운(Eva Braun)에 대해서는 듣지 못했던 모양이다.

히틀러, 배수의 진을 치다: 1939년 5월 23일

강철 조약 체결 이튿날인 5월 23일, 히틀러는 군 수뇌부를 베를린 총리 관저의 서재로 호출해 이제부터는 피를 흘리지 않고는 성공을 이룰 수 없고 따라서 전쟁이 불가피하다고 직설적으로 말했다.

이 회합은 지난 1937년 11월 5일 총통이 삼군 총사령관들에게 개전 결정을 처음으로 알린 회합보다 규모가 조금 더 컸다. 괴링 원수, 레더 대제독(이제는 대제독이었다), 브라우히치 장군, 할더 장군, 카이텔 장군, 공군 감찰감 에르하르트 밀히Erhard Milch 장군, 해군 참모장 오토 슈니빈트Otto Schniewind 소장 등을 포함해 총 14명이 참석했다. 총통의 부관 루돌프 슈문트 소령도 참석해 다행히 이때의 기록을 역사에 남겼다. 슈문트의 회의록은 압수된 독일 문서에 들어 있다. 이 시기 히틀러의 발언은 극비로 여겨져서 그랬는지 이 회의록의 사본은 만들어지지 않은 것으로 보인다. 슈문트의 육필본이 우리가 가진 유일한 기록이다.[47]

이 회의록은 히틀러가 어떤 경로로 전쟁에 이르렀는지를 충실히 묘사하는 매우 중요한 극비문서 중 하나다. 무력 충돌 시 군대를 지휘해야 할 소수의 남자들 앞에서 히틀러는 스스로 선전과 외교적 기만술의 탈을 벗고서 왜 폴란드를 공격해야 하는지, 그리고 필요하다면 왜 영국과 프랑스까지 상대해야 하는지 진실하게 말했다. 히틀러는 전쟁의 경과를 신기하리만치 정확하게 예측했다—적어도 첫해의 경과에 대한 예측은 정확했다. 그러나 직설적인 화법에도 불구하고 히틀러의 담화는—그가 발언을 독점했다—전에 없던 불안과 혼란을 드러냈다. 무엇보다 영국과 영국 국민이 그를 줄곧 당황하게 만들었는데, 이 문제는 그가 삶을 마칠 때까지 이어질 터였다.

그러나 전쟁의 도래와 개전 목표에 관한 그의 생각은 명확했다. 5월 23일에 모인 장군이나 제독 등은 누구나 총리 관저를 떠나면서 그해 여름의 끝자락에 정확히 무슨 일이 벌어질지 모를 수가 없었다. 우선 히틀러는 독일의 경제 문제는 유럽에서 더 많은 생존공간을 확보해야만 해결할 수 있고, "이것은 타국을 침략하거나 타국민의 소유물을 탈취하지 않고는 불가능하다"라고 말했다.

앞으로의 성공은 피를 흘리지 않고는 이룰 수 없다. …
단치히는 논쟁거리가 전혀 아니다. 단치히는 우리의 생존공간을 동방으로 확대하고, 식량 공급을 확보하고, 동시에 발트 국가들의 현안을 해결할 하나의 고리인 것이다. … 유럽 내에 다른 가능성은 없다. … 운명이 우리에게 서방과의 결전을 강요한다면, 동방에서 넓은 토지를 획득하는 일은 엄청난 가치를 지닐 것이다. 평시에 비해 전시에는 기록적인 작황을 기대하기가 어렵다.

게다가 동방의 비독일인 거주지역의 인구를 노동력으로 활용할 수 있을 것이라고 히틀러는 덧붙였다―이는 그가 나중에 실행에 옮길 노예노동 프로그램을 시사한다.

어느 나라를 첫 제물로 삼을지는 뻔했다.

폴란드를 없앤다는 것에는 의문의 여지가 없다. 이제 결정만이 남았다.
최초의 적절한 기회에 폴란드를 공격한다.
우리는 체코 사건이 재현될 것으로 기대할 수 없다. 전쟁이 일어날 것이다. 우리의 과제는 폴란드를 고립시키는 것이다. 폴란드를 고립시키는 데 성공

할지 여부가 관건이다. [강조는 원문 그대로]

요컨대 전쟁은 일어날 것이다. 그런데 전쟁 상대가 '고립된' 폴란드 하나뿐일까? 이 물음에 대한 총통의 답은 그리 분명하지 않았다. 사실 총통은 혼란과 모순에 빠져 있었다. 공격의 최종 결정은 자신의 몫으로 남겨두어야 한다고 그는 말했다.

그 전쟁이 동시에 서방 — 프랑스와 잉글랜드 — 과의 결전이 되어서는 안 된다.
독일-폴란드 분쟁이 서방과의 전쟁으로 번지지 않으리라는 것이 확실치 않다면, 싸움은 우선 잉글랜드와 프랑스를 겨냥해야 한다.
따라서 기본적으로 폴란드와의 분쟁은 — 우리의 폴란드 공격으로 시작되겠지만 — 서방이 관여하지 않아야만 성공할 것이다.
이것이 가능하지 않다면 서방을 급습하는 동시에 폴란드를 끝장내는 편이 더 낫다.

이렇듯 연신 속사포처럼 쏟아지는 모순투성이 말에 장군들은 틀림없이 움찔했을 것이고, 어쩌면 외알안경을 떨어뜨리기도 했을 것이다. 다만 슈문트의 회의록에는 그런 일이 있었다는 증거도, 엄선된 청중 가운데 누군가가 갈피를 잡기 위해서 감히 질문을 했다는 증거도 없다.
그런 다음 히틀러는 소련으로 화제를 돌렸다. "소련이 폴란드 분쇄에 관심을 두지 않을 가능성도 있다"라고 히틀러는 말했다. 한편으로 만약 소련이 영국 및 프랑스와 동맹을 맺는다면 히틀러는 "잉글랜드와 프랑스에 몇 차례 심대한 타격을 가할" 생각이었다. 그리하면 1914년에 빌헬름

2세가 저지른 실수와 똑같은 일을 반복하게 될 터인데, 이 회합에서 1차 대전의 경험으로부터 몇 가지 교훈을 이끌어낸 히틀러도 그것만은 놓치고 있었다. 이제 그의 생각은 영국으로 향했다.

총통은 잉글랜드와의 평화적 해결 가능성을 의심한다. 결전에 대비할 필요가 있다. 잉글랜드는 우리의 발전을 장차 자국을 약화시킬 헤게모니의 확립으로 여긴다. 그러므로 잉글랜드는 우리의 적이며, 잉글랜드와의 분쟁은 사활의 문제다.

이 분쟁은 어떻게 될까?

잉글랜드는 몇 차례 강력한 타격으로 독일을 해치우고 우리를 내리누를 수 없다. 잉글랜드를 상대로는 되도록 루르 지역 근처에서 전쟁을 수행하는 것이 결정적으로 중요하다. 프랑스는 피를 흘리지 않을 수 없다. (그것이야말로 서부 방벽이다!) 우리의 존망은 루르를 점유하는 데 달려 있다. [강조는 원문 그대로]

카이저의 한 가지 실수—프랑스와 영국이 러시아와 한패가 될 경우 양국을 공격하는 것—를 답습하기로 결정한 히틀러는 결국 독일의 파멸로 이어질 또다른 문제에서도 전임 황제를 뒤따르겠다고 선언했다.

네덜란드와 벨기에의 공군 기지는 반드시 군사적으로 점령해야 한다. 중립 선언은 무시할 수 있다. 잉글랜드가 폴란드 전쟁에 개입하려 든다면, 우리는 전광석화와도 같이 네덜란드를 공격해야 한다. 저 멀리 자위더르Zuyder 해까지 이르는 새로운 방어선을 네덜란드 영내에 구축해야 한다. 잉글랜드-프랑스와의 전쟁은 사활을 가르는 싸움이 될 것이다.

쉽게 끝내려는 생각은 위험하다. 그럴 가능성은 없다. 배수의 진을 치면 더 이상 옳고 그름의 문제가 아니라 8000만 국민이 사느냐 죽느냐의 문제가 된다.

히틀러는 이미 독일이 "최초의 적절한 기회에" 폴란드를 공격할 것이라고 선언했고 이 말을 들은 사람들은 독일의 거의 모든 군사력이 이 목표에 집중되고 있음을 알고 있었다. 그럼에도 히틀러는 스스로 장황하게 이야기했듯이 영국에 대한 생각을 멈추지 못했다.

"잉글랜드는 독일에 대항하는 세력의 원동력이다"라고 그는 강조했다. 그런 다음 영국의 강점들과 약점들을 논했다.

영국인 자체는 긍지 높고 용감하고 강인하고 끈질기고 재능 있는 조직자다. 새로운 발전을 활용하는 법도 알고 있다. 영국인은 모험을 사랑하고 북방 인종의 용기를 갖추고 있다. …

잉글랜드는 그 자체로 세계 강국이다. 300년 내내 그러했다. 동맹을 통해 더욱 강해졌다. 그 힘은 구체적인 무언가일 뿐 아니라 세계 전체를 아우르는 심리적인 힘으로 여길 만한 것이다.

여기에 더해 헤아릴 수 없는 부와 그에 따른 지불능력이 있다.

강력한 해군과 용맹한 공군에 의한 지정학적 안전과 방비도 있다.

하지만 영국에는 약점들도 있다며 히틀러는 말을 이어나갔다.

만약 지난 전쟁에서 우리 쪽에 전함이 두 척 더 있고 순양함이 두 척 더 있었다면, 그리고 유틀란트 해전이 오전에 시작되었다면 영국 함대는 패했을 것이고 잉글랜드는 우리에게 무릎을 꿇었을 것이다.* 또한 그것은 세계대전의 종식을 의미했을 것이다. 이전 시대에는 … 잉글랜드를 정복하려면 잉글랜드를 침략해야 했다. 잉글랜드는 자급자족할 수 있었다. 오늘날에는 더 이상 그럴 수 없다.

보급이 끊기는 순간 잉글랜드는 항복할 수밖에 없다. 식량과 연료유의 수입은 해군의 보호에 달려 있다.

독일 공군의 공격으로는 잉글랜드를 항복시키지 못할 것이다. 그러나 함대가 괴멸된다면 즉각 항복할 것이다. 틀림없이 기습공격으로 신속히 결판낼 수 있을 것이다.

무엇으로 기습한단 말인가? 레더 제독은 분명 히틀러가 흰소리를 한다고 생각했을 것이다. 1938년 말에 입안된 이른바 Z계획에 따르면 독일의 해군력은 1945년은 되어야 영국의 해군력에 근접하기 시작할 수 있었다. 1939년 봄의 시점에는 독일이 설령 기습공격에 나선다 해도 영국 해군을 격침시킬 만한 중량급 함선을 보유하지 못하고 있었다.

어쩌면 다른 방법으로 영국을 쓰러뜨릴 수도 있을 터였다. 이 대목에서 히틀러는 다시 현실로 돌아와 하나의 전략계획을 설명했다. 실제로 이 계획은 1년 후 실행에 옮겨져 놀라운 성공을 거두었다.

이 계획의 목표는 적에게 초반부터 치명적 타격을, 또는 결판을 짓는 결정적 타격을 가하는 데 있다. 옳고 그름이나 조약에 대한 고려는 문제가 되지 않는다. 이런 타격은 우리가 폴란드 때문에 잉글랜드와의 전쟁으로 '미끄러져

---

* 유틀란트 해전을 히틀러는 명백히 잘못 이해하고 있었다.

들어가지' 않을 경우에만 가능할 것이다.

기습공격뿐 아니라 장기전에도 대비해야 한다. 그리고 잉글랜드가 유럽 대륙에 개입할 모든 가능성을 없애야 한다.

육군은 함대와 공군에 긴요한 거점들을 점령해야 한다. 우리가 프랑스를 무찌를 뿐 아니라 네덜란드와 벨기에를 점령하고 확보해야 비로소 잉글랜드와의 전쟁을 성공으로 이끌 기반이 마련된다.

그렇게 되면 공군이 프랑스 서부에서 잉글랜드를 철저히 봉쇄할 수 있고, 함대가 잠수함의 지원을 받아 더 넓은 영역을 봉쇄할 수 있다.

이것은 1년이 좀 더 지난 후에 그대로 구현될 터였다. 총통이 5월 23일에 강조한 또 하나의 결정적인 전략계획도 실행될 예정이었다. 지난 세계대전의 초반에 독일 육군이 파리로 향하는 대신 영불 해협의 항구들을 향해 선회했다면 전쟁의 결말은 달라졌을 것이라고 히틀러는 말했다. 그랬을지도 모른다. 어쨌든 히틀러는 1940년에 그 진로를 시험해볼 작정이었다.

잠시 폴란드를 까맣게 잊은 듯한 히틀러는 "목표는 언제나 잉글랜드의 무릎을 꿇리는 데 있다"라고 결론지었다.

마지막으로 고려할 문제가 하나 있었다.

기밀은 성공의 결정적 전제조건이다. 우리의 목표들을 이탈리아 측에도 일본 측에도 비밀로 해야 한다.

참모총장 할더 장군이 눈앞에 앉아 듣고 있었음에도 그런 육군 참모본부조차 히틀러에게 온전한 신뢰를 받지 못하고 있었다. "우리의 연구를 참모본부에 맡겨두어서는 안 된다. 그러면 비밀이 보장되지 않는다"라고 총통은 단언했다. 그러고는 OKW 내에 소규모 기획참모단을 꾸려 군사계획을 세우라고 명령했다.

요컨대 1939년 5월 23일에 히틀러는 본인 말대로 배수의 진을 쳤다. 전쟁은 일어날 것이다. 독일은 동방의 생존공간이 필요하다. 그것을 얻으려면 최초의 기회에 폴란드를 공격해야 한다. 단치히는 폴란드 공격과 아무런 상관도 없다. 그저 공격의 구실일 뿐이다. 영국은 독일의 앞길을 가로막고 있다. 영국은 독일에 대항하는 진짜 원동력이다. 좋다, 영국과도 겨룰 것이다. 그리고 프랑스와도. 실로 생사를 건 싸움이 될 것이다.

1937년 11월 5일 총통이 군 수뇌부에게 자신의 침공 계획을 처음으로 설명했을 때, 블롬베르크 원수와 프리치 장군은 반대했다—적어도 독일이 유럽을 상대로 전쟁을 치르기에는 너무 약하다는 이유로. 이듬해 여름에는 베크 장군이 같은 이유로 육군 참모총장직을 사임했다. 그러나 1939년 5월 23일에는, 기록에 나타난 바에 따르면, 단 한 명의 장군도 제독도 히틀러가 내세우는 방침의 타당성에 소리 높여 의문을 제기하지 않았다.

그들은 의문을 제기하는 것이 아니라 맹목적으로 복종하는 것이 자신들의 역할이라고 여겼다. 이미 그들은 뛰어난 재능을 발휘해 군사적 침공 계획을 세우고 있었다. 5월 7일, 룬트슈테트 장군, 만슈타인 장군과 함께 소규모 '실무참모단'을 꾸린 육군 참모본부의 귄터 블루멘트리트Günther Blumentritt 대령은 백색 작전과 관련한 상황 평가서를 제출했다. 사실 그것은 폴란드를 정복하기 위한 계획이었다. 그것은 상상력이 풍부하고 대담한 계획으로, 머지않아 별다른 변경 없이 실행될 터였다.[48]

레더 제독은 5월 16일에 서명한 극비 지령서에서 백색 작전을 위한 해군의 계획을 내놓았다.[49] 폴란드는 해안선이라고 해봐야 단치히 서쪽 발트 해 연안의 몇 마일밖에 안 되는 데다 해군도 소규모라서 어려움이 예상되지 않았다. 제독의 주된 관심사는 프랑스와 영국이었다. 잠수함들로 발트 해의 입구를 지키고, 포켓전함 2척과 전함 2척, 그리고 '나머지' 잠수함들로 "대서양 전쟁"에 대비할 생각이었다. 총통의 지령서에 따라 해군은 9월 1일까지 '백색' 작전의 담당 부분 준비를 마쳐야 했지만, 레더는 "최근 정치정세의 진전 때문에" 더 일찍 행동할 수도 있다는 이유로 준비를 서두르도록 휘하 사령관들을 독촉했다.[50]

1939년 5월이 지나갈 무렵, 여름의 끝자락을 염두에 둔 독일의 개전 준비는 순항 중이었다. 대규모 군수공장들이 윙윙거리며 총포, 전차, 항공기, 군함을 만들어내고 있었다. 육해공군의 유능한 참모들은 계획 수립의 마지막 단계에 들어서 있었다. 각 부대는 '하계 훈련'을 위해 소집된 신병들로 불어나고 있었다. 히틀러는 자신의 성취에 만족감을 느낄 수 있었을 것이다.

총통이 군 수뇌부 앞에서 훈시한 다음날인 5월 24일, OKW 군수경제 국장 게오르크 토마스 장군은 외무부 요원들에게 비밀 강연을 하면서 독일의 성취를 총괄했다. 제정帝政 육군은 병력을 43개 사단에서 50개 사단으로 늘리는 데 16년—1898년에서 1914년까지—이 걸렸지만 제3제국의 육군은 불과 4년 만에 7개 사단에서 51개 사단으로 급증했다고 토마스는 말했다. 그중에는 다른 어떤 국가도 보유하지 못한 "현대식 전투 기병대"인 5개 중기갑사단과 4개 경기갑사단이 포함되었다. 해군은 사실상 맨바닥에서 출발해 2만 6000톤급 전함 2척,* 중순양함 2척, 구축함 17척, 잠수함 47척을 건조했다. 이미 3만 5000톤급 전함 2척, 항공모함 1척, 중순양함 4척, 구축함 5척, 잠수함 7척을 진수시킨 해군은 훨씬 더 많은 함정을 진수시킬 계획을 세우고 있었다. 공군 역시 아무것도 없는 상태에서 26만 명의 대원을 거느리는 21개 비행대대를 구축했다. 토마스가 말하길 독일 군수산업은 각종 무기를 이미 지난 전쟁의 최대치보다 더 많이 생산하고 있었고, 대부분의 부문에서 다른 나라의 생산량을 한참 능가했다. 사실 독일의 재무장 수준은 전체적으로 보면 "아마 세계에서 독보적"일 것이라고 장군은 힘주어 말했다.

1939년 초여름에 독일의 군사력은 강해지고 있었지만 히틀러가 초가을에 일으키려는 전쟁의 성패는 그것이 어떤 전쟁인지에 달려 있었다. 독일은 아직 충분히 강하지 않았고, 폴란드에 더해 프랑스와 영국 **그리고** 소련까지 상대할 만큼 강해지는 것은 단연코 불가능한 일이었다. 운명적인 여름에 들어설 무렵, 모든 것은 전쟁을 제한하는 총통의 능력에 달려 있었다ㅡ무엇보다 소련이 서방과 군사동맹을 맺는 일을 막아야 했는데, 리트비노프가 실각하기 직전에 제안했던 이 동맹을 체임벌린은, 비록 처음에는 거절하는 듯 보였지만, 5월 말에 다시 궁리하고 있었다.

소련의 개입 (2)

———

5월 19일의 하원 질의에서 영국 총리는 처칠의 생각대로 소련의 제안에 또다시 냉담한, 심지어 경멸하는 듯한 태도를 보였다. 다소 지친 모습

---

* 토마스 장군은 이 독일 전함들의 톤수를 언급하면서 외무부마저 속이고 있었다. 1년도 더 전인 1938년 2월 18일자 독일 해군의 흥미로운 문서들에 따르면,[51] 영국-독일 해군 협정에 따라 영국 정부 측에 제시한 전함 톤수는 거짓 수치였다. 2만 6000톤급 전함들의 실제 톤수는 3만 1300톤이었고, 3만 5000톤급(영국 해군과 미국 해군에서는 최고 수준이었다) 전함들의 실제 톤수는 4만 1700톤이었다. 이는 나치 기만술의 흥미로운 예다.

의 총리는 "양국 정부 사이에는 대단히 뚫기 어려운 장막이나 장벽 같이 것이 있습니다"라고 설명했다. 반면에 로이드 조지의 지지를 받은 처칠은 모스크바 측이 체임벌린 본인의 제안보다 "더 간결하고 더 직접적이고 더 효과적인 … 타당한 제안"을 했다고 주장했다. 처칠은 영국 정부가 "다소 냉엄한 진실을 새겨들어야" 한다고 호소했다. "유력한 동부전선 없이는 서부에서 충분히 방어할 수 없고, 소련 없이는 유력한 동부전선이 있을 수 없습니다."

사방에서 쏟아지는 비판의 폭풍에 굴복한 체임벌린은 5월 27일 마침내 모스크바 주재 영국 대사에게 상호원조 조약, 군사협정, 히틀러에게 위협받는 나라들에 대한 안전보장 등에 관한 논의를 시작하는 데 동의하라고 지시했다.* 런던 주재 독일 대사 디르크젠은 본국 외무부에 영국 정부가 "그야말로 마지못해" 그 조치를 취했다고 보고했다. 여기에 더해 체임벌린이 취한 조치의 주된 이유로 추정되는 것도 알렸다. 디르크젠이 베를린에 황급히 보고한 대로, 영국 외무부는 "모스크바에서의 독일의 의사 타진"을 눈치챘고 "독일이 소련을 설득해 중립으로 묶어두거나 더 나아가 호의적 중립을 받아들이도록 하는 데 성공할지 모른다고 우려하고" 있었다. "그것은 독일 포위 정책의 완전한 실패를 의미합니다."[52]

5월의 마지막 날, 몰로토프는 소련 최고회의 자리에서 외무인민위원으로서는 처음으로 공개 연설을 했다. 그는 서방 민주국가들이 주저하고 있다고 비난하면서 침략 저지를 위해 소련과 손잡는 것을 진지하게 고려한다면 본론으로 들어가 세 가지 요점에 합의해야 한다고 단언했다.

---

* 5월 27일, 모스크바 주재 영국 대사와 프랑스 대사대리는 제안된 조약의 영국-프랑스 초안을 몰로토프에게 제시했다. 그들로서는 놀랍게도, 몰로토프는 그 초안에 매우 냉담한 태도를 보였다.[53]

1. 순전히 방어적인 성격의 삼국 상호원조 조약을 체결한다.
2. 소비에트 연방과 국경을 접하는 **모든** 유럽 국가를 포함해 중유럽과 동유럽의 국가들을 보장한다.
3. 삼국 간에 그리고 침략 위협을 받는 약소국들에 제공될 즉각적이고 효과적인 원조의 형식 및 규모를 정한 명확한 협정을 체결한다.

몰로토프는 또 소련이 서방과 회담한다고 해서 독일, 이탈리아와의 "실질적 기반 위에서의 경제 관계"를 포기하는 것은 아니라고 단언했다. 실제로 그는 독일과 통상 교섭을 재개하는 것도 "불가능한 일은 아닙니다"라고 말했다. 슐렌부르크 대사는 이 연설에 관해 베를린에 보고하면서 몰로토프가 소련은 여전히 "자국의 모든 요구가 받아들여지면" 영국 및 프랑스와 조약을 체결할 의사가 있음을 내비쳤지만 모종의 실질적인 협정에 이르기까지는 긴 시간이 필요하다는 것이 이 연설로 분명해졌다고 지적했다. 대사는 또 몰로토프가 "독일에 대한 야유를 피했고 베를린과 모스크바에서 시작된 회담을 이어갈 의향을 보여주었다"는 데 주목했다.[54]

그런데 베를린의 히틀러도 갑자기 같은 의향을 보이고 있었다.

5월의 마지막 열흘 동안 히틀러와 그의 조언자들은 영국-소련 교섭을 방해하기 위해 모스크바에 접근해야 하느냐는 골치 아픈 문제를 놓고 변덕이 죽 끓듯 했다. 베를린 측은 몰로토프가 5월 20일 슐렌부르크 대사와의 회담에서 독일의 접근에 찬물을 끼얹었다고 생각했고, 이튿날인 5월 21일 바이츠제커는 대사에게 전보를 쳐, 외무인민위원의 발언을 고려할 때 "우리는 소련 정부가 더 터놓고 말할지 어떨지를 가만히 지켜봐

야 한다"라고 말했다.[55]

그러나 폴란드 침공을 9월 1일로 못박아둔 히틀러로서는 가만히 기다릴 여유가 없었다. 5월 25일 또는 그즈음에 바이츠제커와 독일 외무부 법무국장 프리드리히 가우스Friedrich Gaus는 조넨부르크에 있던 리벤트로프의 시골집으로 호출되었다. 뉘른베르크 재판에 제출된 가우스의 선서진술서에 따르면* 그는 총통이 "독일과 소련이 더 괜찮은 관계를 맺기를" 원한다는 말을 그곳에서 들었다. 리벤트로프는 슐렌부르크 대사에게 보내는 훈령 초안에서 향후 몰로토프를 상대로 취할 새로운 방침을 상세히 설명하고 "되도록 일찍" 만나라고 지시했다. 이 초안은 압수된 독일 외무부 문서에 들어 있었다.[56]

기입된 바에 따르면 이 문서는 5월 26일 히틀러에게 제출되었다. 이것은 실상을 훤히 드러내는 문서다. 이 시점까지 독일 외무부는 만약 독일이 결정적으로 개입하지 않는다면 영국-소련 교섭이 타결될 것이라고 확신하고 있었음을 리벤트로프의 훈령은 드러낸다. 그런 이유로 리벤트로프는 슐렌부르크에게 몰로토프를 만나 다음과 같이 말하면 어떻겠느냐고 제안했다.

외교 문제에서 독일과 소비에트 러시아 사이에는 이해관계의 실질적 대립이 존재하지 않는다. … 독일과 소비에트 러시아의 외교 관계를 평화로 이끌

---

* 이 진술서는 법정에서 증거로 채택되지 않았고, 따라서 뉘른베르크 재판의 증언집인 《나치의 음모와 침공(Nazi Conspiracy and Aggression)》에도 《주요 전범들의 재판(Trial of the Major War Criminals)》에도 수록되지 않았다. 하지만 그렇다고 해서 그 신빙성이 줄어드는 것은 아니다. 이 시기 나치-소비에트 협력관계에 대한 모든 자료는 법정에서 조심스럽게 다루어졌는데, 법정의 판사 네 명 중 한 명이 소련인이었기 때문이다.

고 정상화하는 방안을 고려할 때가 되었다. … 이탈리아-독일 동맹은 소비에트 연방을 적대시하는 것이 아니다. 그것은 오로지 영국-프랑스 조합만을 겨냥한다. …

설령 우리의 바람과 달리 폴란드와 교전하게 된다 해도, 이것마저 소비에트 러시아와의 이해관계 충돌로 이어질 필요가 전혀 없다고 우리는 굳게 확신한다. 우리는 독일-폴란드 문제가 ─ 어떤 식으로든 ─ 해결되고 나면 소련의 이익을 최대한 고려할 것이라고까지 말할 수 있다.

그다음으로 영국과의 동맹이 소련에 위험하다는 점을 지적해야 했다.

우리는 영국이 포위 정책이라는 게임에서 실제로 어떤 유인책으로 소비에트 연방에 적극적인 역할을 맡길 수 있을지 알 수 없다. … 이는 실제로 소련이 영국으로부터 값진 보상을 전혀 받지 못한 채 일방적으로 책임을 떠맡는다는 것을 의미할 것이다. … 조약이 어떤 내용으로 정해지든 간에 영국은 정말로 값진 보상을 소련에 제공할 만한 입장이 결코 아니다. 유럽에서의 모든 원조는 서부 방벽 때문에 불가능하다. … 그러므로 우리는 영국이 다른 국가들로 하여금 위험을 대신 무릅쓰게 하는 전통적인 정책을 또다시 고수할 것이라고 확신한다.

슐렌부르크는 독일이 "소련을 공격할 의도가 없다"는 점을 강조하라는 지시도 받았다. 마지막 지시사항은 독일이 소련과 경제 문제뿐 아니라 "정치적 관계를 정상으로 되돌리는" 문제에 관해서도 논의할 용의가 있음을 몰로토프에게 전하라는 것이었다.

히틀러는 리벤트로프의 초안이 너무 나갔다고 판단해 일단 유보시켰다. 가우스에 따르면 총통은 이틀 전인 5월 24일에 나온 체임벌린의 낙관적인 발언을 염두에 두고 있었는데, 그날 영국 총리는 하원에서 영국의 새로운 제안의 결과로서 "이른 시일 내에" 소련과 전면적인 협정에 이르기를 희망한다고 말했다. 히틀러가 우려한 것은 소련 측에 제안했다가 퇴짜를 맞는 일이었다. 그는 모스크바와 화해한다는 생각을 버리지 않았으면서도 당분간 더 조심스럽게 접근하는 편이 최선이라고 판단했다.

　5월의 마지막 주에 총통의 속마음이 오락가락했다는 것은 압수된 독일 외무부 문서로 입증된다. 5월 25일 즈음—정확한 날짜는 불분명하다—히틀러는 갑자기 영국-소련 교섭을 방해하고자 소련과의 회담을 추진하겠다고 나섰다. 이를 위해 슐렌부르크가 당장 몰로토프를 만나야 했다. 그러나 26일 히틀러에게 제출된 리벤트로프의 훈령은 결국 슐렌부르크에게 발송되지 않았다. 총통이 취소해버렸다. 그날 저녁 바이츠제커는 슐렌부르크에게 전보를 쳐 "완전히 유보하는 태도"를 유지하고 "다음 통지 때까지 개인적으로 움직여서는 절대 안 된다"라고 알렸다.[57]

　이 전보, 그리고 바이츠제커가 5월 27일에 썼지만 5월 30일에 중요한 추신을 붙일 때까지 슐렌부르크 대사에게 보내지 않은 한 서신은 베를린에서 그렇듯 주저한 이유를 얼마간 설명해준다.[58] 바이츠제커는 27일에 쓴 편지에서 슐렌부르크에게 베를린의 의견은 영국-소련 협정을 "막기가 쉽지 않을" 것이고 독일이 결정적으로 개입하기를 주저하는 까닭은 모스크바에서 "한바탕 떠들썩한 웃음"을 자아낼까 우려하기 때문이라고 알렸다. 또 외무차관은 모스크바에 제안을 하려는 독일의 움직임에 일본과 이탈리아 둘 다 냉담한 반응을 보였고, 두 동맹국의 이런 유보적 태도가 일단 추이를 주시하자는 베를린의 판단에 영향을 주었다고 말했다. "이런 이유로 당분간 우리는 모스크바와 파리-런던이 서로 얼마나 깊은 관계를 맺을지 지켜보려 한다"는 말로 바이츠제커는 편지를 끝맺었다.

무슨 이유에서인지 바이츠제커는 서신을 곧바로 보내지 않았다. 아마도 히틀러가 아직 마음을 확실하게 정하지 않았다고 생각했을 것이다. 5월 30일에 서신을 부칠 때 그는 다음과 같은 추신을 덧붙였다.

추신. 총통의 승인을 얻어 덧붙인다. 위에 언급한 사정은 제쳐두고, 아주 많이 변경된 방식으로나마 소련 측에 접근하기로 했고, 이 일은 내가 오늘 소련 대사대리와 회담하는 식으로 이루어질 것이다.

게오르기 아스타호프와의 회담은 비록 큰 성과를 거두지는 못했지만 독일의 새로운 출발을 의미했다. 바이츠제커는 소련 대사대리를 부르면서 소련 정부가 유지하고 싶어하는, 프라하에 있는 소련 무역대표부의 미래에 관해 의논하자는 구실을 댔다. 이 주제를 놓고 두 외교관은 서로의 속마음을 알아내려 옥신각신했다. 바이츠제커는 정치 문제와 경제 문제가 완전히 별개일 수 없다는 몰로토프의 의견에 동의한다고 말하고 "소비에트 러시아와 독일의 관계 정상화"에 관심을 표명했다. 아스타호프는 몰로토프에게 "향후 소련과 독일 간의 논의의 문을 걸어잠글 의도"가 없다고 힘주어 말했다.

두 사람 모두 조심스럽긴 했지만, 독일 측은 용기를 얻었다. 5월 30일 오후 10시 40분에 바이츠제커는 모스크바의 슐렌부르크에게 '최급' 전보[59]를 보냈다.

이제까지의 방침과 달리, 결국 소련과 어느 정도 접촉하기로 결정했다.*

조심스럽게나마 소련 쪽으로 손을 내밀려는 총통의 결심을 더욱 북돋은 것은 5월 30일에 무솔리니가 보낸 장문의 기밀문서였는지도 모른다. 여름에 들어설 무렵 두체는 과연 조기에 개전하는 것이 상책인지에 대한 의구심을 키워가고 있었다. 히틀러에게 쓴 편지에서 무솔리니는 "금권정치를 하고 자기 본위인 보수적인 국가들"과 추축국의 전쟁은 "불가피"하다는 확신을 드러냈다. 그러나 "이탈리아는 1942년 말까지 연장될 수도 있는 준비 기간이 필요합니다. … 1943년 이후에야 전쟁을 향한 노력이 최대의 성공 전망을 가질 수 있을 것입니다". "이탈리아에 평화의 시기가 필요"한 이유를 몇 가지 열거한 뒤 두체는 결론을 내렸다. "이 모든 이유로 이탈리아는 유럽 전쟁이 불가피하다는 것을 확신하면서도 그런 전쟁을 서두르기를 바라지는 않습니다."[60]

폴란드 침공 개시일로 정해둔 9월 1일이라는 날짜를 자신의 좋은 친구이자 동맹국에 털어놓지 않았던 히틀러는 기밀문서를 "무척 흥미롭게" 읽었다면서 두 지도자가 어느 때고 만나서 논의하자고 제안했다. 한편 총통은 당장 크렘린 성벽에 금을 낼 수 있을지를 확인해보기로 했다. 6월 내내 모스크바에서 독일 대사관과 소련 교역인민위원 아나스타스 미코얀Anastas Mikoyan은 새로운 통상 협정을 맺기 위한 예비회담을 진행했다.

---

* 1949년에 미 국무부가 발행한, 독소 관계에 관한 독일 외무부 문서들을 담은 책 《나치-소비에트 관계(Nazi-Soviet Relations)》에 보이는 이 전보의 영어 번역문은 크게 과장되었다. 문제의 그 문장을 "이제 우리는 소련과의 확실한 교섭에 착수하기로 결정했다(We have now decided to undertake definite negotiations with the Soviet Union)"로 옮긴 것이다. 이 때문에 여러 역사가들은 이 전보를 친 5월 30일이라는 시점이 모스크바와 거래하려는 히틀러의 노력에서 결정적인 전환점이었다는 결론을 내렸다. 처칠도 그 한 사람이다. 하지만 그 전환점은 더 늦게 찾아왔다. 5월 30일 슐렌부르크에게 보낸 편지의 추신에서 바이츠제커가 지적했듯이, 히틀러가 승인한 독일의 접근법은 "아주 많이 변경된" 것이었다.

소비에트 정부는 여전히 베를린을 심히 의심하고 있었다. 그달 말(6월 27일)에 슐렌부르크가 보고했듯이, 크렘린 측은 독일 정부가 통상 협정 교섭을 진행하는 가운데 소련과 영국-프랑스의 교섭을 망치려 한다고 생각했다. 독일 대사는 베를린에 전보를 쳐 "그들은 우리가 우위에 서자마자 교섭이 흐지부지되도록 놔둘 것이라고 우려한다"라고 알렸다.[61]

6월 28일, 슐렌부르크는 몰로토프와 장시간 회담했다. 대사가 '기밀 긴급' 전보로 베를린에 알렸듯이 회담은 "우호적으로" 진행되었다. 그럼에도 독일 대사가 독일이 막 체결한 발트 국가들과의 불가침 조약을 자신 있게 언급했을 때,* 소비에트 외무인민위원은 가시 돋친 말투로 "폴란드가 겪은 경험 이후로는 그런 조약의 영속성을 의심할 수밖에 없습니다"라고 대꾸했다. 회담을 요약하며 슐렌부르크는 이렇게 결론지었다.

내가 느끼기에 소비에트 정부는 우리의 정치적 견해를 알고 우리와 접촉을 유지하는 데 큰 관심을 가지고 있다. 몰로토프의 모든 발언에 강한 불신이 배어 있다는 것은 틀림없지만, 그럼에도 그는 독일과의 관계 정상화가 바람직하고 또 가능하다고 말한다.[62]

대사는 자신의 다음 행보를 전보로 지시해달라고 요청했다. 슐렌부르크는, 1919년 이후 소비에트 러시아와의 우호를 역설하고 결국 라팔로 조약으로 우호를 실현시킨(1922년 이탈리아 라팔로에서 바이마르 공화국

---

* 소련과 국경을 접하는 라트비아와 에스토니아에 대한 영국-프랑스-소련의 보장을 미연에 막기 위해 독일은 6월 7일에 이 발트 양국과 불가침 조약을 서둘러 체결했다. 그전인 5월 31일에 독일은 덴마크와도 비슷한 조약을 맺었는데, 그 무렵의 사태를 고려할 때 덴마크는 놀라운 안도감을 느꼈던 것으로 보인다.

과 소련이 체결한 우호조약을 가리킨다) 한스 폰 젝트, 아돌프 게오르크 폰 말찬Adolf Georg von Maltzan 남작, 울리히 폰 브로크도르프–란차우Ulich von Brockdorff-Rantzau 백작 일파의 마지막 생존자들 중 한 명이었다. 1939년에 슐렌부르크가 발송한 전보들에서 분명하게 드러나듯이, 그는 바이마르 공화국 시절에 존재했던 러시아와의 긴밀한 관계를 복구하려고 진정으로 애썼다. 그러나 독일의 다른 수많은 구식 직업외교관들과 마찬가지로 그 역시 히틀러를 거의 이해하지 못했다.

6월 29일, 히틀러는 베르히테스가덴 산장에서 느닷없이 소련과의 회담을 중단하라고 명령했다.

1939년 6월 29일, 베르히테스가덴

… 총통은 다음과 같이 결정했다.

소련의 태도로 보아 회담의 속행 여부는 지난 1월에 정한 경제 교섭의 기반을 우리가 수용하는 데 달려 있다고 생각한다는 뜻을 소련 측에 통고해야 한다. 그 기반은 우리로서는 수용할 수 없는 것이므로, 당장은 소련과의 경제 교섭 재개에 관심을 두지 않을 것이다.

총통은 이 회답의 발송을 며칠 연기하는 데 동의했다.[63]

실제로 이 명령의 요지가 이튿날 모스크바 독일 대사관으로 타전되었다.

[바이츠제커가 전보를 보냄] 외무장관은 … 추후 지시가 있을 때까지 정치 분야의 논의에는 더 이상 나서지 말고 당분간 우리 쪽에서 회담을 다시 청해서는 안 된다는 의견이다.

소련 정부와 진행할 수 있는 경제 교섭에 관해 이곳에서는 아직 결론이 서지 않았다. 이 분야에서도 당분간 다른 어떤 조치도 취하지 말고 지시를 기다리기 바란다.[64]

독일 기밀문서들에는 히틀러가 돌연 마음을 바꾼 까닭을 알려주는 단서가 없다. 소련은 이미 자국의 1월, 2월 제안과 관련해 타협하려는 자세를 보이고 있었다. 그리고 슈누레는 6월 15일에 경제 교섭의 결렬은 독일에 경제석으로나 성치적으로나 악화를 의미할 것이라고 경고한 바 있었다.

난항을 겪는 영국-프랑스-소련의 교섭에 히틀러가 너무 낙담하여 그런 결정을 내렸을 리도 없다. 그는 소련과 두 서방 강국이 폴란드, 루마니아, 발트 국가들을 보장하는 문제에서 교착 상태에 빠져 있음을 모스크바 주재 독일 대사관의 보고를 통해 알고 있었다. 폴란드와 루마니아는 독일의 침공 시 서부전선을 형성하는 간접적인 방법 말고는 별반 도움을 줄 수 없는 영국과 프랑스 측의 보장은 기꺼이 받고자 했다. 그러나 소련의 보장은 받아들이지 않으려 했고, 소비에트군이 독일의 공격에 대항하기 위해 그들의 영토를 통과하는 것마저 용인하지 않으려 했다. 라트비아, 에스토니아, 핀란드 역시 소련으로부터 어떠한 보장도 받지 않겠다고 완강히 버텼는데, 이런 태도는 훗날 독일 외무부 문서를 통해 드러난 대로 독일이 세 나라의 결의가 약해지지 않도록 무섭게 협박하며 부추긴 결과였다.

이 난국에 몰린 몰로토프는 6월 초에 외무장관을 모스크바로 오게 해서 교섭에 참가시키면 어떻겠느냐고 영국에 제안했다. 소련이 생각하기에 그렇게 하면 교착 상태를 푸는 데 도움이 될 뿐 아니라 영국이 진심으로 소련과 합의에 이르고자 노력한다는 것을 세계에 확실하게 보여줄 수 있었다. 하지만 핼리팩스 경은 모스크바행을 거부했다.* 급기야 전 외무장관 앤서니 이든이 자기가 대신 가겠다고 제안했지만, 체임벌린이 거부했다. 결국 외무부의 유능한 직업관료로 모스크바 대사관에 근무한 적이 있고 러시아어를 잘 구사하지만 국내에서나 국외에서나 별로 알려지지 않은 인물인 윌리엄 스트랭을 대신 보내기로 했다. 이런 하위 관료를 중요한 사절단의 수장으로 임명하여 몰로토프, 스탈린과 직접 교섭하는 임무를 맡긴 것은 소련 정부가 보기에, 훗날 말한 대로, 체임벌린이 히틀러를 저지하기 위한 동맹의 결성을 여전히 별로 중요하게 여기지 않는다는 신호였다.

스트랭은 6월 14일 모스크바에 도착했다. 그러나 스트랭이 영국-프랑스와 몰로토프의 회담에 열한 차례 참석했음에도 그의 등장은 영국-소비에트 교섭의 향방에 별다른 영향을 주지 못했다. 2주 후인 6월 29일, 소련 측의 의심과 짜증은 《프라우다Pravda》지에 "영국과 프랑스 정부는 소비에트 연방과의 평등에 입각한 조약을 원하지 않는다"라는 제목으로 실린 안드레이 즈다노프Andrei Zhdanov의 글을 통해 공개적으로 표출되었다. 이 기고문을 "한 개인"으로서 쓴 것이지 "소비에트 정부의 입장을 밝힌 것은 아니다"라고 말하긴 했지만, 즈다노프는 공산당 정치국 위원이자 중앙위원회 선전선동부장일 뿐 아니라, 슐렌부르크가 이 문제를 베를

---

* 영국 외무부 문서에 따르면, 핼리팩스는 6월 8일 마이스키 소련 대사에게 자신이 모스크바로 가는 방안을 총리에게 제안할까 생각했지만 "자리를 비우기가 정말로 불가능합니다"라고 말했다. 윌리엄 스트랭이 출발한 이후인 6월 12일, 마이스키는 핼리팩스에게 "상황이 더 누그러진 때에" 외무장관이 모스크바로 가는 편이 좋은 방안일 것이라고 제안했지만, 핼리팩스는 "당분간" 런던을 떠나는 것은 불가능하다고 다시 한 번 강조했다.[65]

린에 보고하면서 강조했듯이, "스탈린의 측근들 중 한 명으로서, 그의 기고문은 위로부터 명령을 받아 쓴 것이 분명했다".

[즈다노프가 기고함] 내가 보기에 영국과 프랑스의 정부는 소련이 수락할 수 있는 실질적인 협정을 맺으려는 것이 아니라 자국의 여론 앞에서 이른바 소련의 비타협적인 태도를 입증하고 그리하여 침략국들과의 협정 체결을 촉진하기 위해 시늉에 그치는 회담만 하려는 것이다. 앞으로 며칠 내에 이 말이 참인지 아닌지 밝혀질 것이다.[66]

이로써 스탈린이 영국과 프랑스를 불신하고 서방 연합국이 결국에는 1년 전 뮌헨 회담에서 했던 것처럼 히틀러와 거래할 수도 있다고 의심한다는 사실, 곰곰이 생각해볼 만한 사실이 만천하에 알려졌다. 그 사실을 곰곰이 생각해본 슐렌부르크 대사는 즈다노프 기고문의 한 가지 노림수는 "교섭이 결렬될 경우 그 책임을 영국-프랑스에 돌리려는" 데 있다는 의견을 베를린에 전했다.[67]

총력전 계획

아돌프 히틀러는 아직 소련의 미끼를 물지 않고 있었다. 아마 6월 내내 베르히테스가덴에 틀어박혀, 여름 끝자락에 폴란드를 침공하기 위한 군사계획의 완성을 감독하느라 바빴기 때문일 것이다.

6월 15일, 히틀러는 육군의 대對폴란드 작전을 위한 브라우히치 장군의 극비 계획을 제출받았다.[68] 육군 총사령관은 상관의 의견을 그대로 되풀이하며 이렇게 단언했다. "이 작전의 목적은 폴란드군을 분쇄하는 것이다. 정치 지도부는 이 전쟁을 강력한 기습으로 개시하고 신속히 승리를 거둘 것을 요구한다. 육군 최고사령부의 의도는 폴란드 영토를 불시에 침공하여 폴란드군의 정규 동원과 집결을 막고, 비스와-나레프 선의 서쪽에 있을 것으로 상정되는 폴란드군의 대부분을 한편으로는 슐레지엔에서, 또 한편으로는 포메른-동프로이센 방면에서 집중 공격하여 섬멸하는 것이다."

이 계획을 실행하기 위해 브라우히치는 2개 집단군을 편성했다—제8군, 제10군, 제14군으로 이루어진 남부집단군, 그리고 제3군, 제4군으로 이루어진 북부집단군이다. 룬트슈테트 장군이 지휘하는 남부집단군은 슐레지엔에서 "바르샤바 방향으로" 진격해 "대항하는 폴란드 병력을 물리치고 바르샤바 **양측**에서 최대한 강력한 병력으로 최대한 신속하게 비스와 강을 확보할" 예정이었으며 "그 목표는 폴란드 서부에서 여전히 저항 중인 폴란드군을 북부집단군과 협력해 분쇄하는 것"이었다. 북부집단군의 첫째 임무는 회랑지대를 가로질러 진격하여 "독일 본국과 동프로이센의 연결로를 확보하는" 것이었다. 각 부대뿐 아니라 공군과 해군의 세부 목표도 약술되었다. 단치히는 교전 첫날에 독일 영토라고 선언하고 독일군이 지휘하는 현지 병력으로 방어할 것이라고 브라우히치는 말했다.

동시에 하달된 보충 지령은 '백색 작전'을 위한 배치 명령을 8월 20일에 발동한다고 명시했다. "그날까지 모든 준비를 마쳐야 한다."[69]

1주일 후인 6월 22일, 카이텔 장군은 히틀러에게 "백색 작전의 예비 진행표"를 제출했다.[70] 총통은 그것을 검토한 뒤 "대체로" 동의하지만 "평소보다 큰 규모로 소집하는 예비군 때문에 국민들이 불안해하지 않도록 … 민간 기관, 고용주, 그 밖의 민간인들이 문의해올 경우 추계 기동훈련을 위해 남자들을 소집하는 것이라고 설명하라"고 지시했다. 또 히틀러는 "육군 최고사령부가 7월 중순부터 실시하겠다고 제안한 접경 지역 병원들을 비우는 일은 보안상의 이유들 때문에 실시해서는 안 된다"고 언명했다.

히틀러가 개시하려는 전쟁은 총력전이 되어, 군사동원뿐 아니라 국가의 모든 자원을 총동원하게 될 터였다. 이 방대한 일을 조정하기 위해 이튿날인 6월 23일에 괴링을 의장으로 하는 제국방위위원회 회의가 소집되었다. 국방군의 카이텔, 레더, 할더, 토마스, 밀히 등의 군인과 정부의 내무장관, 경제장관, 재무장관, 교통장관에 더해 힘러까지 민군 양쪽의 고위직 약 35명이 참석했다. 제국방위위원회 회의가 열린 것은 이번이 그저 두 번째였지만, 괴링이 설명한 대로 이 기구는 가장 중요한 결정을 내리기 위해서만 소집되었다. 또한 압수된 기밀 회의록으로 밝혀진 것처럼 괴링은 전쟁이 임박했다는 것, 그리고 공업과 농업을 위한 인력을 공급하는 문제 등 총동원과 관련하여 수행해야 할 일이 산적해 있다는 것을 참석자 전원에게 명확하게 설명했다.[71]

괴링은 히틀러가 약 700만 명을 징병하기로 결정했다고 이 위원회에 보고했다. 노동력 공급을 늘리기 위해 경제장관 풍크 박사가 "전쟁포로들과 형무소 및 강제수용소 수감자들에게 어떤 일을 시킬지" 정하기로 했다. 힘러가 끼어들어 "전시에는 강제수용소의 활용가치가 높아질 것"이라고 말했다. 그리고 괴링은 "체코 보호령의 노동자 수십만 명을 데려와 독일의 감독하에 주로 농업에 투입할 것이고, 그들을 임시 막사에 수용할 것"이라고 덧붙였다. 나치의 노예노동 프로그램이 벌써 꼴을 갖추어가는 것이 분명했다.

내무장관 프리크 박사는 "공공 행정에서 노동력을 절약"하겠다고 약속하고 나치 정권에서 관료의 수가 "20배에서 40배" 늘어나 "난감한 상황"이라고 인정함으로써 회의에 활기를 더했다. 그리고 이 개탄스러운 상황을 바로잡기 위해 위원회를 설치하기로 했다.

육군 참모본부 수송부장 루돌프 게르케Rudolf Gercke 대령은 한층 비관적인 보고를 했다. **"수송 부문에서 독일은 현재 전쟁을 치를 준비가 되어 있지 않습니다"**라고 그는 직설적으로 단언했다.

물론 독일의 수송체계가 그 임무를 감당할 수 있을지 여부는 전쟁 상대가 폴란드로 국한되느냐에 달려 있었다. 만약에 서부에서 프랑스, 영국과 싸워야 한다면, 수송체계가 그야말로 불충분할 것으로 우려되었다. 7월에는 "늦어도 8월 25일까지 서부 방벽을 최대한의 노력으로 구할 수 있는 자재를 사용해 최적의 대비 상태로 구축하기 위한" 방위위원회 긴급회의가 두 차례 소집되었다. 크루프 사를 위시한 철강 카르텔의 고위직들은 서부 방어시설의 무장을 완성하는 데 필요한 금속의 조달에 힘써 달라는 당부를 받았다. 국방군이 폴란드 공격에 전념하는 사이에 영국과 프랑스의 육군이 서부 독일에 맹공을 가하려 할지 여부는 그 방어시설의 돌파 가능성에 달려 있음을 독일 측이 잘 알고 있었기 때문이다.

5월 23일 히틀러가 평소와 달리 솔직하게 단치히 폴란드와의 분쟁의 원인이 전혀 아니라고 장군들에게 말하긴 했지만, 한여름의 몇 주 동안 이 자유도시는 어느 때고 폭발하여 전쟁에 불을 붙일 수 있는 화약통으로 보였다. 유사시를 대비해 독일은 한동안 단치히 현지의 경비대를 훈련시키고자 무기와 정규군 장교들을 이 도시로 몰래 들여보낸 터였다.* 무기와 장교들은 동프로이센에서 국경을 넘어 들어갔으며, 폴란드 측은 이런 움직임을 더 면밀히 감시하기 위해 세관원과 국경수비대의 수를 늘렸다. 당시에 오직 베를린의 지령으로만 움직이고 있던 단치히 현지 당국은 그에 대응해 폴란드 관리들의 직무 수행을 방해하려 했다.

8월 4일, 단치히 당국과 폴란드의 갈등은 위기에 이르렀다. 그날 단치히 주재 폴란드 외교 대표는 폴란드 세관 검사관들이 "무장한 채" 직무를 수행하라는 명령을 받았고, 그들을 방해하려는 단치히 주민들의 모든 시도를 폴란드 관리에 대한 "폭력 행위"로 간주할 것이고, 그럴 경우 폴란드 정부가 "자유도시에 지체 없이 보복할" 것이라고 현지 당국에 통고했다.

이것은 히틀러가 보기에 폴란드 측에는 협박이 통하지 않는다는 또 하나의 증거였다. 여기에 더해 8월 6일 바르샤바 주재 독일 대사는 베를린에 보낸 전보에서 만약 단치히에서 폴란드의 권리를 "명백하게 침해하는 일이 생긴다면" 폴란드가 싸우리라는 데 "의심의 여지가 거의 없다"라는 의견을 밝혔다. 전보의 여백에 리벤트로프가 적어놓은 메모를 보면 이 전보를 총통에게 올렸다는 사실을 알 수 있다.[72]

히틀러는 격노했다. 이튿날인 8월 7일, 히틀러는 단치히의 나치 대관구장 알베르트 포르스터Albert Forster를 베르히테스가덴으로 호출하여 폴란드에 대한 자신의 인내가 한계치에 이르렀다고 말했다. 베를린과 바르샤바 사이에 험악한 문서가 오갔다―어조가 워낙 과격해 양쪽 모두 감히 공개하지 못할 정도였다. 8월 9일, 독일 정부는 폴란드에 경고하면

---

* 6월 19일, 육군 최고사령부는 독일 육군 장교 168명이 "견학 목적의 여행 중에 민간인 복장으로 단치히 시내를 통행하도록 허가받았다"고 외무부에 보고했다. 7월 초, 카이텔 장군은 외무부에 "단치히에서 경포 12문과 중포 4문을 선보인 뒤 그것들을 가지고 훈련을 수행하는 것이 정치적으로 권할 만한 일인지, 아니면 이 포들의 존재를 감추는 편이 나을지" 문의했다.[73] 독일이 어떻게 폴란드 검사관들의 눈을 피하여 중포를 들여보냈는지는 독일 측 문서들에 나와 있지 않다.

서 단치히를 상대로 또다시 최후통첩을 들이밀 경우 "독일-폴란드 관계의 심각한 악화로 이어질 것이고 … 그에 대해 독일 정부는 모든 책임을 부인할 수밖에 없다"라고 밝혔다. 다음날 폴란드 정부는 신랄하게 응수했다.

폴란드가 단치히에서 누리는 권익을 저해하려는 자유도시 당국의 모든 시도에 폴란드는 종래대로 독자적 판단에서 적절한 방법과 조치로 계속 대응할 것이고, 독일 정부의 어떠한 개입이든 … 침략 행위로 간주할 것이다.[74]

히틀러의 앞길을 가로막은 약소국들 가운데 일찍이 이런 언어를 사용한 나라는 없었다. 이튿날인 8월 11일, 총통은 카를 부르크하르트를 접견했다. 스위스 사람인 부르크하르트는 국제연맹의 단치히 주재 고등판무관으로 이 자유도시에 대한 독일의 요구를 절반 이상 들어주고 있었다. 당시 기분이 좋지 않았던 히틀러는 손님에게 이렇게 말했다. "폴란드 측이 아무리 사소하더라도 이상한 짓을 벌인다면, 그들이 꿈에도 모르는 강력한 무기들을 총동원해 전광석화와 같이 습격할 겁니다."

[고등판무관이 나중에 보고함] 나는 그럴 경우 전면 충돌로 이어질 것이라고 말했다. 그러자 히틀러 씨는 어차피 전쟁을 치러야 한다면 내일이 아니라 오늘 치르는 편이 낫고, 모든 무기를 충분히 사용하는 데 언제나 주저했던 빌헬름 2세 시절의 독일과 같은 식으로 싸우지는 않을 것이며, 극한까지 인정사정없이 싸울 것이라고 말했다.[75]

누구를 상대로? 폴란드를 상대한다는 것은 확실했다. 필요하다면 영국과 프랑스까지 상대할 각오였다. 소련도 상대할 것인가? 소련과 관련해 히틀러는 마침내 결심을 굳혔다.

소련의 개입 (3)

———

새로운 계기는 소련으로부터 왔다.

7월 18일, 베를린 주재 소비에트 무역대표 E. 바바린Babarin은 수행원 두 명을 대동한 채 독일 외무부의 율리우스 슈누레를 방문해 소련이 독일-소비에트 경제 관계를 확대 강화하기를 원한다고 알렸다. 바바린은 양국 간의 물자 교류를 대폭 늘릴 것을 요청하는 통상 협정을 맺기 위해 상세한 제안서를 가져왔고, 몇 가지 이견이 해소된다면 베를린에서 이 조약에 서명할 수 있는 권한이 자신에게 있다고 말했다. 이 회담에 관한 슈누레 박사의 기밀문서가 보여주듯이, 독일 측은 꽤 반색했다. 그런 조약은 "적어도 폴란드와 영국에 대해서는 분명 효과를 발휘할 것이다"라고 슈누레는 적었다.[76] 나흘 후인 7월 22일, 모스크바의 소련 언론은 소비에트-독일 통상교섭이 베를린에서 재개되었다고 보도했다.

같은 날 바이츠제커는 모스크바의 슐렌부르크 대사에게 보낸 전보에서 꽤 활기찬 말투로 몇 가지 흥미로운 새 지시를 내렸다. 통상교섭과 관련해 바이츠제커는 대사에게 "베를린에서는 확연히 전향적으로 행동할 것이다. 제반의 이유로 되도록 일찍 타결되기를 바라기 때문이다"라고 알렸다. 그리고는 "소련과의 회담의 순전히 정치적인 측면에 관한 한, [6월 30일의] 전보에서 귀관에게 주지시킨 대기 기간은 이제 끝났다고 생각한다. 그러므로 귀관은 사안을 결코 재촉하지 않는 선에서 종래의 활동을 재개할 권한을 갖는다"라고 덧붙였다.[77]

실제로 나흘 후인 7월 26일에 베를린에서 회담이 재개되었다. 슈누레 박사는 리벤트로프의 지시로 소비에트 대사대리 아스타호프와 바바린을 시내의 한 일류 레스토랑에서 만나 식사하면서 그들의 속을 떠보려 했다. 두 러시아인은 구태여 속을 떠볼 필요도 없었다. 슈누레가 이 회담에 관한 기밀문서에 적었듯이, "소련 측은 오전 0시 30분까지 남아서" "우리의 관심사인 정치 문제와 경제 문제에 대해 매우 활기차고 열성적으로" 발언했다.

아스타호프는 소비에트-독일의 정치적 화해가 양국의 중대한 이익에 해당한다고 단언했고 바바린도 여기에 십분 동의했다. 모스크바에서 자신들은 나치 독일이 왜 소련에 그토록 적대적인지 도통 이해할 수 없었다고 아스타호프는 말했다. 그러자 독일 외교관은 "독일의 동방 정책은 이제 전혀 다른 방침을 택했습니다"라고 설명했다.

우리가 소련을 위협하는 일이란 있을 수 없습니다. 우리의 목표는 완전히 다른 방향을 향하고 있습니다. … 독일의 외교 정책은 영국을 겨냥합니다. … 나는 소련의 핵심적인 문제들을 충분히 고려하면서 양측의 이해관계를 조정하는 것도 가능하다고 생각합니다.

그렇지만 이 가능성은 소련이 독일에 맞서 영국에 동조하는 순간 닫혀버릴 것입니다. 독일과 소련이 합의에 이를 시간으로는 지금이 적절하겠지만, 런던과 협정을 맺어버리면 사정이 변할 것입니다.

영국이 소련에 무엇을 제공할 수 있을까요? 기껏해야 유럽 전쟁에 참여하고 독일에 적의를 드러낼 수 있을 뿐입니다. 이에 맞서 우리는 무엇을 제공할 수 있을까요? 중립을 지키고, 상정되는 유럽 분쟁에 가담하지 않고, 모스크바가 원한다면 예전처럼 양국에 공히 이익이 되는 독일-소련 협정을 서로의 관심사를 바탕으로 맺을 수 있습니다. ⋯ 내 생각에 [독일과 소련 사이에] 쟁점이 될 만한 문제는 발트 해에서 흑해와 극동에 이르기까지 그 어디에도 존재하지 않습니다. 게다가 인생관의 온갖 차이에도 불구하고 독일, 이탈리아, 소련의 이데올로기에는 한 가지 공통점이 있습니다. 바로 서방의 자본주의적 민주주의에 반대한다는 것입니다.[78]

이렇게 해서 7월 26일 늦은 저녁에 베를린의 한 레스토랑에서 이진급 외교관들이 고급 요리와 와인을 즐기는 가운데 소비에트 러시아와 거래하려는 독일의 진지한 노력이 비로소 이루어졌다. 슈누레가 택한 새로운 노선은 리벤트로프가 직접 지시한 것이었다. 아스타호프는 그 노선에 관해 듣고는 기뻐했다. 그는 즉시 모스크바에 보고하겠다고 슈누레에게 약속했다.

빌헬름슈트라세에서 독일 측은 소비에트 수도에서 어떤 반응이 나올지를 초조하게 기다렸다. 사흘 후인 7월 29일, 바이츠제커는 모스크바의 슐렌부르크에게 급사急使 편으로 기밀공문을 보냈다.

우리로서는 아스타호프와 바바린에게 한 발언이 모스크바에서 어떤 반응이든 얻었는지를 아는 것이 중요하다. 귀관이 몰로토프와 추후 대화 약속을 잡을 기회가 생긴다면, 같은 노선으로 그의 속내를 떠보기 바란다. 그 결과 몰로토프가 이제껏 유지해온 유보적 태도를 버린다면, 귀관은 한 걸음 더 나가도 좋다. ⋯ 이는 특히 폴란드 문제에 적용된다. 폴란드 문제가 어떻게 전개되든 우리는 ⋯ 소비에트의 모든 이익을 보호하고 모스크바 정부와 합의에 이를 준비가 되어 있다. 발트 문제에 관해서도, 만약 회담이 긍정적으로 흘러간다면, 발트 해에서의 소비에트의 중대 이익을 존중하기 위해 발트

국가들에 대한 우리의 태도를 조정할 수 있다는 생각을 제시해도 괜찮다.[79]

이틀 후인 7월 31일, 바이츠제커는 슐렌부르크에게 '긴급 기밀' 전보를 쳤다.

오늘 급사 편으로 모스크바에 도착하는 우리의 7월 29일 공문과 관련하여: 몰로토프와의 다음번 회담 일시가 확정되면 즉시 전보로 보고하기 바란다. 우리는 회담이 조기에 열리기를 간절히 바란다.[80]

베를린에서 모스크바로 향한 이 공문들에서 처음으로 독일의 다급한 기색이 느껴졌다.

베를린이 절박감을 보인 데에는 그럴 만한 이유가 있었다. 7월 23일, 프랑스와 영국은 소련의 제안에 마침내 동의했다. 군 참모 회담을 즉시 개최해 군사협약을 작성함으로써 삼국이 히틀러의 군대에 어떻게 대응할지를 구체적으로 정하자는 제안이었다. 체임벌린이 이 합의를 7월 31일 하원에 보고할 때까지 발표하지 않았음에도 독일 측은 이미 눈치를 챈 상태였다. 7월 28일, 파리 주재 벨크체크 대사는 베를린에 전보를 쳐 "사정에 무척 밝은 정보원"으로부터 프랑스와 영국이 모스크바에 군사사절단을 파견하려 하고 "특히 유능한 장교"이자 과거에 막심 베강Maxim Weygand 장군 휘하에서 참모차장을 지낸 두망Doumenc 장군이 프랑스 사절단을 이끌 것이라는 소식을 들었다고 전했다.[81] 이틀 뒤 보충 전보에서 말했듯이, 대사가 받은 인상은 파리와 런던이 모스크바 교섭이 결렬되지 않도록 하기 위한 최후의 수단으로 군 참모 회담에 동의했다는 것이었다.[82]

이것은 충분히 근거 있는 인상이었다. 영국 외무부의 기밀문서들에서 드러나듯이, 7월의 마지막 주에 모스크바 정치회담은 주로 '간접침략'이라는 말의 정의를 놓고 합의를 보지 못하는 바람에 답보 상태에 빠졌다. 영국과 프랑스가 보기에는 소련이 '간접침략'을 너무 넓게 해석하는 터라 나치의 심각한 위협이 없는 경우에도 핀란드나 발트 국가들에 대한 소비에트의 개입을 정당화하는 데 이 용어가 사용될 가능성이 있었으며, 그런 해석에 적어도 런던은—프랑스는 더 협조할 용의가 있었다—동의하지 않으려 했다.

또한 6월 2일, 소련은 상호원조 조약과 동시에 군사협정을 체결하여 삼국 간 군사 원조의 "방법, 형식, 규모"를 상세히 정하고 강제해야 한다고 고집한 바 있었다. 소련의 군사력을 높게 평가하지 않던 서방 국가들은* 몰로토프와의 만남을 연기하려 했다. 영국과 프랑스는 정치협정을 체결한 후에 참모 회담을 시작하는 데까지만 동의하려 했지 그 이상은 아니었다. 그러나 소련은 요지부동이었다. 7월 17일에 영국이 만약 정치협정과 군사협정을 동시에 체결하자는 주장을 소련이 양보하고 (기왕이면) '간접침략'에 대한 영국 측 정의까지 받아들이는 데 동의한다면 그즉시 참모 회담을 시작하겠다고 제안하며 흥정을 시도했을 때, 몰로토프는 딱 잘라 거절했다. 프랑스와 영국이 정치협정과 군사협정을 일괄 처

---

* 영국 최고사령부는 훗날 독일 최고사령부와 마찬가지로 붉은군대[赤軍]의 잠재력을 터무니없이 과소평가했다. 그렇게 평가한 것은 주로 모스크바 주재 무관들에게서 받은 보고서 때문일 것이다. 예를 들어 3월 6일 육군 무관 파이어브레이스(Firebrace) 대령과 공군 무관 할러웰(Hallawell) 중령은, 소련의 육군과 공군은 비록 방위력이 상당하긴 해도 본격적인 공세에 나설 수는 없다는 취지의 장문 보고서를 런던에 보냈다. 할러웰은 소련 공군이 "육군과 마찬가지로, 적의 행동만큼이나 필수 부문들의 붕괴 때문에 마비될 공산이 크다"고 생각했다. 파이어브레이스는 고급장교들이 숙청되어 붉은군대가 심각하게 약해졌다고 보았다. 그러면서도 그는 "붉은군대는 전쟁이 불가피하다고 생각하고, 의심할 나위 없이 전쟁에 맹렬히 대비하고 있다"라고 런던에 알렸다.[83]

리하는 데 동의하지 않으면 교섭을 이어가는 것이 무의미하다고 그는 말했다. 회담을 끝내겠다는 소련의 협박에 파리는 경악했다. 파리는 소비에트와 나치 사이의 의사 타진을 런던보다 더 예민하게 의식했던 것으로 보이며, 8월 23일 영국 정부가 '간접침략'에 관한 소련의 제안을 받아들이지 않으면서도 군사협정의 교섭에 마지못해 동의한 것은 대체로 프랑스의 압력 때문이었다.[84]

체임벌린은 참모 회담이라는 활동 전체에 미지근함 그 이하의 반응을 보였다.* 8월 1일, 런던 주재 독일 대사 디르크젠은 영국 정부 내에서는 소련과의 군사협상이 "회의적으로 여겨지고 있다"고 베를린에 알렸다.

[디르크젠이 씀] 영국 군사사절단의 구성이 그 증거다.** 제독은 … 사실상 퇴역장교 명부에 올라 있고 해군 참모본부 소속이었던 적이 없다. 장군 또한 순전히 전투장교다. 공군 중장은 조종사와 교관으로서는 탁월하지만 전략가로서는 그렇지 않다. 이는 군사사절단의 역할이 작전에 관한 협정을 체결하는 것보다는 오히려 소비에트군의 전투 능력을 확인하는 것임을 가리키는 듯하다. … 국방군의 주재 무관들도 영국 군부가 소비에트군과의 향

---

* 모스크바에서 몰로토프와 교섭하던 스트랭의 반응은 더욱 냉담했다. 7월 20일, 스트랭은 외무부에 "소비에트 정부가 우리의 동맹이 되리라는 확신이 들기 전에 그들과 군사 기밀을 이야기할 수 있을 것으로 기대하는 것은 실로 이례적인 일이다"라고 써 보냈다.
소련의 견해는 정반대였다. 몰로토프는 7월 27일 영국과 프랑스의 교섭자들에게 자국의 견해를 이렇게 표명했다. "중요한 논점은 각국이 공통의 대의를 위해 얼마나 많은 사단들을 제공할 것이고 그 사단들을 어디에 배치할 것인가입니다."[85] 소련 측은 정치적 확약을 하기 전에 서방으로부터 어느 정도의 군사 지원을 받을 수 있을지 알고 싶어했다.
** 영국 사절단은 1935~1938년에 플리머스 사령관을 지낸 레지널드 플런켓-언리-얼-드랙스(Reginald Plunkett-Ernle-Erle-Drax) 경 제독, 찰스 버넷(Charles Burnett) 경 공군 중장, 헤이우드(Heywood) 육군 소장으로 구성되었다.

후 회담에 놀랄 정도의 회의적 견해를 보인다는 데 공감을 표한다.[86]

실제로 영국 정부는 너무나 회의적이었던 나머지 드랙스 제독에게 소련 측과 교섭할 전권 위임장을 주는 것마저 잊고 말았다—이 부주의(만약 부주의였다면)에 대해 클리멘트 보로실로프Kliment Voroshilov 원수는 양국의 참모장교들이 처음 만난 자리에서 항의했다. 제독의 위임장은 8월 21일에야 도착했는데, 그 시점에는 더 이상 쓸모가 없었다.

그러나 드랙스 제독은 전권 위임장은 없었을지라도, 모스크바 군사회담에서 택할 방침에 대한 비밀 지시서는 분명히 가지고 있었다. 훨씬 나중에 영국 외무부 문서를 통해 밝혀진 대로, 제독은 정치협정이 체결될 때까지 "정치교섭의 진척 상황을 지켜보면서 [군사]회담을 아주 천천히 진행"하라는 지시를 받았다.[87] 정치협정이 체결될 때까지는 군의 기밀정보를 소련 측에 알려줄 수 없다는 것이 그 이유였다.

하지만 정치회담이 8월 2일 이후로 중단된 상태인 데다 몰로토프가 군사회담이 어느 정도 진척될 때까지 정치회담을 재개하는 데 응하지 않겠다는 뜻을 분명히 한 이상, 체임벌린 정부가 상호원조 조약에서 각국이 지켜야 하는 군사적 의무를 세세히 정하면서 늑장을 부릴 작정이었다는 결론을 거의 피할 수 없다.* 실제로 영국 외무부 기밀문서들을 보면, 8월 초에 체임벌린과 핼리팩스가 히틀러를 저지하기 위한 소련과의 협정 타결을 거의 포기했으면서도 모스크바에서 참모장교 회담을 지연시키면 독일 독재자가 전쟁을 향해 치명적인 발걸음을 내딛는 것을 향후 4주

---

* 아널드 토인비(Arnold Toynbee)와 공저자들이 저서 《전쟁 전야, 1939(The Eve of War, 1939)》(p. 482)에서 내린 이 결론은 대체로 영국 외무부 문서에 근거한다.

동안은 어떻게든 막을 수 있을지도 모른다고 생각한 것이 거의 확실하다.*

영국, 프랑스와는 대조적으로 소련은 자국의 군사대표단에 군의 최고위 장교들, 즉 국방인민위원 보로실로프 원수, 붉은군대 참모총장 보리스 샤포시니코프Boris Shaposhnikov 장군, 해군 총사령관, 공군 총사령관을 투입했다. 영국이 7월에 바르샤바에서 열린 폴란드 참모본부와의 군사회담에는 영국군 참모총장 에드먼드 아이언사이드Edmund Ironside 경을 파견한 반면에 모스크바에는 그런 상급 장교를 보낼 생각을 하지 않았다는 사실에 소련은 주목하지 않을 수 없었다.

영국-프랑스 군사사절단이 모스크바로 서둘러 갔다고는 말하기 어렵다. 비행기를 탔다면 하루 만에 모스크바에 도착했을 것이다. 그러나 느린 화객선을 타고 가다 보니 퀸메리Queen Mary 호라면 미국에 도착했을 정도의 시간을 들여야 했다. 8월 5일에 레닌그라드를 향해 출발한 그들은 8월 11일에야 모스크바에 도착했다.

그런데 그때는 이미 늦은 시점이었다. 히틀러가 선수를 쳤던 것이다.

영국과 프랑스의 군 장교들이 레닌그라드행 선박을 기다리는 동안 독일은 신속하게 움직였다. 8월 3일은 베를린과 모스크바 양측에 결정적

---

* 8월 16일, 찰스 버넷 공군 중장은 모스크바에서 런던으로 보낸 편지에 이렇게 썼다. "나는 우리가 조약 체결에 이르지 못하면 교섭을 최대한 연장하는 것이 우리 정부의 정책이라고 생각한다." 모스크바 주재 영국 대사 시즈는 영국 정부가 참모장교 회담 개최에 동의한 다음날인 7월 24일 런던에 전보를 보냈다. "나는 군사회담의 성공 여부에 낙관적이지 않고 그 회담이 어떻게든 조기에 매듭지어질 수 있다고도 생각하지 않지만, 지금 회담을 시작하면 추축국에 상당한 충격을 주고 우리 우방들의 용기를 북돋는 한편 앞으로 위태로운 몇 달의 고비를 넘길 수 있도록 회담을 연장할 수도 있을 것이라고 본다."[88] 영국과 프랑스의 정보기관이 몰로토프와 독일 대사의 회담, 폴란드 재분할에 소련이 관심을 갖게 하려는 독일의 노력—이에 대해서는 이미 5월 7일에 쿨롱드르가 파리에 경고한 바 있었다—, 폴란드 국경 부근에 대규모로 집결한 독일 병력, 그리고 히틀러의 의도에 대해 알고 있었음을 고려하면, 영국이 모스크바 교섭으로 시간을 벌 수 있다고 믿었다는 것은 꽤 놀라운 일이다.

인 날이었다.

언제나 바이츠제커 외무차관에게 전보 발송을 맡기던 리벤트로프 외무장관은 그날 오후 12시 58분에 모스크바의 슐렌부르크에게 직접 '기밀-최급' 전보를 보냈다.

어제 나는 아스타호프와 장시간 대화를 나눴고, 그 내용은 다음과 같다. 나는 독일-소련 관계를 조정하고 싶다는 **독일** 측의 바람을 표명하고 발트해에서 흑해에 이르기까지 양국 모두에게 만족스럽게 해결하지 못할 문제는 전혀 없다고 말했다. 현안들에 관해 더 구체적으로 대화하고 싶다는 아스타호프의 바람에 답하여 … 나는 소비에트 정부 역시 독일-소련 관계를 새롭고 명확한 기반 위에 올려놓고 싶다는 뜻을 아스타호프를 통해 내게 알려주면 그런 회담에 응할 용의가 있다고 확언했다. [강조는 원문 그대로][89]

독일 외무부는 슐렌부르크가 그날 늦게 몰로토프와 만난다는 사실을 알고 있었다. 리벤트로프가 전보를 보내고 한 시간 후, 바이츠제커도 '기밀-최급' 표시가 붙은 자신의 전보를 보냈다.

정세를 고려하여, 또 속도를 내기 위해, 우리는 오늘 귀관과 몰로토프의 회담에 악영향을 끼치지 않는 선에서 베를린에서 독일과 소비에트의 의도를 조정하기 위한 좀 더 구체적인 조건에 관해 회담을 진행하고 싶다. 이를 위해 오늘 슈누레가 아스타호프를 접견하고 그에게 우리는 좀 더 구체적인 조건에 관한 회담을 이어갈 용의가 있다고 말할 것이다.[90]

리벤트로프는 발트 해에서 흑해에 이르는 영역의 모든 사안에 대한

'구체적인' 회담을 원한다는 갑작스러운 제안으로 틀림없이 소련 측을 놀라게 했을 것이다─오후 3시 47분에 보낸 그다음 전보에서 슐렌부르크에게 알린 대로, 리벤트로프는 회담 중에 "[아스타호프에게] 폴란드의 운명을 놓고 소련과 양해에 이르고 싶다는 가벼운 암시를 주었다". 그럼에도 외무장관은 아스타호프에게 "우리는 급하지 않다"라고 말했다는 사실을 모스크바 주재 대사에게 강조했다.⁹¹

이 말은 허풍이었으며, 예리한 소련 대사대리 아스타호프는 이튿날 오후 12시 45분에 외무부에서 슈누레를 만났을 때 이 이야기를 꺼내며 슈누레는 급해 보이는 반면에 전날 만난 독일 외무장관은 "그다지 급한 기색을 보이지 않았다"라고 말했다. 슈누레는 임기응변을 발휘했다.

[슈누레가 기밀문서에 적음]⁹² 나는 아스타호프 씨에게 전날 밤 외무장관이 소비에트 정부에 대해서는 급한 기색을 보이지 않았다 할지라도, 우리는 **앞으로 며칠**을 잘 활용해 최대한 일찍 기반을 마련하기 위한 교섭을 이어가는 것이 시의적절한 방안이라 생각한다고 말했다. [강조는 원문 그대로]

당시 독일 측으로서는 그다음 며칠이 관건이었기 때문이다. 아스타호프는 독일의 제안에 대한 "잠정 회답"을 몰로토프로부터 받았다고 슈누레에게 전했다. 그 회답은 대체로 부정적이었다. 아스타호프는 외무인민위원도 양국 관계의 개선을 바라지만 "몰로토프는 지금까지 독일의 태도에서 구체적인 것이 전혀 알려지지 않았다고 말했다"고 전했다.

외무인민위원은 그날 저녁 모스크바에서 슐렌부르크를 만나 자신의 생각을 직접 밝혔다. 1시간 15분간 이어진 대화에서 몰로토프가 "평소의 유보적인 태도를 버리고 이례적으로 솔직하게 나왔다"고 대사는 자정 직후에 보낸 장문의 전보[93]에서 보고했다. 이 보고에는 의문의 여지가 없어 보인다. 슐렌부르크가 "발트 해에서 흑해에 이르기까지" 양국 사이에 이해관계의 불일치는 없다는 독일의 견해를 거듭 말하고 "양해에 이르고" 싶다는 독일 측의 소망을 재천명하자, 완고한 외무인민위원이 독일이 그간 소련을 상대로 자행했던 몇몇 적대 행위를 열거했기 때문이다. 바로 반코민테른 협정, 소련에 대항해 일본을 지원한 일, 그리고 뮌헨 협정에서 소련을 배제시킨 일이었다.

"독일의 새로운 싱명들과 이 세 가시 점이 과연 양립할 수 있을까요?" 하고 몰로토프는 물으면서 이렇게 덧붙였다. "독일 정부의 태도가 바뀌었다는 증거는 현재로서는 아직 없습니다."

슐렌부르크는 다소 낙담했던 것으로 보인다.

[슐렌부르크가 베를린에 전보를 보냄] 나의 전반적인 인상으로는 영국-프랑스가 소비에트의 요구사항을 전부 받아들이면 소비에트 정부가 두 나라와 협정을 맺기로 결심할 것 같다. … 나의 발언이 몰로토프에게 얼마간 인상을 남겼다고 생각한다. 그럼에도 소비에트 정부의 방침을 뒤집으려면 우리 쪽의 상당한 노력이 필요할 것이다.

이 베테랑 독일 외교관은 비록 소련 문제에 해박하긴 했지만, 모스크바에 있는 영국과 프랑스의 교섭자들을 분명히 과대평가하고 있었다. 또한 소비에트 외교의 방침을 뒤집기 위해 그가 필요하다고 생각한 "상당한 노력"을 당시 베를린 측에서 어느 정도까지 실행할 용의가 있는지를 아직 모르고 있었다.

빌헬름슈트라세에서는 소련의 기존 방침을 뒤집을 수 있다는 자신감이 커지고 있었다. 소련이 중립국이 되고 나면 영국과 프랑스는 폴란드를 위해 싸우지 않을 것이고, 설령 싸우더라도 독일 측으로서는 폴란드를 재빨리 해치우고 독일 육군이 서쪽을 향해 총력으로 진격할 수 있을 때까지 그들을 서부 방어시설에 묶어두기가 용이할 터였다.

베를린 주재 프랑스 대사대리 자크 타르베 드 생아르두앙Jacques Tarbé de St. Hardouin은 독일 수도의 분위기가 변하고 있음을 간파했다. 베를린과 모스크바에서 외교 활동이 분주히 벌어진 8월 3일 당일, 이 기민한 대사대리는 파리에 이렇게 보고했다. "지난주에 베를린의 정치적 분위기가 아주 뚜렷하게 변한 것으로 감지되었다. … 나치 지도부 사이에서 당혹, 주저, 임시변통, 심지어 타협의 경향을 보이던 시기가 새로운 국면으로 넘어갔다."[94]

독일 동맹국들의 망설임

독일의 동맹국 이탈리아와 헝가리는 사정이 달랐다. 여름이 깊어갈수록 부다페스트와 로마의 양 정부는 자국이 독일 편에 서서 히틀러의 전쟁에 말려드는 상황을 점점 더 우려하게 되었다.

7월 24일, 헝가리 총리 텔레키 팔Teleki Pál 백작은 히틀러와 무솔리니에게 똑같은 내용의 서한을 보내 "전면전이 발생할 시 헝가리는 추축국의 정책에 따르는 정책을 취하겠습니다"라고 알렸다. 헝가리 총리는 이렇게까지 말했다가 곧 자기 말을 거둬들였다. 같은 날 두 독재자에게 두 번째로 보낸 서한에서 그는 이렇게 말했다. "저의 7월 24일 서한에 대한 오해를 피하기 위해 다시 말씀드리자면 … 도의적인 이유에서 헝가리는 폴란드에 대한 무력 조치를 취할 수 없는 입장입니다."[95]

부다페스트발 두 번째 서한에 히틀러는 특유의 분노를 터뜨렸다. 8월 8일, 히틀러는 오버잘츠베르크에서 리벤트로프가 동석한 가운데 헝가리 외무장관 차키 이슈트반Csáky István을 접견했을 때, 대화를 시작하자마자 헝가리 총리의 그 서한에 "충격"을 받았다고 말했다. 외무부를 위해 작성된 기밀문서에 따르면, 히틀러는 "독일-폴란드 충돌 시" 헝가리의 지원을—그리고 다른 어떤 국가의 지원도—전혀 기대하지 않는다고 강조했다. 그러면서 텔레키 백작의 서한을 "도저히 참을 수 없었습니다"라고 덧붙였다. 그리고 헝가리가 체코슬로바키아를 희생양 삼아 그토록 넓은 영토를 되찾을 수 있었던 것은 독일의 관대함 덕분임을 이 헝가리 손님에게 상기시켰다. 만약에 독일이 패전하면 "헝가리도 자동으로 박살날 겁니다"라고 히틀러는 말했다.

압수된 독일 외무부 문서에 들어 있는 이 대화 기록은 운명적인 8월이 지나는 동안 히틀러의 정신 상태가 어떠했는지를 드러낸다. 폴란드는 독일에 군사적으로는 전혀 문젯거리가 아니라고 그는 말했다. 그럼에도 그는 처음부터 두 전선에서의 양면 전쟁을 각오하고 있었다. "세계의 어떤 국가도 독일의 서부 방어시설을 돌파할 수 없습니다. 지금까지의 생애를 통틀어 아무도 나를 겁먹게 하지 못했고, 이는 영국도 마찬가지입니다. 흔히들 입에 올리는 신경쇠약에도 나는 굴복하지 않을 겁니다"라고 히틀러는 큰소리쳤다. 소련에 대해서는 이렇게 말했다.

소비에트 정부는 우리와 싸우지 않을 겁니다. … 소비에트는, 영국을 위해 죽을 때까지 피를 흘린 차르의 실수를 되풀이하지 않을 겁니다. 오히려 군사행동에 관여하지 않으면서 아마도 발트 국가들이나 폴란드를 희생시켜 부국이 되려고 할 겁니다.

히틀러의 장광설이 얼마나 효과가 있었던지, 같은 날 열린 두 번째 회담 말미에 차키 백작은 총통에게 "텔레키가 쓴 두 서한은 없던 일로 해주십시오"라고 요청할 정도였다. 그리고 무솔리니에게도 같은 요청을 하겠다고 말했다.

두체는 몇 주 동안 총통이 이탈리아를 전쟁에 끌어들일 위험을 걱정하며 애를 태우던 중이었다. 베를린 주재 대사 아톨리코는 폴란드를 공격하려는 히틀러의 결심과 관련해 점점 더 우려스러운 보고를 해오고 있었다.* 6월 초부터 무솔리니는 히틀러와 다시 한 번 회담을 갖고 싶어 안달했고, 7월 들어 그 회담을 8월 4일에 브렌네르에서 갖기로 확정했다. 7월 24일, 무솔리니는 아톨리코를 통해 히틀러에게 회담을 위한 "몇 가지 기본 원칙"을 제시했다. 총통이 생각하기에 전쟁이 "불가피"하다면, 이탈리아는 독일 편에 서겠다고 했다. 그러면서도 두체는 총통에게 폴란

---

* 전형적인 것으로는 7월 6일에 아톨리코가 리벤트로프와의 대화를 전한 생생한 보고가 있다. 만약 폴란드가 감히 단치히를 공격한다면 독일은 단치히 문제를 48시간 내에—그것도 바르샤바에서!—해결할 것이라고 나치 외무장관은 말했다. 프랑스가 단치히 문제에 개입하여 전면전을 촉발할 작정이라면 그렇게 하도록 놔둘 생각이다. 독일로서는 그보다 더 바람직한 일은 없을 것이다. 프랑스는 '절멸당할' 것이다. 영국은 행여 움직였다가는 영 제국의 파괴를 자초할 것이다. 소련은? 앞으로 소련-독일 조약이 맺어질 것이고, 소련은 움직이지 않을 것이다. 미국은? 총통의 연설 한 번으로도 루스벨트를 물리치기에 충분했다. 그리고 미군은 어차피 움직이지 않을 것이다. 일본이 두려워 계속 잠자코 있을 것이다.
"[아톨리코가 보고함] 리벤트로프가 상상력을 발휘해 자기 머릿속에 지워지지 않도록 새겨둔, 독일에 이로운 전쟁의 그림을 그리고 있는 동안 나는 그것을 의심하면서도 가만히 듣고 있었다. … 그는 독일이 모든 전장에서 누구와 붙어도 확실히 승리한다는 자신의 그림—실로 놀랍다—밖에 보지 못한다. … 대화를 마칠 무렵 나는 내가 알기로 두체와 총통이 완전히 합의한 사항은 이탈리아와 독일이 임박하지 **않은** 전쟁을 준비한다는 것이라고 말했다."[96]
그러나 예리한 아톨리코는 전쟁이 임박하지 않았다는 것을 전혀 믿지 않았다. 7월 내내 그의 전보들은 폴란드에 대한 독일의 행동이 임박했다고 경고했다.

드와의 전쟁은 국지전이 될 수 없다고 지적했다. 그것은 유럽 분쟁이 될 터였다. 무솔리니는 지금은 추축국이 그런 전쟁을 개시할 때가 아니라고 생각했다. 그래서 독일은 폴란드와, 이탈리아는 프랑스와 외교 교섭을 통해 이견을 해소할 "수년간의 건설적인 평화 정책"을 제안했다. 더 나아가 강대국들의 또다른 국제회의를 제안하기도 했다.[97]

치아노가 7월 26일 일기에 적었듯이 총통의 반응은 호의적이지 않았으며, 무솔리니는 히틀러와의 회담을 연기하는 편이 가장 좋겠다고 판단했다.[98] 8월 7일, 무솔리니는 국가수반끼리의 회담 대신에 양국의 외무장관이 즉시 회담할 것을 제안했다. 이 무렵 치아노의 일기는 로마의 불안이 나날이 커지고 있었음을 알려준다. 8월 6일, 그는 이렇게 썼다.

우리는 모종의 탈출로를 찾아야 한다. 독일을 따라가다가는 전쟁에 말려들어 추축국에, 특히 이탈리아에 가장 불리한 여건에서 전쟁에 돌입할 것이다. 우리의 금 보유고는 바닥이 난 것이나 진배없고, 금속 비축량도 마찬가지다. … 우리는 전쟁을 피해야 한다. 나는 두체에게 내가 리벤트로프를 만나 … 세계 회의를 개최하려는 무솔리니의 계획을 계속 논의해보겠다고 제안했다.

8월 9일 ─ 리벤트로프가 우리의 회담 제안을 받아들였다. 내일 밤에 출발해 잘츠부르크에서 그를 만날 것이다. 두체는 내가 증거 서류를 보여주며 이 시점에 전쟁을 일으키는 것은 바보짓이라고 독일 측을 설득하기를 간절히 바라고 있다.

8월 10일 ─ 두체는 개전 연기의 필요성을 그 어느 때보다도 확신하고 있다. 두체는 잘츠부르크 회담과 관련한 큰 틀의 초안을 직접 작성했는데, 그 끝부분에서 유럽인의 삶을 위험하리만치 어지럽히는 문제들을 해결하기 위한 국제 교섭을 넌지시 언급하고 있다.

내가 출발하기 전에 두체는 폴란드와의 분쟁을 국지전으로 제한하기는 불가능할 것이고 전면전은 누구에게나 재앙일 것이므로 우리는 그런 분쟁을 피해야 한다는 것을 독일 측에 솔직하게 알리라고 권고했다.[99]

이토록 칭찬받아 마땅한, 그러나 당시 상황을 감안하면 순진한 생각과 권고로 무장한 채, 젊은 혈기의 파시스트 외무장관은 독일로 출발했다. 그리고 독일에 머문 사흘 동안—8월 11, 12, 13일—리벤트로프로부터, 특히 히틀러로부터 일생일대의 충격을 받게 된다.

잘츠부르크와 오버잘츠베르크의 치아노: 8월 11~13일

8월 11일, 치아노는 잘츠부르크 외곽 푸슐Fuschl에 있는 리벤트로프의 사저에서 이 나치 외무장관과 10시간가량 회담했다. 이 저택은 리벤트로프가 간단하게 강제수용소에 집어넣은 어느 오스트리아인 군주제 지지자로부터 빼앗은 것이었다. 다혈질인 이탈리아 외무장관이 나중에 보고했듯이 그곳의 분위기는 차갑고 음울했다. 장크트볼프강강St. Wolfgang에 자리한 임 바이센 뢰슬Im weißen Rößl 호텔에서 만찬을 함께하는 동안 두 사람은 한 마디도 나누지 않았다. 그럴 필요가 거의 없었다. 그날 낮에 리벤트로프는 손님에게 폴란드를 공격하기로 한 결정은 바꿀 수 없다고 통보했다.

"그러면 리벤트로프" 하고 치아노가 물었다. "귀국이 원하는 것은 무엇입니까? 회랑지대 아니면 단치히?"

"이제는 아닙니다" 하고 리벤트로프가 차갑고 금속 같은 눈으로 치아노를 응시하며 답했다. "우리는 전쟁을 원합니다!"

치아노는 폴란드 분쟁을 국지화할 수 없고 폴란드가 공격받으면 서방 민주국가들이 싸울 것이라고 반론을 폈지만 리벤트로프는 쌀쌀맞게 무시했다. 4년 후인 1943년 크리스마스 이브 전날 베로나 감옥 27호실에서 독일 측이 사주한 처형을 기다릴 때, 치아노는 푸슐과 잘츠부르크에서 보낸 오싹한 8월 11일을 여전히 기억하고 있었다. 치아노는 1943년 12월 23일의 마지막 일기에서 지난날 "잘츠부르크의 외스터라이히셔호프에서 음울한 식사를 하는 동안" 리벤트로프를 상대로 과연 프랑스와 영국이 중립을 지킬 것인지를 놓고 오래된 독일 갑옷 소장품과 어느 이탈리아 그림을 건 내기를 한 바 있었다고 회상했다―그 내기에서 건진 것은 없었다고 유감스러워하는 투로.[100]

치아노는 오버잘츠베르크로 이동했다. 그곳에서 열린 8월 12, 13일의 두 차례 회담에서 히틀러는 프랑스-영국은 싸우지 않을 것이라는 주장을 되풀이했다. 나치 외무장관과 달리 총통은 다정했지만, 개전 결정을 바꿀 수 없다는 입장은 똑같았다. 이 사실은 치아노의 여러 보고서뿐 아니라 압수된 문서에 포함된 독일의 기밀 회담록에서도 뚜렷이 드러난다.[101] 이탈리아 장관이 가서 보니 히틀러는 참모본부의 군사지도들로 덮인 커다란 탁자 앞에 서 있었다. 히틀러는 우선 독일 서부 방벽이 얼마나 견고한지를 설명했다. 그 방벽은 돌파할 수 없고, 게다가 영국은 프랑스에 기껏해야 3개 사단밖에 투입할 수 없다고 가소롭다는 투로 말했다. 프랑스는 훨씬 더 많은 병력을 투입할 테지만, 폴란드가 "아주 단시간 내에" 패퇴할 것이므로 독일은 "그 시점부터 시작될 생사를 건 싸움을 위해" 서부에 100개 사단을 집결시킬 구상이었다.

그런데 과연 그렇게 될까? 치아노의 이런 첫 반응에 짜증이 난 총통은 잠시 후 앞의 발언과 모순되는 말을 했다. 그러자 이탈리아 장관은 미리 마음먹은 대로 히틀러에게 목소리를 높였다. 독일 측 기록에 따르면, 치아노는 "이탈리아는 전혀 예상치 못한 사태의 엄중함에 무척 놀랐습니다"라고 말했다. 그리고 독일이 동맹국에 정보를 주지 않았다고 불평했다. "도리어 독일 외무장관은 [5월에 밀라노와 베를린에서] 단치히 문제가 순조롭게 해결될 것이라고 말했습니다." 이어서 치아노가 폴란드와의 분쟁이 유럽 전쟁으로 번질 것이라고 단언하자 히틀러가 말을 자르며 자기 생각은 다르다고 했다.

"나는 개인적으로 서방 민주국가들이 종국에 가서는 전면전을 벌이자는 입장에서 뒷걸음질을 칠 것이라고 절대적으로 확신합니다"라고 히틀러는 말했다. 이에 치아노는 (독일 측 기록에 추가된 대로) "총통이 옳다는 것이 입증되기를 바라지만 저는 그렇게 생각하지 않습니다"라고 대꾸했다. 그런 다음 이탈리아 외무장관은 자국의 약점을 자세히 열거했는데, 독일 측 기록에 따르면 히틀러는 이 우는소리를 듣고서 이번 전쟁에서는 이탈리아가 자신에게 별 도움이 되지 않겠다고 마침내 확신했음이 틀림없다.* 무솔리니가 전쟁의 연기를 바라는 이유 중 하나는 "계획 중인 1942년의 세계박람회 개최를 매우 중시하는" 데 있다고 치아노는 말했다―군사지도와 군사적 계산에 몰두해 있던 총통은 이 말을 듣고 필시 어리둥절했을 것이다. 치아노가 순진하게도 공식 성명서를 꺼내 함께 발표하자고 요청했을 때도 똑같이 어리둥절했을 텐데, 거기에는 추축국 각료들이 회담에서 "각국 정부의 평화적인 의도"와 "정상적인 외교

---

* 언젠가 리벤트로프는 분명 격분한 상태로 치아노에게 "당신들 따위는 필요 없어요!"라고 소리쳤고, 이에 치아노는 "곧 알게 되겠지요"라고 대꾸했다. (할더 장군의 미발표 일기, 8월 14일의 기록에서.[102] 할더는 이 이야기를 바이츠제커에게 들었다고 한다.)

교섭을 통해" 평화를 유지할 수 있다는 신념을 "재확인"했다고 적혀 있었다. 치아노는 두체가 유럽 주요국들에 의한 평화 회의를 염두에 두고 있지만 "총통의 우려"를 존중하여 보통의 외교 교섭에 만족할 것이라고 설명했다.

첫날에 히틀러는 주요국 회의 구상을 완전히 도외시하지는 않으면서도 치아노에게 "향후 열강 회의에서 소련을 더는 제쳐둘 수 없습니다"라고 말했다. 이것은 소련에 대한 첫 언급이었지 마지막 언급은 아니었다.

그리고 치아노가 폴란드 공격 날짜와 관련해 총통에게 확답을 들으려 하자 히틀러는 포장도로가 아주 드문 나라에서는 가을비가 내리면 독일 기갑사단과 차량화사단이 쓸모가 없어질 것이므로 "폴란드 문제는 어느 쪽으로든 8월 말까지는 결말을 지어야 합니다"라고 대꾸했다.

마침내 치아노는 침공 날짜를 알아냈다. 아니, 잠시 후에 총통이 만약 폴란드가 새로 도발해온다면 "48시간 내에 폴란드를 공격"할 작정이라며 마구 고함을 지른 사실을 고려하면, 8월 말은 공격 가능한 가장 늦은 날짜였다. 히틀러는 방금 말한 이유로 "언제든 폴란드에 대항해 움직일 것으로 예상해야 합니다"라고 덧붙였다. 그리고 이 폭탄선언과 함께 첫날 회담을 끝냈다. 다만 이탈리아의 제안에 관해서는 숙고하겠다고 약속했다.

24시간 동안 생각해본 히틀러는 이튿날 치아노에게 회담에 관한 어떤 종류의 공식 성명이든 발표하지 않는 편이 낫겠다고 말했다.* 가을에는

---

* 독일 측 회담록에 치아노가 "회담을 끝내고 공식 성명을 발표하지 않는" 데 동의했다고 명시적으로 적혀 있음에도, 독일 측은 곧바로 동맹국 이탈리아의 뒤통수를 쳤다. 독일의 국영통신사 DNB는 이탈리아와 아무런 상의도 하지 않은 가운데 치아노가 떠나고 두 시간 후에 이번 회담에서 모든 현안을—특히 단치히에 주의를 기울여—다루었고 "100퍼센트" 합의했다는 공식 성명을 발표했다.

날씨가 나쁠 것으로 예상되기 때문에

[히틀러가 말함] 극히 중요한 문제는 첫째로 가능한 한 최단 시일 내에 폴란드가 자국의 의도를 분명히 밝혀야 한다는 것, 둘째로 어떤 종류의 추가 도발 행위든 독일은 용납하지 않으리라는 것입니다.

치아노가 "가능한 한 최단 시일이라는 게 언제"냐고 묻자 히틀러는 "늦어도 8월 말"이라고 답했다. 그러면서 폴란드를 무찌르는 데에는 2주밖에 걸리지 않을 테지만 "최종 청산"에는 2주 내지 4주가 더 걸릴 것이라고 설명했다—앞으로 밝혀질 것처럼 놀랄 만큼 정확한 시간 예측이었다.

끝으로 회담을 마치며 히틀러는 치아노와 대화하면서 분명 더 이상 의지할 수 없는 상대라고 확신했을 무솔리니에 대해 관례적인 아첨을 했다. "나 이외에 역사상 위대하고 특출난 또다른 정치가가 존재하는 시대를 살아간다는 것"을 자신의 행운으로 여긴다고 했다. "이런 인물의 친구일 수 있다는 것이 나에게는 엄청난 행복의 원천입니다. 함께 싸울 때가 오면 무슨 일이 있어도 언제나 두체 곁에 있을 것입니다."

평소 으스대는 무솔리니가 이런 말에 얼마나 감동을 받았든 간에, 그

또한 그런 만큼 단 하나의 문제도 미해결인 채로 남겨두지 않았고, 따라서 양국 사이에는 아무런 현안이 없으므로 더 이상 회담도 없을 것이라고 덧붙였다. 아톨리코는 격분했다. 독일 측에 항의하고 신의를 어겼다고 비난했다. 아톨리코는 헨더슨 대사에게 전쟁이 임박했다고 귀띔했다. 그리고 로마에 보낸 성난 전보에서 독일의 공식 성명을 "마키아벨리적" 수법이라고 묘사했다. 또한 독일이 폴란드 공격 후에 이탈리아를 속박하기 위해 고의로 이런 짓을 저질렀다고 지적하고, 무솔리니에게 독일이 강철 조약의 '협의' 조항들을 준수할 것과 이들 조항에 따라 단치히 문제를 외교 채널을 통해 해결하기 위해 한 달의 유예 기간을 둘 것을 히틀러를 상대로 단호히 요구해야 한다고 호소했다.[103]

의 사위는 감동받지 않았다. 8월 13일, 히틀러와의 두 번째 회담을 마친 치아노는 일기에 이렇게 썼다. "독일 정부, 그 지도자, 그들의 일처리 방식에 완전히 넌더리가 난 채 로마로 돌아간다. 그들은 우리를 배신하고 우리에게 거짓말을 했다. 지금 그들은 우리가 원하지 않았고 정권과 국가 전체를 위태롭게 할 수도 있는 모험으로 우리를 끌어들이고 있다."

그러나 당시 이탈리아는 히틀러의 관심사 중에서 가장 후순위였다. 그는 소련에 골몰하고 있었다. 8월 12일 치아노와의 회담이 끝나갈 즈음, 총통은 독일 측 기록대로 "모스크바에서 온 전보"를 건네받았다. 히틀러와 리벤트로프는 회담을 잠시 중단하고 그 전보를 읽었다. 그런 다음 치아노에게 그 내용을 알려주었다.

"소련은 독일이 정치교섭 대표를 모스크바로 보내는 데 동의했습니다"라고 히틀러는 말했다.

제15장

나치-소비에트 조약

8월 12일 오후 오버잘츠베르크에서 히틀러가 치아노에게 무슨 내용인지 털어놓은 "모스크바발 전보"는 이 책에서 거론한 그전의 몇몇 '전보들'과 마찬가지로 그 출처가 의심스러워 보인다. 소련 수도에서 보냈다는 그런 전보는 독일 문서고에서 발견되지 않았다. 슐렌부르크가 모스크바에서 베를린으로 전보를 보내긴 했지만, 프랑스-영국 군사사절단이 도착했고 소련 측과 손님들이 우호적으로 건배했다고 보고한 게 전부다.

그렇지만 히틀러와 리벤트로프가 치아노에게 깊은 인상을 주려고 그토록 눈에 띄게 애쓴 그 '전보'에는 근거가 없는 것도 아니었다. 8월 12일 당일 베를린의 소련 대사대리가 슈누레를 방문한 결과를 보고하는 전보가 빌헬름슈트라세에서 오버잘츠베르크로 발송되었다. 아스타호프는 폴란드나 여타 정치적 사안을 포함해 독일 측이 제기한 문제들을 이제 몰로토프가 논의할 용의가 있다는 뜻을 이 외무부 관료에게 알렸다. 소비에트 정부는 교섭 장소로 모스크바를 제안했다. 그러면서도 아스타호프는 교섭을 서두르지 않겠다는 뜻을 분명히 했다. 슈누레가 오버잘츠베르크로 급송한 듯한 보고서에 적은 대로, 아스타호프는 "몰로토프의 지시사항 중에서 가장 중요한 점은 '단계별로'라는 표현에 있다. ⋯ 논의는 단계별로만 진행할 수 있다"라고 강조했다.[1]

그러나 아돌프 히틀러에게는 소련과 '단계별로' 교섭할 시간이 없었다. 충격을 받은 치아노에게 조금 전 털어놓은 대로, 히틀러는 폴란드를 급습할 최종 기한을 9월 1일로 정해둔 터였고, 당시는 벌써 8월 중순에 가까웠다. 영국-프랑스와 소련의 담판에 훼방을 놓고 스탈린과의 거래를 성사시키려면 교섭을 재빨리─단계별로가 아니라 한 번에 통 크게─진행해야 했다.

8월 14일 월요일은 또 하나의 결정적인 날이었다. 아직 히틀러와 리벤트로프로부터 완전한 신임을 얻지 못했던 게 분명한 슐렌부르크 대사가 모스크바에서 바이츠제커에게 편지를 써 몰로토프는 "이상한 사람이자 까다로운 성격"이라서 "여전히 우리와 소련의 관계에서 어떤 성급한 조치도 피해야 한다는 것이 제 의견"이라고 조언하는 사이에 베를린에서는 그에게 '최급' 전보를 보냈다.[2] 리벤트로프가 작성하고 빌헬름슈트라세에서(외무장관은 아직 푸슐에 있었다) 오후 10시 53분에 발송한 전보였다. 거기에는 몰로토프를 방문하여 긴 전언을 '문자 그대로' 전하라는 지시도 담겨 있었다.

이것은 결국 히틀러의 중대한 승부수였다. 리벤트로프는 독일-소련 관계가 "역사적 전환점에 도달했다. ⋯ 독일과 소련 사이에는 이해관계상의 실질적 갈등이 존재하지 않는다. ⋯ 우리 양국은 지난날 서로 우방일 때는 사이가 좋았고 서로 적일 때는 등을 돌렸다"라고 말했다.

[리벤트로프가 이어서 말함] 영국의 정책으로 인해 폴란드-독일 관계에 생긴 위기, 그리고 그 정책과 결부된 동맹 시도는 독일-소련 관계를 신속하고 명

확하게 조정할 것을 요한다. 그러지 않으면 상황이 … 바뀌어 독일과 소련의 우호관계를 회복하고 적절한 때에 동유럽의 영토 문제를 공동으로 명확히 정리할 가능성을 양국 정부 모두 잃어버릴 것이다. 그러므로 양국의 지도부는 상황 변화를 좌시할 것이 아니라 적절한 때에 조치를 취해야 한다. 서로의 견해와 의도를 모르는 탓에 양국 국민의 사이가 결국 멀어진다면, 그 결과는 치명적일 것이다.

따라서 독일 외무장관은 적절한 때에 "총통의 이름으로" 행동할 준비가 되어 있었다.

우리가 알기로 소비에트 정부 역시 독일-소련 관계를 명확히 하기를 바라고 있다. 그렇지만 이전의 경험에 비춰보면 그런 명확화는 통상적인 외교 채널을 통할 경우 조기에 달성할 수 없으므로, 나는 총통의 이름으로 총통의 견해를 스탈린 씨에게 설명하기 위해 모스크바를 단기간 방문할 용의가 있다. 나의 견해로는 오직 그런 직접적인 논의를 통해서만 변화를 가져올 수 있으며, 그럼으로써 독일-소련 관계의 최종 해결을 위한 토대를 놓는 것도 불가능하지는 않을 것이다.

영국 외무장관은 모스크바에 가려는 의향을 보이지 않았지만, 이제 독일 외무장관은 가려는 의향을 보일 뿐 아니라 가고 싶어 안달하고 있었다―이 대비는 미심쩍어하는 스탈린에게 감명을 주기 위해 나치 정부가 꽤 정확히 계산한 것이었다. 독일 정부는 자국의 메시지를 소련 독재자에게 직접 전달하는 것이 매우 중요하다고 보았다. 그런 이유로 리벤트로프는 긴급 전보에 '별첨'을 붙였다.

[리벤트로프가 슐렌부르크에게 조언함] 나는 귀관에게 이 서면 지시사항을 몰로토프 씨에게 전하지 말고 가능한 한 이대로 스탈린 씨에게 전달하기 바라며, 필요할 경우 나를 대신해 스탈린 씨를 만날 수 있도록 주선해달라고 몰로토프 씨에게 요청할 권한을 준다. 그렇게 하면 이 중요한 통첩을 스탈린 씨에게 직접 전달할 수 있을 것이다. 나의 방문 조건은 몰로토프와 회담하는 데 더해 스탈린 씨와 상세히 논의할 수 있어야 한다는 것이다.[3]

외무장관의 이 제안에는 거의 노골적인 미끼가 들어 있었다. 독일 측은 분명 크렘린 측이 그 미끼에 걸려들 것이라고 생각했을 텐데, 거기에는 그럴 만한 이유가 있었다. 리벤트로프는 "발트 해에서 흑해에 이르기까지 양국 모두에게 만족스럽게 해결하지 못할 문제는 없다"라고 거듭 말하면서 "발트 국가들, 폴란드, 남동부 문제들 등"을 명기했다. 그리고 "동유럽의 영토 문제들을 공동으로 명확히 할" 필요성을 언급했다.

독일은 폴란드를 포함하는 동유럽을 소련과 나눠 가질 생각을 하고 있었다. 이는 영국과 프랑스로서는 도저히 겨뤄볼 수 없는―설령 할 수 있다 해도 분명 꺼내지 않을―승부수였다. 그리고 그 승부수를 소련 측에서 거절하지 않을 것이라고 자신한 듯한 히틀러는 8월 14일 당일에 다시 한 번 삼군 총사령관들을 소집해 전쟁의 계획과 전망에 관해 일장 훈시를 했다.

오버잘츠베르크 군사회의: 8월 14일*

―――

"위대한 드라마가 지금 절정에 다다르고 있다"라고 히틀러는 엄선된 청중에게 말했다. 위험을 감수하지 않고는 정치적·군사적 성공을 거둘 수 없었지만, 히틀러는 영국과 프랑스가 싸우러 나서지 않을 것으로 확신했다. 한 가지 이유로 영국에는 "정말 뛰어난 지도부가 없다. 내가 뮌헨에서 만난 사람들은 새로운 세계대전을 시작할 만한 부류가 아니다"라는 것이었다. 그전에 군 수뇌부와 회의할 때와 마찬가지로, 총통은 영국을 뇌리에서 떨쳐내지 못한 채 영국의 강점과 약점, 특히 약점에 관해 꽤 자세히 이야기했다.

[할더가 히틀러의 발언을 적음] 잉글랜드는 1914년과 달리 수년간 이어질 전쟁에 휘말리는 실수를 범하지 않을 것이다. … 그것이 부유한 나라들의 운명이다. … 요즘 잉글랜드는 세계대전을 치를 돈조차 없다. 잉글랜드가 무엇을 위해 싸우겠는가? 무릇 동맹국을 위해 목숨을 버리지는 않는 법이다.

영국과 프랑스가 어떤 군사적 조치를 취할 수 있겠느냐고 히틀러는 자문했다.

[히틀러가 자답함] 서부 방벽으로 돌진할 리는 없다. 벨기에와 네덜란드를 통과해 북쪽으로 우회해서는 신속한 승리를 거두지 못할 것이다. 이런 조치

---

* 이 회의에서 무슨 일이 있었는지 알려주는 유일한 자료는 육군 참모총장 할더 장군의 미발표 일기에 담겨 있다. 바로 1939년 8월 14일의 기록이다. 할더가 가벨스베르거 속기법으로 쓴 이 일기는 1939년 8월 14일에 시작해서 그가 해임된 1942년 9월 24일까지 나치 독일의 가장 은밀한 군사적·정치적 사건을 기록한 극히 귀중한 자료다. 오버잘츠베르크 회의에 대한 기록은 히틀러가 말하는 동안 할더가 속기로 적은 메모와 회의 막판에 덧붙인 요약문으로 이루어져 있다. 미국과 영국의 어떤 출판사도 할더의 일기를 출간하지 않은 것은 이상한 일이다. 나는 이 책을 쓰는 동안 할더 본인이 보통의 필기법으로 다시 적은 이 일기를 참조했다. 히틀러의 일지는 이 회의가 열린 날짜를 확인해주고, 삼군 총사령관 브라우히치, 괴링, 레더 외에 서부 방벽을 구축한 엔지니어 프리츠 토트 박사도 참석했음을 알려준다.

들은 폴란드에 도움이 되지 않을 것이다.

이 모든 요인은 잉글랜드와 프랑스가 참전하지 않는다는 결론을 가리킨다. … 두 나라는 굳이 참전할 이유가 없다. 뮌헨의 그 사람들은 위험을 감수하지 않을 것이다. … 잉글랜드와 프랑스의 참모본부는 무력 충돌을 아주 냉정하게 전망하며 참전 반대를 권고하고 있다. …

이 모든 사실은 잉글랜드가 큰소리를 치고, 심지어 자국 대사를 소환하고, 어쩌면 통상을 전면 금지할지라도, 분명 분쟁에 무력으로 개입하지는 않을 것이라는 우리의 확신을 뒷받침한다.

따라서 폴란드는 어쩌면 단독으로 대적할 수는 있겠지만 "1주나 2주 내에" 굴복할 수밖에 없을 테고, 그렇게 되면 세계의 국가들은 폴란드가 붕괴하리라 확신하고서 이 나라를 구하려 들지 않을 것이라고 히틀러는 설명했다.

히틀러는 그날 자신이 소련과 거래하기 위해 어느 정도까지 양보할지를 장군들에게 정확히 말할 의향이 별로 없었다. 만약 그렇게 말했다면, 독일이 대규모 양면 전쟁을 치를 수 없다고 확신하던 장군들은 무척 기뻐했을 것이다. 하지만 장군들의 입맛을 충분히 돋울 만큼은 말했다.

"소련은 위험을 무릅쓸 생각이 조금도 없다"라고 히틀러는 말했다. 그러고는 우선 통상교섭을 시작으로 모스크바와 "느슨한 접촉"을 가졌다고 설명했다. "교섭자를 모스크바로 보내야 할지, 그럴 경우 저명한 인사를 보내야 할지" 고려하는 중이었다. 소련은 서방에 아무런 의무감도 느끼지 않는다고 히틀러는 단언했다. 소련은 폴란드를 파괴하는 것에 이해를 보였다. 소련의 관심은 "이익권利益圈의 획정"에 있었다. 총통은 "소련의 요구를 받아들일 의향이 절반쯤" 있었다.

이 회의에 대한 할더의 방대한 속기록을 전부 살펴봐도 육군 참모총장인 그가, 또는 육군 총사령관인 브라우히치 장군이, 또는 괴링이 독일을 유럽 전쟁으로 이끄는 총통의 방침에 이의를 제기했다는 언급은 전혀 없다—히틀러의 호언장담에도 불구하고 프랑스와 영국이 싸우려 들지 않으리라는 것도, 소련이 관망하리라는 것도 불확실한 상황이었다. 실제로 정확히 1주일 전에 괴링은 독일이 폴란드를 공격하면 영국은 확실히 싸울 것이라는 직접적인 경고를 받은 터였다.

7월 초, 괴링의 스웨덴인 친구 비르게르 달레루스Birger Dahlerus는 영국 여론이 독일의 또다른 침략을 묵과하지 않으리라는 것을 괴링에게 납득시키려 했고, 이에 공군 수장이 의구심을 나타내자 덴마크 국경 인근 슐레스비히-홀슈타인에 있던 자택에서 8월 7일 영국인 사업가 7명을 은밀히 만나보도록 주선했다. 영국인 사업가들은 독일의 침공 시 영국이 폴란드와의 조약상 의무를 지킬 것임을 괴링에게 납득시키기 위해 구두와 서면으로 최선을 다했다. 본인도 사업가였던 달레루스는 설득에 성공했다고 여겼지만, 정말로 성공했는지는 의문이다.* 이 무렵 정신없는 몇 주 동안 독일과 영국 사이에서 평화중재자로 나름의 역할을 한 이 흥미로운 스웨덴인은 분명 베를린과 런던에 고위직 연줄을 가지고 있었다. 다우닝 가에 접근한 달레루스는 7월 20일 핼리팩스 경을 만나 곧 이루어질 영국 사업가들과 괴링의 만남에 대해 의논했다. 그리고 얼마 지나지

---

* 달레루스는 1946년 3월 19일 뉘른베르크에서 괴링 재판의 증인으로 섰을 때, 괴링이 영국 사업가들에게 "자신의 명예를 걸고서" 전쟁을 피하기 위해 힘닿는 데까지 무엇이든 하겠노라 약속했다고 말했다. 그러나 이 시기 괴링의 심중을 더 정확하게 알려주는 것은 영국인 손님들을 만나고 이틀 후에 한 발언일 것이다. 독일 공군의 방공 능력을 자랑하며 괴링은 "루르에는 폭탄이 한 발도 떨어지지 않을 것이다. 적군의 폭탄이 루르에 떨어진다면, 내 이름은 헤르만 괴링이 아니다. 나를 마이어(Meier)로 불러도 좋다!"라고 말했다—머지않아 후회할 호언장담이었다.

않아 히틀러와 체임벌린으로부터 초대를 받았다. 그러나 평화를 지키려는 선의에서 활동하긴 했지만, 달레루스는 순진했고 외교관으로서는 끔찍하리만치 아마추어 같았다. 수년 후에 뉘른베르크에서 데이비드 맥스웰-파이프David Maxwell-Fyfe 경의 통렬한 반대 심문을 받은 이 스웨덴인 외교 참견꾼은 자신이 괴링과 히틀러에게 형편없이 속았다는 것을 애처롭게 인정했다.[4]

그런데 11개월 전만 해도 히틀러 제거 음모의 주모자였던 할더 장군이 어째서 8월 14일에는 총통의 개전 결정에 목소리를 높여 반대하지 않았을까? 혹시 그래 봐야 소용없다고 생각한 것이었다면, 뮌헨 회담 직전과 똑같은 이유를—지금 전쟁을 일으키면 독일에 재앙이라는 것을—들어 독재자 제거 계획을 재개하지 않은 까닭은 무엇일까? 훗날 뉘른베르크에서 심문을 받을 때 할더는 1939년 8월 중순의 시점에도 히틀러가 입으로는 뭐라고 하든 결국 전쟁을 무릅쓰지는 않을 것으로 보았다고 설명했다.[5] 베르크호프에서 히틀러와 만난 다음날인 8월 15일 일기를 보면 할더가 프랑스와 영국 역시 전쟁을 무릅쓰지는 않을 것으로 믿었음을 알 수 있다.

브라우히치로 말하자면, 총통이 세운 계획에 이의를 제기할 만한 인물이 아니었다. 오버잘츠베르크 군사회의의 전말을 8월 15일 기제비우스를 통해서 들은 하셀은 독일이 폴란드를 침공하면 영국과 프랑스가 개입할 것이라고 "전적으로 확신한다"는 자신의 의견을 육군 총사령관에게 전했다. "그와는 아무것도 할 수 없다"라고 하셀은 일기에 안타깝다는 투로 적었다. "그는 두려워하거나 도대체 무슨 상황인지 알지 못하거나 둘중 하나다. … 장군들에게는 아무것도 기대할 수 없다. … 겨우 몇 사람만 정신이 멀쩡하다. 할더, 카나리스, 토마스."[6]

단 한 사람, 국방군 최고사령부(OKW) 군수경제국의 뛰어난 수장 토마스 장군만이 총통에게 감히 공개적으로 도전했다. 8월 14일의 군사회의 며칠 후에 당시 별다른 활동이 없던 음모단의 괴르델러, 베크, 샤흐트와 논의한 뒤, 토마스 장군은 의견서를 작성해 OKW 총장 카이텔 장군에게 직접 읽어주었다. 신속한 전쟁, 신속한 평화라는 것은 그야말로 환상일 뿐이라고 토마스는 주장했다. 폴란드 공격은 세계대전을 촉발할 텐데, 독일은 그런 전쟁을 치를 만한 자원이나 식량이 없었다. 하지만 히틀러의 생각만 그대로 받아들인 카이텔은 세계대전이라는 전망 자체에 코웃음을 쳤다. 폴란드를 위해 싸우기에는 영국은 너무 타락했고, 프랑스는 너무 퇴보했으며, 미국은 너무 무관심하다고 카이텔은 말했다.[7]

이렇게 해서 1939년 8월 하순에 들어 독일군 수뇌부는 폴란드 섬멸 계획과, 만약 모든 징후와 반대로 민주국가들이 개입해오더라도 제국 서부를 방어할 계획을 추진하기 시작했다. 8월 15일, 히틀러가 지난 4월 1일에 '평화의 당대회'라고 띄우며 선언했고 원래 9월 첫째 주에 뉘른베르크에서 열릴 예정이었던 연례 전당대회가 비밀리에 취소되었다. 남성 25만 명이 서부군으로 소집되었다. 철도에 대한 사전동원령이 내려졌다. 육군 본부를 베를린 동쪽 초센Zossen으로 옮기는 계획이 세워졌다. 그리고 같은 날인 8월 15일, 해군은 포켓전함 그라프슈페Graf Spee 호와 도이칠란트 호, 잠수함 21척을 대서양상의 담당 해역까지 출동시킬 준비를 마쳤다고 보고했다.

8월 17일, 할더 장군은 일기에 이상한 내용을 적었다. "카나리스, 제1과 [작전 담당]에 조회. 오버잘츠베르크의 힘러, 하이드리히. 폴란드 군복 150벌을 오버슐레지엔으로."

무슨 뜻이었을까? 그 의미는 전후에야 비로소 밝혀졌다. 이날 일기 내용은 나치가 꾸민 가장 기이한 사건들 중 하나와 관련되어 있었다. 기억하겠지만 히틀러와 육군 수뇌부는 지난날 오스트리아와 체코슬로바키아 침공을 정당화하기 위해 독일 사절 암살과 같은 '사건'을 조작하면 어떨까 궁리한 적이 있었다. 그때처럼 1939년 8월 당시에도 그들은 시간적으로 절박해지는 가운데 적어도 자신들 생각에 폴란드에 대한 계획된 침공을 전 세계 앞에서 정당화할 만한 사건을 날조하려 했던 것이다.

암호명은 '힘러 작전'이었고 발상은 아주 단순하고 조잡했다. 친위대와 게슈타포가 유죄를 선고받은 강제수용소 수감자들에게 폴란드 군복을 입혀 폴란드 국경 인근 글리비체에 있는 독일 라디오 방송국을 가짜로 습격하게 한다는 발상이었다. 이렇게 하면 독일의 공격 책임을 폴란드 측에 뒤집어씌울 수 있었다. 8월 초 OKW 방첩국장 카나리스 제독은 히틀러 본인으로부터 힘러와 하이드리히에게 폴란드 군복 150벌과 약간의 폴란드제 소화기小火器를 보내라는 명령을 받았다. 이 명령을 이상하게 여긴 카나리스는 8월 17일 카이텔 장군에게 물어보았다. 줏대 없는 OKW 총장은 자신은 "이런 식의 행동"을 대수롭게 여기지 않는다면서 그 명령이 총통에게서 나왔기 때문에 "어쩔 수 없다"고 제독에게 말했다.[8] 카나리스는 불쾌해하면서도 총통의 지시에 따라 하이드리히에게 군복을 보내주었다.

친위대 보안국 수장은 이 작전의 실행을 알프레트 헬무트 나우요크스Alfred Helmut Naujocks라는 친위대 소속의 젊은 첩보 요원에게 맡겼다. 이 기묘한 인물에게 이런 임무가 주어진 것은 이번이 처음이 아니었고, 마지막도 아니었다. 1939년 3월 초 독일이 체코슬로바키아를 점령하기 직전에도 나우요크스는 하이드리히의 지시에 따라 슬로바키아로 폭발물을 운반하느라 바빴는데, 훗날 그가 증언한 대로 폭발물은 그곳에서 "사건을 일으키는" 데 사용되었다.

알프레트 나우요크스는 친위대-게슈타포가 낳은 지식인 깡패의 전형이었다. 킬 대학에서 공학을 공부한 그는 그곳에서 반나치 무리와 싸우는 데 처음으로 맛을 들였다. 한번은 공산당원들에게 코를 세게 얻어맞기도 했다. 1931년에 친위대에 들어갔고, 1934년 보안국이 창설되면서 이 조직에 배속되었다. 하이드리히 주변의 다른 수많은 청년들과 마찬가지로, 나우요크스는 친위대에서 지적인 활동으로 통하는 것─특히 '역사'와 '철학'─을 기웃거리는 한편 힘러나 하이드리히가 생각해내는 덜 바람직한 일을 도맡아 할 수 있는 거친 청년으로서 급속히 두각을 나타냈다(이런 부류의 또다른 청년으로 오토 슈코르체니Otto Skorzeny가 있었다).* 1944년 10월 19일 나우요크스는 미군에 투항했고, 1년 후 뉘른베르크에서 선서진술서를 여럿 작성했다. 그중 하나에서 히틀러가 폴란드 공격을 정당화하는 데 사용한 '사건'에 관한 서술을 역사를 위해 남겼다.

---

* 나우요크스는 뒤에서 상술할 '펜로 사건'에도 가담했다. 그가 한 일은 1940년 5월 독일군이 서부를 침공할 때 독일 병사들을 네덜란드, 벨기에의 국경수비대 제복으로 변장시킨 것이었다. 또 전쟁 초반에는 보안국의 한 부문을 맡아 여권 위조를 관장했고, 그런 이유로 영국 상공에서 영국 위조지폐를 뿌린다는 기막힌 계획인 '베른하르트 작전'에 투입되었다. 하이드리히는 결국 나우요크스가 싫어져서 소련에 있는 한 친위대 연대에서 사병으로 복무하게 했는데, 그곳에서 부상을 입었다. 1944년에 나우요크스는 벨기에의 경제감독관이 되었지만, 당시의 주된 업무는 덴마크에서 다수의 저항운동원을 살해하는 일이었던 것으로 보인다. 아마도 목숨을 부지하기 위해 그랬는지, 그는 벨기에 주둔 미육군에 투항했다. 사실 그는 불사신이었다. 전범 신세로 구금되어 있던 그는 1946년에 독일의 전범 특별수용소에서 극적으로 탈출했고, 그런 이유로 재판을 모면했다. 본서를 집필 중인 현재까지 체포되지 않았고 소식도 없다(1960년대까지 감쪽같이 숨어 지내다가 그 후에 함부르크에서 사업가로 활동했고,《전쟁을 시작한 남자》라는 책까지 썼다). 그의 탈출에 관한 서술은 Schaumburg-Lippe, *Zwischen Krone und Kerker*에 담겨 있다.

[나우요크스가 1945년 11월 20일 뉘른베르크에서 선서진술서에 씀] 1939년 8월 10일 또는 그 즈음에 보안국 수장 하이드리히는 폴란드 국경에서 가까운 글리비체 인근의 라디오 방송국을 습격하는 척하고 그 습격 무리가 폴란드인들로 이루어진 것처럼 보이게 하라는 명령을 제게 직접 내렸습니다. 하이드리히는 이렇게 말했습니다. "우리나라의 선전뿐 아니라 외국 언론을 위해서도 폴란드인들이 이런 공격을 했다는 확실한 증거가 필요하다." …

제가 받은 지시사항은 라디오 방송국을 장악한 뒤 폴란드어를 구사하는 독일인에게 폴란드어로 방송 연설을 하라고 재량껏 지시하고 그가 연설을 마칠 때까지 방송국을 통제하는 것이었습니다. 하이드리히는 제게 그 연설에서 드디어 독일인과 폴란드인이 맞붙을 때가 왔다는 발언이 나와야 한다고 말했습니다. … 하이드리히는 또 제게 며칠 내로 독일이 폴란드를 공격할 것으로 예상된다고 말했습니다.

저는 글리비체로 가서 14일 동안 기다렸습니다. … 8월 25일에서 31일 사이에 저는 당시 근처 오펠른에 와 있던 게슈타포 수장 하인리히 뮐러를 만나러 갔습니다. 제가 동석한 가운데 뮐러는 멜호른이라는 사람*과 국경에서 벌일 또다른 사건에 관해 의논했는데, 폴란드 병사들이 독일군을 공격하는 것처럼 꾸며야 하는 사건이었습니다. … 뮐러는 사형수 12~13명에게 폴란드 군복을 입힌 뒤 공격 도중에 살해된 것처럼 보이게 하려고 사건 현장에 숨진 채로 놔둘 것이라고 말했습니다. 이를 위해 하이드리히가 고용한 의사

---

* 하이드리히 밑에서 보안국을 관리한 친위대 상급지도자 헤르베르트 멜호른(Herbert Mehlhorn) 박사를 말한다. 발터 셸렌베르크(Walter Schellenberg)는 회고록(*The Labyrinth*, pp. 48-50)에서 8월 26일 멜호른에게서 들은 이야기를 전하는데, 내용인즉 멜호른이 글리비체에서 가짜 공격을 실행하라는 임무를 맡았지만 꾀병을 부려 그 임무에서 빠졌다는 것이었다. 훗날 멜호른의 배짱은 갈수록 커졌던 모양이다. 전시에 그는 폴란드에서 게슈타포의 유명한 선동가였다.

가 그들에게 치명적인 주사를 놓기로 되어 있었습니다. 또 그들에게 총상을 남길 생각이었습니다. 사건 이후에는 신문기자들과 그 밖의 사람들을 현장으로 안내하기로 되어 있었습니다. …

뮐러는 글리비체 사건을 위해 그 범죄자들 중 한 명을 제게 제공하라는 명령을 하이드리히로부터 받았다고 말했습니다. 그가 이 범죄자들을 가리키는 데 사용한 암호명은 '통조림'이었습니다.[9]

힘러, 하이드리히, 뮐러가 히틀러의 명령에 따라 독일이 폴란드를 침공할 구실을 날조하기 위해 '통조림'을 활용할 계획을 세우는 동안, 총통은 혹시 일어날지 모르는 더 큰 전쟁에 대비해 독일군을 배치하는 첫 번째 결정적 조치를 취했다. 8월 19일―또다른 결정적인 날―, 독일 해군에 출동 명령이 내려졌다. 잠수함 21척은 영국 제도 북부 및 북서부로 출동했고, 포켓전함 그라프슈페 호는 브라질 연안 해역으로 향했으며, 그 자매함인 도이칠란트 호는 북대서양의 영국 해로들을 가로지르는 곳에 자리를 잡았다.*

영국과의 교전에 대비해 군함들에 출동 명령을 내린 이 날짜는 의미가 깊다. 베를린의 악착같은 요청을 1주일 동안 정신없이 받은 뒤인 8월 19일, 마침내 소비에트 정부가 히틀러에게 그가 원하던 답변을 주었기 때문이다.

---

* 잠수함들은 8월 19일에서 23일 사이에, 그라프슈페 호는 21일에, 도이칠란트 호는 24일에 출항했다.

나치-소비에트 회담: 1939년 8월 15~21일

8월 15일 오후 8시, 슐렌부르크 대사는 몰로토프를 만나 이미 지시받은 대로 리벤트로프의 긴급 전보를 읽어주었다. 독일 외무장관이 소비에트-독일 관계를 조정하기 위해 모스크바를 방문할 용의가 있다는 내용이었다. 독일 대사가 그날 밤 늦게 베를린으로 발송한 '최급 기밀' 전보에 따르면, 소비에트 외무인민위원은 독일의 통첩에 "지극한 관심"을 보였고 "소련과의 관계를 개선하려는 독일의 의향을 마음으로부터 환영했다". 그렇지만 포커페이스 외교의 달인이었던 몰로토프는 서두르는 기색을 보이지 않았다. 리벤트로프가 제안한 것과 같은 방문의 경우, "의견 교환이 좋은 결실로 이어질 수 있도록 충분한 준비가 필요하다"라고 몰로토프는 말했다.

어떤 결실 말인가? 이 교활한 소련인은 약간의 힌트를 주었다. 독일 정부가 양국 간의 불가침 조약에 관심이 있느냐고 몰로토프는 물었다. 또 소비에트-일본 관계를 개선하고 "국경 분쟁을 해결하기" 위해 일본에 영향력을 행사할 용의가 있느냐고 물었다—여기서 분쟁은 그해 여름 내내 만주-몽골 국경에서 선전포고도 없이 벌어진 전쟁을 가리켰다. 마지막으로 몰로토프는 발트 국가들을 공동으로 보장하는 방안을 독일은 어떻게 생각하느냐고 물었다.

몰로토프는 이 모든 문제를 "구체적으로 논의해야 하는데, 그래야 독일 외무장관이 이곳에 왔을 때 의견 교환에 그치지 않고 구체적인 결정을 내릴 수 있다"라고 결론지었다. 그러면서 "이 문제들에 대한 충분한 준비가 불가결하다"라고 다시 강조했다.[10]

이렇듯 나치-소비에트 불가침 조약을 먼저 제안한 쪽은 소련이었다

—당시 소련은 독일의 또다른 침략행위를 막기 위해 필요하다면 전쟁에 돌입하는 방안을 놓고 프랑스, 영국과 교섭하고 있었다.* 히틀러는 그런 조약을 기꺼이 "구체적으로" 의논하고자 했는데, 그것을 체결하고 나면 소련을 전쟁에서 떼어놓고 소련의 개입을 우려하지 않은 채 폴란드를 침략할 수 있었기 때문이다. 그리고 소련이 분쟁에서 발을 빼면 영국과 프랑스가 겁을 집어먹을 것이라고 확신했다.

몰로토프의 제안은 바로 히틀러가 원하던 것이었다. 더구나 히틀러가 내놓으려던 그 어떤 제안보다도 더 구체적이고 더 나아간 제안이었다. 난점은 하나밖에 없었다. 8월도 얼마 남지 않은 가운데 히틀러는 몰로토프가 독일 외무장관의 모스크바 방문에 앞서 "충분한 준비"가 필요하다며 뜸을 들이는 행보를 마냥 지켜볼 수만은 없었다. 몰로토프와의 회담에 관한 슐렌부르크의 보고를 빌헬름슈트라세는 8월 16일 오전 6시 40분 푸슐에 있는 리벤트로프에게 전화로 전달했으며, 그 소식을 들은 리벤트로프는 오버잘츠베르크에 있는 총통으로부터 추가 지시를 받기 위해 급히 산을 넘었다. 이른 오후, 두 사람은 몰로토프에게 전할 회답을 작성한 뒤, 곧장 몰로토프에게 '최급' 전보로 보내라는 지시와 함께 베를린의 바이츠제커에게 인쇄전신기로 급하게 보냈다.[11]

나치 독재자는 소련 측의 제안을 무조건 받아들였다. 슐렌부르크는 리벤트로프로부터 몰로토프를 다시 만나 다음과 같이 통지하라는 지시를 받았다.

---

* 영국 정부는 곧 이 제안을 알게 되었다. 8월 17일, 미 국무차관 섬너 웰스(Sumner Welles)는 워싱턴 주재 영국 대사에게 몰로토프가 슐렌부르크에게 한 제안을 알렸다. 모스크바 주재 미국 대사가 그 전날 워싱턴에 전보를 쳐 이 제안에 대해 보고했는데, 그 내용은 실로 정확했다.[12] 로런스 스타인하트(Laurence Steinhardt) 미국 대사는 8월 16일에 몰로토프를 만났다.

독일은 소비에트 연방과 불가침 조약을 체결할 용의가 있으며, 소비에트 정부도 원한다면 25년간 파기할 수 없는 조약을 원한다. 더 나아가 독일은 발트 국가들을 소비에트 연방과 공동으로 보장할 용의가 있다. 끝으로 독일은 소련-일본 관계의 개선과 강화를 위해 영향력을 행사할 용의가 있다.

이제 독일 정부가 모스크바와의 거래 타결을 서두르지 않는 체하는 모습은 찾아볼 수 없었다.

[이어지는 리벤트로프의 전보] 총통은 현 상황과 어느 때든 심각한 사태가 발생할 수 있는 가능성을 고려하여(이 대목에서 몰로토프 씨에게 독일은 폴란드의 도발을 무한정 좌시하지 않기로 했다고 설명하기 바란다) 독일-소련 관계와 당면 문제들에 대한 양국의 태도를 기본적으로 또 신속하게 명확화하는 것이 바람직하다는 의견이다.
이상과 같은 이유들로, 나는 8월 18일 금요일 이후 언제라도 항공편으로 모스크바를 방문해 총통의 전권에 근거하여 복잡한 독일-소련 관계 전반에 관해 논의하고, 필요하다면 적절한 조약을 체결할 용의가 있다.

이번에도 리벤트로프는 슐렌부르크 대사에 대한 개인적 지시사항을 '별첨'으로 붙였다.

이번에도 이 지시사항을 몰로토프에게 그대로 읽어주고 소련 정부 및 스탈린 씨의 견해를 즉시 물어보기 바란다. 전적으로 우리끼리의 이야기이지만, 나의 모스크바 방문이 이번 주말이나 내주 초에 실현될 수 있을지 여부가 우리의 각별한 관심사임을 덧붙여 말해둔다.

이튿날 히틀러와 리벤트로프는 산꼭대기 산장에서 모스크바의 반응을 조마조마한 심정으로 기다렸다. 베를린과 모스크바 사이의 전보 통신은 결코 즉각 이루어질 수 없었다—그런 실무 여건을 세상과 동떨어진 바이에른 알프스의 분위기에서는 알지 못했던 모양이다. 17일 정오 무렵, 리벤트로프는 슐렌부르크에게 '최급' 전보를 쳐 "귀관이 몰로토프에게 만나자고 요청한 것은 몇 시였는지, 회담은 몇 시로 정해졌는지 전보로" 알려달라고 지시했다.[13] 저녁식사 무렵, 그사이에 잔뜩 시달린 대사가 역시 '최급' 선보를 보내왔다. 외무장관의 전보를 전날 밤 11시에야 받았고, 그때는 너무 늦은 시각이라서 외교 업무를 전혀 처리할 수 없었으며, 8월 17일 오늘 아침에 맨 먼저 몰로토프와의 면담 약속을 오후 8시로 잡았다고 회답했다.[14]

당시 미칠 지경이던 나치 지도부에게 그 만남은 실망 자체였다. 히틀러가 왜 이렇게 열의를 보이는지 그 이유를 충분히 알고 있던 소련 외무인민위원은 독일 측을 놀리고 괴롭히면서 가지고 놀았다. 슐렌부르크가 리벤트로프의 전보를 면전에서 읽자, 몰로토프는 그 내용에 거의 신경 쓰지 않은 채 8월 15일의 첫 전보에 대한 소련 정부의 회답 문서를 제시했다.

그 회답은 우선 지난날 소련에 적의를 보인 나치 정부의 태도를 매섭게 지적했다. "아주 최근까지 소비에트 정부는 독일 정부가 소비에트 연방과 충돌을 일으키려 한다는 가정에 입각해 행동해왔다. … 독일 정부가 이른바 반코민테른 협정을 통해 소비에트 연방을 적대시하는 국가들의 연합 전선을 형성하고자 노력했고 실제로 그 일에 성공했다는 사실은 말할 것도 없다." 이런 이유로 소련은 "[독일의] 침략에 대항할 방어 전선을 조직하는 데 참여해왔다".

[이어지는 답변] 그렇지만 독일 정부가 이제 기존 정책을 바꾸어 소비에트 연방과의 정치적 관계를 진지하게 개선하는 방향으로 나아가고자 한다면 소비에트 정부는 그런 변화를 환영할 수밖에 없으며, 소비에트 측에서도 독일과의 관계를 진지하게 개선한다는 의미에서 정책을 변경할 용의가 있다.

그러면서도 소련은 답변에서 "진지하고 실질적인 단계들"—리벤트로프가 제안한 것처럼 한 번에 통 크게 나아가는 것이 아니라—을 밟아야 한다고 강조했다.

어떤 단계들을 밟을 것인가?

제1단계: 통상 및 신용 협정의 체결.
"그 직후에 진행할" 제2단계: 불가침 조약의 체결.

소련은 제2단계와 동시에 "외교 정책의 여러 문제들에서 협정 당사국들의 이익을 규정하는 특별의정서의 체결"을 요구했다. 이것은 적어도 동유럽 분할에 관한 한 거래가 가능하다는 독일의 견해를 모스크바 정부가 받아들일 의향이 있음을 시사하는 것 그 이상이었다.

독일이 제안한 리벤트로프의 방문에 대해 몰로토프는 "그렇게 저명한 정치인이자 각료를 파견하는 것은 독일 정부의 의도가 얼마나 진지한지를 보여주는 것인 만큼" 소비에트 정부는 그 방안에 "매우 만족"한다고 힘주어 말한 다음 "스트랭이라는 이급에 불과한 관료를 모스크바에 파견한 잉글랜드와 현저히 대비"된다고 덧붙였다. "그렇지만 독일 외무장관의 방문은 철저한 준비를 필요로 한다. 소비에트 정부는 그런 방문이 불러일으킬 관심을 반기지 않는다. 별다른 소란 없이 실무를 수행하는 편을 선호한다."[15]

몰로토프는 이르면 주말에라도 모스크바를 방문하고 싶다는 리벤트로프의 긴급하고 구체적인 제안에 관해서는 아무런 말도 하지 않았으며, 슐렌부르크도 회담의 경과에 적잖이 놀랐던지 그 이상은 재촉하지 않았다.

이튿날 대사의 보고를 받은 뒤, 리벤트로프는 그 문제를 서둘렀다. 분명 히틀러는 점점 더 절박해지고 있었다. 8월 18일 밤, 오버잘츠베르크에 자리한 히틀러의 하계 본부에서 리벤트로프가 서명한 또다른 '최급' 전보가 슐렌부르크에게 발송되었다. 19일 오전 5시 45분에 모스크바 독일 대사관에 도착한 그 전보는 대사에게 "몰로토프 씨와의 또다른 회담을 즉시 준비하고, 회담이 지체 없이 열릴 수 있도록 만전을 기하라"고 지시했다. 꾸물거릴 시간이 없었다. "몰로토프 씨에게 다음과 같이 전해주기 바란다"라면서 리벤트로프는 이렇게 타전했다.

… 우리 역시 보통의 상황이었다면 당연히 외교 채널을 통해 독일-소련 관계의 재조정을 추진할 준비를 하고 관례적인 방식으로 재조정을 수행했을 것이다. 그러나 지금과 같은 이례적인 상황에서는 신속히 성과를 거둘 수 있는 별도의 방법을 사용할 필요가 있다는 것이 총통의 의견이다.
독일-폴란드 관계는 나날이 심각해지고 있다. 우리는 공개 분쟁을 불가피하게 만드는 사건이 언제고 발생할 수 있음을 염두에 둬야 한다. … 총통은 우리가 독일-폴란드 분쟁이 예기치 않게 발발하지 않도록 하는 한편 독일-소련 관계의 명확화를 위해 노력할 필요가 있다고 생각한다. 이런 이유로 총통은 그런 분쟁 시에 소련의 이해관계를 고려할 수 있으려면 사전에 양국 관계를 명확히 해둘 필요가 있다고 생각한다. 물론 그런 명확화 없이는 소련의 이해관계를 고려하기 어려울 것이다.

또 대사는 몰로토프가 언급했던 논의의 '제1단계'인 통상 협정 체결을 베를린에서 바로 그날(8월 18일) 추진하기로 결정했고 이제는 제2단계에 '착수'할 때라고 전해야 했다. 이를 위해 독일 외무장관은 "총통으로부터 얽히고설킨 모든 사안을 전면적이고 최종적으로 결말지을 전권을 위임받은" 자신이 "모스크바로 즉시 출발"하는 방안을 제안했다. 그러면서 리벤트로프는 모스크바에서 자신이 "소비에트 측의 바람을 고려할 … 수 있는 위치에 있을" 것이라고 덧붙였다.

어떤 바람? 이제 독일 측은 더 이상 돌려서 말하지 않았다.

[이어지는 리벤트로프의 발언] 또한 나는 외교 정책상의 여러 문제들에서 양국의 이해관계를 조정하는 특별의정서에 서명할 수 있는 위치에 있을 것이다. 예컨대 발트 지역에서의 이익권 문제를 해결할 수 있을 것이다. 그렇지만 그런 해결은 구두 논의로만 가능할 것이다.

이번에 대사는 소련 측으로부터 '거절' 답변을 받지 않아야 했다.

[이어지는 리벤트로프의 발언] 오늘날 독일의 외교 정책이 역사적 전환점에 이르렀다는 것을 강조하기 바란다. … 나의 방문이 조속히 이루어지도록 재촉하고 소련 측의 새로운 이의 제기에 적절히 반론하기 바란다. 이와 관련해 귀관은 독일-폴란드의 충돌이 조기에 발발할 수 있고 따라서 우리의 최고 관심사는 나의 모스크바 방문이 즉시 실현되는 것이라는 명백한 사실을 유념해야 한다.[16]

8월 19일은 결정적인 날이었다. 독일 잠수함과 포켓전함을 영국 해역으로 출동시키라는 명령은 모스크바로부터 연락이 올 때까지 유보되었다. 군함들은 히틀러의 개전 목표일인 9월 1일까지—이제 13일밖에 남지 않은 때였다—지정된 위치에 도착하려면 당장 발진해야 했다. 폴란드를 강습할 대규모 2개 집단군도 즉시 전개해야 했다.

베를린, 그리고 히틀러와 리벤트로프가 모스크바의 결정을 초조하게 기다리던 오버잘츠베르크의 긴장감은 견딜 수 없을 정도로 커지고 있었다. 그날 외무부의 여러 전보와 공문은 빌헬름슈트라세의 조마조마한 심정을 드러낸다. 슈누레 박사는 통상 협정에 관한 소련과의 논의가 전날 저녁에 "완전한 합의"로 끝났지만 소비에트 측이 서명을 늦추고 있다고 보고했다. 당일인 8월 19일 정오에 서명하기로 했지만 그 시각에 소련 측이 전화를 걸어와 모스크바로부터의 지시를 기다려야 한다고 말했다. "정치적인 이유로 조약 체결을 늦추라는 지시를 모스크바로부터 받은 것이 분명하다"라고 슈누레는 보고했다.[17] 오버잘츠베르크에서 리벤트로프는 슐렌부르크에게 '최급' 전보를 쳐 몰로토프가 무슨 말을 하든, 또 "소련 측 의도"를 암시하는 징후가 감지되면 즉시 보고하라고 지시했지만, 그날 대사에게서 받은 전보는 소련과 영국-프랑스의 군사대표단들이 교섭 중에 극동 문제를 놓고 서로 으르렁거린다는 설을 부인하는 국영통신사 타스Tass의 기사뿐이었다. 그렇지만 타스의 공식 부인 보도는 "완전히 별개의 문제들"에서도 대표단들 사이에 의견 차이가 있다고 덧붙였다. 이것은 히틀러에게 아직 시간이, 그리고 희망이 있다는 신호였다.

드디어 8월 19일 오후 7시 10분, 그토록 기다리던 전보가 왔다.

최급 기밀
소비에트 정부는 경제 협정 체결을 발표하고 1주일 후에 독일 외무장관이 모스크바를 방문하는 데 동의했다. 몰로토프는 내일 경제 협정 체결이 공표되면 독일 외무장관의 모스크바 내방은 8월 26일 또는 27일에 가능하다고 언명했다.

몰로토프는 불가침 조약의 초안을 내게 건넸다.

소비에트의 초안 전문, 그리고 오늘 내가 몰로토프와 나눈 두 번의 대화에 관한 상세한 보고를 즉시 전송한다.

슐렌부르크[18]

크렘린 궁에서 19일 오후 2시에 시작해 한 시간 동안 이어진 첫 번째 대화는 그리 순조롭지 않았다고 대사는 보고했다. 소련 측은 히틀러의 외무장관을 성급히 접견할 수 없다는 자세였다. 슐렌부르크는 이렇게 전보를 보냈다. "몰로토프는 외무장관 내방에는 철저한 준비가 필요할 것이므로 현재로서는 그 일정을 대략적으로 정하는 것마저 불가능하다는 의견을 고집했다. … 내가 서두를 필요성을 거듭 강조하며 개진한 이유들에 대해 몰로토프는 아직 제1단계―경제 협정 체결―조차 착수하지 않았다고 대꾸했다. 우선 경제 협정을 체결하여 공표하고 국외에서 그 효과를 거두어야 한다고 했다. 그런 다음에 불가침 조약과 의정서의 차례가 온다고 했다."

"몰로토프는 나의 항의에 개의치 않는 듯 보였고, 그런 이유로 첫 번째 대화는 몰로토프가 소비에트 정부의 견해는 이미 전했고 거기에 덧붙일 것은 없다고 단언함으로써 끝이 났다."

그런데 잠시 후 몰로토프가 할 말이 있다고 했다.

"대화를 끝내고 채 30분도 지나지 않아 몰로토프가 오후 4시 30분에 크렘린에서 다시 만나자는 전갈을 내게 보냈다. 그는 내게 성가시게 한 것에 대해 양해를 구하고 자신이 소비에트 정부에 보고했다고 설명했다."

외무인민위원은 이 놀라면서도 희색이 만면한 대사를 다시 만난 자리에서 불가침 조약의 초안을 건넨 뒤 내일 통상 조약을 체결하고 공표하게 되면 8월 26일이나 27일에는 리벤트로프가 모스크바를 방문할 수 있다고 말했다.

"몰로토프는 갑자기 마음을 바꾼 이유를 말하지 않았다"라고 슐렌부르크는 전보에 덧붙였다. "나는 스탈린이 개입했을 것으로 추정한다."[19]

의심할 나위 없이 정확한 추정이었다. 처칠에 따르면, 8월 19일 저녁에 스탈린은 독일과 불가침 조약을 체결할 의향을 정치국에 알렸다.[20] 슐렌부르크의 전보에 따르면, 그날 좀 더 이른 시간에—오후 3시에서 4시 사이에—스탈린이 자신의 운명적인 결정을 몰로토프에게 전한 게 분명하다.

정확히 3년 후인 1942년 8월, 훗날 처칠이 서술한 대로, "아침 이른 시각에" 소련 독재자는 당시 사명을 띠고 모스크바를 방문한 영국 총리에게 자신이 그렇듯 파렴치한 행보를 보인 일말의 이유를 말해주었다.[21]

[스탈린이 말함] 우리는 영국과 프랑스의 정부가 설령 폴란드가 공격을 당하더라도 참전하지 않기로 결심했고 다만 영국, 프랑스, 소련의 외교적 제휴를 통해 히틀러를 제지하고자 한다는 인상을 받았다. 우리는 그렇게 되지 않을 것이라고 확신하고 있었다. "프랑스는 독일의 동원에 대항해 얼마나 많은 사단을 파병할 생각이었답니까?" 하고 스탈린이 물었다. 대답은 "약 100개"였다. 그러자 스탈린은 "잉글랜드는 얼마나 파병할 생각이었습니까?" 하고 물었다. 대답은 "2개, 그리고 나중에 2개 더"였다. "아, 2개, 그리고 나중에 2개 더" 하고 스탈린이 따라했다. "우리가 독일과 교전하게 되

면 소비에트 전선에 얼마나 많은 사단을 투입해야 할지 당신은 알고 있습니까?" 하고 스탈린이 물었다. 잠시 침묵이 흘렀다. "300개 이상입니다."

8월 19일 몰로토프와 나눈 대화의 결과를 보고하는 전보에서 슐렌부르크는 자신이 외무인민위원을 설득하여 리벤트로프의 방문 일자를 앞당기려 시도했으나 "애석하게도 성공하지 못했다"고 부언했다.

그러나 독일 측으로서는 일정 조정을 이루어내야만 했다. 폴란드 침공의 진행표 전체가, 실은 가을비가 내리기 전 짧은 기간에 공격을 실행할 수 있느냐는 문제 자체가 그 일정에 달려 있었다. 리벤트로프가 8월 26일이나 27일 이전에 모스크바를 방문하지 못하고 독일 측의 우려대로 소련 측이 좀 더 미적거릴 경우, 9월 1일이라는 목표일을 지킬 수가 없었다.

이 중대한 국면에서 아돌프 히틀러는 직접 스탈린과의 중재에 나섰다. 자존심을 굽힌 채 자신이 그토록 자주, 그토록 오랫동안 비방해온 소비에트 독재자에게 독일 외무장관을 모스크바에서 즉시 접견해달라고 몸소 간청했다. 슐렌부르크의 전보를 받고 나서 12시간 후인 8월 20일 오후 6시 45분, 스탈린에게 보내는 히틀러의 전보가 급송되었다. 총통은 대사에게 이 전보를 "즉시" 몰로토프에게 건네라고 지시했다.

모스크바의 스탈린 씨에게
나는 독일-소비에트 관계를 재구축하는 제1단계로 새로운 독일-소비에트 통상 협정을 체결한 것을 진심으로 환영합니다.*

---

* 이 협정은 8월 20일 일요일 오전 2시에 베를린에서 체결되었다.

소비에트 연방과 불가침 조약을 체결하는 것은 나에게 장기간에 걸친 독일의 정책을 확정한다는 것을 의미합니다. 이로써 독일은 지난 수 세기 동안 양국에 공히 유익했던 정치 노선을 재개하게 됩니다. …

나는 귀국의 외무장관 몰로토프 씨가 건넨 불가침 조약의 초안을 받았습니다만, 그와 관련한 문제들을 되도록 조속히 명확화하는 것이 긴요하다고 생각합니다.

소비에트 연방이 바라는 보충의정서의 내용은 책임 있는 독일 정치인이 직접 모스크바를 방문해 교섭할 수 있다면 최단 시간 내에 명확해질 것이라고 나는 확신합니다. 그렇지 않을 경우 독일 정부는 어떻게 보충의정서를 명확히 하고 정리할 수 있을지 분명하게 알지 못합니다.

독일과 폴란드의 긴장은 견딜 수 없는 지경에 이르렀습니다. … 언제든 위기적 사태가 벌어질 수 있습니다. 독일은 이제부터 가용한 모든 수단을 동원해 독일의 이해관계를 돌보기로 결심했습니다.

내가 보기에는 서로 새로운 관계를 맺으려는 양국의 의도를 고려할 때 조금도 지체하지 않는 편이 바람직할 것입니다. 그런 이유로 나는 귀하에게 8월 22일 화요일, 늦어도 8월 23일 수요일에 본국의 외무장관을 접견해줄 것을 다시 한 번 제안합니다. 독일 외무장관은 불가침 조약뿐 아니라 의정서까지 작성하고 서명할 수 있는 전권을 가지고 있습니다. 국제 정세를 고려할 때 외무장관이 모스크바에서 최대 하루나 이틀 이상 체재하는 것은 불가능합니다. 귀하의 답변을 일찍 받을 수 있으면 기쁘겠습니다.

아돌프 히틀러[22]

스탈린에 대한 히틀러의 호소가 모스크바로 타전된 8월 20일 일요일 저녁부터 이튿날 저녁까지 24시간 동안 총통은 당장이라도 쓰러질 듯했다. 그는 잠에 들지 못했다. 한밤중에 괴링에게 전화를 걸어 자신의 메시지에 대한 스탈린의 반응이 우려된다고 말하고 모스크바의 답변 지연에 안달복달했다. 21일 오전 3시, 외무부는 슐렌부르크로부터 '최급' 전보를 받았는데, 바이츠제커가 대사에게 조만간 갈 것이라고 통지한 히틀러의 전보가 아직 도착하지 않았다는 내용이었다. "베를린에서 모스크바까지의 공식 전보는 두 시간의 시차를 포함해 네 시간에서 다섯 시간이 걸린다. 여기에 암호문의 해독 시간을 더해야 한다"라고 대사는 외무부에 상기시켰다.[23] 21일 월요일 오전 10시 15분, 불안한 리벤트로프는 슐렌부르크에게 긴급 전보를 발송했다. "방문을 성사시키기 위해 전력을 다하기 바란다. 날짜는 전보대로."[24] 그 직후 대사는 베를린에 통지했다. "오늘 오후 3시에 몰로토프를 만난다."[25]

마침내 8월 21일 오후 9시 35분, 스탈린의 회답이 전보 형식으로 베를린에 도착했다.

독일 제국 총리

A. 히틀러에게

귀하의 서신에 감사드립니다. 나는 독일-소비에트 불가침 조약이 우리 두 나라의 정치 관계를 개선하는 결정적 전기가 되기를 바랍니다.

우리 두 나라의 국민들은 서로 평화적인 관계를 필요로 합니다. 불가침 조약 체결에 대한 독일 정부의 동의는 우리 두 나라 사이의 정치적 긴장을 제거하고 평화와 협력을 확립하기 위한 토대를 마련하는 것입니다.

소비에트 정부는 폰 리벤트로프 씨가 8월 23일 모스크바에 도착하는 데 동의한다는 뜻을 귀하에게 통지하라고 내게 지시했습니다.

J. 스탈린[26]

한껏 비꼬는 어투를 구사한다는 점에서, 나치 독재자는 소비에트 전제군주라는 호적수를 만난 셈이었다. 그리고 이제 두 사람에게는 이 비루한 시대의 가장 조잡한 거래 중 하나를 세세하게 정할 길이 열린 터였다.

스탈린의 회답은 오후 10시 30분에 베르크호프의 총통에게 전달되었다. 내가 기억하기로 잠시 후에―오후 11시 직후에―독일 라디오의 음악 프로그램이 갑자기 중단되고 다음과 같은 내용을 발표하는 목소리가 끼어들었다. "제국 정부와 소비에트 정부는 서로 불가침 조약을 체결하는 데 동의했다. 제국 외무장관이 교섭 타결을 위해 8월 23일 수요일 모스크바에 도착할 것이다."

이튿날인 1939년 8월 22일, 이제 스탈린 본인으로부터 소련이 우호적인 중립국이 될 것이라는 확약을 받은 히틀러는 다시 한 번 군 수뇌부를 오버잘츠베르크로 소집해 자신의 위대함과 그들이 무자비하게 인정사정없이 전쟁을 수행할 필요성에 관해 훈시한 다음 자신이 어쩌면 나흘 후인 8월 26일 토요일―예정보다 엿새 이른 날짜―에 폴란드 공격 개시를 명령할 수도 있다고 알렸다. 총통의 숙적 스탈린이 그것을 가능케 했다.

1939년 8월 22일의 군사회의

———

장군들의 눈에 히틀러는 늘 그렇듯이 극히 거만하고 비타협적으로 보였다.* "여러분을 소집한 까닭은 내가 행동으로 옮길 돌이킬 수 없는 결정을 내릴 때 고려했던 개인적 요인에 대한 약간의 통찰을 여러분에게 전해주고 또 여러분의 자신감을 북돋기 위해 현재의 정세를 설명하려는 데 있다. 그 후에 군사적 세부사항을 검토할 것이다"라고 히틀러는 말했다. 먼저 두 사람의 개인을 고려해야 했다.

나 자신의 개성과 무솔리니의 개성이다.

본질적으로 모든 것은 내게, 나의 존재에 달려 있다. 나의 정치적 재능 때문이다. 게다가 나만큼 독일 국민 전체의 신뢰를 받는 인간은 두 번 다시 나타나지 못할 것이라는 사실도 있다. 나만큼 권위를 지닌 인간도 장차 결코 다시 나타나지 못할 것이다. 그러나 나는 범죄자나 미치광이에 의해 어느 때고 제거될 수 있다.

두 번째의 개인적 요인은 두체다. 그의 존재 역시 결정적이다. 그에게 무슨 일이 생긴다면, 독일에 대한 이탈리아의 충성은 더 이상 확실하지 않을 것이다. 이탈리아 왕실은 기본적으로 두체를 반대한다.

---

* 히틀러의 장광설에 대한 공식 기록은 발견되지 않았지만, 고급장교 두 명이 군사회의 중에 적은 메모를 포함해 몇 가지의 기록은 발견되었다. 하나는 대양함대 사령관 헤르만 뵘(Hermann Boehm) 제독이 뉘른베르크 재판에서 레더 제독을 변호하기 위해 제출한 기록으로, 독일어 원문으로 *TMWC*, XLI, pp. 16-25에 실려 있다. 할더 장군은 특유의 가벨스베르거 속기법으로 방대한 메모를 남겼고, 그의 8월 22일 일기에서 영어로 번역된 그 메모 중 일부가 *DGFP*, VII, pp. 557-559에 실려 있다. 뉘른베르크 재판에서 검찰 측이 증거로 사용한 이 회의 관련 주요 문서는 미군이 오스트리아 티롤의 잘펠덴에서 압수한 OKW 서류에 들어 있던, 두 부분으로 이루어진 서명 없는 공문이다. 그 공문은 영어로 번역되어 *NCA*, III, pp. 581-586(뉘른베르크 문서 798-PS), 665-666(N.D. 1014-PS)에 수록되어 있다. 두 부분으로 이루어진 독일어 원문은 당연히 *TMWC*에 들어 있다. 이 공문은 뵘 제독과 할더 장군의 기록보다 히틀러의 언어를 좀 더 생생하게 전달한다. 하지만 세 기록 모두 내용 면에서 비슷하고 신빙성에는 의심의 여지가 없다. 뉘른베르크 재판에서는 N.D. C-3(*NCA*, VII, pp. 752-754)으로 기입된 히틀러의 발언에 대한 네 번째 서술을 약간 의심했으며, 검찰 측은 이 서술을 공판 중에 언급하기는 했으나 증거로 제출하지는 않았다. 이 서술은 의심할 나위 없이 진실로 보이지만, 베르크호프 회의에 참석하지 않은 사람들이 조금 윤색했을지도 모른다. 히틀러의 발언을 종합하면서 나는 뵘 및 할더의 기록과 뉘른베르크에서 증거로 제출된 서명 없는 공문을 사용했다.

프랑코도 도움이 되었다. 그는 에스파냐의 "호의적 중립"을 보장할 터였다. "반대편"과 관련해 히틀러는 "잉글랜드나 프랑스에는 걸출한 인물이 없다"라고 장군들에게 단언했다.

늦은 점심을 먹은 때를 빼고는 몇 시간 동안 악마 같은 독재자가 쉴 새 없이 입을 놀린 것이 틀림없다. 장군과 제독, 공군 사령관 중 어느 누구도 감히 총통의 말을 끊고서 그의 판단에 의문을 제기하거나 그의 거짓말을 따져 묻지 못했다. 히틀러는 지난봄에 폴란드와의 분쟁이 불가피하다는 판단을 내렸지만 먼저 서방을 상대할 생각이었다고 말했다. 하지만 그럴 경우 폴란드가 독일을 공격해올 것이 "분명"했다. 그러므로 당장 폴란드를 정리해야 했다.

어쨌거나 전쟁을 벌일 시간이 왔다.

우리에게 결단은 쉽다. 우리는 잃을 것이 없고 얻을 것만 있다. 우리의 경제 상황은 몇 년도 더 버티지 못할 지경이다. 괴링이 확인해줄 수 있다. 우리에게는 다른 선택지가 없다. 행동해야만 한다. …

개인적 요인 외에 정치 상황은 우리에게 유리하다. 지중해 방면에서는 이탈리아, 프랑스, 잉글랜드가 대립하고 있고, 동방에는 긴장이 있다. …

잉글랜드는 큰 위험에 빠져 있다. 프랑스의 지위도 쇠퇴했다. 출생률의 저하 … 유고슬라비아에서는 붕괴 조짐이 보인다. … 루마니아는 예전보다 약하다. … 터키는 케말이 사망한 이래 소심하고 변덕스럽고 나약한 사람들이 통치해왔다.

이 모든 다행스러운 상황은 2~3년 정도만 지속될 것이다. 내가 얼마나 오래 살지 아무도 모른다. 따라서 4~5년 미룬다고 안전할 리 없는 결전을 지금 치르는 편이 더 낫다.

이상이 나치 지도자의 열띤 추론이었다.

히틀러는 서방이 전쟁에 나서지 않을 "가능성이 매우 높다"고 보면서도 위험을 각오해야 한다고 생각했다. 장군들이 철회하기를 바란 라인란트 점령 때, 그리고 오스트리아, 주데텐란트, 잔존 체코슬로바키아를 장악할 때 자신이 위험을 각오하지 않았으면 어떻게 되었겠는가? "칸나이의 한니발, 로이텐의 프리드리히 대왕, 타넨베르크의 힌덴부르크와 루덴도르프는 하나같이 위험을 무릅썼다. 그러니 지금 우리도 오로지 확고부동한 결의로만 제압할 수 있는 위험을 각오해야 한다." 약해져서는 안 되었다.

체코 문제가 해결된 뒤 독일의 고위직 가운데 행동하기를 꺼리는 많은 이들이 영국 측에 말하거나 글로 쓴 것들이 큰 피해를 가져왔다. 여러분이 용기를 잃고 너무도 일찍 굴복할 때 총통은 자기주장을 관철시켰다.

뮌헨 음모에 가담했던 할더, 비츨레벤, 토마스, 그리고 혹시 모를 다른 장군들은 이 발언을 듣고 움찔했을 것이다. 분명 히틀러는 그들이 알아챈 것보다 더 많은 것을 알고 있었다.

어쨌든 이제는 그들 모두 스스로의 전투 능력을 보여주어야 했다. 히틀러는 자신이 "정치적 허세로" 대독일을 이루어냈음을 그들에게 상기시켰다. 이제는 "군사기구를 시험"할 필요가 있었다. "육군은 서부에서 최후의 대결전을 치르기 전에 실전을 경험해야 한다." 폴란드가 바로 그런 기회를 제공했다.

영국과 프랑스 문제로 돌아가보자.

서방이 우리에게 맞서 싸우려면 두 가지 가능성밖에 없다.

1. 봉쇄: 우리의 자급 능력과 동방의 자원 원조 때문에 봉쇄는 효과가 없을 것이다.

2. 서부 마지노선에서의 공세. 나는 이것이 불가능하다고 생각한다. 다른 가능성은 네덜란드, 벨기에, 스위스의 중립을 침해하는 것이다. 잉글랜드와 프랑스가 이 나라들의 중립을 침해하지는 않을 것이다. 사실상 두 나라는 폴란드를 도울 수 없다.

장기전이 될까?

아무도 장기전을 예상하지 않는다. 폰 브라우히치 씨가 내게 폴란드를 정복하는 데 4년이 걸린다고 말했다면, 나는 그렇게 해서는 정복할 수 없다고 답했을 것이다. 잉글랜드가 장기전을 원한다는 것은 말도 안 되는 소리다.

폴란드, 영국, 프랑스를 적어도 스스로는 만족할 정도로 정리한 다음, 히틀러는 비장의 카드를 꺼냈다. 그는 소련으로 화제를 돌렸다.

적국은 또다른 희망, 즉 폴란드 정복 후 소련이 우리의 적이 되었으면 하는 희망을 품고 있다. 적국은 나의 엄청난 결단력을 예상하지 못했다. 우리의 적은 버러지들이다. 나는 그들을 뮌헨에서 보았다.

나는 스탈린이 영국의 제안을 결코 받아들이지 않으리라 확신하고 있었다. 맹목적인 낙관주의자만이 스탈린이 잉글랜드의 진의를 간파하지 못할 정도로 정신 나갔다고 믿을 수 있다. 소련은 폴란드의 존속에 관심이 없다. … 리트비노프의 해임이 결정적이었다. 그 일은 내게 서방 열강을 대하는 모스크바의 태도가 변한다는 신호로서 마치 포탄처럼 다가왔다.

나는 소련에 대한 태도를 차츰 바꾸었다. 통상 조약과 관련해 교섭하면서 정치회담을 시작했다. 결국 소련 측에서 불가침 조약을 제안해왔다. 나흘 전에 나는 특별한 조치를 취했고 그에 반응해 어제 소련이 조약을 체결할 용의가 있다고 알려왔다. 스탈린과 개인적으로 연락을 취하고 있다. 내일모레 리벤트로프가 조약에 서명할 것이다. 지금 폴란드는 내가 바라던 위치에 있다. … 잉글랜드의 패권을 파괴하기 위한 활동이 시작되었다. 내가 정치적 준비를 마친 만큼 이제 군대를 위한 길이 열린 것이다.

체임벌린이 또다른 뮌헨 협정에 나서지 않는 이상, 군대를 위한 그 길은 계속 열려 있을 터였다. 히틀러는 독일 전사들에게 "내가 유일하게 우려하는 것은 어떤 슈바이네훈트Schweinehund(더러운 개)가 중재를 제안하는 것이다"라고 말했다.

이 시점에 점심을 먹기 위해 회의가 중단되었는데, 그에 앞서 괴링은 총통이 길을 가르쳐준 것에 감사를 표하고 국방군이 제 임무를 다할 것이라고 다짐했다.*

오후 훈시에서 히틀러는 군 수뇌부의 기운을 북돋으며 임무를 수행하

---

* 앞에서 언급한 뉘른베르크 문서 C-3의 서술에 따르면, 괴링은 탁자 위로 뛰어올라 "피에 굶주린 감사와 피투성이가 될 약속"을 했다. "그는 미개인처럼 춤을 추었다. 의구심을 느낀 몇몇 사람들은 침묵을 지켰다." 이 묘사는 괴링이 1945년 8월 28, 29일에 뉘른베르크에서 심문당하는 동안 그를 몹시 짜증나게 했다. "제가 탁자 위에 있었다는 것은 부인합니다" 하고 괴링은 말했다. "그 연설이 히틀러 사저의 큰 홀에서 이루어졌다는 점을 알아주시기 바랍니다. 저는 제 집에서 탁자 위로 뛰어오르는 버릇이 없습니다. 그건 독일 장교에게 전혀 걸맞지 않은 태도입니다."
그러자 미국 측 심문관 존 H. 아멘(John H. Amen) 대령은 "글쎄요, 실은 연설 후에 당신이 박수를 유도한 것 아닙니까?"라고 물었다.
"맞습니다. 하지만 탁자 위는 아니었습니다" 하고 괴링은 답했다.[27]

기에 앞서 불굴의 의지를 다지도록 하는 데 중점을 두었다. 히틀러의 발언을 대강 적은 세 기록 모두 그 취지는 같다.

우리 군에 강철 같은 결의를. 그 무엇에도 뒷걸음쳐서는 안 된다. 맨 처음부터 모두가 우리는 서방 열강과 싸울 결의를 다져왔다는 생각을 견지해야 한다. 생사를 건 싸움 … 기나긴 평화에 좋을 것은 없다. … 남자다운 자세 … 우리 편 사람들이 더 낫다. … 반대편 사람들은 약해빠졌다. … 1918년에 국가가 무너진 것은 정신적 자질이 부족했기 때문이나. 프리드리히 대왕은 오로지 불굴의 용기로 견뎌냈다.

폴란드 파괴가 우선이다. 목표는 현역 병력을 괴멸시키는 것이지 정해진 선까지 도달하는 것이 아니다. 서부에서 전쟁이 발발한다 해도 폴란드 파괴가 제1목표다. 계절을 고려해 신속히 결판을.

내가 전쟁을 시작할 만한 선전용 이유를 제시할 것이다 — 그것이 그럴듯한지 어떤지는 신경쓰지 마라. 승자는 훗날 그가 진실을 말했는지 여부를 추궁당하지 않을 것이다. 전쟁을 시작하고 수행하는 데 중요한 것은 옳음이 아니라 승리다.

연민에 마음을 닫아라! 무자비하게 행동하라! 8000만 명이 스스로에게 권리인 것을 얻어야 한다. … 더 강한 자가 옳은 것이다. … 가혹하게 굴고 가책을 느끼지 마라! 동정심의 신호에 모질게 대응하라! … 누구든 이 세계의 질서에 관해 숙고해본 사람이라면 그 의미가 무력을 사용해 최고의 성공을 거두는 데 있음을 알 것이다. …

이처럼 총통은 튜턴족의 분노(본래 로마 제국 시기 튜턴족의 흉포함을 가리키는 표현)를 격렬한 발작의 지경까지 끌어올리며 니체식의 훈계를 벼락처럼 쏟아낸 다음, 흥분을 가라앉히고서 앞으로 수행할 작전에 관한 몇 가지 지시를 내렸다. 신속함이 핵심이었다. 히틀러는 독일 병사들에 대한 "흔들리지 않는 신뢰"를 품고 있었다. 혹여 위기가 찾아온다면, 그 원인은 오로지 사령관들이 용기를 잃은 데 있을 터였다. 첫 번째 목표는 남동쪽에서 비스와 강 방면으로, 그리고 북쪽에서 나레프 강과 비스와 강 방면으로 파고드는 것이었다. 히틀러는 폴란드를 무찌른 뒤 이 나라를 어떻게 하겠냐는 자신의 의중에 군사작전이 영향을 받아서는 안 된다고 강조했다. 확실하게 정해둔 것은 없었다. 새로운 독일 국경은 "건전한 원칙들"에 근거해 정해질 것이라고 히틀러는 말했다. 어쩌면 독일과 소련 중간에 작은 폴란드라는 완충국을 세울 수도 있었다.

교전 개시 명령은 추후에 내릴 텐데 아마도 8월 26일 토요일 아침이 될 것이라며 히틀러는 말을 끝맺었다.

이튿날인 23일, OKW 간부 회의가 끝난 뒤 할더 장군은 일기에 이렇게 썼다. "Y데이는 26일(토요일)로 최종 확정."

모스크바에서 교착 상태에 빠진 연합국

8월 중순, 서방 민주국가들과 소련의 모스크바 군사회담은 사실상 중단되었다—주된 원인은 폴란드 정부의 비타협적 태도에 있었다. 기억하겠지만 느린 선박에 올라 레닌그라드를 향해 출발했던 영국-프랑스 군사사절단은 8월 11일 모스크바에 도착했다. 좌절한 스트랭 씨가 소련 정부와 교섭하려 애쓰는 힘겹고 불쾌한 임무를 이제 장군들이나 제독들에게 넘길 수 있다는 것에 분명 안도하며 모스크바를 떠나고 꼭 1주일 뒤였다.*

당시 급선무는 나치의 무력에 어떻게, 어디에서, 무엇으로 대응할 수 있을지를 군사회담에서 상세히 정하는 일이었다. 그러나 하루 단위로 정리된 영국의 군사회담 기밀 회의록과 영국 교섭자들의 보고서에서 드러나듯이,[28] 영국–프랑스 군사사절단은 세부사항이 아니라 "전반적인 원칙"을 논의하기 위해 모스크바에 파견되었다. 반면에 소련 측은 당장 본론으로 들어가 연합국 측에서 보기에 다루기 까다로운 특정 조항들부터 논의하자고 요구했으며, 첫 회담에서 두망 장군이 연합국의 원칙을 밝히자 보로실로프는 "너무 추상적이고 막연하며 누구에게는 아무런 의무도 지우지 않습니다. … 우리는 이곳에 추상적인 선언을 하려고 모인 게 아니라 완전한 군사협약을 도출하려고 모인 것입니다"라고 쌀쌀맞게 잘라 말했다.

이 소비에트 원수는 몇 가지 아주 명확한 질문을 했다. 폴란드가 어떤 조치를 취할지 규정해놓은 조약이 있는가? 전쟁 발발 시 영국은 얼마나 많은 병력으로 프랑스 육군을 증강할 것인가? 벨기에는 무엇을 할 것인가? 원수는 별로 탐탁지 않은 답변을 받았다. 두망은 폴란드의 계획을 전혀 모른다고 말했다. 헤이우드 장군은 영국의 경우 "투입 준비를 마친 16개 사단 규모의 1차 파견대를 전쟁 초반에" 보내고 "이후 16개 사단 규모의 2차 파견대"를 보낼 구상이라고 답변했다. 보로실로프가 개전 시 영국은 병력을 얼마나 동원할 수 있는지 밝히라고 다그치자 헤이우드는 "현재 잉글랜드에는 정규군 5개 사단과 1개 기계화사단이 있습니다"라고 답했다. 이 보잘것없는 수치는 소련 측으로서는 어처구니없는 것이었는데, 소련 정부는 본인들 말마따나 교전과 동시에 침략국에 맞서 서

---

* 7월 20일 외무부에 보낸 전보에서 스트랭은 소련과의 교섭이 "굴욕적인 경험"이었다고 말했다.[29]

부에 120개 보병사단을 전개할 준비가 되어 있었다.

벨기에에 관해서는 두망 장군이 이렇게 답했다. "프랑스 병력은 요청을 받지 않으면, 그리고 요청을 받을 때까지는 진입할 수 없지만, 어떠한 요청에도 응할 준비가 되어 있습니다."

이 답변은 모스크바 군사교섭 참가자들의 면전에서 중대한 질문으로 이어졌다. 영국과 프랑스 측이 피하고 싶어한 질문이었다. 이 첫 회담과 8월 14일의 결정적인 회담에서 보로실로프 원수는 과연 폴란드가 소비에트 병력이 폴란드 영토 안으로 들어가 독일군을 상대하도록 허용할지 여부가 핵심 문제라고 역설했다. 만약에 허용하지 않는다면, 연합군은 독일군이 폴란드를 순식간에 유린하는 것을 어떻게 막을 수 있을까? 14일 회담에서 보로실로프는 구체적으로 이렇게 물었다. "영국과 프랑스 참모본부는 붉은군대가 폴란드 국내를 가로지를 수 있다고, 특히 적과 접촉하기 위해 빌뉴스 협곡이나 갈리치아를 통과할 수 있다고 생각합니까?"

이것이 문제의 핵심이었다. 시즈 대사가 런던에 보낸 전보에서 말한 대로, 당시 소련 측은

근본적인 문제를 제기했다. 군사회담의 성패가 달려 있고, 실제로 정치회담을 시작한 이래 우리의 모든 어려움의 밑바탕에 놓인 문제다. 바로 소련의 인접국들이 일종의 보이콧을 유지하는 상황에서 어떻게 소련과 유용한 협정을 맺느냐는 문제다. 이 보이콧은 … 너무 늦은 때가 되어서야 철회될 것이다.

이 문제가 제기되면—어떻게 제기되지 않을 수 있겠는가?—어떻게

대응할지를 영국 정부는 드랙스 제독에게 지시해둔 터였다. 영국 기밀문서를 통해 드러났듯이, 그 지시는 오늘날 읽으면 도저히 믿기 어려울 정도로 순진해 보인다. 폴란드와 루마니아가 "가능한 협력에 관한 계획을 고려하는 것조차" 거부하는 상황을 감안하여 제독이 택할 "논법"은 다음과 같은 것이었다.

독일의 폴란드, 루마니아 침공으로 양국의 입장이 크게 바뀔 것이다. 게다가 독일이 소련 국경까지 닿는 지역을 점령할 경우 소련이 크게 불리해질 것이다. … 그러므로 폴란드, 루마니아가 침공당할 경우에 대비해 이 양국에 대한 원조 계획을 세워두는 것이 소련으로서도 이익이다.

만약에 소련 측에서 우선 영국과 프랑스 정부가 폴란드, 루마니아, 발트 국가들을 상대로 소비에트 정부나 참모본부와의 협력을 포함하는 제안을 하면 어떻겠느냐는 의견을 낸다면, 대표단은 직접 약속하지 말고 본국에 의사를 타진해야 한다.

그래서 대표단은 실제로 본국에 문의했다.

8월 14일 회담에서 보로실로프는 자신의 질문들에 대한 "솔직한 답변"을 요구했다. "명확하고 엄밀한 답변 없이는 군사회담을 이어가도 소용이 없을 것입니다"라고 말한 뒤 "소비에트 군사대표단은 실패할 게 뻔한 시도를 정부에 권고할 수는 없습니다"라고 덧붙였다.

파리의 가믈랭 장군은 두망 장군에게 화제를 바꿔서 소련 측의 주의를 돌려보라고 조언했다. 그러나 소련 측은 그런 수법에 휘둘리지 않았다.[30]

두망 장군이 나중에 보고했듯이, 8월 14일 회담은 극적이었다. 영국과 프랑스 대표단은 궁지에 몰렸고 그 사실을 자각하고 있었다. 그들은 쟁점을 회피하고자 최선을 다했다. 드랙스와 두망은 폴란드와 루마니아가 공격을 받자마자 소련에 지원을 요청할 것으로 확신한다고 힘주어 말했다. 두망은 두 나라가 "원수에게 지원을" 간청할 것이라고 자신했다. 드랙스는 두 나라가 소련에 도움을 구하지 않는 일은 "상상할 수도 없다"고 생각했다. 그러면서 "그들이 필요한 때에 도움을 구하지 않고 국토가 유린당하도록 내버려둔다면, 독일의 한 지방이 될지도 모릅니다"라고 덧붙였다—이는 그리 외교적이지 않은 발언으로 들렸을 것이다. 이는 나치 군대가 소련 접경에 자리잡는다는 뜻이라서 소련 측으로서는 결코 바라지 않는 사태였으며, 보로실로프는 드랙스 제독의 이 유감스러운 발언에 특별히 유의했다.

거북해진 영국과 프랑스 대표단은 결국 자신들이 다루기에는 한계가 있는 정치 문제를 보로실로프가 제기했다고 주장했다. 드랙스는 폴란드는 주권국가이기 때문에 우선 그 정부가 소련 병력의 진입을 승인해야 한다고 단언했다. 하지만 이것은 정치 문제이기 때문에 정부들이 해결해야 했다. 드랙스는 소련 정부가 이 문제를 폴란드 정부에 타진해볼 것을 제안했다. 소련 대표단은 이것이 정치 문제라는 데 동의하면서도, 영국과 프랑스 정부가 이 문제를 폴란드 정부에 타진하고 정신을 차리도록 압박해야 한다고 역설했다.

당시 소련 정부가 독일 정부와 거래하고 있었음을 감안할 때, 소련 측은 프랑스–영국 군사대표단과 과연 성실하게 교섭하고 있었던 것일까? 아니면 훗날 드랙스 제독은 말할 것도 없고 영국과 프랑스 외무부에서도 똑같이 결론지은 대로, 히틀러와의 거래 가능성이 확인될 때까지 자국 병력을 폴란드 국내에 배치할 권리를 주장하면서 그저 회담을 질질 끌고 있었던 것일까?*

영국과 프랑스의 기밀자료를 통해 드러나듯이, 처음에 서방 연합국은 소련 군사대표단이 성실하게 교섭에 임한다고 생각했다—실은 너무 진지하게 임한다고 생각했다. 첫 참모회담 이틀 후인 8월 13일, 시즈 대사는 소련 군 수뇌부가 정말로 "임무에 열성"을 보인다는 내용의 전보를 런던에 보냈다. 그 결과 "아주 더디게 진행하라"고 드랙스 제독에게 내려진 지시는 변경되었으며, 8월 15일 제독은 영국 정부로부터 두망을 도와 군사회담을 "되도록 조속히" 타결하라는 새로운 지시를 받았다. 소련 측에 기밀 군사정보를 털어놓지 말라는 제한도 부분적으로 해제되었다.

시간을 끌라는 영국 측의 첫 지시와 달리, 두망 장군이 달라디에 총리로부터 직접 받은 지시는 소련과의 군사협약을 가능한 한 조기에 체결하도록 노력하라는 것이었다. 독일에 누설될지 모른다는 영국의 우려에도 불구하고 두망은 두 번째 회담에서 소련 측에 프랑스 육군의 전력에 관한, 그 자신의 말에 따르면, "극비 수치들"을 털어놓았으며, 이에 소련 대표단은 회담 종료와 동시에 그 수치들을 "잊겠다"고 약속했다.

두망은 드랙스와 함께 8월 17일까지 사흘 동안 폴란드 문제에 어떻게 답변할지와 관련해 본국 정부의 지시를 헛되어 기다린 뒤, 파리에 전보를 쳤다. "소련은 군사조약을 원한다. … 소련은 우리가 실질적인 약속을

---

* 시점이 중요하다. 앞에서 언급한 대로 몰로토프는 리벤트로프를 모스크바로 보내겠다는 나치의 제안을 8월 15일 저녁까지 받지 못했다. 그리고 그 제안을 명확하게 수락하기 전에 소련은 독일과의 불가침 조약에 관심이 있다는 힌트를 주었다. 물론 독일과 불가침 조약을 맺고 나면 프랑스-영국과의 군사동맹은 무의미해진다. 내가 내릴 수 있는 최선의 결론은, 보로실로프가 소련군이 폴란드에 진입해 독일군을 상대하도록 허용하는 문제에 관한 "엄밀한 답변"을 요구한 8월 14일까지만 해도 크렘린은 어느 편에 가담할지 열어두고 있었다는 것이다. 불행히도 이 중요한 문제의 진상을 밝혀줄 수 있는 소련 측 문서는 공개되지 않았다. 어쨌거나 스탈린은 8월 19일 오후까지 최종 결정을 내리지 않았던 것으로 보인다.

담지 않은 종잇장을 주는 것을 원하지 않는다. 보로실로프 원수는 자신이 말하는 결정적인 문제가 해결되면 … 모든 문제가 곧바로 쉬이 처리될 것이라고 말했다." 두망은 소련의 도움을 받는 데 동의하도록 바르샤바를 설득해줄 것을 파리에 강력히 촉구했다.

당시 모스크바뿐 아니라 서방의 수도들에서도 만연했던 믿음, 즉 영국과 프랑스 정부는 소련군이 폴란드 땅에서 독일군을 상대할 수 있도록 폴란드 정부를 설득하려는 노력을 전혀 하지 않았다는 믿음과 달리, 근래에 공개된 문서들을 보면 런던과 파리가 꽤 노력했던 것이 분명하다 — 다만 더할 나위 없이 노력하지는 않았다. 또한 폴란드 정부가 믿기 어려울 정도로 어리석게 대응했던 것도 분명하다.[31]

8월 18일 영국과 프랑스가 바르샤바에서 폴란드 정부의 눈을 뜨게 하려고 처음 시도한 이후, 폴란드의 베츠크 외무장관은 프랑스 대사 레옹 노엘Léon Noël에게 소련은 "군사적 가치가 없다"고 말했고, 폴란드 참모총장 바츠와프 스타히에비치Wacław Stachiewicz 장군은 "붉은군대 병력이 폴란드 내에서 작전을 벌이더라도 얻을 이득이 없다"고 단언하며 외무장관의 의견에 힘을 보탰다.

이튿날 영국 대사와 프랑스 대사는 베츠크를 다시 만나 소련의 제안에 동의할 것을 촉구했다. 폴란드 외무장관은 말을 아끼면서도 내일 공식 답변을 주겠다고 약속했다. 바르샤바에서 영국과 프랑스가 공동으로 취한 이 조치는 19일의 더 이른 시간에 파리에서 프랑스 외무장관 보네와 영국 대사대리 간에 이루어진 대화의 결과였다. 영국 대사대리에게는 퍽 놀랍게도, 히틀러에게 유화책을 펴는 데 가장 앞장섰던 보네가 이제 폴란드의 고집불통 때문에 동맹국 소련을 잃을 듯한 전망에 심히 흥분하고 있었다.

[보네가 영국 대사대리에게 말함] 폴란드의 거절로 인해 소련과의 교섭이 결렬된다면 그야말로 재앙일 것이다. … 폴란드가 독일이 쳐들어올 경우 받을 수 있는 즉각적이고 효과적인 유일한 도움을 거절한다면, 그런 입장을 언제까지고 옹호할 수는 없을 것이다. 영국과 프랑스 정부도 이 도움을 거절한 폴란드를 방어하기 위해 출동할 것을 서로 요청하기란 거의 불가능할 것이다.

만약에 그렇게 판단했다면—틀림없이 그렇게 판단했다—왜 영국과 프랑스 정부는 이 중대한 국면에서 바르샤바를 최대한 압박하지 않았을까? 그리고 폴란드 정부가 소련의 도움을 받는 데 동의하지 않으면 영국과 프랑스 정부로서도 폴란드를 지원하려고 출동해봐야 소용없다고 생각할 수도 있다고 단순하게 말하지 않은 이유는 무엇일까? 영국과 폴란드는 아직 공식 상호안보 조약을 체결하기 전이었다. 그렇다면 바르샤바 정부의 소련 군사지원 수락을 이 조약 체결의 조건으로 내걸 수 있지 않았을까?*

보네는 8월 19일에 파리에서 영국 대사대리와 대화하는 중에 이 방안을 제안했지만, 런던 정부는 그런 "술책"(다우닝 가의 표현)에 눈살을 찌푸렸다. 체임벌린과 핼리팩스는 그렇게 극단적인 방법까지 쓸 생각이 없었다.

---

* 체임벌린이 폴란드에 대한 일방적인 보장을 발표하고 나흘 후인 4월 3일, 로이드 조지는 하원 연설에서 그런 조건을 내걸 것을 영국 정부에 촉구했다. "우리가 소련의 도움 없이 들어가는 것은 곧 스스로 함정에 빠지는 처사입니다. 소련은 그곳[폴란드]에 군대를 보낼 수 있는 유일한 나라입니다. … 저는 우리가 이 엄청난 계획에 착수하기 전에 소련의 지지를 미리 확보하지 않은 이유를 이해하지 못하겠습니다. … 소련군이 자국에 들어오는 것을 원하지 않는다는 폴란드 측의 어떤 감정 때문에 소련을 이 사안에 끌어들이지 못한다면, 우리로서는 그 조건을 표명해야 하고, 만약에 우리가 성공적으로 도울 수 있는 유일한 조건을 받아들일 용의가 폴란드 측에 없다면, 그 책임은 그들이 져야 합니다."

8월 20일 오전, 폴란드군 참모총장은 바르샤바 주재 영국 무관을 불러 "어떤 경우에도 소비에트 병력이 폴란드 영토 내로 들어오는 데 동의하지 않을 것"이라고 알렸다. 그리고 그날 저녁 베츠크가 영국-프랑스의 요청을 정식으로 거절했다. 같은 저녁에 핼리팩스는 바르샤바 대사를 통해 폴란드 외무장관에게 재고할 것을 촉구하면서 강한 어조로 폴란드의 그런 입장이 모스크바 군사회담을 "난파시키고" 있다고 역설했다. 그러나 베츠크는 완고했다. "나는 외국 병력이 우리 영토의 일부를 사용하는 문제를 놓고 어떤 종류의 논의를 하든 간에 그것을 인정하지 않습니다. 우리는 소련과 군사협정을 맺지 않았습니다. 맺기를 원하지도 않습니다"라고 베츠크는 프랑스 대사에게 말했다.

폴란드 정부가 이렇게 무턱대고 고집을 부리자 절박해진 달라디에 총리는, 1946년 7월 18일 프랑스 제헌의회에서 한 발언에 따르면, 직접 행동에 나서기로 했다. 폴란드 측에 현실적으로 판단하도록 다시 한 번 호소한 뒤, 달라디에는 8월 21일 오전 두망 장군에게 전보를 보내 그가 도출할 수 있는 최선의 조건으로 소련과 군사협약을 체결할 권한을 주었다. 다만 프랑스 정부의 승인을 받아야 한다는 단서를 달았다. 훗날 보네 외무장관의 서술에 따르면, 같은 시간 모스크바 주재 프랑스 대사 폴-에밀 나지아Paul-Emile Naggiar는 보네로부터 지시를 받았다. 독일이 침공해 올 경우 소련군이 폴란드를 통과해 이동하는 데 프랑스가 "원칙적으로" 동의한다는 뜻을 몰로토프에게 전하라는 지시였다.

그러나 폴란드가 동의하지 않는 이상, 프랑스의 조치는 한가한 제스처에 지나지 않았다―그리고 지금 우리가 알고 있듯이, 당시 소련-독일의 거래 상황을 고려하면 헛수고였다. 두망은 8월 21일 밤 늦게까지는 달라디에의 전보를 받지 못했다. 이튿날―리벤트로프가 모스크바로 출발하기 전날—저녁 두망이 그 전보 내용을 보로실로프에게 통지했을 때, 소비에트 원수는 매우 미심쩍어했다. 원수는 과연 두망의 말대로 프랑스 정부가 그에게 소련군이 폴란드를 통과해 이동하는 것을 허용하는 내용의 군사협약을 체결할 권한을 주었는지 확인하고 싶다고 했다. 두망은 명확히 거절했다. 그러자 보로실로프는 영국이 어떤 반응을 보였는지, 그리고 폴란드의 동의를 얻었는지 알고자 했다. 이 당혹스러운 질문에 두망은 그저 자신은 아는 바가 없다고 대답했다.

그런데 어차피 이 시점에는 보로실로프의 질문도 두망의 대답도 현실적인 의미가 전혀 없었다. 너무 늦었다. 리벤트로프가 이미 모스크바로 가고 있었다. 전날 밤에 그의 방문 행차가 공개적으로 발표되었다. 나치 독일과 소비에트 연방의 불가침 조약 체결이라는 목적도 발표되었다.

보로실로프는 프랑스 장군에게 진심으로 호감이 생겼던 모양인지 자신들의 접촉이 이제 거의 끝났음을 은근히 알려주려 했다.

[보로실로프가 말함] 우려되는 것이 한 가지 있습니다. 프랑스와 영국 측은 정치적·군사적 논의가 너무 길게 늘어지도록 놔두었습니다. 그런 까닭에 이러고 있는 사이에도 모종의 정치적 사건이 생길 가능성을 배제해서는 안 됩니다.*

---

* 전날인 8월 21일 오전의 군사대표단 회담에서 보로실로프는 자신과 동료들이 추계 기동훈련으로 바쁠 것이라는 핑계를 대며 회담을 무기한 연기할 것을 요구했다. 영국과 프랑스 측이 회담 연기에 항의하자 원수는 이렇게 대꾸했다. "소비에트 대표단의 의도는 전에도 지금도 삼국 군대의 군사적 협력을 조직하는 데 동의한다는 것입니다. … 독일과 국경을 접하고 있지 않은 소련은 자체 병력을 폴란드, 루마니아의 영토를 통과해 이동시킬 수 있는 권리를 얻는다는 조건하에서만 프랑스, 영국, 폴란드, 루마니아에 도움을 줄 수 있습니다. … 소비에트 군대가 폴란드, 루마니아의 영토에 들어가는 것이 허용되지 않는다면 영국, 프랑스의 군대와 협력할 수 없습니다. … 소비에트 군사대표단은 영국-프랑스의 정부와 참모본부가 자국의 사절단을 소련에 파견하면서 … 어떻게 이런 기본적인

모스크바의 리벤트로프: 1939년 8월 23일

——

보로실로프가 말한 "모종의 정치적 사건"이 일어나고 말았다.

서명과 동시에 발효되는, 소련과 불가침 조약 및 "그 밖의 다른 협정들"을 체결할 수 있는 전권을 히틀러로부터 서면으로 받은 리벤트로프는 8월 22일 항공편으로 모스크바를 향해 출발했다. 대규모 독일 대표단은 그날 밤을 동프로이센의 쾨니히스베르크에서 보냈는데, 슈미트 박사에 따르면 그곳에서 나치 외무장관은 밤을 새우며 베를린 및 베르히테스가덴과 끊임없이 통화하고 스탈린 및 몰로토프와의 회담을 위해 방대한 서류를 작성했다.

독일 대표단을 태운 두 대의 대형 콘도르 수송기는 8월 23일 정오에 모스크바에 도착했고, 리벤트로프는 대사관에서 급히 식사를 마친 뒤 서둘러 크렘린 궁으로 가 소비에트 독재자 및 외무인민위원과 대면했다. 이 첫 회담은 세 시간 동안 이어졌으며, 리벤트로프가 '최급' 전보로 히틀러에게 알린 대로 독일 측으로서는 순조롭게 진행되었다.[32] 외무장관의 전보로 판단하건대, 소련이 히틀러의 전쟁에 관여하지 않도록 하는 불가침 조약의 조항들을 놓고 합의에 도달하는 데에는 아무런 걸림돌도 없었다. 실제로 어려운 일은 전리품 분배와 관련한, 분명 사소한 문제밖

——

문제에 관해 아무런 지시사항도 주지 않을 수 있는지 도통 이해하기 어렵습니다. … 이것이 보여주는 것이라곤 소련과 진지하고 효과적인 협력관계를 이루고 싶다는 양국의 희망을 의심할 만한 이유들뿐입니다."

원수가 펼친 군사적 주장의 논리는 타당했으며, 프랑스 정부, 특히 영국 정부가 그 주장에 답변하지 못한 일은 장차 재앙으로 귀결될 터였다. 그렇다 해도 스탈린의 8월 19일 결정을 모를 리 없었던 보로실로프가 8월 21일이 되어서도 자신의 기존 주장을 그대로 되풀이한 것은—그 밖의 발언과 마찬가지로—기만적인 행동이었다.

에 없다고 리벤트로프는 보고했다. 소련 측은 라트비아의 항구 리에파야, 벤츠필스를 자국의 "이익권에 속한 것으로" 인정해줄 것을 독일 측에 요구하고 있었다. 라트비아 전역은 양국의 이익권을 나누는 경계선으로 보자면 소비에트 측에 속할 예정이었으므로 이 요구는 아무런 문제가 되지 않았고 히틀러도 곧장 동의했다. 또 리벤트로프는 첫 회담을 마치고 총통에게 "동유럽 전역에 걸쳐 서로의 이익권을 정하는 비밀의정서의 체결을 고려하고 있다"라고 알렸다.

그날 저녁 크렘린 궁에서 열린 두 번째 회담에서 불가침 조약과 비밀의정서가 한꺼번에 체결되었다. 양측이 너무도 쉽게 합의에 도달한 터라 이튿날 새벽까지 이어진 이 유쾌한 회담은 빡빡한 흥정일랑 전혀 없이 주로 세계 나라들의 현황에 관해 따뜻하고 우호적인 방식으로 논하고 크렘린 궁의 성대한 모임에서 빠질 수 없는 야단스러운 건배가 거듭되는 시간으로 채워졌다. 회담에 참석한 독일 대표단의 일원이 이날의 믿기 어려운 광경을 기밀문서에 기록했다.[33]

독일의 맹방인 이탈리아와 일본의 야심에 관해 스탈린이 질문하자 리벤트로프는 쾌활하게 걱정을 덜어주는 답변을 했다. 소비에트 독재자와 당시 최대한 진중하게 행동한 나치 외무장관은 영국과 관련해 대번에 의견 일치를 보았다. 모스크바에 온 영국 군사사절단은 "그들이 정말로 원하는 것을 소비에트 정부에 결코 말하지 않았습니다"라고 스탈린은 손님에게 털어놓았다. 그러자 리벤트로프는 영국은 항상 독일과 소련의 우호적인 관계를 방해하려 애썼다고 맞장구쳤다. 그리고 "잉글랜드는 약하거니와 세계 지배라는 주제넘은 주장을 위해 다른 나라들끼리 싸우도록 부추깁니다"라고 힘주어 말했다.

독일 측 문서에 따르면 스탈린은 "고개를 세게 끄덕인" 다음 "잉글랜드가 세계를 지배한다면, 그건 언제나 속아 넘어가는 다른 나라들의 어리석음 때문입니다"라고 말했다.

이때쯤에는 소비에트 통치자와 히틀러의 외무장관이 흥겹게 어우러지고 있던 터라 반코민테른 협정이 화제에 올라도 당황하지 않았다. 리벤트로프는 그 협정이 소련을 겨냥한 것이 아니라 서방 민주국가들을 겨냥한 것이라고 다시 한 번 설명했다. 그러자 스탈린은 "사실 반코민테른은 주로 런던의 시티[즉 영국 금융계]와 잉글랜드 장사꾼들을 겁먹게 했지요"라고 거들었다.

독일 측 문서에서 드러나듯이, 이 대목에서 리벤트로프는 스탈린의 맞장구에 얼마나 기분이 좋았던지 한두 가지 농담을 시도하기까지 했다—유머라곤 없는 사람의 눈부신 위업이었다.

[독일 측 문서에서 이어지는 서술] 제국 외무장관은 농담조로 반코민테른에는 스탈린 씨가 런던 시티와 잉글랜드 장사꾼들보다 확실히 겁을 덜 먹는다고 말했다. 독일 국민이 이 문제를 어떻게 생각하는지는 재치와 유머로 잘 알려진 베를린 주민들에게서 유래한 농담, 즉 스탈린 본인도 언젠가 반코민테른 협정에 가입할 것이라는 농담으로 분명하게 알 수 있다고 했다.

끝으로 나치 외무장관은 소련과 합의에 이른 일을 독일 국민이 얼마나 따뜻하게 환영하는지에 대해 자세히 말했다. 독일 측 기록에 따르면 "스탈린 씨는 그 말을 정말로 믿는다고 답했다. 독일인들은 평화를 바란다고 했다".

건배할 때가 되어서는 이런 실없는 소리가 점점 심해졌다.

스탈린 씨는 자진해서 총통을 위한 건배를 제안했다.

"저는 독일 민족이 총통을 얼마나 사랑하는지 알고 있습니다. 그럼 총통의 건강을 위하여 건배!"

몰로토프 씨는 제국 외무장관의 건강을 위하여 건배했다. … 몰로토프 씨와 스탈린 씨는 불가침 조약, 독일-소련 관계의 새로운 시대, 독일 민족을 위해 거듭 건배했다.

그 답례로 제국 외무장관은 스탈린 씨, 소비에트 정부, 독일-소련 관계의 순조로운 발전을 위해 건배했다.

그런데 스탈린은 얼마 전까지 숙적이었던 상대와 이토록 다정하게 주거니 받거니 하면서도 나치 정부가 과연 불가침 조약을 준수할지에 대한 판단을 내심 유보했던 것으로 보인다. 리벤트로프가 떠나려던 참에 스탈린은 그를 한쪽으로 데려가 이렇게 말했다. "소비에트 정부는 이번 조약을 아주 진지하게 받아들입니다. 나는 소비에트 연방이 협력국을 배신하지 않을 것임을 나의 명예를 걸고 보장할 수 있습니다."

그렇다면 이 새로운 협력국들은 무엇에 서명했던가?

공표된 조약에는 쌍방 모두 서로를 공격하지 않을 것이라는 약속이 담겨 있었다. 둘 중 한 나라가 제삼국의 "호전적 행동의 대상"이 될 경우 다른 한 나라는 "이 제삼국을 결코 지원하지 않는다". 독일도 소련도 "상대국을 겨냥하는 어떠한 종류의 열강 단체에도 참가하지" 않는다.*

---

* 이 핵심 조항들의 조문은 8월 19일에 몰로토프가 슐렌부르크에게 건넨 뒤 히틀러가 스탈린에게 보내는 자신의 전보에서 수락 의사를 표명한 소비에트의 초안과 거의 동일하다. 소비에트의 초안에는 '특별의정서'를 조약과 동시에 체결하고 조약을 구성하는 일부분으로 포함시켜야만 불가침 조약이 유효할 것이라고 명기되어 있었다.[34]

이렇게 해서 히틀러는 간절히 원하던 것을 얻었다. 다시 말해 폴란드가 공격당할 경우 영국과 프랑스가 조약상의 의무를 준수하기 위해 폴란드를 원조한다 해도 소련은 거기에 가담하지 않는다는 협정을 신속히 체결한 것이다.*

히틀러가 치른 대가는 이 조약의 '비밀의정서'에 적혀 있었다.

독일과 소비에트 연방의 불가침 조약 체결을 계기로 아래에 서명한 전권사절들은 기밀을 엄수하는 가운데 동유럽에서의 이익권 획정 문제를 논의했다.

1. 발트 국가들(핀란드, 에스토니아, 라트비아, 리투아니아)에 속한 지역들에서 영토적·정치적 변경이 있을 경우, 리투아니아의 북부 국경선이 독일과 소련 양국 이익권의 경계가 될 것이다.

2. 폴란드 국가에 속한 지역들에서 영토적·정치적 변경이 있을 경우, 나레프 강과 비스와 강, 산san 강의 물줄기가 독일과 소련 양국 이익권의 대략적인 경계가 될 것이다.

양국의 이익에 비추어 독립적인 폴란드 국가의 유지가 바람직하느냐의 문제와 이 국가의 경계선을 어떻게 획정하느냐의 문제는 향후의 정치적 진전에 의해서만 명확하게 결정할 수 있다.

어떤 경우에도 양국 정부는 이 문제를 우호적인 이해를 통해 해결할 것이다.

저녁 회의에 참석했던 프리드리히 가우스에 따르면, 리벤트로프는 우호적인 소비에트-독일 관계의 형성을 강조하는 과장된 전문(前文)을 집어넣기를 원했으나 스탈린은 빼자고 고집했다. 소비에트 독재자는 이렇게 불평했다. "나치 정부에 의해 6년 동안 거름통을 뒤집어쓴 소비에트 정부가 이제 와서 갑자기 민중에게 우호를 확약할 수는 없습니다."[35]

* 조약의 제7조는 서명과 동시에 발효된다고 규정했다. 두 전체주의 국가에서 공식 비준은 형식적 절차에 불과했겠지만, 그렇다 해도 비준을 마치려면 며칠이 걸릴 터였다. 히틀러는 이 조항을 넣자고 고집했다.

지난날 독일 국왕들과 러시아 황제들의 시대처럼 독일과 소련은 다시 한 번 폴란드를 분할하기로 합의했다. 그리고 히틀러는 스탈린에게 발트 동부에서의 재량권을 주었다.

끝으로 소련은 남동유럽과 관련해 1919년 루마니아에 빼앗긴 베사라비아에 큰 관심을 보였으며, 독일은 이 지역에 관심이 없다고 선언했다— 이 양보를 리벤트로프는 나중에 후회하게 된다.

"이 의정서는 체약국 양측 모두 엄격히 기밀로 취급한다"라는 말로 이 문서는 끝맺어졌다.[36]

실제로 이 의정서의 내용은 전후에 독일 기밀문서가 압수된 후에야 알려졌다.

이튿날인 8월 24일, 득의만면한 리벤트로프가 베를린으로 돌아가는 기내에 있을 때, 모스크바에 있는 연합국 군사사절단은 보로실로프와의 면담을 요청했다. 사실 드랙스 제독은 보로실로프에게 긴급 서신을 보내 군사회담의 지속 여부에 관한 견해를 밝혀달라고 요청한 터였다.

보로실로프는 다음날인 8월 25일 오후 1시에 영국과 프랑스의 군사참모들에게 자신의 견해를 알렸다. "변화된 정세를 고려할 때 대화를 계속할 만한 유익한 목표를 찾을 수 없다."

2년 후 독일군이 불가침 조약을 위반하고 소련으로 쇄도할 때, 스탈린은 과거 교섭을 위해 모스크바를 찾아온 영국-프랑스 군사대표단을 속이고 비밀리에 히틀러와 혐오스러운 거래를 했던 일을 여전히 정당화하고 있었다. 1941년 7월 3일, 스탈린은 라디오 방송에서 소련 국민에게 이렇게 자랑했다. "우리는 1년 반 동안 우리나라를 위해 평화를 확보했을 뿐 아니라 파시스트 독일이 조약을 무시하고 공격해올 경우에 대비해 우리의 군사력을 정비할 기회도 얻었다. 이는 우리나라에는 명백한 이익이고, 파시스트 독일에는 손실이었다."

과연 그랬을까? 이 점은 조약 체결 이후로 줄곧 논쟁거리였다. 스탈린이 추악한 비밀 거래를 하고서 한숨 돌릴 틈―페레디시카peredyshka―을 벌었던 것은 분명하다. 차르 알렉산드르 1세가 1807년 틸지트 조약을 체결하고 나폴레옹으로부터, 그리고 레닌이 1917년 브레스트 리도프스크 조약을 체결하고 독일군으로부터 한숨을 돌릴 수 있었던 것과 마찬가지로 말이다. 또 이 거래 덕에 소련은 기존 국경 외에 발트 국가들과 핀란드 내의 기지들을 포함해 대對독일 전진 방어기지까지 확보했다―희생양은 폴란드인, 라트비아인, 에스토니아인, 핀란드인이었다. 그리고 훗날 소비에트의 공식 《외교사》에서 강조했듯이, 무엇보다 크렘린 궁은 설령 소련이 나중에 독일의 공격을 받는다 해도 서방 열강이 이미 제3제국과 돌이킬 수 없이 싸우고 있을 것이므로, 1939년 여름 내내 스탈린이 우려했던 것처럼 소련 단독으로 독일을 상대하는 일은 없을 것이라고 확신할 수 있었다.

이 모두는 의심할 나위 없이 사실이다. 그러나 이 논쟁에는 다른 측면도 있다. 히틀러가 소련을 공격하는 쪽으로 관심을 돌렸을 무렵, 폴란드군과 프랑스군, 영국의 원정군은 이미 격멸당한 상황이었다. 독일은 유럽의 동원 가능한 모든 자원을 차지하고 있었고, 독일군의 손발을 묶어놓을 서부전선은 존재하지 않았다. 1941년, 42년, 43년 내내 스탈린은 독일에 맞서는 제2전선이 유럽에 없어 소련이 독일군의 거의 모든 병력의 공격을 정면으로 받아내야 한다고 씁쓸하게 불평했다. 1939~40년에는 독일군의 전력을 분산시킬 서부전선이 있었다. 그리고 소련이 폴란드를 등 뒤에서 찌르지 않고 오히려 지원했다면, 독일이 폴란드를 2주 만에 유린할 수도 없었을 것이다. 게다가 폴란드, 영국, 프랑스뿐 아니라 소련까지 상대해야 한다는 것을 히틀러가 알았다면, 전쟁이 아예 일어나지 않았을지도 모른다. 정치적으로 소심한 독일 장군들일지라도, 훗날 그들의 뉘른베르크 증언으로 판단하건대, 그처럼 강력한 연합세력을 상대로 전쟁을 일으키는 방안에 단호히 반대했을지도 모른다. 베를린 주재 프랑스 대사에 따르면 5월 말에 카이텔과 브라우히치 둘 다 소련이 적측에 가담할 경우 독일은 승전할 가망이 거의 없다고 히틀러에게 경고한 바 있었다.

어떤 정치인도, 설령 독재자라 해도 장기간에 걸친 사태 추이를 예견할 수는 없다. 처칠이 주장한 대로 히틀러와 거래한 스탈린의 행보는 비록 냉혹하긴 해도 "당시로서는 매우 현실적"이었다고 말할 수 있다.[37] 다른 모든 국가수반과 마찬가지로 스탈린도 자국의 안보를 맨 먼저, 최우선으로 고려했다. 1939년 여름, 스탈린은 훗날 처칠에게 말했듯이 히틀러가 전쟁을 일으킬 것이라고 확신하고 있었다. 단독으로 독일군을 상대해야 하는 재앙적인 처지로 소련을 밀어넣는 책략에 당하지 않겠다고 그는 결심했다. 서방과 잘못될 우려가 없는 동맹을 맺는 것이 불가능하다면, 갑자기 다가와 문을 두드리는 히틀러 쪽으로 돌아서는 것은 어떨까?

1939년 7월 말에 스탈린은 분명 프랑스와 영국이 구속력 있는 동맹을 원하지 않는다는 것뿐 아니라 영국 체임벌린 정부의 목적이 히틀러를 부추겨 동유럽에서 전쟁을 일으키도록 하는 데 있다는 것까지 확신하게 되었다. 스탈린은 과연 프랑스가 체코슬로바키아에 대한 의무를 준수했던 것 이상으로 영국이 폴란드에 대한 보장 약속을 지킬 것인지를 몹시 의심했던 것으로 보인다. 그전 2년간 서방에서 일어난 모든 일도 그의 의심을 키웠다. 나치의 오스트리아 병합과 체코슬로바키아 점령 이후 또다른 침공을 막기 위해 회의를 열어 계획을 세우자는 소비에트의 제안을 체임벌린이 거절한 일, 소련을 배제시킨 뮌헨 협정에서 체임벌린이 히틀러를 달랜 일, 1939년의 운명적인 여름이 째깍째깍 지나가는 때에 체임벌린이 독일에 맞설 방어동맹을 교섭하면서 자꾸 지체하고 망설인 일 등이 그러했다.

한 가지는 분명했다—체임벌린을 제외한 거의 모든 사람에게. 히틀러가 조치를 취할 때마다 머뭇거리고 비틀거리던 영국-프랑스의 외교가이제 완전히 파탄났다는 점이었다.* 한 걸음 한 걸음씩 두 서방 민주국가는 뒤로 물러섰다. 1935년 히틀러가 양국을 무시하고 징병제를 선언했을 때, 1936년 라인란트를 점령했을 때, 1938년 오스트리아를 차지한데 이어 주데텐란트를 요구하여 차지했을 때 그러했다. 1939년 3월, 히틀러가 잔존 체코슬로바키아를 점령했을 때도 나약하게 방관했다. 소련을 같은 편에 두었다면, 두 나라는 독일 독재자의 개전 시도를 단념시킬수 있었을 테고, 설령 실패했더라도 무력 충돌에서 히틀러를 조기에 물리칠 수 있었을 것이다. 하지만 두 나라는 이 마지막 기회를 그냥 흘려보냈다.** 그러더니 생각할 수 있는 최악의 시간에 최악의 상황에서, 폴란

---

* 폴란드의 외교도 마찬가지였다. 프랑스 대사 노엘은 파리에 보낸 전보에서 폴란드 외무장관 베츠크가 나치-소비에트 조약 체결에 보인 반응에 관해 보고했다. "베크는 아주 침착하고 조금도 걱정하지 않는 것으로 보인다. 그는 실질적으로 변한 것이 별로 없다고 믿고 있다."

** 앞에서 언급했듯이 히틀러가 크렘린의 비위를 맞춘다는 여러 경고에도 불구하고 기회를 놓쳐버렸다. 6월 1일, 베를린 주재 프랑스 대사 쿨롱드르는 프랑스 외무장관 보네에게 히틀러의 뇌리 속에서 소련의 모습이 갈수록 커지고 있다고 알렸다. "히틀러는 소련과 싸우지 않아도 된다면, 전쟁의 위험을 무릅쓸 것입니다. 반면에 소련과도 싸워야 한다는 것을 알게 되면, 자신의 나라와 당, 자기자신을 파멸로 이끌기보다는 뒤로 물러설 것입니다." 대사는 파리 정부에 모스크바에서 영국-프랑스의 교섭을 신속히 끝마칠 것을 촉구하고 베를린 주재 영국 대사가 런던 정부에 이와 비슷한 호소를 했다고 조언했다. (*French Yellow Book*, Fr. ed., pp. 180-181)

8월 15일, 쿨롱드르와 헨더슨 두 사람은 독일 외무부에서 바이츠제커를 만났다. 영국 대사는 독일

드가 공격을 당하면 원조하기로 입장을 정했다.

런던과 파리는 스탈린의 표리부동을 시끄럽고 신랄하게 비난했다. 오랫동안 '파시스트 짐승들'에게 고함을 치고 평화를 사랑하는 모든 국가가 단결해 나치의 침공을 저지하자고 요구해온 소비에트 전제군주가 이제 그 침공의 종범從犯이 되었다고 했다. 크렘린 궁은 소련이 한 일은 영국과 프랑스가 1년 전에 뮌헨에서 했던 일, 즉 독일에 맞서 재무장하기 위해 약소국을 희생양 삼아 평화를 얻고 시간을 번 일에 지나지 않는다고 주장할 수 있었고, 실제로 그렇게 주장했다. 1938년 9월에 체임벌린이 체코슬로바키아를 희생양 삼아 히틀러를 달랜 것이 올바르고 명예로운 일이었다면, 1년 후에 스탈린이 어쨌거나 소비에트의 도움을 거부한 폴란드를 희생양 삼아 총통을 달랜 것은 그릇되고 불명예스러운 일이었을까?

스탈린이 폴란드를 분할하고 라트비아, 에스토니아, 핀란드, 베사라비아를 집어삼키기 위해 히틀러와 비밀리에 극히 이기적인 거래를 한 사실은 당시 베를린과 모스크바 외부에 알려지지 않았지만, 오래지 않아

외무차관이 소련도 "결국 폴란드 전리품 분배에 참여할 것"이라고 자신했다는 사실을 런던에 알렸다. (*British Blue Book*, p. 91) 그리고 쿨롱드르는 바이츠제커와 회담한 뒤 파리에 전보를 보냈다. "무슨 대가를 치르더라도 소련과의 회담에서 최대한 신속히 모종의 해결책에 도달할 필요가 있다." (*French Yellow Book*, p. 282)

6월과 7월 내내 모스크바 주재 미국 대사 로런스 스타인하트 역시 소비에트-나치 거래가 임박했다는 경고를 보냈고, 이 경고를 루스벨트 대통령은 영국, 프랑스, 폴란드 대사관에 전달했다. 7월 5일, 워싱턴 주재 소련 대사 콘스탄틴 우만스키(Constantine Oumansky)는 휴가차 귀국할 때 스탈린에게 보내는 루스벨트의 메시지를 가져갔다. "스탈린의 정부가 히틀러와 손을 잡는다면, 히틀러는 프랑스를 정복하자마자 바로 그날 밤에 소련으로 눈을 돌릴 것이 확실하다"는 메시지였다. (Joseph E. Davies, *Mission to Moscow*, p. 450) 루스벨트는 이 경고를 몰로토프에게도 전하라는 지시를 붙여 스타인하트에게 타전했고, 대사는 8월 16일 지시를 이행했다. (*U.S. Diplomatic Papers, 1939*, I, pp. 296-299)

소비에트의 행동으로 명백하게 드러났다. 그리고 시간이 한참 흐른 지금에 와서도 세계의 대다수 국가들에 충격을 준다. 소련 측은 1차대전이 끝날 때 빼앗겼던 지역들을 되찾은 것에 지나지 않는다고 말할지도 모르고, 당시 실제로 그렇게 말했다. 그러나 이들 지역의 주민들은 소련인이 아니었고 소련으로 귀환하고 싶다는 마음을 밝힌 적도 없었다. 소련은 리트비노프의 전성기 동안 삼갔던 무력으로만 그들을 귀환시킬 수 있었다.

국제연맹에 가입한 이래 소련은 평화의 지지자이자 파시스트 침공의 주요 반대자로서 어느 정도 도덕적 영향력을 쌓아온 터였다. 이제 그 도덕적 자산은 완전히 사라지고 없었다.

무엇보다 스탈린은 나치 독일과의 비열한 거래에 부응함으로써 세계 전쟁으로 번질 것이 거의 확실한 전쟁이 시작된다는 신호를 보냈다. 이것을 그는 확실히 알고 있었다.* 앞으로 밝혀질 것처럼, 이것은 그의 생애를 통틀어 최악의 실책이었다.

---

* 오래전 히틀러는 《나의 투쟁》에 예언하듯이 썼다. "소련과 동맹을 맺는다는 사실 자체가 다음번 전쟁의 계획을 포함한다. 그 결과는 독일의 종말이 될 것이다." (Houghton Mifflin 출판사의 1943년 판본 660쪽 참조)

제16장

평화의 마지막 나날

영국 정부가 가만히 앉아 모스크바에서 나치–소비에트 조약이 정식으로 체결되기를 기다렸던 것은 아니다. 8월 21일 늦은 저녁 리벤트로프가 독일–소비에트 협정을 체결하기 위해 모스크바로 날아가고 있다는 베를린의 발표에 영국 내각은 행동에 나섰다. 22일 오후 3시에 모인 내각은 성명을 발표하여 소비에트–나치 불가침 조약은 "그들이 거듭 공표하고 이행하겠다고 결의한, 폴란드에 대한 그들의 의무에 아무런 영향도 주지 않을 것"이라고 단언했다. 또한 8월 24일 소집된 영국 하원은 긴급 권한법(방위법)을 통과시키고 몇 가지 예방동원 조치를 취했다.

내각의 성명이 최대한 명확한 언어로 작성되었음에도, 체임벌린은 히틀러에게 의문점을 조금이라도 남겨두지 않기를 바랐다. 내각 회의가 끝난 직후 체임벌린은 총통에게 보내는 친서를 썼다.

… 베를린 일각에서는 독일–소비에트 협정 발표를 영국이 폴란드를 위해 개입할 만일의 사태를 더 이상 고려할 필요가 없다는 뜻으로 받아들이는 듯합니다. 그보다 더한 착각은 없을 것입니다. 독일–소비에트 협정의 본질이 어

떻게 판명되든 간에, 폴란드에 대한 영국의 의무가 바뀔 리 없습니다. …
영국 국왕 폐하의 정부가 1914년에 더 분명한 입장을 취했다면 대파국을
피할 수 있었을 것이라는 주장이 그간 제기되었습니다. 그 주장에 일말의 설
득력이 있든 없든 간에, 국왕 폐하의 정부는 이번에는 그런 비극적인 오해
가 생기지 않도록 하기로 결의했습니다.

그런 오해가 생길 경우, 영국 정부는 가용한 모든 병력을 지체 없이 동원하
기로 결의했고 그럴 준비가 되어 있으며, 일단 교전이 시작되고 나면 그 결말
을 예측하기란 불가능합니다. …[1]

본인 말대로 "이로써 우리의 입장을 선명하게 밝혔습니다"라고 덧붙
인 다음 영국 총리는 히틀러에게 폴란드와의 불화에 대한 평화적 해결책
을 찾으라고 다시 한 번 호소하고, 그런 노력에는 영국 정부도 협조하겠
다고 거듭 제안했다.

8월 23일, 베를린에서 비행기에 오른 헨더슨 대사가 오후 1시 직후에
베르히테스가덴에서 히틀러에게 전달한 이 친서는 나치 독재자의 격렬
한 분노를 자아냈다. "히틀러는 흥분했고 비타협적이었다"라고 헨더슨
은 핼리팩스 경에게 보내는 전보에 썼다. "잉글랜드 및 폴란드 양국과 관
련한 그의 언사는 거칠고 과장되어 있었다."[2] 히틀러의 격앙된 장광설에
관해서는 헨더슨의 보고와 독일 외무부의 문서―후자는 압수된 나치 문
서에 들어 있었다―가 의견을 같이한다. 영국은 1년 전 체코슬로바키
아의 불합리한 태도에 책임이 있는 것만큼이나 지금 폴란드의 비타협적
인 태도에도 책임이 있다고 히틀러는 고함을 쳤다. 폴란드에서 민족독일
인Volksdeutche(독일 시민권은 없지만 독일에서 연원한 언어와 문화를 공유하는
사람들) 수만 명이 박해받고 있다고 했다. 심지어 거세를 당한 경우도 여

섯 건 있었다고 주장했다—당시 그는 이 문제에 사로잡혀 있었다. 더는 참을 수 없다며 더 이상 폴란드인이 독일인을 박해하면 당장 조치를 취하겠다고 했다.

[헨더슨이 핼리팩스에게 보낸 전보문] 나는 일일이 논박하며 그의 발언이 부정확하다고 계속 지적했지만 또다른 장광설이 시작될 뿐이었다.

결국 히틀러는 영국 총리의 친서에 서면으로 답변하기로 했고, 헨더슨은 잘츠부르크로 물러나 잠시 숨을 돌렸다.* 오후 늦게 히틀러는 헨더슨을 불러 자신의 답변을 전했다. 첫 회담과 달리 히틀러는, 헨더슨이 런던에 보고한 대로, "아주 차분했고 결코 목소리를 높이지 않았다".

[헨더슨이 보고함] 그는 자신이 50세라면서 전쟁을 하려면 55세나 60세까지 기다리느니 지금 하는 편이 낫겠다고 말했다.

산꼭대기에서 열변으로 토해낸 독일 독재자의 과대망상증은 독일 측 회담 기록에서 더욱 뚜렷하게 나타난다. 그 기록에서 히틀러는 전쟁을 더 나중에 하느니 차라리 50세에 하겠다고 말한 다음 이렇게 덧붙였다.

[히틀러가 말함] 나는 최전선의 군인으로서 전쟁이 무엇인지 알고 있고 가용한 모든 수단을 동원하리라는 것을 잉글랜드는 알아두는 편이 좋을 것이

---

* 당시 동석한 바이츠제커는 훗날 이렇게 썼다. "대사가 나가고 문이 닫히기 무섭게 히틀러는 허벅지를 치며 웃더니 이렇게 말했다. '체임벌린도 이 대화에서는 별 수 없을 거야. 그의 내각은 오늘 밤에 무너지겠군.'" (Weizsäcker, *Memoirs*, p. 203)

다. 만약에 내가 당시에 독일 총리였다면 세계대전[즉 1914~18년의 전쟁]에서 패하지 않았을 것이며, 이는 누구에게나 아주 명확한 사실이다.

체임벌린에 대한 히틀러의 답변은 폴란드 정부가 감히 그에게 대항한 이래 그가 외국인이나 독일인을 상대로 부르짖어온 온갖 식상한 거짓말과 과장이 뒤섞인 것이었다. 독일은 영국과의 분쟁을 바라지 않는다고 그는 말했다. 독일은 시종일관 "진정으로 비길 데 없이 관대한 제안에 기초하여" 단치히 및 회랑지대 문제를 폴란드와 상의할 용의가 있었다. 그러나 영국은 폴란드를 무조건 보장함으로써 폴란드 정부가 "폴란드 내 독일계 주민 150만 명에 대한 소름 끼치는 테러의 물결을 일으키도록" 조장하기만 했다. "그런 잔혹행위는 피해자들에게 끔찍할 뿐 아니라 독일 제국과 같은 강대국으로서는 묵과할 수 없는 일"이기도 하다고 히틀러는 단언했다. 독일은 더 이상 그런 잔혹행위를 묵과하지 않을 작정이었다.

끝으로 히틀러는 영국이 폴란드에 대한 약속을 지킬 것이라는 영국 총리의 확약을 언급하며 "그것으로 독일의 국익을 지키겠다는 독일 정부의 결의를 바꿀 수는 없다. … 독일은 설령 잉글랜드의 공격을 받더라도 그에 대비되어 있는 결연한 모습일 것이다"라고 단언했다.[3]

이 서신 교환으로 무슨 성과를 거두었을까? 히틀러는 체임벌린으로부터 독일이 폴란드를 공격할 경우 영국이 참전할 것이라는 엄숙한 확언을 들었다. 영국 총리는 그래 봐야 달라질 건 없다는 총통의 말을 들었다. 그러나 뒤이어 8일 동안 정신없이 벌어진 사건들을 통해 드러났듯이, 8월 23일에는 두 사람 모두 상대로부터 최종 결론을 들었다고는 생각하지 않았다.

특히 히틀러가 그랬다. 총통은 모스크바에서 들려온 희소식에 들떠 있었고, 방금 받은 체임벌린의 서한에도 불구하고 소련이 변절하고 나면 영국이, 그리고 뒤이어 프랑스가 폴란드에 대한 의무의 이행을 재고할 것이라고 자신했다. 그리하여 헨더슨이 비행기에 올라 베를린으로 돌아가던 8월 23일 저녁에 총통은 폴란드를 강습할 날짜와 시각을 정했다. 8월 26일 토요일 오전 4시 30분이었다.

"Y데이의 X아워에 관한 명령은 더 이상 없을 것이다"라고 할더 장군은 일기에 썼다. **"모든 것이 자동으로 굴러갈 것이다."**

하지만 이는 육군 참모총장의 오판이었다. 8월 25일에 두 가지 사건이 일어나는 바람에 아돌프 히틀러는 독일군이 폴란드 국경을 돌파하기로 예정된 시각이 채 24시간도 남지 않은 때에 낭떠러지에서 뒤로 물러났다. 하나는 런던에서, 또 하나는 로마에서 일어났다.

8월 25일 아침, 모스크바에서 귀환하는 리벤트로프를 환영하고 소련에 관한 직보를 받기 위해 전날부터 베를린으로 돌아와 있던 히틀러는 무솔리니에게 서신을 보냈다. 거기에서 추축국 파트너에게 그간 소련과의 교섭에 관해 알리지 못한 이유를 뒤늦게 해명했다. (교섭이 그렇게까지 빠르게 진행될 줄은 "몰랐다"라고 말했다.) 그리고 소비에트-독일 조약을 "추축국이 얻을 수 있는 최대한의 이득으로 여겨야 합니다"라고 단언했다.

그러나 압수된 문서 중에서 원문이 발견된 이 서신의 진짜 목적은 독일의 폴란드 공격이 아무 때나 이루어질 수 있음을 두체에게 경고하는 데 있었다. 다만 히틀러는 이 맹방에 자신이 정한 정확한 일시를 알려주지는 않았다. "폴란드에서 묵과할 수 없는 사건이 발생할 경우 나는 즉각 행동할 것입니다. … 그런 상황에서는 한 시간 후에 무슨 일이 벌어질지 아무도 말할 수 없습니다." 히틀러는 이탈리아의 도움을 구체적으로 요청하지 않았다. 그것은 이탈리아-독일 동맹의 조건에 의하면 자동으로 해야 하는 일이었다. 히틀러는 이탈리아의 양해를 바란다는 뜻을 표명한 정도에 그쳤다.[4] 그러면서도 상대의 반응을 즉각 확인하고 싶어했다. 이 서신은 리벤트로프가 로마 주재 독일 대사에게 곧장 전화로 전달했고, 오후 3시 20분에 두체에게 전해졌다.

그사이 오후 1시 30분에 총통은 총리 관저에서 헨더슨 대사를 접견했다. 폴란드를 파멸시키겠다는 히틀러의 결심은 결코 약해지지 않았지만, 이틀 전 베르히테스가덴에서 영국의 참전을 막으려는 마지막 시도로 헨더슨을 만났을 때보다 더 불안한 상태였다.[*] 대사가 보기에 총통은, 런던에 보고한 대로, "극히 차분하고 정상이었고 매우 진지하고 얼핏 진실해 보이게 말했다". 지난 1년간의 온갖 경험에도 불구하고, 헨더슨은 이 시점이 되어서도 독일 지도자의 '진실성'을 꿰뚫어 보지 못했다. 이때도 히틀러가 하는 말은 터무니없었기 때문이다. 히틀러는 대사에게 영英 제국을 "인정"하고, "그 존속을 자신이 직접 서약하고 이를 위해 독일 제국의 힘을 보탤" 용의가 있다고 말했다.

[총통의 설명에 관해 대사가 말함] 그는 소비에트를 상대로 취한 조치만큼이나 결정적인 조치를 잉글랜드를 상대로도 취하고 싶다고 했다. … 총통은 독일에 관한 한 어떤 상황에서든 영 제국의 존속을 보장할 뿐 아니라 필요하다면 어디서 지원을 필요로 하든 관계없이 독일이 영 제국을 지원하기로

---

[*] 에리히 코르트에 따르면(*Wahn und Wirklichkeit*, p. 192), 히틀러는 모스크바에서 거둔 큰 성과에 흥분한 나머지 8월 25일 아침, 언론 담당 부서에 파리와 런던에서 내각의 위기를 전하는 소식은 없는지 물어보았다. 그는 두 정부 모두 틀림없이 무너질 것이라고 생각했다. 그러다가 전날에 체임벌린과 핼리팩스가 하원에서 결연한 연설을 했다는 말을 듣고 정신을 차렸다.

확약하는 협정을 잉글랜드와 체결할 용의가 있다고 했다.

또한 히틀러는 "무장에 대한 타당한 제한을 수용"하고 독일의 서부 국경을 최종적인 것으로 여길 용의가 있다고 덧붙였다. 헨더슨에 따르면 히틀러는 중간에 특유의 감상적인 허튼소리를 늘어놓기 시작했다. 그럼에도 대사는 런던에 보낸 전보에서 히틀러의 이야기를 허튼소리로 묘사하지 않았다. 종통은

자신이 본성상 정치인이 아니라 예술가이며, 폴란드 문제가 해결되고 나면 전쟁광이 아니라 예술가로서 여생을 살다 갈 것이라고 했다.

그러나 총통은 회견을 마칠 즈음에는 다시 평소의 말투로 돌아갔다.

[독일 측이 헨더슨을 위해 작성한 총통의 발언 발췌] 총통은 자신이 엄청난 결단력을 지닌 사람이며 … 이번이 자신의 마지막 제안이라고 거듭 말했다. 그들[영국 정부]이 이 방안을 거부하면 그다음은 전쟁이라고 했다.

회견 도중 히틀러는 영국에 대한 자신의 "매우 포괄적인 제안"이 한 가지 조건에 달려 있다고 거듭 지적했다. 그 제안은 "독일-폴란드 문제의 해결 **이후**"에만 효력이 발생한다는 것이었다. 헨더슨이 영국은 히틀러의 제안이 폴란드와의 평화적 해결을 의미하지 않는 한 그것을 고려할 수 없다고 계속 주장하자, 히틀러는 이렇게 대꾸했다. "무의미하다고 생각되면 내 제안을 아예 보내지 마세요."

그렇지만 대사가 총리 관저에서 빌헬름슈트라세를 따라 불과 몇 걸음

떨어진 대사관으로 돌아가기 무섭게 슈미트 박사가 대사관의 문을 두드렸다. 슈미트는 총통이 한 발언을 담은 서류—발언의 상당 부분이 삭제되어 있었다—와 더불어 총통의 메시지를 가져왔는데, "제안을 아주 진지하게 받아들이도록" 영국 정부를 설득해줄 것을 헨더슨에게 간청하는 한편 총통 자신이 런던으로 날아갈 것이고 이를 위해 독일 비행기 한 대를 동원하겠다고 제안하는 내용이었다.[5]

이 책을 여기까지 읽은 독자라면 알고 있겠지만, 히틀러의 열에 들뜬 두뇌가 이상하고 기묘하게 작동하는 방식을 쉬이 꿰뚫어 볼 수 있는 경우는 거의 없었다. 영 제국을 보장하겠다는 이 8월 25일의 터무니없는 '제안'은 분명 순간적으로 떠올린 생각일 텐데, 이틀 전에 체임벌린의 친서를 놓고 헨더슨과 논의하고 회답을 작성할 때만 해도 이런 생각을 언급하지 않았기 때문이다. 독재자의 기행을 감안한다 해도, 영국 대사에게 한 제안을 히틀러 본인이 진지하게 여겼을 것이라고 믿기는 어렵다. 게다가 다음날—아직까지 고수하고 있던 X데이—새벽이면 나치 군대가 폴란드로 돌진할 판국이라 체임벌린이 그 제안을 읽어볼 시간조차 없는 시점에 어떻게 영국 정부가 총통의 요청대로 제안을 "아주 진지하게" 받아들일 수 있었겠는가?

그러나 그 '제안'의 이면에는 의심할 나위 없이 진지한 목적이 있었다. 히틀러는 체임벌린이 스탈린과 마찬가지로 자국이 전쟁에서 빠질 수 있게 해줄 어떤 구실을 원한다고 믿었던 것으로 보인다.* 히틀러는 이틀 전

---

* 전쟁에서 빠질 만한 구실이 아니라면, 진지하게 참전하지 않을 만한 구실이라도. 할더 장군은 8월 28일 일기에서 8월 25일의 "일련의 사건"을 요약하면서 이 구실을 암시했다. 할더는 히틀러가 25일 오후 1시 30분에 헨더슨을 접견했다고 쓰고는 이렇게 덧붙였다. "총통은 설령 잉글랜드가 눈속임 전쟁을 벌인다 해도 불쾌하게 받아들이지 않을 것이다."

에 소련 측에 "발트 해에서 흑해에 이르기까지" 동유럽에서의 재량권을 인정하여 스탈린의 호의적 중립을 얻어낸 바 있었다. 그렇다면 제3제국이 호엔촐레른 가의 독일과는 달리 영 제국을 위협하는 일은 결코 없을 것임을 체임벌린에게 확약하여 영국의 불개입을 얻어낼 수는 없었을까? 히틀러도 스탈린도 깨닫지 못한 것은—후자는 그로 인해 혹독한 대가를 치를 터였다—마침내 눈을 뜬 체임벌린이 보기에 독일의 유럽 대륙 지배가 장차 영 제국에—실은 소비에트 연방이라는 제국에도—최대의 위협이 된다는 점이었다. 히틀러가 《나의 투쟁》에 썼듯이, 지난 수백 년간 영국 외교 정책의 최우선 과제는 어느 한 나라가 유럽 대륙을 지배하는 사태를 막는 것이었다.

오후 5시 30분, 히틀러는 프랑스 대사를 접견했으나 "독일에 대한 폴란드의 도발"을 더 이상 좌시할 수 없고, 자신은 프랑스를 공격하지 않을 테지만 만약 프랑스가 참전하면 끝까지 프랑스와 싸우겠다는 말을 되풀이했을 뿐, 다른 중요 사안에 관해서는 말을 아꼈다. 총통은 의자에서 일어나며 프랑스 대사를 돌려보내려 했다. 그러나 쿨롱드르는 제3제국 총통에게 꼭 해두고 싶은 말이 있었다. 군인의 명예를 걸고 말하건대 "폴란드가 공격당할 경우 프랑스는 전력을 다해 폴란드 편에 설 것"임을 자신은 조금도 의심하지 않는다고 했다.

"귀국과 싸워야 한다고 생각하니 괴롭지만, 그건 내게 달린 일이 아닙니다. 이 점을 부디 달라디에 씨에게 전해주세요"라고 히틀러는 대꾸했다.[6]

이제 베를린 기준으로 8월 25일 오후 6시였다. 이날 수도의 긴장감은 온종일 높아졌다. 이른 오후부터 빌헬름슈트라세의 명령에 따라 외부 세계와의 모든 무선통신, 전신, 전화가 차단되었다. 베를린에 마지막까지 남아 있던 영국, 프랑스의 통신원들이나 민간인들은 전날 밤 사이에 가장 가까운 국경으로 서둘러 떠났다. 25일 금요일 낮에는 독일 외무부가 폴란드, 프랑스, 영국 주재 재외공관에 전보를 보내 독일 국적을 가진 사람들에게 가장 이른 경로로 국외로 대피할 것을 권고하라고 요청한 사실이 알려졌다. 나 자신의 8월 24, 25일 일기도 베를린의 긴박한 분위기를 상기시킨다. 날씨는 후텁지근했고 모든 사람이 안절부절못하는 듯 보였다. 제멋대로 뻗어나간 도시 곳곳에 대공포가 배치되고 머리 위로는 폭격기들이 폴란드 방면으로 끊임없이 날아가고 있었다. 24일 저녁 일기에는 "전쟁 같다"라고 갈겨썼고, 이튿날에는 "전쟁이 임박했다"라고 다시 썼다. 내가 기억하기로 이 이틀 밤에 빌헬름슈트라세에서 마주친 독일인들은 히틀러가 군인들에게 새벽을 기해 폴란드로 진군하라는 명령을 내렸다고 속삭였다.

지금 우리가 알고 있듯이, 그 명령은 8월 26일 토요일 오전 4시 30분에 공격을 개시하라는 것이었다.* 그리고 25일 오후 6시까지, 그날 일어난 어떤 일도 예정대로 공격을 강행하겠다는 아돌프 히틀러의 결의를 흔들지 못했다. 영국과 프랑스가 폴란드에 대한 약속을 반드시 지킬 것이라는 헨더슨 대사와 쿨롱드르 대사의 개인적인 확언도 분명 총통의 결의에 영향을 주지 못했다. 그러나 오후 6시경 또는 그 조금 후에 요지부동으

---

* 취소되지 않은 히틀러의 상비명령(변경 전까지 유효한 명령)은 이 날짜와 시각에 공격하라는 것이었고 할더의 말대로 "자동적"이었음에도 불구하고 다수의 독일 저술가들은 총통이 '백색작전'을 이튿날 아침 개시하라는 특별명령을 25일 오후 3시가 몇 분 지난 시점에 내렸다고 썼다. (Weizsäcker, *Memoirs*; Kordt, *Wahn und Wirklichkeit*; Walther Hofer, *War Premediated, 1939* [영역판] 참조) 호퍼(Hofer)는 명령이 오후 3시 2분에 내려졌다고 말하고, 그 근거로 명령이 내려질 때 총리 관저에 있었던 포어만(Vormann) 장군의 말을 인용한다. 이 일에 대한 공식 기록은 독일 문서 중에서 발견되지 않았다.

로 보이는 이 남자를 주저하게 만들 소식이 런던과 로마에서 전해져왔다.

독일의 기밀 기록이나 빌헬름슈트라세 관리들의 전후 증언을 보면, 런던에서 영국-폴란드 조약이 정식으로 체결되어 폴란드에 대한 영국의 일방적인 보장이 상호원조 조약으로 바뀌었다는 소식을 히틀러가 정확히 몇 시에 알았는지가 그리 분명하지 않다.* 빌헬름슈트라세에서는 8월 25일 정오에 그날 중으로 조약이 체결될 것을 눈치챘다는 약간의 서술이 할더의 일기와 독일 해군 기록부에 보인다. 일기에 따르면 할더는 정오에 OKW로부터 공격 결정 연기의 최종 시한이 인제냐고 묻는 전화를 받고 오후 3시라고 대답했다. 해군 기록부에도 영국-폴란드 조약 체결 소식과 "두체로부터의 정보"가 정오에 도착했다고 적혀 있다.[7] 그러나 이것은 불가능하다. 무솔리니의 전언은 해당 문서에 적힌 독일 측의 메모에 따르면 "오후 6시경"까지 도착하지 않았다. 그리고 히틀러는 오후 6시경까지 런던에서 영국-폴란드 조약이 체결되었음을 알 수 없었는데, 이 체결은 오후 5시 35분에야 이루어졌기 때문이다―게다가 5시 35분은 런던 주재 폴란드 대사 에드바르트 라친스키Edward Raczyński 백작이 바르샤바의 외무장관으로부터 조약에 서명해도 된다고 전화로 승인을 받은 지 불과 15분 후였다.**

몇 시에 알았든 간에―오후 6시경이라는 것이 정확한 추측이다―히틀러는 런던발 소식에 동요했다. 그때쯤이면 틀림없이 런던에 전해졌을

---

* 이 조약에는 비밀의정서가 붙어 있었는데, 거기에는 제1조에서 언급하는, 침공 시 상호 군사원조를 발동시키는 "유럽 강국"이 독일이라고 명시되었다. 이로써 영국 정부는 붉은군대가 독일군과 공모하여 폴란드 동부를 침공할 경우 소련을 상대로 전쟁을 선포해야 하는 재앙적인 조치를 피할 수 있게 되었다.
** 영국과 달리 독일은 서머타임을 채택하지 않았다. 그래서 베를린과 런던 사이에 1시간의 시차가 생기지 않았다.

그의 '제안'에 영국이 그렇게 답한 것이라고 봐도 무방했다. 그것은 소련 정부를 매수했던 것처럼 영국 정부를 매수하려던 그의 시도가 실패했다는 뜻이었다. 조약 관련 보고가 도착했을 때 히틀러의 집무실에 있었던 슈미트 박사의 훗날 기억대로라면, 총통은 그것을 읽은 뒤 책상에서 골똘히 생각에 잠겼다.[8]

무솔리니, 겁을 먹다

히틀러의 심사숙고는 곧 로마에서 들려온 똑같이 나쁜 소식으로 중단되었다. 25일 오후 내내 독일 독재자는 자신의 서한에 대한 두체의 답변을, 슈미트 박사의 묘사대로, "초조한 기색을 감추지 못한 채" 기다렸다. 헨더슨이 떠난 직후인 오후 3시에 이탈리아 대사 아톨리코가 불려왔지만, 대사는 아직 아무런 답변도 받지 못했다고 말할 뿐이었다. 이 무렵 히틀러는 신경이 곤두선 나머지 리벤트로프를 시켜 치아노에게 장거리 전화를 걸게 했지만, 치아노에게 연락이 닿지 않았다. 슈미트의 말대로 히틀러는 "거의 막무가내로" 아톨리코를 쫓아버렸다.[9]

며칠 전부터 히틀러는 로마로부터 독일이 폴란드를 공격하는 결정적인 순간에 그의 추축국 파트너가 약속을 저버릴지도 모른다는 경고를 받고 있었고, 이 첩보에는 근거가 없지 않았다. 치아노는 8월 11일부터 13일까지 히틀러 및 리벤트로프와의 환멸스러운 회담을 마치고 귀국하자마자 무솔리니를 독일로부터 떼어놓기 위한 작업에 착수했다—이 행동은 로마 주재 독일 대사관의 빈틈없는 눈길을 피하지 못했다. 파시스트 외무장관의 일기에는 이탈리아 독재자의 견해를 바꾸어 더 늦기 전에 히틀러의 전쟁에서 떼어내려는 노력의 우여곡절이 담겨 있다.[10] 베르히테스가덴에서 돌아온 8월 13일 저녁에 치아노는 두체를 만나 히틀러 및 리벤트로프와의 회담에 관해 이야기한 뒤 독일 측이 "우리를 배반하고 우리에게 거짓말을 했다"는 점과 "우리를 모험으로 끌어들이고 있다"는 점을 납득시키려 애썼다.

[치아노가 그날 밤 일기에 씀] 두체의 반응은 계속 변했다. 처음에는 내게 동조했다. 나중에는 명예 때문에 독일과 함께 진군해야 한다고 말했다. 그러더니 마지막에는 크로아티아와 달마티아에서 자기 몫의 전리품을 원한다고 말했다.

8월 14일 ─ 내가 보기에 무솔리니는 걱정하고 있었다. 나는 주저하지 않고 전력을 다해 그에게서 어떤 식으로든 반독일 감정을 불러일으키려 했다. 나는 그의 위신이 깎였고 그가 조연을 맡고 있다고 말했다. 그리고 마지막에는 그에게 폴란드 문제와 관련해 독일 측이 신의를 저버렸음을 입증하는 문서를 들이밀었다. 동맹의 기반인 전제조건을 독일은 지금 부정하고 있다. 독일은 배신자이며 그런 독일을 버리는 데 가책을 느낄 필요가 전혀 없다. 그러나 무솔리니는 아직 가책을 많이 느끼고 있다.

이튿날 치아노는 이 문제를 무솔리니에게 여섯 시간 동안 줄기차게 이야기했다.

8월 15일 ─ 두체는 … 우리가 독일과 함께 무턱대고 진군해서는 안 된다는 점을 납득했다. 그렇지만 … 그는 독일과의 결별을 준비하기 위한 시간을 원한다. … 그는 민주국가들이 싸울 것이라고 점점 더 확신하고 있다. … 이번에 그것은 전쟁을 의미한다. 우리는 참전할 수 없다. 우리의 곤경이 참전을 허용하지 않기 때문이다.

8월 18일 ─ 오전에 두체와 대화. 평소처럼 흔들리는 그의 감정. 그는 민주 국가들이 진군하지 않을 수도 있고 독일이 헐값에 좋은 거래를 할 수도 있다고 여전히 생각하고, 그 거래에서 배제되고 싶어하지 않는다. 그러면서도 두체는 히틀러의 분노를 두려워한다. 그는 조약을 폐기하거나 그와 비슷한 일을 하면 히틀러가 이탈리아에 앙갚음하기 위해 폴란드 문제를 단념할지도 모른다고 생각한다. 이 모든 것이 그를 불안하고 심란하게 만든다.

8월 20일 ─ 두체가 돌변했다. 이제 코앞으로 다가온 분쟁에서 어떤 대가를 치르더라도 독일을 지원하고 싶어한다. … 무솔리니, 나, 아톨리코의 회의. [베를린 주재 대사는 상의하기 위해 로마로 돌아와 있었다.] 핵심은 독일을 저버리기에는 이미 너무 늦었다는 것. … 전 세계의 언론이 이탈리아는 비겁하다고 말할 것이다. … 나는 그 문제를 논의하려 했지만 이제 소용이 없다. 무솔리니는 자기 생각을 아주 완강하게 고수하고 있다. …

8월 21일 ─ 오늘 나는 아주 명확하게 말했다. … 내가 방에 들어갔을 때 무솔리니는 독일과 함께 가겠다는 결의를 밝혔다. "두체, 그럴 수도 없고 그래서도 안 됩니다. … 저는 공동의 행동 방침을 정하기 위해 잘츠부르크에 갔던 것입니다. 제가 마주한 것은 명령이었습니다. 우리가 아니라 독일이 동맹을 배반한 것입니다. … 조약 문서를 찢어버리십시오. 히틀러의 얼굴에 던져버리십시오! …"

이 회의의 결론으로 치아노가 이튿날 브렌네르에서 리벤트로프를 만나 이탈리아는 독일의 폴란드 침공으로 유발되는 분쟁에 관여하지 않겠다는 뜻을 알리기로 했다. 치아노가 21일 정오에 전화를 걸었으나 몇 시간 동안 연락이 닿지 않다가 마침내 5시 30분에 통화할 수 있었다. 나치 외무장관은 "모스크바에서 올 중요한 메시지를 기다리고" 있어서 이렇게 갑작스럽게 제안한 브렌네르 회담에 대해 즉답할 수 없고 나중에 다시 연락하겠다고 했다. 그러고는 오후 10시 30분에 연락을 했다. 치아노는 일기에 다음과 같이 적었다.

8월 22일 ─ 어젯밤 10시 30분에 새로운 막이 올랐다. 리벤트로프가 전화를 걸어와 국경보다 인스부르크에서 나를 만나고 싶다면서 회담 후에는 소비에트 정부와 중요한 정치 협정을 체결하기 위해 모스크바로 떠나야 하기 때문이라고 했다.

이것은 치아노와 무솔리니가 모르던 소식, 그것도 매우 충격적인 소식이었다. 그들은 두 외무장관의 회담이 "더 이상 시의적절하지 않다"고 판단했다. 동맹국 독일은 모스크바와의 거래를 알리지 않음으로써 이탈리아 측에 대한 경멸감을 다시 한 번 드러낸 셈이었다.

두체의 망설임, 치아노의 반독일 감정, 그리고 이탈리아가 강철 조약 제3조의 의무, 즉 한 체결국이 "다른 국가와 교전을 벌이게 되면" 상대 체결국이 자동으로 참전해야 하는 의무를 슬그머니 지키지 않을 가능성은 8월 22일 리벤트로프가 모스크바로 떠나기 전부터 베를린에 알려졌다.

베를린 주재 이탈리아 대사대리 마시모 마지스트라티Massimo Magistrati 백작은 8월 20일에 외무부의 바이츠제커를 찾아가 "이탈리아의 정신 상태"를 알렸고, 외무차관은 리벤트로프에게 올리는 기밀문서[1]에서 이 소식을 듣고 "놀라지는 않았지만, 제 의견으로는 분명히 고려해야 합니다"라고 알렸다. 바이츠제커의 주의를 끈 마지스트라티의 전언은, 독일이 중요한 문제에 관해 긴밀히 접촉하고 상의하기로 한 동맹의 조건을 지키지 않았고 폴란드와의 분쟁을 전적으로 독일만의 문제로 다루어 "이탈리아의 무력 원조를 포기하고 있다"는 것이었다. 그리고 독일의 견해와 달리 폴란드 분쟁이 대규모 전쟁으로 번진다면, 이탈리아는 동맹의 "전제조건"이 존재하지 않는 것으로 생각하겠다고 했다. 요컨대 이탈리아는 탈출로를 찾고 있었던 것이다.

이틀 후인 8월 23일, 베를린은 로마 주재 대사 한스 게오르크 폰 마켄젠Hans Georg von Mackensen으로부터 또다른 경고를 받았다. 마켄젠은 바이츠제커에게 편지를 보내 "막후에서" 무슨 일이 일어나고 있는지 알렸다. 훗날 압수된 문서 중에 들어 있던 이 편지의 여백에는 "총통에게"라는 바이츠제커의 수기 메모가 적혀 있었다. 이 편지를 보고 히틀러는 분명 눈이 휘둥그레졌을 것이다. 마켄젠의 보고대로라면 무솔리니, 치아노, 아톨리코가 연이어 회의한 뒤 정한 이탈리아의 입장은, 독일이 폴란드를 침공할 경우 그것은 1942년까지는 전쟁을 피한다는 양국의 합의에 근거한 강철 조약에 위배된다는 것이었다. 더구나 독일의 견해와 반대로 무솔리니는 독일이 폴란드를 공격하면 영국과 프랑스 모두―"그리고 몇 달 뒤에는 미국까지"―개입할 것이라고 확신하고 있었다. 독일이 서부에서 수세를 취하는 동안 프랑스와 영국은

두체의 견해로는 동원 가능한 전력으로 이탈리아로 달려들 것이다. 이런 상황에서 이탈리아는 독일에 동부 문제를 처리할 기회를 주기 위해 홀로 전쟁의 예봉 전체를 정면으로 받아내야 할 것이다. …[12]

히틀러는 바로 이런 경고들을 염두에 두고서 8월 25일 오전에 무솔리니에게 편지를 보내고 온종일 점점 더 조바심을 내며 답변을 기다린 터

였다. 24일 저녁, 리벤트로프는 모스크바에서 거둔 성과를 총통에게 자세히 설명한 다음, 자정 직후에 치아노에게 전화를 걸어 "총통의 재촉을 받아" 말한다면서 "폴란드의 도발 탓에 상황이 극히 엄중"해졌다고 경고했다.* 이 전화는 "이탈리아 측이 이런 진전은 예상하지 못했다는 식으로 말하지 못하도록 미연에 막는" 데 목적이 있었음이 바이츠제커의 메모에서 드러난다.

8월 25일 오후 3시 20분, 로마의 베네치아 궁전에서 마켄젠 대사가 무솔리니에게 히틀러의 친서를 건넸을 무렵, 두체는 독일의 폴란드 공격이 임박했음을 알고 있었다. 히틀러와 달리 무솔리니는 영국과 프랑스가 즉시 참전할 것이라고 확신했고, 그렇게 되면 해군력에서 영국의 지중해 함대에 대적할 수 없고 육군력에서도 프랑스군에 압도당할 이탈리아는 파국적 결과를 맞을 것이라고 짐작했다.** 마켄젠이 오후 10시 25분에 베를린으로 보낸 전보에 따르면, 무솔리니는 대사 앞에서 친서를 두 번이나 주의 깊게 읽고는 나치-소비에트 조약에 "완전히 동의"하고 "폴란드와의 무력 분쟁을 더 이상 피할 수 없다"는 것을 깨달았다고 힘주어 말했다. 끝으로 ―"그리고 이 점을 그는 특별히 강조했다"라고 마켄젠은 보

---

* 이 며칠 동안 히틀러와 리벤트로프가 영국, 프랑스, 소련과 회담하고 외교 문서를 교환하면서 거듭 입에 올리고 나치가 통제하는 신문에 요란한 제목이 달린 뉴스로 보도된 "폴란드의 도발"이라는 것은 대부분 독일 측의 날조라는 데 유의해야 한다. 폴란드에서 일어난 도발 사건들은 대부분 베를린의 지시에 따라 독일인들이 일으킨 것이었다. 압수된 독일 문서들에는 이에 관한 증거가 수두룩하다.

** 전날인 8월 24일, 치아노는 피에몬테의 여름 별장에 있던 국왕을 찾아갔다. 무솔리니에 의해 권좌에서 밀려난 고령의 통치자는 이탈리아 군대에 관해 경멸조로 말했다. 치아노는 국왕이 다음과 같이 말했다고 전한다. "육군은 가련한 상태다. 우리 국경을 방어하기에도 벅차다. 서른두 차례나 시찰해서 알지만, 프랑스군은 우리의 방비를 아주 간단히 돌파해버릴 것이다. 우리 육군 장교들은 그 소임에 부적격하며, 장비는 낡고 구식이다." (Ciano Diaries, p. 127)

고했다—"그는 무조건, 모든 자원을 동원해 우리 편에 서겠다"고 했다.[13]

그러나 대사는 몰랐지만 두체가 총통에게 쓴 서신의 내용은 이렇지 않았다. 서신의 내용은 베를린 대사관으로 돌아가 있던 아톨리코에게 치아노가 전화로 급하게 알려주었고, 아톨리코는 "오후 6시경" 총리 관저에 도착해 히틀러 본인에게 서신을 전달했다. 당시 그 자리에 함께 있었던 슈미트에 따르면 총통은 마치 폭탄을 맞은 듯했다. 무솔리니는 나치-소비에트 조약에 "완전한 동의"를 표하고 "폴란드에 관해 양해"한다고 말하고는 요점을 짚었다.

> [무솔리니가 씀, 강조도 무솔리니] 군사행동 시 이탈리아의 **실질적인** 태도에 관해 말하자면, 나의 견해는 다음과 같습니다.
>
> 독일이 폴란드를 공격하고 분쟁이 국지전에 그치는 한, 이탈리아는 요청받은 모든 형태의 정치적·경제적 원조를 독일에 제공할 것입니다.
>
> 독일이 폴란드를 공격하고* 후자의 동맹국들이 독일에 맞서 반격을 개시할 경우, 당신에게 미리 알리건대 나는 이제껏 총통 당신과 폰 리벤트로프 씨에게 거듭 말해온 우리의 전쟁 대비의 **현재** 상태를 고려할 때 이탈리아가 군사작전에서 **앞장서지** 않는 편이 적절하다고 생각합니다.
>
> 그러나 압도적 우세로 우리에게 가해질 프랑스와 잉글랜드의 공격에 맞설 수 있을 정도의 군수물자와 원재료를 독일이 우리 측에 즉시 제공한다면,

---

* 전후에 외무부 문서고에서 발견된 무솔리니 서신의 독일어 번역문(여기서 내가 인용하는 문서도 이것이다)에서는 '독일'이라는 단어에 줄이 그어져 있고 그 위에 '폴란드'라고 타이핑되어 있어서 "폴란드가 독일을 공격할 경우 …"로 읽힌다. 전후에 이탈리아 정부가 공표한 이탈리아어 원문 서신에는 "Se la Germania attaca la Polonia"라고 되어 있다. 나치 정부가 자기네 공식 문서고에 보관된 기밀문서마저 조작했다는 것은 실로 기괴한 일이다.[14]

우리는 곧장 개입할 수 있습니다.

우리가 지난 회담에서 예상한 개전 시기는 1942년이었고, 양측이 합의한 계획에 따르면 그때까지는 나 역시 육해공의 모든 준비가 되어 있을 것입니다.

더욱이 이미 취한 순전한 군사적 조치들과 앞으로 취할 다른 조치들로 인해 유럽과 아프리카에서 프랑스군과 영국군의 상당 부분이 움직이지 못하리라는 것이 내 의견입니다.

나는 당신에게 충실한 친구로서 모든 진실을 밝히고 사전에 상황을 있는 그대로 알리는 것이 나의 필수 의무라고 생각합니다. 그렇게 하지 않는다면 우리 모두에게 불쾌한 결과가 생길지도 모릅니다. 이것이 나의 견해입니다. 잠시 후에 정부 수뇌부를 소집해야 하니 당신의 견해를 알려주시기를 청합니다.

무솔리니[*15]

---

* 마치 무솔리니의 서신이 히틀러에게 그다지 나쁜 약이 아니었다는 듯이, 다수의 독일 저술가들—대부분 평화의 마지막 나날 동안 일어난 극적인 사건들을 직접 목격한 사람들—은 두체가 총통에게 보낸 이 서신의 내용을 상상하여 저술에 담아냈다. 반나치 음모단의 일원으로서 외무부 비서실장이었던 에리히 코르트는 1947년 슈투트가르트에서 출간된 저서 *Wahn und Wirklichkeit*에 가짜 서신을 맨 처음으로 수록했다. 코르트는 제2판에서 가짜 서신을 삭제했지만, 다른 저자들은 제1판의 그 서신을 계속 인용했다. 가짜 서신은 1950년 출간된 페터 클라이스트(Peter Kleist)의 *Zwischen Hitler und Stalin*에서 찾아볼 수 있고, 1951년에 뉴욕과 런던에서 출간된 파울 슈미트 회고록의 영역본에도 실려 있다. 그러나 서신의 원문은 1946년 이탈리아에서 발표되었고, 1948년 미 국무부의 *Nazi-Soviet Relations*에 영역문으로 수록되었다. 히틀러가 아톨리코에게 서신을 받을 때 그 자리에 함께 있었던 슈미트 박사는 서신에서 다음과 같은 부분을 인용한다. "내 생애에서 가장 고통스러운 순간 중 하나인 이 시점에 나는 이탈리아가 여전히 전쟁을 치를 준비가 되어 있지 않음을 당신에게 알려야만 합니다. 삼군을 책임지는 수장들이 내게 말한 바에 따르면, 이탈리아 공군은 가솔린 비축량이 워낙 적어 전투를 3주밖에 지속하지 못할 지경입니다. 육군의 보급과 원료 공급 상황도 마찬가지입니다. … 부디 나의 곤경을 이해해주십시오." 이 서신 위조에 관한 흥미로운 언급은 Namier, *In the Nazi Era*, p. 5 참조.

요컨대 소련은 교전국이 아닌 우호적 중립국으로 남을 것이 확실했지만, 이탈리아는 강철 조약의 동맹국으로 남을지가 불확실했다—게다가 하필이면 이날 영국이 독일의 침공에 대비해 폴란드와 돌이킬 수 없는 상호원조 조약을 체결할 것으로 보였다. 히틀러는 두체의 편지를 읽고서 아톨리코에게 즉시 회답하겠다고 말한 다음 이탈리아 사절을 쌀쌀맞게 내보냈다.

"이탈리아는 1914년에 했던 그대로 행동하고 있군." 슈미트 박사는 아톨리코가 떠난 뒤 히틀러가 쓸쓸하게 내뱉은 이 말을 언뜻 들었다. 그리고 그날 저녁 총리 관저에서는 "불충한 추축국 파트너"에 대한 모진 말들이 메아리쳤다. 하지만 말만으로는 부족했다. 독일 육군은 10시간 후에 폴란드를 향해 출동하기로 되어 있었다. 그때가 8월 25일 오후 6시 30분이었고 침공은 8월 26일 오전 4시 30분에 개시할 예정이었다. 나치 독재자는 런던과 로마에서 온 소식을 고려해 침공을 강행할지 아니면 연기하거나 취소할지를 당장 결정해야 했다.

아톨리코와 함께 히틀러의 서재에서 나온 슈미트는 총통을 대면하러 달려가는 카이텔 장군과 마주쳤다. 몇 분 후에 서재에서 부리나케 나온 장군은 부관에게 흥분해 소리쳤다. "진격 명령을 다시 연기해야 해!"

무솔리니와 체임벌린에 의해 궁지에 몰린 히틀러는 신속히 결정을 내렸다. "총통은 상당히 흔들렸다"라고 할더는 일기에 적고 이렇게 이어나갔다.

오후 7시 30분 — 폴란드와 잉글랜드의 조약 비준. 교전 개시 없음. 모든 병력 이동을 중지할 것이며 달리 방법이 없으면 국경 인근에서도 마찬가지.
오후 8시 35분 — 카이텔이 승인. 카나리스: 잉글랜드와 프랑스로의 전화

제한 해제. 사태 진전 확인.

독일 해군 기록부는 공격 연기에 대한 좀 더 구체적인 서술을 제공하고 연기 이유를 알려준다.

8월 25일 — 이미 시작된 백색 작전은 정치 정세의 변화 때문에 20시 30분에 중지될 것이다. (8월 25일 정오 잉글랜드-폴란드 상호원조 조약. 약속은 지킬 테지만 대량의 원료 제공을 요청할 수밖에 없다는 무솔리니의 통지.)[16]

뉘른베르크 재판에서 세 명의 주요 피고는 심문을 받는 중에 폴란드 공격 연기의 전말에 관해 각자의 입장에서 이야기했다.[17] 리벤트로프는 영국-폴란드 조약 소식을 듣고서, 그리고 "폴란드에 대한 군사적 조치가 취해지고 있다"라고 "듣고서"(마치 공격에 대해 줄곧 전혀 모르고 있었던 것처럼) "즉시" 총통을 찾아가 폴란드 침공을 취소하라고 촉구했고, 그러자 "총통이 곧장 동의했습니다"라고 주장했다. 이 주장은 분명 새빨간 거짓말이다.

하지만 카이텔과 괴링의 증언은 적어도 리벤트로프의 주장보다는 정직해 보인다. 카이텔은 뉘른베르크 증인석에서 이렇게 진술했다. "저는 갑자기 관저에 있는 히틀러의 호출을 받았고, 히틀러는 제게 '당장 모든 것을 멈추게. 즉시 브라우히치를 부르게. 협상할 시간이 필요하네'라고 말했습니다."

히틀러가 그 순간에도 난국에서 빠져나갈 방법을 협상할 수 있다고 믿었다는 점은 뉘른베르크 예비심문에서 괴링이 확인해주었다.

잉글랜드가 폴란드에 공식 보장을 제공한 날, 총통이 제게 전화를 걸어 예정된 폴란드 침공은 중지했다고 말했습니다. 저는 그것이 단지 일시적인 것인지 아니면 영구적인 것인지 물었습니다. 그는 "아니야, 영국의 개입을 차단할 수 있을지 봐야겠어"라고 말했습니다.

무솔리니의 막판 변절이 히틀러에게 큰 타격이긴 했지만, 위의 증언으로 보건대 폴란드와 상호원조 조약을 맺은 영국의 조치가 독일 독재자의 공격 연기 결정에 더 큰 영향을 주었던 게 분명하다. 그러나 바로 이날 헨더슨 대사가 폴란드가 공격당하면 영국이 싸울 것이라고 다시 한 번 경고하고 또 영국 정부가 정식 조약을 통해 같은 의도를 엄숙히 약속한 후에도 히틀러가 괴링의 진술대로 "영국의 개입을 차단할" 수 있다고 여전히 믿었다는 것은 이상하다. 히틀러는 뮌헨 회담에서 체임벌린을 겪어본 터라 탈출로를 마련해주기만 하면 영국 총리가 또다시 굴복할 것이라고 생각했을 공산이 크다. 그렇다 해도 외교 정책에서 그토록 뛰어난 통찰력을 보여온 사람이 체임벌린과 영국 측 입장의 변화를 알아채지 못했다는 것은 이상하다. 어쨌거나 히틀러는 그런 변화를 유발한 장본인이었다.

8월 25일 저녁에 독일 육군을 멈추기란 여간 힘든 일이 아니었는데, 많은 부대가 이미 이동 중이었기 때문이다. 동프로이센에서 공격 취소 명령이 발터 페첼Walter Petzel 장군의 제1군단에 전달된 시간은 오후 9시 37분이었으며, 장교 몇 명이 전방의 분견대들로 미친듯이 달려가 겨우 부대 이동을 멈출 수 있었다. 남쪽에서는 클라이스트 장군 휘하 군단의 차량화부대들이 저녁 무렵에 폴란드 국경을 향해 이동하기 시작했는데, 국경에 긴급 착륙한 소형 정찰기에서 내린 한 참모장교에 의해 이동이 중지되었다. 몇몇 작전 구역에서는 발포가 시작된 후에야 명령이 전달되었지만, 독일군이 지난 며칠 동안 국경 도처에서 충돌을 도발해온 터라 폴란드 참모본부는 실제로 무슨 일이 일어났는지 알지 못했던 것으로 보인다. 8월 26일, 폴란드 참모본부는 다수의 "독일인 무리들"이 국경을 넘어 기관총과 수류탄으로 사격진지나 세관 초소를 공격했고 "그중 하나는 정규군 분견대였다"라고 보고했다.

'음모단'의 환희와 혼란

———

히틀러가 폴란드 공격을 취소했다는 8월 25일 저녁의 소식에 방첩국의 음모자들은 무척 기뻐했다. 오스터 대령은 샤흐트와 기제비우스에게 소식을 전하며 "총통은 이것으로 끝장입니다"라고 소리쳤으며, 이튿날 아침 카나리스 제독은 이보다 더한 장밋빛 미래를 꿈꾸었다. "히틀러는 이 타격을 결코 견디지 못할 것이다. 향후 20년은 평화가 지속될 것이다." 두 사람은 이제 나치 독재자를 타도하기 위해 애쓸 필요가 없다고 생각했다. 히틀러는 끝났다고 보았다.

운명적인 여름이 끝나가는 몇 주 동안 음모단은 스스로 생각하기에도 다시 분주히 움직였다. 다만 정확히 무슨 목적으로 그랬는지는 알기 어렵다. 괴르델러, 아담 폰 트로트Adam von Trott, 헬무트 폰 몰트케, 파비안 폰 슐라브렌도르프, 루돌프 페첼Rudolf Pechel은 모두 런던으로 순례를 떠나 체임벌린과 핼리팩스뿐 아니라 처칠을 비롯한 영국 지도부에게 히틀러가 8월 말에 폴란드를 공격할 참이었다고 이야기했다. 총통에 대항하는 이 독일인들은 뮌헨 협정 이래 영국이, 그리고 우산을 가지고 다니는 체임벌린까지도 바뀌었다는 것, 그리고 1년 전에 그들이 히틀러 제거를 결의하기에 앞서 충족되어야 한다고 스스로 내걸었던 조건, 즉 영국과 프랑스가 향후 나치의 모든 침공에 무력으로 응수할 것임을 선언해야 한다는 조건이 이제 충족되었다는 것을 알 수 있었다. 그들은 무엇을 더 원했던 걸까? 그들이 남긴 기록에는 명확한 언급이 없으며, 우리가 받는 인상은 그들 스스로도 잘 알지 못했다는 것이다. 비록 의도는 좋았지만, 그들은 극심한 혼란과 무력감에 사로잡혀 있었다. 히틀러가 독일을—군, 경찰, 정부, 국민을— 너무나 완벽히게 장악하고 있어서 아무리 궁리해도 돌파구를 찾기가 어려웠다.

8월 15일, 하셀은 베를린의 새 독신자 아파트로 샤흐트 박사를 찾아 갔다(당시 샤흐트는 이혼한 상태였다). 해임된 경제장관은 여섯 달 동안 인도와 버마를 여행하고 막 돌아와 있었다. 하셀은 일기에 이렇게 썼다. "샤흐트의 견해는 우리가 할 수 있는 일은 눈을 뜨고 기다리는 것뿐이고 만사는 불가피하게 제 갈 길을 간다는 것이다." 본인 일기에 따르면 하셀은 같은 날 기제비우스에게 자신도 "당분간 직접 행동을 미루는 데 찬성한다"라고 말했다.

그런데 미룰 만한 "직접 행동"이라는 것이 있기는 했던가? 히틀러만큼이나 폴란드 분쇄를 열망한 할더 장군은 당시 독재자를 제거하는 데 관심이 없었다. 1년 전에는 병력을 이끌어 총통을 타도하기로 했던 비츨레벤 장군도 이제 서부에서 집단군을 지휘하고 있었으므로 설령 의향이 있더라도 베를린에서 행동할 수 있는 입장이 아니었다. 그렇다면 비츨레벤은 과연 그런 의향을 품고 있었을까? 기제비우스는 비츨레벤의 사령부를 방문했을 때 런던 BBC의 라디오 뉴스를 듣고 있는 장군을 보았고, 곧 장군이 그저 세상 돌아가는 소식에 관심이 있을 뿐임을 깨달았다.

할더 장군에 대해 말하자면, 폴란드를 강습하기 위한 막판 계획에 몰두하고 있던 터라 히틀러를 제거한다는 반역적 생각일랑 머릿속에 없었다. 전후—1946년 2월 26일—에 뉘른베르크에서 심문받을 때, 할더는 나치 정권의 적으로 여겨지던 그를 비롯한 사람들이 8월 말에 총통을 축출하여 독일을 전쟁으로부터 구하기 위한 행동을 전혀 하지 않은 이유에 대해 매우 모호하게 말했다. 그는 "가능성이 전혀 없었습니다"라고 말했다. 왜? 비츨레벤 장군이 서부로 전임된 상태였기 때문에. 비츨레벤 없이는 육군을 움직일 수 없었기 때문에.

그림 독일 국민은 어땠을까? 미국 측 심문관 샘 해리스 대위가 할디에게 그가 독일 국민이 전쟁에 반대한다고 말했던 일을 상기시키며 "히틀러가 돌이킬 수 없이 전쟁에 전념하고 있었다 해도, 당신은 어째서 폴란드 침공 전에 국민의 지지에 기댈 수 없었던 것입니까?"라고 물었을 때, 할더는 이렇게 답변했다. "제가 웃더라도 용서해주십시오. 히틀러와 관련해 '돌이킬 수 없이'라는 표현을 듣고 나면, 저는 돌이킬 수 없는 것은 아무것도 없었다고 말할 수밖에 없습니다." 이어서 할더는 히틀러가 오버잘츠베르크 회의에서 장군들에게 폴란드를 공격하고 필요하다면 서방과도 싸우겠다는 '돌이킬 수 없는' 결의를 밝힌 이후인 8월 22일까지도 자신은 총통이 본인의 말대로 행동하리라는 것을 믿지 않았다고 설명했다.[18] 이 무렵 할더 자신의 일기를 고려하면, 이는 실로 놀라운 진술이다. 그렇지만 이는 할더뿐 아니라 다른 음모자들 대다수의 전형적인 진술이기도 하다.

할더의 전임 육군 참모총장이자 음모단에서 인정받은 지도자였던 베크 장군은 어디에 있었는가? 기제비우스에 따르면, 베크는 브라우히치 장군에게 편지를 썼지만 육군 총사령관 측에서는 편지를 받았다고 알려오지도 않았다. 그다음으로 베크는 할더와 장시간 대화했는데, 대규모 전쟁이 벌어지면 독일이 파멸한다는 데 동의하면서도 "히틀러는 결코 세계대전을 허용하지 않을 것"이고 따라서 이제 그를 타도하려 시도할 필요가 없다는 의견이었다.[19]

8월 14일, 하셀은 베크와 단 둘이 식사를 하고서 자신들의 좌절감을 일기에 기록했다.

> 베크는 가장 교양 있고 매력적이고 총명한 사람이다. 불행히도 그는 육군 수뇌부를 아주 낮게 평가한다. 그런 이유로 그는 육군에서는 우리가 발판으로 삼을 만한 곳을 찾을 수 없다고 본다. 그는 제3제국 정책의 사악한 성격을 굳게 확신하고 있다.[20]

베크의 확신은—그리고 그의 주변 사람들의 확신도—고상하고 고결했지만, 아돌프 히틀러가 독일을 전쟁으로 몰아넣을 준비를 하던 때에 이 존경스러운 독일인들 가운데 어느 누구도 총통을 저지하기 위한 행동에 나서지 않았다. 이 과제는 분명 어려운 것이었고 아마도 이 늦은 시점에는 완수하기가 불가능했을 것이다. 그러나 그들은 시도조차 하지 않았다.

그래도 토마스 장군만은 시도했을 것이다. 앞에서 언급했듯이 토마스는 8월 중순에 자신의 의견서를 OKW 총장 카이텔 앞에서 직접 읽어준 데 이어, 본인의 서술에 따르면 8월 27일 일요일에 다시 카이텔을 찾아가 "서방 국가들의 압도적인 군사적·경제적 우위와 장차 우리가 직면할 고난을 뚜렷하게 입증하는 … 도표로 나타낸 통계 증거를 건넸다". 카이텔은 평소답지 않게 용기를 내 그 자료를 히틀러에게 보여주었다. 그러자 히틀러는 토마스 장군의 "세계대전의 위험에 대한 불안감"에 동조하지

않는다면서 "특히 이제 소련이 우리 편에 서 있기 때문"이라고 대꾸했다.[21]

이렇게 해서 히틀러의 2차대전 개시를 막으려던 '음모단'의 시도는 끝이 났다. 한 가지 예외는 샤흐트 박사의 미미한 막판 시도였는데, 이 약삭빠른 재무관은 뉘른베르크 재판에서 스스로를 변호하면서 이 시도를 크게 강조했다. 8월에 인도에서 돌아온 샤흐트는 히틀러, 괴링, 리벤트로프에게 편지를 썼지만—이 운명적인 순간에 히틀러 반대파의 지도부 중 그 누구도 편지와 의견서 쓰기 이상의 무언가를 하지 않았던 것으로 보인다—훗날 말했듯이 "천만뜻밖에도" 아무도 답장하지 않았다. 그러자 샤흐트는 육군 최고사령부가 폴란드 작전의 본부를 설치한, 베를린에서 남동쪽으로 수 킬로미터 떨어진 초센Zossen으로 가서 브라우히치 장군을 직접 만나기로 마음먹었다. 무엇을 말하려고? 뉘른베르크 증인석에서 샤흐트가 설명한 대로라면, 제국의회의 승인 없이 전쟁을 일으키는 것은 독일 헌법에 위배된다는 점을 육군 총사령관에게 말하려 했다고 한다! 이 말인즉슨 육군 총사령관에게는 헌법 준수 선서를 지킬 의무가 있다는 것이었다!

애석하게도 샤흐트 박사는 브라우히치를 만나러 가지 않았다. 그가 초센에 가면 육군 총사령관이 "아마 우리를 당장 체포할 것"이라는 경고를 카나리스로부터 들었다—이 예전 히틀러 지지자에게 그런 처사는 매력적으로 보이지 않았다.[22] 그러나 샤흐트가 우스꽝스러운 사명을 띠고 초센에 가지 않은 진짜 이유는(히틀러가 구태여 정식 절차를 밟으려 했다면, 거수기에 지나지 않는 제국의회에서 전쟁을 승인받는 것은 식은 죽 먹기였을 것이다) 기제비우스가 샤흐트를 위해 뉘른베르크 증인석에 섰을 때 밝혀졌다. 샤흐트는 8월 25일 초센에 가려다가 히틀러가 이튿날로 예정된 폴란드 공격을 취소하자 자신도 여행을 미뤘던 것으로 보인다. 기제비우스의 증언에 따르면 사흘 후에 샤흐트는 다시 초센행 임무를 수행하기로 했지만 카나리스가 너무 늦었다고 알려주었다.[23] '음모단'은 버스를 놓쳤던 게 아니다. 버스를 잡으려고 정류장에 간 적조차 없다.

히틀러의 수작을 막으려던 한줌의 반나치 독일인들 못지않게, 히틀러에게 전쟁을 피하라고 호소한 여러 중립국 지도자들도 바라던 결과를 얻지 못했다. 8월 24일, 루스벨트 대통령은 히틀러와 폴란드 내통령에게 긴급 메시지를 보내 양국 간 불화를 무력에 의지하는 일 없이 해결할 것을 촉구했다. 이그나치 모시치츠키Ignacy Mościcki 대통령은 이튿날 위엄 있는 답장에서 루스벨트에게 "요구사항을 공식화하고 양보를 요구한" 쪽은 폴란드가 아님을 상기시킨 다음, 그럼에도 미국 대통령이 촉구한 대로 독일과의 분쟁을 직접 교섭이나 조정으로 해결할 의향이 있다고 말했다. 히틀러는 답장하지 않았으며(루스벨트는 자신의 지난 4월 호소에 답변하지 않은 사실을 히틀러에게 상기시켰다), 이튿날인 8월 25일 루스벨트는 히틀러에게 두 번째 메시지를 보내 모시치츠키의 유화적인 반응을 전하고 "폴란드 정부가 수용한 평화적인 해결 방법에 동의"하라고 간청했다.

두 번째 메시지에도 답장은 없었다. 다만 8월 26일 저녁에 바이츠제커가 베를린 주재 미국 대사대리 알렉산더 C. 커크Alexander C. Kirk를 불러 총통이 두 통의 전보를 받았고 그것들을 "정부에서 고려하도록 외무장관에게 맡겼다"는 사실을 미국 대통령에게 전해달라고 요청했다.

8월 24일, 교황은 라디오 방송으로 평화를 호소하며 "강자들은 그들의 힘이 파멸의 원인이 되기를 바라지 않는다면 … 불의를 통해 약해지지 않도록 우리의 말에 귀기울이기를 … 그리스도의 피로" 간구했다. 8월 31일 오후, 교황은 동일한 문서를 독일, 폴란드, 이탈리아, 프랑스, 영국 정부에 보내 "독일 정부와 폴란드 정부가 … 어떠한 충돌이든 피할 것을 하느님의 이름으로 간구"하고 영국, 프랑스, 이탈리아 정부에 자신의 호소를 지지해줄 것을 바란 다음 이렇게 덧붙였다.

교황은 현재 진행 중인 교섭들이 올바르고 평화적인 해결에 이르리라는 희망을 버리지 않을 것입니다.

교황은 세계의 다른 대다수 사람들과 마찬가지로 "현재 신행 중인 교섭들"이라는 것이 침공을 정당화하기 위한 히틀러의 선전 책략에 지나지 않음을 깨닫지 못했다. 곧 밝혀질 것처럼, 진행 중이든 아니든 선의의 교섭은 이 최후의 평화로운 날 오후에는 전혀 없었다.

며칠 전인 8월 23일, 벨기에 국왕도 라디오 방송을 통해 감동적인 어조로 평화를 호소하며 "사태의 경과에 책임이 있는 사람들이 그 분쟁과 주장을 공명 교섭에 맡길 것"을 '오슬로' 국가들(벨기에, 네덜란드, 룩셈부르크, 핀란드, 스칸디나비아 삼국) 통치자들의 이름으로 요청했다[오슬로 국가들은 세계 대공황에 대응해 오슬로 경제 협정을 체결한 국가들을 말한다]. 8월 28일, 벨기에 국왕과 네덜란드 여왕은 "전쟁을 피하기를 바라며" 자신들의 중재를 공동으로 제안했다.[24]

이 모든 중립적 호소는 그 형식과 의도의 측면에서 고결하긴 했지만, 오늘날 다시 읽어보면 어딘가 모르게 비현실적이고 감상적이다. 마치 미국 대통령, 교황, 북유럽 작은 민주국가들의 통치자들이 제3제국의 통치자와는 다른 행성에 살고 있었고 베를린에서 벌어지는 일을 화성에서 벌어지는 일만큼이나 몰랐던 듯한 인상을 준다. 이처럼 아돌프 히틀러의 정신과 성격, 목표를 모르고, 더 나아가 소수를 제외하면 도덕이나 인류,

명예, 기독교적 인간관에 개의치 않고 자신들을 어디로 어떻게 데려가든 히틀러를 맹목적으로 추종할 태세인 독일 국민을 몰랐던 탓에, 미국 대통령이나 벨기에, 네덜란드, 룩셈부르크, 노르웨이, 덴마크 군주의 통치를 받는 국민들은 수개월 후에 값비싼 대가를 치를 터였다.

평화가 며칠 남지 않은 긴장된 나날을 보내던 베를린에서 외부 세계에 뉴스를 전하려던 우리들도 총리 관저와 외무부가 자리한 빌헬름슈트라세에서, 또는 군부의 집무실들이 자리한 벤틀러슈트라세에서 무슨 일이 벌어지는지를 거의 알지 못했다. 우리는 빌헬름슈트라세의 정신 나간 움직임을 추적할 수 있는 데까지 추적했다. 우리는 눈사태처럼 쏟아지는 소문, 제보, '첩보'를 매일 가려냈다. 거리의 사람들, 그리고 안면이 있는 정부 관리, 당 지도부, 외교관, 군인 등의 분위기를 포착했다. 그러나 헨더슨 대사가 히틀러 및 리벤트로프와의 잦은 회견에서 무슨 말을 했는지, 히틀러와 체임벌린 사이에, 히틀러와 무솔리니 사이에, 히틀러와 스탈린 사이에 어떤 서신이 오갔는지, 리벤트로프와 몰로토프 사이에, 리벤트로프와 치아노 사이에 어떤 대화가 오갔는지, 비틀거릴 만큼 잔뜩 지친 외교관들과 외무부 관리들이 주고받은 온갖 기밀 암호 전보에는 무슨 내용이 담겼는지, 그리고 군 수뇌부는 어떤 조치를 계획하거나 취하고 있는지 이 모든 것에 관해 당시 우리도 일반 대중도 거의 까맣게 모르고 있었다.

물론 몇 가지 일은 우리도 대중도 알고 있었다. 폴란드 등의 동유럽 분할을 정한 비밀의정서는 전후까지 비밀에 부쳐졌지만 나치-소비에트 조약 소식은 독일 측에 의해 만천하에 떠들썩하게 알려졌다. 우리는 이 조약이 체결되기도 전에 헨더슨이 베르히테스가덴으로 날아가 히틀러에게 해당 조약과는 무관하게 영국이 폴란드에 대한 보장 약속을 지킬 것임을 역설했다는 사실을 알고 있었다. 8월의 마지막 주가 시작될 무렵, 베를린의 우리는 전쟁이 불가피하고—또다른 뮌헨 협정이 체결되지 않는 한—며칠 내로 발발할 것이라고 생각했다. 마지막까지 남아 있던 영국과 프랑스 민간인들은 8월 25일까지는 베를린을 빠져나갔다. 이튿날, 히틀러가 연설하기로 되어 있던 8월 27일 예정의 타넨베르크 나치 대집회가 취소되었다는 발표가 있었다. 9월 첫째 주에 열릴 예정이던 연례 뉘른베르크 전당대회(히틀러의 공식 표현은 '평화의 당대회')도 같은 날 취소되었다. 8월 27일, 정부는 이튿날부터 식량, 비누, 신발, 직물, 석탄의 배급제가 실시된다고 발표했다. 내 기억에 다른 무엇보다 이 발표를 계기로 독일 국민은 전쟁이 눈앞에 닥쳤음을 깨닫고는 아주 잘 들릴 정도로 투덜대기 시작했다. 8월 28일 월요일, 베를린 주민들은 시내로 쏟아져 들어와 동쪽으로 향하는 병사들을 지켜보았다. 병사들은 화물차, 식료품 트럭, 그 밖에 긁어모을 수 있는 온갖 차량들에 실려 가고 있었다.

필시 이 광경도 거리의 사람들에게 곧 무슨 사태가 닥칠지를 알려주었을 것이다. 내 기억에 8월의 마지막 주말은 후텁지근했고 베를린 주민 대다수는 전쟁이 임박한 것에 아랑곳하지 않고 수도 주변의 호수나 숲으로 나들이를 갔다. 일요일 저녁에 시내로 돌아온 그들은 라디오를 통해 총리 관저에서 제국의회의 비공식 비밀회의가 열렸다는 소식을 들었다. 국영통신사 DNB의 발표에서는 "총통은 상황의 엄중함을 설명했다"라고 알렸다—독일 대중이 히틀러로부터 작금의 상황이 엄중하다는 말을 들은 것은 이번이 처음이었다. 회의의 세부 내용은 알려지지 않았고, 제국의회 의원들과 히틀러의 측근들을 제외하면 그날 나치 독재자의 기분이 어떠했는지 아무도 알 수 없었다. 할더의 8월 28일 일기에는 (회의가 끝나고 한참 후에) 방첩국의 오스터 대령에게서 전해들은 이야기가 들어 있다.

오후 5시 30분, 제국총리 관저에서 회의. 소수의 의원과 당 간부들. … 상황 매우 엄중. 동부 문제를 어떻게든 해결하기로 결정. 최소 요구: 단치히 반환, 회랑지대 문제 해결. 최대 요구: '군사적 상황에 따라'. 최소 요구가 충족되지 않으면 전쟁이다: 무자비한! 총통 자신이 최전선에 설 것이다. 두체의 태도는 우리에게 가장 유용하다.

전쟁은 매우 곤란하고, 어쩌면 가망이 없을 것이다. 그러나 "내가 살아 있는 한 항복 이야기는 없을 것이다". 소비에트와의 조약을 당에서 크게 오해하고 있다. 악마를 쫓아버리기 위해 사탄과 맺은 조약이다. … '때맞추어 박수, 그러나 약함.'

총통에 대한 개인적 인상: 기진맥진, 초췌, 쉰 목소리, 정신 팔려 있음. '지금 스스로를 친위대 조언자들로 완전히 에워싸고 있다.'

베를린에서 한 외국인 관찰자는 신문이 쉬이 속는 독일 국민에게 괴벨스의 노련한 지도로 사기를 치는 광경도 목격할 수 있었다. 나치당이 일간지들을 '조정'—이는 자유언론의 파괴를 의미했다—하기 시작한 6년 전부터 독일 시민은 세계에서 벌어지는 일들의 진실을 접할 수 없었다. 한동안 스위스의 취리히나 바젤에서 발행하는 독일어 신문들을 독일 내 주요 가판대에서 구할 수 있었는데, 이 신문들은 객관적인 뉴스를 제공했다. 그러나 그 후로 수년 동안 이들 신문은 독일에서 판매가 금지되거나 적은 부수로 제한되었다. 영어나 프랑스어를 읽을 줄 아는 독일인은 이따금 런던이나 파리의 신문들을 구할 수도 있었지만, 워낙 부수가 적어서 소수가 읽기에도 부족했다.

나는 1939년 8월 10일 일기에 이렇게 썼다. "독일 국민이 얼마나 철저히 격리된 세계에서 살아가는지는 어제와 오늘 신문들을 슬쩍 보기만 해도 알 수 있다." 나는 워싱턴, 뉴욕, 파리에서 짧은 휴가를 보내고 독일로 막 돌아왔는데, 이틀 전 스위스의 내 집을 떠나 독일로 오는 기차에서 베를린과 라인란트의 신문들을 한 묶음 사온 터였다. 그 신문들은 나를 대번에 나치즘의 비뚤어진 세계로 떠밀었다. 그 세계는 내가 떠나온 세계와는 너무나 달라서 마치 다른 행성에 머물다가 온 것만 같았다. 나는 베를린에 도착한 뒤 8월 10일 일기에 이렇게 덧붙였다.

세계의 다른 곳은 어디를 가든 독일에 의해 평화기 깨지기 직전이라고, 독일이 폴란드를 공격하겠다며 위협하고 있다고 보는 반면에 … 여기 독일에서는, 현지 신문들이 지어내는 세계에서는 정반대로 보도하고 있다. … 나치 신문들은 이렇게 외친다. 유럽의 평화를 어지럽히는 쪽은 폴란드다. 무력 침공으로 독일을 위협하는 쪽은 폴란드다. …
"폴란드여, 조심하라!"《B.Z.》[베를리너 차이퉁]는 이런 헤드라인으로 경고하고 이렇게 덧붙인다. "유럽의 평화와 정의를 겨냥하는 살인마 [AMOKLÄUFFER] 폴란드에 대한 회답!"
내가 기차에서 구한 카를스루에의 일간지《데어 퓌러 Der Führer》의 헤드라인은 이렇다. "바르샤바, 단치히 폭격으로 위협 ─ 폴란드, 지독한 광기 [POLNISCHEN GRÖSSEN-WAHNS]로 믿을 수 없는 선동!"
당신은 묻는다: 그러나 독일 국민이 이런 거짓말을 믿을 리 없지 않은가? 그렇다면 그들과 이야기해보라. 다수가 그렇게 믿고 있다.

히틀러가 원래 폴란드 공격 날짜로 정해두었던 8월 26일 토요일에 괴벨스의 선전 공작은 절정에 이르렀다. 나는 일기에 몇몇 신문의 헤드라인을 적어두었다.

《B.Z.》: "폴란드, 극에 달한 혼란 — 독일인 가족, 피난하다 — 폴란드군, 독일 국경에 육박!" 《12시 블라트12-Uhr Blatt》: "도를 넘는 불장난 — 독일 여객기 3대, 폴란드군에 격추 — 회랑지대 독일인 농가 다수, 불길에 휩싸이다!"

나는 한밤중 방송국으로 가는 길에 《민족의 파수꾼》 일요판(8월 27일자)을 집어들었다. 1면 상단 전체에 걸쳐 1인치 크기로 헤드라인이 박혀 있었다.

폴란드 전역 전쟁열! 150만 동원! 국경 방면으로 계속 병력 수송! 오버 슐레지엔 혼란!

물론 독일의 동원에 대한 언급은 전혀 없었다. 그러나 앞에서 언급했듯이 독일은 2주 전부터 동원하고 있었다.

평화의 마지막 엿새

8월 25일 이른 저녁에 도착해 찬물을 끼얹었고 영국-폴란드 동맹 체결 소식과 더불어 히틀러로 하여금 이튿날로 예정된 폴란드 공격을 연기하게 만든 무솔리니 서신의 충격에서 회복한 뒤, 총통은 두체에게 퉁명스러운 서신을 보내 이탈리아가 "유럽의 대규모 분쟁에 참여"하려면 "어떤 전쟁 수단과 원료가 언제까지 필요한지" 물었다. 이 서신은 오후 7시 40분에 리벤트로프가 로마 주재 독일 대사에게 직접 전화로 전했고, 오후 9시 30분에 이탈리아 독재자에게 전달되었다.[25]

이튿날 오전, 무솔리니는 로마에서 이탈리아군 수뇌부와 회의를 열어 전쟁을 12개월간 지속하는 데 필요한 최소한의 물자 목록을 작성했다. 작성을 거든 치아노는 그 목록만으로도 "황소를 죽이기에 충분하다—다만 황소가 읽을 수 있다면"이라고 일기에 썼다.[26] 그 목록에는 석유 700만 톤, 석탄 600만 톤, 강철 200만 톤, 목재 100만 톤, 그 밖에 몰리브덴 600톤, 티타늄 400톤, 지르코늄 20톤을 비롯한 여러 물자가 포함되었다. 여기에 더해 무솔리니는 프랑스의 공군 기지들에서 항공기로 불과 몇 분이면 도착하는 이탈리아 북부 공입 지대의 사징을 싱기시키며 이곳을 지킬 대공포대 150개를 요구했다. 이 메시지는 8월 26일 정오 직후 치아노가 베를린의 아톨리코에게 전화로 전했고, 그 직후에 히틀러에게 전달되었다.[27]

무솔리니의 서신에는 부풀린 물자 목록보다 더 많은 것이 담겨 있었다. 당시 기가 꺾인 파시스트 지도자는 분명 제3제국에 대한 의무를 어떻게든 피하기로 마음먹은 상태였으며, 총통은 이 두 번째 서신을 접하고는 그 점에 대해 조금의 의문도 품지 않았다.

[무솔리니가 자신의 동지에게 씀] 총통, 사전에 합의한 대로 물자를 비축하고 경제 자립의 속도를 올릴 시간이 있었다면, 나는 당신에게 이 목록을 보내지 않았거나, 목록에 더 적은 수의 품목과 훨씬 더 적은 수치를 담았을 것입니다.

나의 의무에 따라 말하건대 이 물자들을 받는 것이 확실하지 않다면, 내가 이탈리아 국민에게 청해야 하는 희생은 … 허사가 될 수 있고, 나 자신의 대의에 더해 당신의 대의까지 손상시킬 수 있을 것입니다.

전쟁에 반대하고 특히 개전 시 독일 편에 서서 참전하는 데 반대하던 아톨리코 대사는 히틀러에게 두체의 메시지를 전달하면서 독단적으로 "모든 물자는 교전 시작 **전에** 이탈리아에 당도해 있어야" 하고 이 요구는 "결정적"이라고 강조했다.*

무솔리니는 여전히 뮌헨 협정과 같은 기회가 다시 마련되기를 기대하고 있었다. 친서에 추가한 한 단락에서 무솔리니는 만약에 총통이 아직 "징지 영역에서 어떻게든 해결할 가능성"이 있다고 생각한다면 자신은 종래와 같이 독일 동료를 전적으로 지지할 용의가 있다고 단언했다. 두 지도자의 긴밀한 개인적 관계와 강철 조약, 지난 수년간 요란하게 과시한 연대에도 불구하고, 히틀러는 이 막판까지도 진짜 목표인 폴란드 파괴를 무솔리니에게 털어놓지 않았고, 이탈리아 파트너는 그 목표를 까맣게 모르고 있었다. 이날 26일이 끝날 무렵에야 두 사람 간의 간극이 마침내 메워졌다.

8월 26일, 히틀러는 두체의 메시지를 받고 3시간 내에 긴 답장을 보냈다. 이번에도 리벤트로프가 오후 3시 8분에 로마의 마켄젠 대사에게 전화로 알렸고, 대사가 오후 5시 직후 무솔리니에게 급히 전달했다. 이탈리아의 요구사항 중 석탄과 강철 같은 일부 물자는 전부 들어줄 수 있지만 그 밖의 다른 것들은 들어줄 수 없다고 히틀러는 말했다. 어쨌든 교전 발생 이전에 물자를 제공해야 한다는 아톨리코의 요구를 들어주기란 "불

---

* 대사의 이 발언은 베를린에서 분노를 더욱 키우고 로마에서 상당한 혼란을 초래했으며, 결국 치아노가 이 혼란을 수습해야 했다. 나중에 아톨리코는 치아노에게 "독일 측이 우리의 요구를 들어주지 못하도록" 일부러 교전 시작 **전에** 물자 인도를 완료할 것을 역설했다고 말했다. 물론 1300만 톤의 물자를 며칠 만에 인도하기란 도저히 불가능했으며, 무솔리니는 마켄젠 대사에게 "오해"에 대해 사과하면서 "전능한 신이라 해도 그 정도의 양을 며칠 내에 이곳으로 수송할 수 없을 것이다. 그런 터무니없는 요구를 자신은 결코 생각한 적이 없다"고 말했다.[28]

가능"했다.

그리고 마침내 히틀러는 친구이자 동맹을 맺은 남자에게 이제 곧 추진할 자신의 진짜 목표를 털어놓았다.

> 프랑스도 영국도 서부에서 그 어떤 결정적 성공도 거둘 수 없고 독일이 러시아와의 협정 결과로 폴란드의 패배 이후에 동부에서 모든 전력을 자유롭게 운용할 것이므로 … 나는 서부 분규의 위험을 무릅쓰고라도 동부 문제의 해결을 피하지 않을 것입니다.
>
> 두체, 나는 당신의 입장을 이해하고, 당신에게 요청하고 싶은 것은 당신이 전에 제안한 적극적인 선전과 적절한 군사적 시위를 통해 영국-프랑스 병력을 붙잡아두는 것입니다.[29]

이것은 히틀러가 폴란드 강습을 취소하고 24시간 후에 자신감을 되찾아 서방과의 전쟁이라는 "위험을 무릅쓰고라도" 기존 계획을 강행할 의도였음을 처음으로 보여주는 독일 측 문서 증거다.

같은 날인 8월 26일 저녁, 무솔리니는 여전히 히틀러를 만류하기 위해 얼마간 애를 쓰고 있었다. 무솔리니는 다시 총통에게 편지를 썼다. 치아노가 이번에도 아톨리코에게 전화로 전했고, 오후 7시 직전에 총리 관저에 도착했다.

> 총통에게
>
> 아톨리코가 본의 아니게 빚은 오해가 즉시 풀렸을 것으로 믿습니다. … 대공포대를 제외하고 저번에 당신에게 요청한 것들은 향후 12개월 내에 인도받았으면 한다는 것입니다. 그러나 오해가 풀렸다 해도, 에티오피아와 에스

파냐에서의 전쟁으로 인해 이탈리아 군비에 생긴 커다란 틈을 당신의 물질적 지원으로 메우기란 명백히 불가능합니다.

그런 이유로 나는 당신의 조언에 따라 적어도 분쟁의 초기 단계에는 때마침 이미 하고 있는 대로 프랑스-영국 병력을 최대한 붙잡아두고, 그사이에 군사적 대비의 속도를 가능한 한 최대로 끌어올릴 것입니다.

하지만 당시 그토록 결정적인 순간에 그토록 초라한 모습을 보여야 한다는 사실에 괴로워하던 두체는 또다른 뮌헨 협정의 가능성을 찾아봐야 한다고 여전히 생각하고 있었다.

[무솔리니가 이어서 씀] … 나의 본성에 맞지 않는 평화 애호의 입장 때문이 결코 아니라 우리 양국 국민들과 우리 양국 정권의 이익 때문에 나는 정치적 해법의 기회를 찾아볼 것을 과감히 다시 주장하는 바입니다. 나는 그런 해법이 여전히 가능하고 그것이 독일에 물심양면의 만족을 선사할 것이라고 생각합니다.[30]

이제는 기록으로 분명히 알 수 있는 것처럼, 이탈리아 독재자는 전쟁을 치를 준비가 되어 있지 않은 터라 평화를 위해 애쓰고 있었다. 그러나 맡은 역할 탓에 매우 난처한 입장이었다. 8월 26일, 히틀러와 편지를 주고받은 무솔리니는 이 마지막 메시지에서 다음과 같이 말했다. "내가 제어할 수 없는 힘들에 쫓겨 행동의 순간에 당신에게 진정한 연대를 제공하지 못하는 나의 심정이 어떠할지, 당신의 상상에 맡깁니다." 치아노는 이 분주한 하루를 마치고 일기에 이렇게 적었다. "두체는 정말 제정신이 아니다. 그의 투쟁 본능과 명예심이 그를 전쟁으로 이끌고 있다. 그것을 이성이 제지하고 있다. 그러나 이로 인해 아주 괴로워하고 있다. … 이제 그는 냉엄한 현실에 직면할 수밖에 없다. 이것은 두체에게 엄청난 타격이다."

이처럼 서신을 충분히 교환한 뒤, 히틀러는 자신을 저버리는 무솔리니를 단념해버렸다. 8월 26일 늦은 밤, 히틀러는 추축국 파트너에게 다시 한 번 편지를 보냈다. 8월 27일 오전 0시 10분에 베를린에서 전보로 발송한 그 편지는 오전 9시에 무솔리니에게 전달되었다.

두체에게

당신의 최종 입장에 대한 통첩을 받았습니다. 당신을 이런 결정으로 이끈 이유와 동기를 존중합니다. 그럼에도 특정한 상황에서는 잘 풀릴 수도 있다고 생각합니다.

그렇지만 내 의견으로 그 전제조건은, 적어도 교전이 발발할 때까지는 이탈리아가 취하려는 태도를 세계가 전혀 몰라야 한다는 것입니다. 그런 이유로 신문이나 여타 수단으로 나의 싸움을 심리적으로 지원해줄 것을 정중히 부탁드립니다. 또한 두체, 당신에게 가능한 일이라면, 군사적 시위라는 조치를 통해 적어도 영국과 프랑스가 병력의 일부를 묶어둘 수밖에 없도록 만들거나, 어쨌든 양국을 불확실한 상태로 남겨둘 것을 요청합니다.

그러나, 두체, 가장 중요한 일은 이것입니다. 이미 말했듯이 만약 이 전쟁이 대규모 전쟁으로 번진다면, 동부 문제는 서방 두 국가가 성공을 거두기 전에 결판이 날 것입니다. 그렇게 되면 내가 이번 겨울에, 늦어도 오는 봄에는 적어도 프랑스와 영국의 병력에 필적하는 병력으로 서방을 공격할 것입니다. …

이제 나는 두체 당신에게 커다란 호의를 간청해야 합니다. 이 힘겨운 싸움에서 당신과 당신의 국민이 나를 돕는 최선의 길은 공업과 농업을 위해 이탈리아 노동자들을 내게 보내주는 것입니다. … 특히 이 요청을 당신의 관대함에 맡기면서, 우리의 공동 대의를 위해 당신이 해온 그간의 모든 노력에 감사드립니다.

아돌프 히틀러[31]

그날 오후 늦게 보낸 답장에서 두체는 세계가 "교전 발발 전까지 이탈리아의 태도가 무엇인지 알지 못할" 것이라고 점잖게 말했다—비밀을 잘 지키겠다는 뜻이었다. 또한 영국과 프랑스의 육해군 병력을 최대한 묶어두고 또 요구받은 노동자들을 보내겠다고 했다.[32] 같은 날 더 이른 시간에 무솔리니는, 마켄젠 대사가 베를린에 보고한 대로, "단호한 어조로" 대사에게 "우리의 모든 목적을 전쟁이라는 수단에 의지하지 않고서 달성하는 것이 여전히 가능하다고 믿는다"고 거듭 말한 다음, 이런 사정을 총통에게 보낼 편지에서 다시 거론하겠다고 덧붙였다.[33] 하지만 그렇게 하지 않았다. 당시 무솔리니는 평화적 해법을 다시 언급하지도 못할 정도로 낙담했던 것으로 보인다.

전쟁이 갑자기 발발할 경우 프랑스가 독일 서부 국경에 투입될 연합군의 병력을 대부분 제공할 예정이었음에도, 그리고 개전 초기 몇 주 동안 이 국경에서 프랑스군이 독일군을 수적으로 압도할 전망이었음에도, 8월이 끝날 무렵 히틀러는 장차 프랑스가 어떻게 나올지에 관해서는 관심이 없었던 모양이다. 8월 26일, 달라디에 총리는 히틀러에게 감동적이고 유려한 서한을 보내 프랑스가 어떻게 대응할지를 상기시켰다. 폴란드가 공격받을 경우 프랑스는 싸울 작정이었다.

[달라디에가 씀] 귀하가 생각하는 프랑스 국민의 국가적 명예심이 내가 인정하는 독일 국민의 국가적 명예심보다 낮지 않다면, 귀하는 프랑스가 폴란드 같은 다른 나라들에 대한 엄숙한 약속을 지키리라는 것을 의심할 수 없을 것입니다.

히틀러에게 폴란드와의 분쟁에 대한 평화적 해법을 찾으라고 호소한 뒤, 달라디에는 이렇게 덧붙였다.

만약에 프랑스와 독일 사이에 25년 전처럼, 아니 더 길고 심지어 더 잔인한 전쟁이 일어나 또다시 피를 흘리는 일이 생긴다면 두 나라 국민들은 저마다 승리를 자신하며 싸울 테지만, 가장 확실한 승자는 파괴와 야만의 힘일 것입니다.[34]

쿨롱드르 대사는 총리의 서신을 전달하는 자리에서 개인적으로 히틀러에게 "인류의 이름으로, 그리고 총통 자신의 양심의 평온을 위해 평화적 해법의 마지막 기회를 흘려보내지 말아 달라"고 구두로 간절히 호소했다. 그러나 대사는 달라디에의 서신이 총통을 움직이지 못했다고 보고하는 "비애"를 맛봐야 했다—"그는 완강하다."

이튿날 프랑스 총리에게 보낸 히틀러의 답장은 '단치히를 위한 죽음'을 꺼리는 프랑스인들의 속내에 편승하고자 영리하게 계산한 회답이었다. 다만 그가 이 표현을 사용하지는 않았다—그것은 프랑스 유화론자들의 몫으로 남겨두었다. 독일은 자르 반환 이후로 프랑스에 대한 모든 영토적 요구를 단념했다고 히틀러는 단언했다. 따라서 프랑스로서는 참전할 이유가 없었다. 그럼에도 프랑스가 참전한다면, 그것은 히틀러 자신의 잘못이 아니며 자신에게 "매우 괴로운" 사태일 것이라고 했다.

평화의 마지막 주에 이루어진 독일과 프랑스의 외교적 접촉은 이 정도에서 그쳤다. 쿨롱드르는 8월 26일 회담 이후 모든 것이 끝날 때까지 히틀러를 만나지 않았다. 이 시점에 독일 총리가 가장 신경쓴 나라는 영국이었다. 폴란드 침공을 연기한 8월 25일 저녁에 괴링에게 말했듯이, 히틀러는 "영국의 개입을 차단할" 수 있을지 알고 싶어했다.

백척간두에 선 독일과 영국

———

"총통은 상당히 흔들렸다." 로마와 런던으로부터 전해진 소식에 히틀러가 낭떠러지에서 물러난 뒤 할더 장군은 8월 25일 일기에 그렇게 썼다. 그러나 이튿날 오후, 할더는 지도자의 갑작스러운 변화를 알아차렸다. "총통은 매우 차분하고 냉철하다"라고 오후 3시 22분에 일기에 적었다. 여기에는 그럴 만한 이유가 있었고, 장군은 일기에 이렇게 적었다. "동원 7일째 아침까지 모든 준비를 마칠 것. 공격은 9월 1일 개시한다." 이 명령을 히틀러는 육군 최고사령부에 전화로 통지했다.

히틀러는 9월 1일부터 폴란드와 전쟁을 치를 생각이었다. 그렇게 결정했다. 그때까지 히틀러는 영국을 전쟁에서 배제시키기 위해 할 수 있는 모든 일을 할 작정이었다. 할더의 일기는 결정적인 8월 26일에 총통과 그 측근들이 무슨 생각을 했는지 알려준다.

잉글랜드가 포괄적인 제안*을 고려할 의향이 있다는 소문이다. 자세한 내용

———

* 즉 영 제국을 '보장'하겠다는 히틀러의 8월 25일 제안.

은 헨더슨이 돌아오면 알 수 있다. 또다른 소문에 의하면 잉글랜드는 스스로 폴란드의 사활적 이익이 위협받고 있음을 선언해야 한다는 데 스트레스를 받고 있다. 프랑스에서는 정부에 대한 전쟁 반대 건의가 늘어나고 있다. …계획: 우리는 단치히, 회랑지대를 통과하는 회랑, 그리고 자르 때와 동일한 기준의 주민투표를 요구한다. 잉글랜드는 아마도 수용할 것이다. 폴란드는 아마도 수용하지 않을 것이다. **양국 사이를 이간질한다.**[35]

위 인용문에서 킹조는 할더에 의한 것인데, 의심할 나위 없이 당시 히틀러의 마음을 꽤 정확하게 반영하는 말이었다. 히틀러는 어떻게든 폴란드와 영국 사이를 **이간질**하고 체임벌린에게 바르샤바에 대한 서약을 회피할 명분을 제공하려 했다. 9월 1일에 진군할 준비를 하라고 육군에 명령한 뒤, 히틀러는 영 제국을 '보장'한다는 자신의 거창한 제안에 대한 런던의 답변을 기다렸다.

당시 히틀러는 영국 정부와는 런던의 독일 대사관 외에 두 가지 통로로 접촉하고 있었다―독일 대사(디르크젠)는 휴가 중이었고, 열띤 막판 교섭에서 아무런 역할도 하지 않았다. 하나는 공식적인 통로였는데, 총통의 제안을 가지고서 8월 26일 토요일 아침 독일 특별기를 타고 런던으로 날아간 헨더슨 대사를 통해 이루어졌다. 다른 하나는 비공식적이고 은밀하고 나중에 알려진 것처럼 매우 아마추어적인 통로였는데, 괴링의 스웨덴인 친구로서 유럽 여기저기를 돌아다니는 비르게르 달레루스를 통해 이루어졌다. 이 인물은 8월 25일 공군 수장이 영국 정부에 전하는 메시지를 가지고서 런던으로 날아가 있었다.

괴링은 훗날 뉘른베르크에서 심문받는 중에 이렇게 말했다. "당시에 저는 정식 외교 채널과는 별도의 특사를 통해 핼리팩스와 접촉하고 있었습니다."*36 이렇듯 런던에 도착한 스웨덴인 '특사'가 8월 25일 오후 6시 30분에 찾아간 상대는 영국 외무장관이었다. 달레루스는 하루 전인 24일 괴링의 호출을 받고 스톡홀름에서 베를린으로 갔으며, 괴링은 전날인 23일 밤에 체결된 나치-소비에트 조약에도 불구하고 독일은 영국과의 '양해'를 원한다고 달레루스에게 말했다. 그러고는 스웨덴인이 런던으로 곧장 가서 핼리팩스 경에게 이 놀라운 사실을 전할 수 있도록 공군기 한 대를 내주었다.

한 시간 전에 영국-폴란드 상호원조 조약에 서명한 영국 외무장관은 달레루스의 노력에 감사를 표하고, 헨더슨이 베를린에서 히틀러와의 협의를 막 마치고 총통의 최신 제안을 가지고서 런던으로 날아오고 있다고 알린 뒤, 이제 베를린과 런던 사이의 공식 연락 채널이 다시 열렸으므로 스웨덴 중재인의 활동은 더 이상 필요하지 않을 것으로 생각한다고 말했다. 그러나 곧 중재인의 활동이 필요한 것으로 밝혀졌다. 핼리팩스와 논의한 내용을 보고하기 위해 그날 저녁 괴링에게 전화를 건 달레루스는 원수로부터 영국-폴란드 조약 체결의 결과로 상황이 악화되었고 아마도 영국과 독일 대표들의 회의를 통해서만 전쟁을 피할 수 있을 것이라는 말을 들었다. 훗날 뉘른베르크에서 증언한 대로, 괴링은 무솔리니와 마찬가지로 또다른 뮌헨 협정을 염두에 두고 있었다.

포기를 모르는 이 스웨덴인은 괴링과 대화한 내용을 그날 밤 늦게 영국 외무부에 알렸다. 이튿날 아침, 그는 핼리팩스 측으로부터 다시 만나 상의하자는 요청을 받았다. 이때 달레루스는 영국 외무장관을 설득해 괴

---

* "리벤트로프는 달레루스가 파견된 일에 관해 아무것도 몰랐습니다"라고 괴링은 뉘른베르크 법정에서 증언했다. "저는 달레루스 일을 리벤트로프와 의논하지 않았습니다. 그래서 달레루스가 저와 영국 정부 사이를 오간 것을 까맣게 몰랐습니다."37 그러나 괴링은 히틀러에게는 알렸다.

링에게 편지를 쓰게 했는데, 그의 표현대로라면 괴링은 전쟁을 막을 수 있는 유일한 독일인이었다. 일반적인 표현으로 쓴 그 편지는 짤막하고 불분명했다. 영국은 평화적 해결에 이르기를 바란다고 다시 말하고 그런 해결을 위해 "며칠이 더" 필요하다고 강조하는 데 그쳤다.*

그럼에도 뚱뚱한 원수는 핼리팩스의 편지가 "극히 중요하다"고 판단했다. 달레루스가 편지를 건넨 (8월 26일) 저녁에 괴링은 특별열차편으로 베를린 외곽 오라니엔부르크에 있는 공군 본부로 가고 있었다. 열차는 나음 역에서 멈추었고, 두 사람은 차량을 한 대 구해 총리 관저로 쏜살같이 달려 자정에 도착했다. 총리 관저는 어두웠다. 히틀러는 자고 있었다. 하지만 괴링은 히틀러를 깨워야 한다고 고집했다. 이 순간까지 달레루스는 다른 수많은 이들과 마찬가지로 히틀러가 비이성적인 사람이 아니며 1년 전에 뮌헨 회담 때와 마찬가지로 평화적 해법을 받아들일 것이라고 믿고 있었다. 그러나 이 스웨덴인은 이내 카리스마적인 독재자의 기이한

---

* 편지 원문은 《영국 외교 정책 문서(Documents of British Foreign Policy)》 제3집, 제7권, 283쪽에 실려 있다. 이 원문은 1954년에 위의 책이 나올 때까지 영국의 모든 공표 기록에서 빠졌는데, 이 누락 사실을 영국의 역사가들이 많이 언급했다. 달레루스라는 이름은 전쟁 발발에 관한 영국 청서(靑書)에서도, 헨더슨의 〈최종 보고(Final Report)〉에서도, 심지어 헨더슨의 저서 《임무 실패(Failure of a Mission)》에서도 언급되지 않는다. 다만 헨더슨의 책에서 "괴링과 접촉하는 정보원"으로 지칭될 뿐이다. 현재 공개되어 있는 헨더슨 및 독일 주재 영국 대사관 직원들의 전보에서는 달레루스와 그의 활동상이 꽤 두드러지며, 영국 외무부의 여러 공문에서도 그렇다.

평화를 구하려 시도한 이 특이한 스웨덴인 사업가의 역할은 비밀로 잘 지켜졌으며, 빌헬름슈트라세와 다우닝 가 모두 그의 활동을 특파원들과 중립국 외교관들에게 숨기고자 어지간히 애를 썼다. 후자의 부류는 내가 아는 한 1946년 3월 19일에 달레루스가 뉘른베르크에서 증언할 때까지 그의 활동을 까맣게 몰랐다. 달레루스의 저서 《마지막 시도(The Last Attempt)》가 1945년 전쟁 막바지에 스웨덴어로 출간되었지만 영역본은 1948년까지 나오지 않았고, 그의 역할이 이를테면 《영국 외교 정책 문서》 제7권의 문서들에 의해 공식 확인될 때까지는 6년이 더 걸렸다. 독일 외무부의 1939년 8월 문서들은 달레루스를 언급하지 않는다. 다만 루프트한자 항공사로부터 "달레루스라는 '외무부' 신사"가 이 항공사의 비행기를 타고 8월 26일 베를린에 도착한다는 메시지를 받았다는 기록이 어느 정기 공문에 보일 뿐이다. 그렇지만 나중에 작성된 몇몇 문서에는 달레루스의 이름이 나온다.

공상과 고약한 성미를 처음으로 맞닥뜨렸다.[38] 그것은 실로 충격적인 경험이었다.

히틀러는 달레루스가 핼리팩스에게서 받아온 편지, 괴링에게는 오밤중에 총통을 깨울 정도로 중요해 보였던 편지를 무시했다. 그 대신 총통은 20분 동안 스웨덴인에게 자신의 젊은 시절의 고투, 대단한 성취, 나아가 영국과의 양해에 이르기 위해 시도한 모든 일에 관해 강의했다. 그런 다음 달레루스가 한때 영국에서 노동자로 지냈다고 한마디하사, 총통은 이해하려 해도 이해할 수 없는 이 이상한 섬나라와 이상한 국민에 관해 연신 질문을 해댔다. 그러고는 독일의 군사력에 대해 약간 전문적으로 길게 강의했다. 이때쯤 달레루스는 본인의 말마따나 이번 방문이 "유익하지 않을 것"이라고 생각했다. 그렇지만 마침내 기회를 잡아 영국인에 관해 알게 된 몇 가지를 총통에게 들려주었다.

히틀러는 끼어들지 않고 내 말을 듣고 있다가 … 느닷없이 일어나 몹시 흥분하고 불안한 표정으로 이리저리 왔다 갔다 하면서 마치 혼잣말을 하듯이 독일을 막을 수는 없다고 했다. … 그러고는 방 한가운데서 돌연 멈추더니 선 채로 이쪽을 빤히 쳐다보았다. 말소리는 흐릿했고, 행동은 완전히 비정상인 같았다. 그는 스타카토로 탁탁 끊으며 말했다. "전쟁이 일어나면, U보트를 만들고, U보트, U보트, U보트, U보트를 만들 것이다." 목소리가 더욱 불분명해져서 결국 전혀 알아들을 수가 없었다. 그런 다음 기운을 되찾아 마치 대규모 청중에게 연설이라도 하듯이 목소리를 높여 새된 소리를 질러댔다. "항공기를 만들고, 항공기, 항공기, 항공기를 만들고, 적들을 말살할 것이다." 그는 진짜 사람이 아니라 동화책에 나오는 유령 같아 보였다. 나는 어리둥절한 채로 그를 쳐다보다가 괴링은 어떻게 반응하고 있나 보려고 고개를 돌렸는데, 그는 눈썹 하나 까딱하지 않았다.

결국 흥분한 총통은 손님에게 뚜벅뚜벅 다가가 이렇게 말했다. "달레루스 씨, 당신이 잉글랜드를 그렇게 잘 안다고 하니 내가 그 나라와 합의에 이르는 데 늘 실패하는 이유를 뭐든 말해줄 수 있겠소?" 달레루스는 "처음에 망설"였지만 이내 개인적인 의견으로는 영국에 "총통과 그 정부에 대한 신뢰가 부족한 것이 이유"라고 대답했다.

"멍청이들!" 하고 히틀러가 고함을 치며 오른팔을 쭉 뻗고는 왼손으로 자기 가슴을 쳤다고 달레루스는 전한다. "내가 평생 거짓말을 한 적이 있던가?"

나치 독재자는 이내 흥분을 가라앉히고서 헨더슨을 통한 제안을 논의한 뒤 결국 달레루스를 런던으로 보내 영국 정부에 또다른 제안을 하기로 결정했다. 괴링은 그 제안을 문서화하는 데 반대하면서 싹싹한 스웨덴인에게 제안 내용을 외우도록 해야 한다고 말했다. 그 제안의 요점은 여섯 가지였다.

1. 독일은 영국과의 조약 또는 동맹을 원한다.
2. 영국은 독일이 단치히와 회랑지대를 획득하도록 조력하되, 폴란드는 단치히에 자유항을 하나 갖고, 발트 해 연안의 그디니아 항과 그곳으로 통하는 회랑을 보유한다.
3. 독일은 폴란드의 새로운 국경을 보장한다.
4. 독일은 식민지들을 갖거나, 그에 상응하는 것을 돌려받는다.
5. 폴란드 내 독일인 소수집단을 보장한다.
6. 독일은 영 제국의 방위를 서약한다.

이 제안을 기억에 새긴 달레루스는 8월 27일 일요일 아침 런던을 향해 항공편으로 출발했고, 정오 직후 기웃거리는 기자들의 눈을 피하기 위해 우회로를 안내받아 체임벌린, 핼리팩스 경, 호러스 윌슨 경, 알렉산더 캐도건Alexander Cadogan 경 앞으로 갔다. 당시 영국 정부가 스웨덴인 특사를 아주 진지하게 대했던 것은 분명하다.

달레루스가 가져간 것은 전날 밤 히틀러, 괴링과 만났을 때의 일을 비행기에서 허둥지둥 휘갈겨 쓴 메모 몇 장이었다. 달레루스는 그 메모를 훑어보는 영국 정부의 주요 각료 두 사람에게 어제 접견 중 히틀러는 "차분하고 침착했다"고 확언했다. 이 희한한 안식일 회견에 관한 기록은 영국 외무부 문서고에서 발견되지 않았지만, 핼리팩스 및 캐도건이 제공한 자료와 이 특사의 메모를 토대로 재구성되어 외무부 문서집(제3집 제7권)에 실렸다. 영국 측 버전은 달레루스의 저서에 보이는 서술 및 그의 뉘른베르크 증언과는 다소 다른데, 여러 이야기를 종합해보면 우리가 얻을 수 있는 정확한 기록은 다음과 같을 것으로 보인다.

체임벌린과 핼리팩스는 히틀러의 두 가지 제안을 마주하고 있다는 사실을 곧장 알아차렸다. 헨더슨이 가져온 제안과 달레루스가 가져온 제안이 있고 그 둘이 서로 다르다는 것이었다. 첫째 제안은 히틀러가 폴란드와 결판을 낸 후에 영 제국을 보장하겠다는 내용인 반면, 둘째 제안은 총통이 영국을 통해 단치히와 회랑지대의 반환 문제를 교섭하고 그 후에 폴란드의 새로운 국경을 '보장'할 용의가 있다는 내용이었다. 이것은 체코슬로바키아 문제로 히틀러에게 환멸을 느꼈던 체임벌린의 입장에서는 상투적인 말처럼 들렸다. 달레루스가 개괄한 총통의 제안에 회의적이었던 체임벌린은 이 스웨덴인에게 "이런 조건으로는 타결될 가망이 없습니다. 폴란드 정부는 단치히는 양보할지도 모르지만, 회랑지대를 넘겨주느니 차라리 싸울 것입니다"라고 말했다.

결국 달레루스가 영국의 임시적인 비공식 답변을 지참하고 즉시 베를린으로 돌아가 히틀러에게 확인을 받은 다음 런던에 통지하면, 이번에는 공식 답변을 작성해 이튿날 저녁 헨더슨이 그것을 지참하고 베를린으로 가서 전달하기로 의견 일치를 보았다. (영국 측 버전인) 핼리팩스의 서술에 따르면 "달레루스 씨를 통하는 이런 비공식 비밀 연락의 결과로 다소 혼란이 발생할 수 있다. [그러므로] 달레루스가 그날 밤 베를린으로 돌아갈 때 영국 정부의 회답을 가져가는 것이 아니라" 이후 헨더슨이 전달할 "주된 메시지를 위해 길을 열어주는 것임을 분명히 해두는 편이 바람직했다".[39]

유럽에서 가장 강력한 두 나라 정부 간 교섭에서 얼마나 중요한 중재인이 되었던지, 무명의 스웨덴인 사업가는 본인 서술에 따르면 이 중차대한 순간에 영국 총리와 외무장관에게 "히틀러가 잉글랜드의 입장을 어떻게 생각하는지 통지받은 후에 답변을 줄 수 있도록 월요일[이튿날]까지 헨더슨을 런던에 머물게 해야 합니다"라고 말하기까지 했다.[40]

그렇다면 달레루스가 히틀러에게 전한 영국의 입장은 무엇이었을까? 이와 관련해 약간의 혼란이 있다. 달레루스에게 구두로 설명한 바를 대강 적은 핼리팩스 자신의 메모에 따르면, 영국의 입장은 다음과 같이 간략한 것이었다.

(i) G.와 Gt.B.[핼리팩스가 적은 머리글자] 간의 원만한 양해를 바란다는 점을 엄숙히 확인한다. 정부 내에서는 단 한 명도 이견이 없다. (ii) Gt.B.는 폴란드에 대한 의무를 지켜야 한다. (iii) 독일-폴란드 불화는 평화적으로 해결되어야 한다[G.는 독일, Gt.B.는 영국].[41]

달레루스에 따르면, 그에게 맡겨진 영국의 비공식 답변은 더 포괄적이었다.

물론 영 제국 방위를 제안한 제6항은 거부되었다. 이와 비슷하게 그들은 독일이 동원하는 한, 식민지들에 대해 조금도 논의하지 않으려 했다. 폴란드 국경과 관련해 그들은 5개 강대국이 보장하기를 원했다. 회랑지대와 관련해 그들은 폴란드아이 교섭에 즉시 차수할 것을 제안했다. [히틀러 제안의] 제1항과 관련해 잉글랜드는 원칙적으로 독일과 합의를 볼 의향이 있었다.[42]

달레루스는 일요일 저녁 항공편으로 베를린으로 돌아와 자정 직전에 괴링을 만났다. 원수는 영국의 회답을 "그리 호의적으로" 고려하지 않았다. 그러나 자정에 히틀러를 만난 뒤, 괴링은 오전 1시에 호텔에 있는 달레루스에게 전화를 걸어, 총통은 월요일 저녁에 헨더슨이 가져올 공식 답변이 달레루스가 가져온 답변과 일치할 경우 "잉글랜드의 입장을 수용"할 것이라고 말했다.

괴링은 기뻐했고, 달레루스는 그보다 더 기뻐했다. 스웨덴인은 오전 2시에 영국 대사관의 참사관 조지 오길비-포브스George Ogilvie-Forbes 경을 깨워 기쁜 소식을 알렸다. 달레루스는 히틀러의 반응을 전하는 데 그치지 않고 영국 정부가 공식 답변에서 무슨 말을 해야 할지 조언하기까지 했다—적어도 본인은 그렇게 조언할 만한 위치에 있다고 생각했다. 8월 28일 월요일에 헨더슨이 가져올 문서에는 영국이 폴란드를 설득해 독일과 즉시 직접 교섭하도록 한다는 약속이 담겨야 한다고 달레루스는 강조했다.

[8월 28일 포브스가 보낸 전보] 방금 달레루스가 괴링의 집무실에서 전화를 걸어 자신이 가장 중요하다고 생각하는 아래의 제안을 말했다.

1. 히틀러에 대한 영국의 답변에 루스벨트 계획*에 관한 언급이 담겨서는 안 된다.

2. 히틀러는 폴란드 측이 교섭을 회피하려 들 것이라고 의심한다. 그러므로 답변에는 폴란드 측에 독일과 즉시 접촉하고 교섭할 것을 강하게 권고했다는 명확한 발언이 담겨야 한다.**43

그날 내내, 이제 자신만만해진 스웨덴인은 포브스에게 온갖 조언을 쏟아냈을 뿐 아니라(그런 조언을 후자는 런던으로 성실하게 타전했다) 영국 외무부에 직접 전화를 걸어 또다른 제안들이 포함된 메시지를 핼리팩스에게 전하기까지 했다.

세계사의 이 결정적인 순간에 스웨덴인 아마추어 외교관은 실로 베를린과 런던 사이의 초점이 되어 있었다. 8월 28일 오후 2시, 베를린 주재 영국 대사관으로부터의 연락과 달레루스가 영국 외무부에 걸어온 전화를 통해 이 스웨덴인의 긴급 조언을 듣고 있던 핼리팩스는 바르샤바 주재 영국 대사 하워드 케너드 경에게 전보를 쳐, "즉시" 베츠크 외무장관을 만나 영국 정부가 히틀러에게 "폴란드는 즉시 독일과 직접적인 교섭

---

* 짐작하건대 히틀러에게 독일과 폴란드의 직접 교섭을 촉구한 루스벨트의 8월 24, 25일 메시지일 것이다.

** 공정을 기하기 위해 말하자면, 달레루스는 자신의 메시지들 중 일부가 암시하는 것만큼 친독일파는 아니었다. 이 월요일 밤 오라니엔부르크의 공군 본부에서 괴링과 두 시간을 보낸 뒤 달레루스는 포브스에게 전화를 걸어 "독일 육군은 8월 30~31일, 수요일에서 목요일로 넘어가는 밤중에 폴란드를 공격할 최종 위치에 있을 것입니다"라고 말했다. 포브스는 이 첩보를 최대한 서둘러 런던으로 보냈다.

에 나설 용의가 있다"는 점을 알려도 된다는 허가를 받아내라고 지시했다. 영국 외무장관은 서두르고 있었다. 핼리팩스는 당일 헨더슨이 베를린으로 가져가려고 기다리고 있는 히틀러에 대한 공식 답변에 폴란드 정부의 이 허가를 담고 싶었던 것이다. 그래서 바르샤바 대사에게 베츠크의 답변을 전화로 알려달라고 재촉했다. 오후 늦게 베츠크로부터 그 허가를 받은 영국 측은 자기네 문서에 부리나케 집어넣었다.[44]

헨더슨은 그 문서를 지참하고 8월 28일 저녁 베를린에 도착했고, 총리 관저에서 받들어총 자세로 경례를 하고 북을 울리는 친위대 의장병의 영접을 받은 다음(독일 측은 정식 외교 의례를 끝까지 지켰다) 히틀러 앞으로 안내되어 오후 10시 30분에 그에게 독일어로 번역한 영국 측 문서를 건넸다. 히틀러는 그것을 곧장 읽었다.

문서에서 영국 정부는 독일과 폴란드 간의 불화를 "먼저" 해결해야 한다는 데 "완전히 동의"했다. 그러면서도 "그렇지만 모든 것은 그 해결의 성격과 해결에 이르는 방법에 달려 있다"고 덧붙였다. 이 문제에 대해 영국 총리는 "침묵"을 지키겠다고 했다. 영 제국을 '보장'하겠다는 히틀러의 제안은 부드럽게 거절했다. 영국 정부는 "영국에 어떠한 이익이 생긴다 해도 그것을 위해 영국 정부가 보장한 한 국가의 독립을 위험에 빠뜨리는 합의에는 동의할 수 없다"고 했다.

그 보장은 지켜질 테지만, 폴란드에 대한 의무와 관련해 영국 정부는 "양심적"이기 때문에 독일 총리는 영국이 공정한 합의를 열망하지 않는다고 생각해서는 안 되었다.

그러므로 다음 단계로 독일 정부와 폴란드 정부는 … 국제적 보장을 통해 폴란드의 핵심적 이해관계를 보호하고 합의를 확실히 한다는 기반 위에서 … 직접적인 논의를 시작해야 한다.

영국 정부는 이미 폴란드 정부로부터 이 기반 위에서 논의를 시작할 용의가 있다는 확약을 받았고, 독일 정부도 이 방침에 동의할 용의가 있기를 희망한다.

… 독일과 폴란드 간의 … 공정한 합의는 세계 평화로 나아가는 길을 열어줄 것이다. 합의에 이르지 못할 경우 독일과 영국 간 상호이해의 희망이 깨질 것이고, 두 나라가 분쟁을 벌이게 될 것이고, 아마도 전 세계가 전쟁에 빠져들 것이다. 그런 일이 일어나면 역사상 전례가 없는 참화가 될 것이다.[45]

히틀러가 영국의 메시지를 다 읽고 나자, 헨더슨은 체임벌린 및 핼리팩스와 대화할 때 적어둔 것이라며 자신의 메모를 바탕으로 부연 설명을 하기 시작했다. 그 스스로 나중에 말한 대로, 대사가 히틀러와의 회견에서 대화의 지분을 대부분 차지한 것은 그때가 처음이자 마지막이었다. 헨더슨의 발언 요지는 영국이 독일과의 우호관계와 평화를 바라지만 히틀러가 폴란드를 공격하면 싸우겠다는 것이었다. 총통은 결코 가만히 있지 않았다. 그는 다짜고짜 폴란드의 죄상을 열거하며 자신은 평화적 해결을 위해 몇 번이고 "관대한" 제안을 했다면서 그런 제안은 두 번 다시 하지 않겠다고 말했다. 사실 이제 와서는 "단치히와 회랑지대 전체를 돌려받고 그에 더해 전후의 주민투표에서 주민의 90퍼센트가 독일에 투표한 슐레지엔에서 조정이 이루어지지 않는 이상 만족스럽지 않을 것"이라고 했다. 여기서 슐레지엔 이야기는 사실이 아니었고, 1918년 이후 독일계 주민 100만 명이 회랑지대에서 내쫓겼다고 잠시 후에 한 말도 사실이 아니었다. 1910년에 시행한 독일의 인구조사에 따르면 회랑지대에는 독일인이 38만 5000명밖에 없었다. 그러나 물론 이 무렵의 나치 독재자는 자신의 거짓말을 모두가 곧이곧대로 믿으리라 기대하고 있었다. 영국 대사는 베를린에서의 임무가 무산되어가는 마지막 순간에 히틀러의 거짓말을 상당 부분 곧이곧대로 믿었는데, 〈최종 보고〉에서 힘주어 말했듯이 "이때 히틀러 씨는 우호적이고 합리적인 모습으로 돌아와 있었고, 내가 가져간 답변에 불만스러워하지 않는 듯 보였기" 때문이다.

"끝으로 나는 그에게 두 가지 직설적인 질문을 했다." 헨더슨은 오전 2시 35분에 런던으로 보낸 장문의 전보에서 히틀러와의 회견 광경을 묘사하며 이렇게 썼다.[46]

폴란드와 직접 교섭할 의사가 있는가, 그리고 주민 교환 문제를 논의할 용의가 있는가? 뒤의 질문에 관해서 그는 긍정적으로 답했다(다만 그가 동시에 국경의 조정을 생각하고 있었다는 데에는 의문의 여지가 없다).

앞의 질문에 관해 히틀러는 먼저 영국 측 문서 전체를 "신중하게 검토"해야 한다고 말했다. 헨더슨이 전보에 자세히 썼듯이, 이때 히틀러는 리벤트로프를 돌아보며 "괴링을 불러 함께 의논해야겠네"라고 말했다. 히틀러는 8월 29일 화요일에 영국 측 문서에 서면으로 회답하겠다고 약속했다.

헨더슨은 핼리팩스에게 "양측의 확고부동함에도 불구하고, 대화는 아주 우호적인 분위기에서 이루어졌다"라고 강조했다. 헨더슨은 히틀러와의 온갖 개인적 경험에도 불구하고 총통이 왜 그토록 우호적인 분위기를 만들었는지 거의 알아채지 못했던 듯하다. 총통은 여전히 바로 그 주말에 폴란드와 전쟁을 벌이겠다고 마음먹고 있었고, 영국 정부나 헨더슨이 무슨 말을 하든 영국의 참전을 막을 가능성에 계속 희망을 걸고 있었다.

실상을 모르는 리벤트로프의 아첨을 들은 히틀러는 입으로는 믿는다고 하면서도 영국이 진심을 토로하고 있다고는 도저히 믿을 수 없었던 모양이다.

이틀날 헨더슨은 전날 보낸 장문의 전보에 추신을 덧붙였다.

히틀러는 자신이 엄포를 놓는 것이 아니며 그렇게 믿는 사람들은 큰 실수를 범하는 것이라고 역설했다. 나는 그 사실을 충분히 알고 있고 우리 둘 다 엄포를 놓는 것이 아니라고 대꾸했다. 히틀러 씨는 그 점을 잘 알고 있다고 말했다.[47]

알고 있다고 말은 했지만, 과연 정말로 알고 있었을까? 이렇게 묻는 것은, 히틀러가 8월 29일 회답에서 틀림없이 꿩도 먹고 알도 먹을 수 있다고 생각하며 영국 정부를 고의로 속이려 했기 때문이다.

영국 정부의 회답과 그에 대한 히틀러의 첫 반응에 베를린에서는, 특히 괴링의 본부에서는 낙관론이 터져나왔다. 당시 괴링의 본부에서 대부분의 시간을 보내고 있던 독특한 달레루스는 8월 29일 오전 1시 30분에 원수의 부관들 중 한 명으로부터 전화를 받았다. 영국 대사가 떠난 후 히틀러, 리벤트로프, 괴링이 영국의 회답을 놓고 구수회의를 하던 총리 관저에서 걸려온 전화였다. 괴링이 달레루스에게 전한 말은 영국의 회답이 "매우 만족스럽고 전쟁의 위험이 지나갔다고 여길 정도의 희망이 있다"는 것이었다.

그 후 달레루스는 오전에 영국 외무부에 장거리 전화를 걸어 이 좋은 소식을 전하면서 핼리팩스에게 "히틀러와 괴링은 이제 평화적 해결의 결정적 가능성이 생겼다고 보고 있다"고 알렸다. 오전 10시 50분에 달레루스가 찾아오자 괴링은 그의 손을 따뜻하게 잡고 흔들며 "평화가 찾아올 겁니다! 평화를 얻었습니다!" 하고 소리치며 야단스럽게 맞이했다. 이처럼 즐거운 보장의 말에 고무된 스웨덴인 특사는 즉시 영국 대사관을 찾아가 그때까지 개인적으로 만난 적이 없던 헨더슨에게 희소식을 전했다. 이 만남을 묘사한 대사의 전보에 따르면, 달레루스는 독일 측이 매우 낙관적이라고 말했다. 독일은 영국 측 답변의 "주요 논점"에 "동의"했고, 히틀러는 "그저" 단치히와 회랑지대―회랑지대 전체가 아니라 단치히까지 이어지는 철로 연변의 작은 영토―를 요구할 뿐이라고 달레루스는 말했다. 사실 총통은 "어느 때보다 합리적"으로 교섭할 용의가 있으며 "폴란드 측을 만나기 위해 먼 길을 떠날 것"이라고 달레루스는 전했다.[48]

마침내 실상을 어느 정도 깨닫기 시작한 네빌 헨더슨 경은 달레루스의 말을 별로 믿지 않았다. 나중에 본인이 보고한 바에 따르면, 헨더슨은 그간 자신에게 "몇 번이고" 거짓말을 한 히틀러와 괴링의 말을 믿을 수 없다고 손님에게 말했다. 헨더슨이 보기에 히틀러는 부정직하고 무자비한 게임을 하고 있었다.

그러나 당시 사건의 한가운데에 있던 스웨덴인을 설득할 수는 없었다―그는 대사보다도 나중에야 진실을 깨달았다. 도무지 이해할 수 없는 대사의 비관론으로 인해 자신의 노력이 수포로 돌아가지 않도록, 달레루스는 오후 7시 10분 다시 영국 외무부에 전화를 걸어 핼리팩스에게 "독일의 회답에는 어떠한 난점도 없다"는 메시지를 남겼다. 그러면서도 그는 영국 정부가 폴란드 측에 "적절히 행동"하라고 말할 것을 권고했다.[49]

5분 후인 8월 29일 오후 7시 15분, 헨더슨은 총리 관저에 도착해 총통으로부터 독일의 실제 답변을 받았다. 괴링과 그의 스웨덴인 친구의 낙관론이 얼마나 허망한 것인지 곧 밝혀졌다. 대사가 회견이 끝난 직후 핼리팩스에게 알렸듯이, 그 회견의 분위기는 "험악했고 히틀러 씨는 어제보다 훨씬 덜 합리적이었다".

독일은 공식 서면 답변에서 영국과의 우호관계를 유지하고 싶다고 다시 말하면서도 "그것을 얻기 위해 독일의 사활적 이해관계를 포기하는 대가를 치를 수는 없다"고 강조했다. 폴란드의 악행, 도발, "하늘까지 아우성이 닿는 야만적인 학대 행위" 등을 길게 열거하는 익숙한 패턴을 되풀이한 뒤, 그 문서는 히틀러의 요구사항을 서면이라는 공식적 형태로 처음으로 제시했다. 요구 내용은 단치히와 회랑지대의 반환, 폴란드 내 독일인의 안전 보장이었다. 그러면서 "현재의 조건"을 제거하는 데는 "이제 몇 주는 고사하고 며칠도 남아 있지 않고, 아마도 몇 시간만 남아 있을 뿐"이라고 덧붙였다.

독일 측 문서는 다음과 같은 내용으로 이어졌다. 독일은 폴란드와의 직접 교섭을 통해 해결에 이를 수 있다는 영국의 견해에는 더 이상 동의할 수 없다. 그렇지만 "오로지" 영국 정부를 기쁘게 하기 위해, 그리고 영국-독일의 우호관계를 위해 독일은 "영국의 제안을 받아들여" 폴란드와의 "직접 교섭에 들어갈" 용의가 있다. 또 "폴란드에서 영토를 재조정할 경우" 독일 정부는 소련의 동의 없이는 그것을 보장할 수 없다. (물론 영국 정부는 폴란드를 분할하기로 한 나치-소비에트 조약의 비밀의정서를 알지 못했다.) "그 외에, 독일 정부는 이 제안을 하면서 폴란드의 사활적 이해관계를 건드리거나 독립 폴란드의 존속을 문제시할 생각이 전혀 없다."

그러고는 답변의 맨 끝에 덫을 놓았다.

이런 이유로 독일 정부는 폴란드의 전권사절이 베를린에 파견되도록 보장한다는 영국 정부의 중재 제안에 동의한다. 독일 정부는 이 사절이 1939년

8월 30일 수요일에 도착할 것으로 기대한다.

독일 정부는 수락 가능한 해결책에 대한 제안을 즉시 작성할 것이고, 가능하다면 폴란드 교섭자가 도착하기 전에 이 제안을 영국 정부의 처분에 맡길 것이다.[50]

헨더슨은 히틀러와 리벤트로프가 지켜보는 가운데 답변을 읽어나갔고, 폴란드의 진권사설이 이튿날 도착할 것으로 기대한다는 대목에 이를 때까지 아무 말도 하지 않았다.

"이것은 최후통첩처럼 들립니다"라고 헨더슨이 말하자 히틀러와 리벤트로프는 완강히 부인했다. 그들은 "양국의 군대가 전면적으로 동원되어 대치 중인 현 상황의 긴급성"을 강조하려 했을 뿐이라고 말했다.

헨더슨은 분명 지난날 히틀러가 슈슈니크, 하하를 접견했던 일을 염두에 두고서 만약 폴란드의 전권대사가 베를린에 도착하면 그를 "잘 접견"하고 교섭을 "완전히 평등한 입장에서 진행"할 것인지 물었다.

"물론입니다" 하고 히틀러는 대답했다.

그런 다음 헨더슨의 말마따나, 폴란드에서 얼마나 많은 독일인이 학살당하고 있는지에 관해 이 대사는 "눈곱만큼도 신경쓰지" 않는다고 히틀러가 "쓸데없는" 말을 하는 바람에 심한 논쟁이 벌어졌다. 이때 헨더슨은 "격렬하게 반박"했다고 말한다.*

"그날 저녁 나는 불길한 예감을 품은 채 총리 관저를 떠났다"라고 헨

---

* "본관은 히틀러보다 더 크게 소리쳤다. … 훨씬 더 크게 목청껏 고함을 질렀다"라고 헨더슨은 이튿날 핼리팩스에게 보낸 전보에 썼다.[51] 이런 신경질적인 표현은 그 이전 영국 문서들에서는 찾아볼 수 없는 것이었다.

더슨은 훗날 회고록에 썼다. 다만 그날 밤 런던으로 보낸 전보에서는 그런 언급을 하지 않은 것으로 보인다. 대사의 반박에 히틀러는 병사들이 "합니까, 안 합니까?"라고 묻는다면서, 그들은 이미 1주일을 허비했고 "폴란드의 우기까지 적으로 돌리지 않으려면" 더 이상은 허비할 수 없다고 했다.

그럼에도 헨더슨의 공식 보고서와 저서를 토대로 판단하자면, 이튿날 다른 덫이 튀어나와 히틀러의 계략이 여실히 밝혀질 때까지 대사는 총통의 덫을 거의 간파하지 못했던 것이 분명하다. 독재자의 속셈은 공식 회답의 내용에 훤히 드러나 있었다. 히틀러는 교섭 전권을 가진 폴란드 사절이 이튿날 베를린을 방문할 것을 요구했다. 의심할 나위 없이 지난날 비슷한 상황에서 오스트리아 총리나 체코슬로바키아 대통령을 홀대했던 방식으로 이번에도 폴란드 사절을 홀대할 작정이었던 것이다. 그가 확신하던 대로 폴란드 측이 사절을 베를린으로 급파하지 않는다면, 또는 급파하더라도 그 교섭자가 히틀러의 조건을 수용하지 않는다면 '평화적 해결'을 거부한 책임을 폴란드에게 덮어씌울 수 있었다. 또 폴란드 침공 시 폴란드를 원조하지 말도록 영국과 프랑스를 설득할 수 있었다. 진부하되 간단명료한 속셈이었다.*

그러나 8월 29일 밤, 헨더슨에게는 그 속셈이 명확하게 보이지가 않았다. 그는 히틀러와의 회견 장면을 묘사하는 전보문 작성을 채 끝마치기도 전에 폴란드 대사를 영국 대사관으로 초대했다. 폴란드 대사가 찾아오자 헨더슨은 독일 측 답변이나 히틀러와의 대화에 관해 말해준 다음

---

* 할더 장군은 8월 29일 일기에 히틀러의 속셈을 간결하게 정리했다. "총통은 영국-프랑스와 폴란드 사이를 이간질하고자 한다. 전략: 인구학적·민주적 요구사항을 퍼붓는다. … 폴란드 측은 8월 30일에 베를린에 올 것이다. 8월 31일, 교섭은 결렬될 것이다. 9월 1일, 무력행사 개시."

"그에게 즉각 행동할 필요성을 강조했다. 나는 폴란드를 위해, 제안된 교섭에 나설 대표의 선출을 서두르도록 본국 정부에 진언해달라고 그에게 간청했다".[52]

런던 외무부의 지도부는 더 냉정했다. 8월 30일 오전 2시, 핼리팩스는 독일의 답변과 히틀러와의 회견에 대한 헨더슨의 보고 내용을 숙고한 다음 대사에게 전보를 보내 독일의 회답에 관해서는 신중하게 검토해야겠지만 "우리가 폴란드 대표를 오늘 중으로 베를린에 도착하게 할 수 있다고 기대하는 것은 당연히 무리이며, 독일 정부도 그것을 기대할 리 없다"라고 말했다.[53] 당시 영국 외교관들과 외무부 관료들은 24시간 정신없이 움직이고 있었고, 헨더슨은 이 메시지를 오전 4시 30분에 빌헬름슈트라세에 전달했다.

그 8월 30일에 헨더슨은 런던에서 추가로 온 네 통의 메시지를 전달했다. 그중 하나는 체임벌린이 히틀러에게 보내는 친서로, 독일의 답변에 관해서는 "최대한 서둘러" 검토하고 있고 오후에는 답장하겠다는 내용이었다. 한편 영국 총리는 독일 정부에 국경에서 분쟁을 일으키지 말라고 권고하고 폴란드 정부에도 같은 권고를 했다고 말했다. 그 밖에도 총리는 "영국과 독일의 상호이해를 바란다는 견해가 서로 교환되고 있다는 신호를 환영"했다.[54] 둘째 메시지는 핼리팩스가 보낸 것으로 비슷한 내용이었다. 셋째 메시지에서 영국 외무장관은 폴란드 내 독일인의 사보타주에 관한 보고를 언급하고 독일 측에 그런 활동을 삼갈 것을 요청했다. 넷째 메시지는 핼리팩스가 오후 6시 50분에 보낸 전보로, 영국 외무부와 베를린 주재 영국 대사의 경직되어가는 태도가 반영되어 있었다.

생각을 더 깊이 해본 헨더슨은 이 마지막 메시지를 받기 전에 런던으로 다음과 같은 내용의 전보를 보냈다.

본관은 폴란드 정부가 평화 유지를 위해 희생을 치를 용의가 있음을 세계에 납득시키기 위해서라도 이 막판 노력을 받아들여 히틀러와 직접 접촉할 것을 여전히 권고한다. 그러나 독일의 답변을 보건대 히틀러는 가능한 경우에는 자신의 목적을 이른바 평화적이고 공정한 방법으로, 불가능한 경우에는 무력으로 달성할 각오라고 결론지을 수밖에 없다.[55]

이때쯤이면 헨더슨조차 또다른 뮌헨 협정을 더 이상 바라지 않게 되었다. 폴란드 측도 그런 협정을 고려한 적이 없었다―적어도 그들 스스로는. 8월 30일 오전 10시 30분, 바르샤바 주재 영국 대사는 핼리팩스에게 전보를 보냈다. 대사는 "베츠크 씨나 다른 어떤 대표를 즉시 베를린으로 보내 히틀러의 제안에 기반해서 해결책을 논의하도록 폴란드 정부를 설득하기란 불가능할 것"으로 확신했다. "폴란드 정부는 특히 체코슬로바키아, 리투아니아, 오스트리아의 사례 이후에 그런 굴욕을 당하느니 차라리 싸우다가 멸망하는 쪽을 택할 것이다." 대사는 양국의 교섭이 "동등한 국가들 사이"의 교섭이 되려면 어디든 중립국에서 진행되어야 한다고 제안했다.[56]

이처럼 베를린과 바르샤바 주재 대사로부터 의견을 듣고서 경직되어가는 태도를 더욱 굳힌 핼리팩스는 헨더슨에게 전보를 보내, 영국 정부는 전권을 가진 사절을 베를린으로 파견하라는 히틀러의 요구에 응하라고 폴란드 측에 "권고"할 수 없다고 알렸다. 그것은 "전적으로 불합리하다"라고 외무장관은 말했다.

[핼리팩스가 이어서 말함] 귀관은 독일 정부에 이렇게 제안할 수 없겠는가. 제안이 준비되면 통상적인 절차를 밟아 폴란드 대사를 불러 바르샤바 측에

전달하라며 초안을 건네고, 교섭 진행에 관한 폴란드 측의 의견을 구하도록 말일세.[57]

히틀러의 최근 문서를 받고 약속했던 영국의 답변은 8월 30일에서 31일로 넘어가는 자정에 헨더슨이 리벤트로프에게 전달했다. 그때 매우 극적인 회견이 이어졌는데, 유일한 목격자인 슈미트 박사는 훗날 "통역관 생활 23년을 통틀어 전에 없이 험악한" 회견이었다고 묘사했다.[58]

회견 직후 헨더슨은 핼리팩스에게 전보를 보냈다. "불쾌한 회견 내내 리벤트로프의 모든 언동은 실로 최악의 상태인 히틀러를 흉내내는 것이었다고 말할 수밖에 없다." 그리고 헨더슨은 3주 후에 〈최종 보고〉에서 독일 외무장관의 "강렬한 적대감이 본관이 대꾸할 때마다 점점 더 맹렬해졌다"라고 회상했다. "그는 걸핏하면 흥분해 의자에서 벌떡 일어나 본관에게 더 할 말이 있느냐고 물었다. 본관은 줄곧 할 말이 남았다고 대꾸했다." 슈미트에 따르면, 헨더슨 역시 의자에서 일어났다. 어느 순간에는 두 남자 모두 자리에서 벌떡 일어나 눈을 부라리며 서로를 노려보았고, 유일한 목격자인 독일 통역관은 그들이 주먹다짐을 벌이는 건 아닐까 생각했다.

그러나 역사적으로 중요한 것은 8월 30일에서 31일로 넘어가는 자정에 베를린에서 독일 외무장관과 영국 대사가 그로테스크한 회견을 했다는 사실이 아니라, 이 회견을 통해 히틀러의 기만술이 막을 내렸고, 네빌 헨더슨 경이 너무 늦은 시점에 제3제국에 관한 학습을 완료했다는 사실이다.

리벤트로프는 영국의 답장을 거의 훑어보지도 않았고, 그것에 대해 설명하려는 헨더슨의 말을 들으려 하지도 않았다.* 헨더슨이 히틀러가 지난번 답장에서 영국 측에 약속했던 폴란드 문제 해결을 위한 독일 측의 새로운 제안을 보여달라고 요구하자, 리벤트로프는 폴란드 사절이 자정까지 도착하지 않았으므로 이제 너무 늦었다고 경멸조로 대꾸했다. 그러나 독일 측은 그 초안을 작성해둔 터였고, 당시 리벤트로프는 그것을 읽어주었다.

리벤트로프는 그 제안을 독일어로 "최고 속도로" 읽었다. "아니, 몹시 짜증난 말투로 본관에게 최대한 빠르게 주절거렸다"라고 헨더슨은 보고했다.

총 16개 항 가운데 6~7개 항의 요지를 알아들을 수는 있었지만, 그 문서를 자세히 검토하지 않고는 정확성을 전혀 보장할 수 없을 것이다. 그가 다 읽었을 때 본관은 응당 문서를 보여달라고 요구했다. 리벤트로프는 단호히 거절했고, 경멸적인 몸짓으로 문서를 탁자 위에 내던졌으며, 폴란드 사절이 자정까지 도착하지 않았으므로 이제 유효 기간이 지났다고 말했다.**

---

* 비록 독일을 회유하려는 표현으로 작성되긴 했지만, 영국의 답장은 단호했다. 영국 정부는 관계 개선을 바라는 독일의 입장에 "화답"한다면서도, "그런 개선을 이루어내기 위해 다른 우방들의 이익을 희생시킬 수는 없다"고 했다. 이어서 영국 정부는 "독일의 사활적 이익을 희생"할 수 없다는 독일 정부의 입장을 충분히 이해하지만 "폴란드 정부도 같은 입장"에 있다고 말했다. 영국 정부는 히틀러가 말하는 조건에 "유보적 입장을 취할" 수밖에 없었고, 베를린과 바르샤바 간의 직접 교섭을 촉구하면서도 "오늘 당장 접촉하는 것은 불가능할 것"이라고 보았다. (*British Blue Book*, pp. 142-143)
** 내가 보기에 뉘른베르크 재판의 주요 피고들 중에서 가장 추태를 보인—그리고 최악의 자기 변론을 한—리벤트로프는 증인석에서 16개 항을 "직접 구술한" 히틀러가 "이 제안서를 유출하는 것은 명확히 금했습니다"라고 주장했다. 리벤트로프는 그 이유를 말하지 않았고, 반대 심문도 없었다. 리벤트로프는 다음과 같이 인정했다. "히틀러는 저 스스로 적절하다고 생각할 경우 영국 대사에게 그 제안의 취지만큼은 알려주어도 된다고 말했습니다. 저는 그것보다 조금 더 해서, 그 제안을 처음부터 끝까지 전부 읽어주었습니다."[59] 슈미트 박사는 리벤트로프가 독일어로, 헨더슨이 알아들을 수 없을 정도로 빠르게 읽었다는 것을 부인한다. 그는 외무장관이 "유독 서두른" 것은 아니라고 말한다. 슈미트의 말대로라면 헨더슨은 "엄밀히 말해서 독일어를 숙달한 사람이 아니"었던 만큼, 이런

유효 기간이 지났을지는 몰라도, 그 원인은 독일이 유효 기간을 넘기기로 선택했다는 데 있었다. 그리고 중요한 점은 이 '제안'을 진지하게 제시하려는 의도가, 아니 아예 제시할 의도 자체가 독일 측에 결코 없었다는 것이다. 사실 그것은 농간이었다. 독일 국민을, 그리고 가능하다면 세계 여론을 속여서 히틀러가 폴란드에 대한 자신의 주장을 최후까지 합리적으로 해결하려 노력했다고 믿도록 만들려는 속임수였다. 이 점을 총통은 십분 인정했다. 나중에 슈미트 박사는 히틀러가 한 말을 들었다. "나는 특히 독일 국민과 관련해서 내가 평화를 지키기 위해 모든 일을 다 했음을 보여주는 알리바이가 필요했네. 그것이 내가 단치히 그리고 회랑지대 문제의 해결과 관련해 너그러운 제안을 했던 이유지."*

그 제안은 당시 히틀러가 제시한 요구사항에 비해 놀라우리만치 관대 **했다**. 거기서 히틀러는 단치히의 독일 반환을 요구하는 데 그쳤다. 회랑지대의 미래는 주민투표로 결정될 것이다. 그것도 12개월 후에, 흥분이 가라앉은 상태에서 말이다. 폴란드는 그나디아 항을 계속 보유할 것이다. 주민투표에서 어느 쪽이 회랑지대를 획득하든 간에, 획득한 국가는 상대국에 회랑지대를 통과하는 치외법권의 고속도로와 철도를 허가할 것이다—이는 지난봄에 제시된 히틀러의 '제안'을 뒤집는 내용이었다. 주민 교환이 이루어질 것이고, 양국은 저마다 자국 내의 상대국 국적 주

결정적인 회담에서는 자국어를 사용하는 편이 효과적이었을 것이다. 리벤트로프는 영어 실력이 뛰어났지만, 이 교섭에서는 영어로 말하기를 거부했다.[60]
* 16개 항 제안 전문은 8월 30일 오후 9시 15분에, 리벤트로프가 헨더슨에게 "주절거리기" 네 시간 전에 런던의 독일 대사대리에게 전보로 전해졌다. 그러나 독일 대사대리는 그것을 "엄중히 비밀로 유지해야 하고 추가 지시가 있을 때까지 다른 누구에게도 전달해서는 안 된다"라는 지시를 받았다.[61] 기억하겠지만, 히틀러는 전날 회담에서 폴란드 교섭자가 도착하기 전에 그 제안을 영국 정부의 처분에 맡기겠다고 약속한 바 있었다.

민에게 완전한 권리를 부여할 것이다.

　이런 제안이 진지하게 제시되었다면 적어도 독일과 폴란드 간 교섭의 기반이 되었을 것이고, 세계가 한 세대 동안에 두 번의 대전을 치르지 않아도 되었을 것이라고 생각하는 사람들도 분명 있을 것이다. 이 제안은 히틀러가 폴란드를 공격하라는 최종 명령을 내린 지 8시간 30분이 지난 8월 31일 오후 9시에 독일 국민에게 라디오 방송으로 알려졌고, 당시 내가 베를린에서 판단한 바로는 독일 국민을 속이는 목표를 달성했다. 그 제안은 확실히 나까지도 속였는데, 나는 라디오를 통해 그것을 듣고는 그 합리성에 감명을 받아 그 평화의 마지막 밤에 미국에 방송을 하면서 합리적인 제안이라고 말했다.

　헨더슨은 8월 30일에서 31일에 걸친 밤에 영국 대사관으로 돌아왔다. 훗날 말했듯이 "평화의 마지막 희망이 사라졌다"고 확신하고 있었다. 그럼에도 노력을 멈추지 않았다. 헨더슨은 새벽 2시에 폴란드 대사 립스키에게 연락을 취해 급히 영국 대사관으로 와달라고 요청했고, 대사에게 리벤트로프와 나눈 대화에 관해 "객관적이고 되도록 온건하게 설명"하고는 단치히 양도와 회랑지대의 주민투표 건이 독일 측 제안의 두 가지 요점이라고 이야기했다. 그리고 자신이 판단하기로는 "그렇게 불합리한 제안은 아니"라면서 립스키에게 시미그위-리츠 원수와 괴링 원수의 회동을 당장 추진하는 방안을 폴란드 정부에 진언할 것을 제안했다. "폰 리벤트로프 씨가 교섭을 진행할 경우 성공을 전혀 기대할 수 없다고 덧붙일 수밖에 없습니다"라고 헨더슨은 말했다.* [62]

---

* (8월 31일) 오전 5시 15분에 핼리팩스에게 보낸 전보에서 헨더슨은 립스키에게 "무척 강한 어조로" 권고했다고 보고했다. 내용인즉, 리벤트로프에게 "전화를 걸어", 본국 정부에 전하고 싶으니

그사이에도 지칠 줄 모르는 달레루스는 잠자코 있지 않았다. 8월 29일 오후 10시, 괴링은 달레루스를 자택으로 불러 방금 끝난 히틀러, 리벤트로프, 헨더슨의 회담에서 감지된 "불만족스러운 추이"에 관해 말해주었다. 당시 히스테리 상태였던 뚱뚱한 원수는 스웨덴인 친구를 앞에 두고 폴란드 정부와 영국 정부를 향해 격한 감정을 쏟아냈다. 그러다 흥분을 가라앉히고는 총통이 벌써 폴란드에 건넬 "도량이 넓은grosszuegig" 제안을 작성하고 있고, 거기서 한 가지 명확한 요구사항은 단치히 반환뿐이고 회랑지대의 미래에 관해서는 관대하게도 "국제적 통제" 하의 주민투표를 통해 결정하도록 남겨둘 것이라고 손님에게 확언했다. 달레루스는 주민투표를 실시하게 될 지역의 범위에 관해 부드럽게 질문했다. 그러자 괴링은 예전 지도에서 한 장을 찢더니 '폴란드' 지구와 '독일' 지구를 색연필로 칠해 구분했는데, 후자에는 1차대전 이전의 프로이센령 폴란드뿐 아니라 1914년 당시 국경에서 동쪽으로 100킬로미터 떨어진 공업도시 우치Łódź까지 포함되었다. 스웨덴인 참견꾼은 제3제국에서 그토록 중요한 결정을 얼마나 "신속하고 무모하게" 내리는지 알아차릴 수밖에 없었다. 그렇지만 그는 괴링의 요청에 따라 즉시 런던으로 날아가서 영국 정부 측에 히틀러가 여전히 평화를 원한다고 강조하고, 그 증거로 총통이 벌써 폴란드에 건넬 더없이 관대한 제안을 작성하고 있음을 넌지시 알리기로 했다.

피로라곤 몰랐던 듯한 달레루스는 8월 30일 오전 4시에 런던으로 출

독일 측 제안을 알려달라고 요청하라는 것이었다. 립스키는 먼저 바르샤바와 상의해야 한다고 말했다. "폴란드 대사는 당장 본국 정부에 전화하겠다고 약속했지만, 그는 본국 정부의 지시에 의해 행동에 제약을 받는 처지라서 그의 행동이 아주 효과적일 것이라고 기대할 수는 없다"라고 헨더슨은 덧붙였다.[63]

발했고, 신문 기자들을 따돌리기 위해 헤스턴에서 시티까지 몇 차례 차를 바꿔 탄 끝에(그의 존재를 알기라도 하는 기자조차 전혀 없었던 것으로 보이지만) 오전 10시 30분에 다우닝 가에 도착해 곧바로 체임벌린과 핼리팩스, 윌슨, 캐도건의 접견을 받았다.

그러나 이제 뮌헨 협정의 영국 측 설계자 세 사람은(외무차관 캐도건은 나치의 주문에 휘둘린 적이 없었다) 더 이상 히틀러와 괴링에게 속지도 않았고, 달레루스의 노력에 별반 감명 받지도 않았다. 선의를 가진 스웨덴인이 보기에 그들은 나치 지도부를 "매우 불신"했고 "이제 폴란드에 대한 히틀러의 전쟁 선포를 막을 만한 것은 아무것도 없다는 생각으로 기울어" 있었다. 더욱이 영국 정부는, 폴란드 전권대사를 24시간 이내로 베를린에 도착하게 하라고 요구한 히틀러의 계략에 넘어가지 않았다는 것을 스웨덴인 중재인에게 확실히 알려주었다.

그럼에도 달레루스는, 베를린의 헨더슨과 마찬가지로, 노력을 멈추지 않았다. 그는 베를린의 괴링에게 전화를 걸어 폴란드와 독일의 대표들이 "독일 밖에서" 만날 것을 제안했다가 "히틀러는 베를린에" 있기 때문에 회담도 베를린에서 열려야 할 것이라는 간략한 답변을 들었다.

이렇듯 스웨덴인 중재자는 이번 런던 여정에서 아무것도 달성하지 못했다. 그렇지만 자정 무렵 베를린으로 돌아온 그에게 또다른 기회가 기다리고 있었다는 사실은 언급해둬야겠다. 달레루스가 오전 0시 30분에 괴링의 본부에 도착해서 보니 공군 수장이 이번에도 속내를 털어놓는 분위기였다. 총통이 방금 리벤트로프를 통해 헨더슨에게 폴란드에 대한 "민주적이고 공정하고 실행 가능한 제안"을 건넸다고 괴링은 말했다. 다우닝 가의 회동을 경험하고서 정신을 차린 듯한 달레루스는 영국 대사관의 포브스에게 전화를 걸어 괴링의 말을 확인했고, 그 통화에서 리벤트로프가 독일 측 제안서를 너무나 빠르게 "주절거린" 탓에 헨더슨이 그 내용을 제대로 파악하지도 못했고 제안서 사본을 요구했으나 받지도 못했음을 알게 되었다. 달레루스의 주장에 따르면, 그는 괴링에게 이것은 "영국과 같은 제국의 대사를 대하는" 방식이 결코 아니라고 말했고, 16개항 제안서의 사본을 가지고 있던 원수에게 자신이 그 내용을 영국 대사관 측에 전화로 알려주도록 허용해달라고 요청했다. 괴링은 잠시 망설이더니 달레루스의 요청을 묵인했다.*

이런 식으로, 공군 수장과 공모하는 스웨덴인 무명 사업가의 부추김에 따라, 폴란드에 대한 독일의 '제안'이 히틀러와 리벤트로프를 우회하여 영국 측에 전해졌다. 결코 외교 문제에 무지하지도, 외교 문제를 다루는 데 미숙하지도 않았던 괴링은 아마도 이 무렵에 해당 기밀을 영국 측에 누설함으로써 얻을 수 있는 확실한 이점을 총통이나 아첨꾼 외무장관보다 더 일찍 간파했을 것이다.

헨더슨이 정보를 정확하게 얻을 수 있도록 만전을 기하기 위해, 괴링은 달레루스에게 타자기로 작성한 16개 항 제안서 사본을 들려서 8월 31일 목요일 오전 10시에 영국 대사관으로 보냈다. 헨더슨은 여전히 폴란드가 독일과 "바람직한 접촉"을 하도록 폴란드 대사를 설득하려 애쓰고 있었다. 오전 8시에 헨더슨은 다시 한 번, 이번에는 전화를 걸어 립스키를 다그치면서 만약 폴란드가 정오까지 행동하지 않으면 전쟁이 발발할 것이라고 경고했다.** 달레루스가 독일 제안서를 지참하고 영국 대사관에

---

* 뉘른베르크 증인석에서 괴링은 히틀러의 '제안' 문서를 영국 대사관에 넘겨주면서 자신이 "크나큰 위험"을 무릅쓴 것이라고 주장했다. "총통이 그것의 공표를 금했기 때문입니다." 그러면서 판사들에게 "오직 저만이 그 위험을 무릅쓸 수 있었습니다"라고 말했다.[64]

도착하자, 헨더슨은 그를 포브스와 함께 폴란드 대사관으로 보냈다. 달레루스에 대해 들어본 적이 없던 립스키는 이 스웨덴인을 만나 다소 당황했고—이때쯤 립스키는 베를린의 핵심 외교관들 대다수와 마찬가지로 신경과민에 녹초가 되어 있었다—달레루스가 지금 당장 괴링에게 가서 총통의 제안을 받아들이겠다고 답변하라고 재촉하자 짜증이 났다. 립스키는 달레루스에게 제안서의 16개 항을 옆방의 비서에게 구두로 불러줄 것을 요청한 뒤, 지금 와서 이토록 중대한 문제에 "낯선 사람"을 끌어들인 데 대해 포브스에게 불만을 표했다. 몹시 지친 폴란드 대사는 헨더슨이 즉각 독일 측과 교섭하라며 그와 그의 정부를 압박하는 상황에도 틀림없이 우울함을 느꼈을 것이다. 그 교섭의 토대는 립스키가 방금 전에 매우 비공식적이고도 은밀하게 받은 제안이었다. 하지만 헨더슨은 전날 밤에 립스키에게 말했듯이 그것이 전반적으로 "그렇게 불합리한 제안은 아니"라고 생각하고 있었다.* 립스키는 다우닝 가에서 헨더슨의 견해

** 이때 냉정한 프랑스 대사까지도 영국 대사를 지원했다. 헨더슨은 오전 9시에 프랑스 대사에게 전화를 걸어 폴란드 측이 정오까지 전권대사를 베를린으로 파견하는 데 동의하지 않으면 독일군이 폴란드 공격을 개시할 것이라고 말했다. 쿨롱드르는 즉시 폴란드 대사관으로 가서 립스키에게 촉구했다. 본국 정부에 전화해서 립스키 본인이 "전권대사로서" 독일 정부와 즉각 접촉할 권한을 달라고 요청하도록 말이다. (*French Yellow Book*, French edition, pp. 366-367)

* 이 시점, 그러니까 8월 31일 정오 전에, 어떤 대가를 치르더라도 평화를 지키고자 절박하게 애쓰고 있던 헨더슨은 독일이 내거는 조건이 꽤 합리적이고 심지어 온건하기까지 하다고 스스로 확신하고 있었다. 그리고 앞서 자정에 리벤트로프가 폴란드 사절이 아직 도착하지 않았으므로 독일의 제안이 더는 유효하지 않다고 말했음에도, 또 폴란드 정부가 아직 그 제안을 확인하지 않았음에도, 게다가 그 제안이 결국 속임수였음에도, 그날 하루 종일 헨더슨은 히틀러의 요구대로 핼리팩스에게 폴란드 측에 압력을 넣어 전권대사를 파견하게 할 것을 촉구했고, 총통이 제시한 16개 항의 합리성을 계속 강조했다.

8월 31일 오후 12시 30분에 헨더슨은 핼리팩스에게 전보를 보내, 폴란드 측에 립스키를 통한 요청을 "역설"해달라고 "촉구"했다. 요청의 내용은 폴란드 측이 "전권대사를 파견할" 수 있도록 독일 정부가 자국의 제안서를 폴란드 정부에 급송해달라는 것이었다. 헨더슨은 "그 조건은 본관에게 온건하게 들린다"라고 말했다. "이것은 뮌헨 회담이 아니다. … 폴란드는 이렇게 좋은 조건을 두 번 다시

를 지지하지 않는다는 것을 알지 못했다. 립스키가 알았던 것은 비록 영국 대사가 무명의 스웨덴인을 보냈다 할지라도 그의 조언을 받아들일 의사가 자신에게 없다는 것, 그리고 괴링에게 가서 히틀러의 '제안'을 수용한다고 말할 의사도 없다는 것이었다. 그에게는 그렇게 행동할 권한이 있지도 않았고, 설령 권한이 있다 해도 그럴 마음이 없었다.*

는 받지 못할 것이다." 그와 동시에 헨더슨은 핼리팩스에게 장문의 편지를 썼다. "… 독일의 제안은 폴란드의 독립을 위태롭게 하지 않습니다. … 나중에 폴란드는 더 불리한 거래를 할 공산이 큽니다." 자신의 주장에 변함이 없는 헨더슨은 9월 1일 오전 0시 30분, 독일의 침공 예정 시각 4시간 전에(비록 이 사실을 알지는 못했지만) 핼리팩스에게 끈덕지게 전보를 쳤다. "독일의 제안은 … 불합리하지 않다. … 독일의 제안대로라면 전쟁은 전혀 정당화될 수 없을 것이라는 게 본관의 의견이다." 그는 영국 정부가 폴란드 측을 "오해의 여지가 없는 언어로" 압박하여 "베를린에 전권대사를 파견하겠다는 의사"를 표명하도록 하라고 다시 한 번 촉구했다.

바르샤바 주재 영국 대사는 이와는 다른 견해를 취했다. 그는 8월 31일에 핼리팩스에게 이런 전보를 보냈다. "베를린 주재 대사는 독일의 조건이 합리적이라고 생각하는 듯하다. 우려스럽게도 본관은 바르샤바의 관점에서 그에게 동의할 수 없다."[65]

* 이 평화의 마지막 날에는 각주를 달 만한 다소 기묘한 또 하나의 외교적 에피소드도 있었다. 립스키를 만난 뒤 영국 대사관으로 돌아간 달레루스는 정오에 헨더슨의 집무실에서 런던 외무부의 호러스 윌슨 경에게 전화를 걸었다. 달레루스는 윌슨에게 독일의 제안이 "극히 관대"하지만 폴란드 대사가 방금 그것을 거부했다고 말했다. "폴란드 측이 교섭의 가능성을 차단하고 있는 것이 분명합니다."

그때 윌슨은 장거리 전화에서 나는 잡음을 듣고는 독일 측이 통화를 도청하는 것 같다고 생각했다. 그래서 통화를 끝내려 했지만, 달레루스가 폴란드 측의 불합리성에 대해 계속 떠들어댔다. "나는 달레루스에게 입을 다물라고 다시 말했으나 멈추지 않아서 그만 수화기를 내려놓았다"라고 호러스 경은 외무부 문서에 적었다.

윌슨은 다른 곳도 아니고 베를린 대사관의 집무실에서 저지른 이 무분별한 행동에 관해 상관들에게 보고했다. 그로부터 한 시간도 지나지 않은 오후 1시에 핼리팩스는 헨더슨에게 암호로 전보를 쳤다. "귀관은 전화 사용에 정말로 주의해야 한다. 정오에 대사관에서 D[외무부와 베를린 대사관 사이의 통신에서 달레루스는 항상 'D'로 지칭되었다]가 통화한 것은 극히 무분별한 행동이었고 독일 측에 도청당한 것이 확실하다."[66]

평화의 마지막 날

———

독일과 폴란드로부터 직접 교섭한다는 동의를 받아냈다고 생각한 영국 정부와 프랑스 정부는 히틀러를 매우 의심하면서도 양국의 회담을 성사시키는 데 전력을 쏟았다. 이 일은 영국이 앞장을 섰는데, 베를린과 특히 바르샤바에서는 프랑스가 외교적으로 영국을 지원했다. 영국은 비록 폴란드에 히틀러의 최후통첩을 받아들여 8월 30일에 베를린으로 전권사절을 파견하라고 권고히지 않았고, 핼리팩스가 헨더슨에게 타전했듯이 그런 요구를 "전적으로 불합리한" 것으로 보긴 했지만, 그러면서도 폴란드 외무장관 베츠크에게 베를린과 "지체 없이" 교섭할 용의가 있다는 입장을 표명할 것을 촉구했다. 이것이 핼리팩스가 8월 30일 심야에 바르샤바 주재 대사에게 보낸 메시지의 요지였다. 케너드 대사는 베츠크에게 헨더슨이 리벤트로프에게 전달하고 있는 영국 각서의 내용을 알리고, 영국이 폴란드에 대한 약속을 지킬 것이라고 확언하면서도, 폴란드가 당장 독일과의 직접 교섭에 동의하는 것이 중요하다고 강조해야 했다.

[핼리팩스가 보낸 전보] 독일 국내 상황과 세계 여론을 고려할 때, 독일 정부가 교섭에 나설 용의가 있다고 공언하는 한, 우리는 독일 측에 분쟁의 책임을 폴란드에 전가할 만한 기회를 주지 않는 것이 가장 중요하다고 생각한다.[67]

케너드는 자정에 베츠크를 만났고, 폴란드 외무장관은 정부와 상의한 뒤 8월 31일 정오까지 "심사숙고한 답변"을 영국 대사에게 주기로 약속했다. 이 회견 장면을 알리는 케너드의 전보가 오전 8시에 영국 외무부에 도착했지만, 핼리팩스는 별로 만족하지 않았다. 정오—이제 8월의 마지막 날이었다—에 핼리팩스는 케너드에게 전보를 쳐 바르샤바의 프랑스 동료(프랑스 대사 레옹 노엘)와 "협조"하고 폴란드 정부에 다음과 같이 제안하라고 지시했다.

폴란드 정부는 이제 독일 정부에 가급적 직접 알려야 하지만, 그렇게 되지 않을 경우 우리를 통해서라도 그들이 독일 정부에 대한 우리의 최종 회답을 인지했다는 것과 직접 교섭의 원칙을 수용한다는 것을 알려야 한다.
프랑스 정부는 독일 정부가 폴란드 정부의 침묵을 활용할지 모른다고 우려한다.[68]

핼리팩스 경은 이렇게 하고도 동맹국 폴란드에 계속 불안감을 느꼈고, 두 시간도 지나지 않은 오후 1시 45분에 다시 케너드에게 전보를 쳤다.

폴란드 정부가 직접 교섭의 원칙을 수용한 사실을 고려하여, 그들에게 베를린 주재 폴란드 대사에게 즉각 지시를 내려야 한다고 서둘러 통지하고 권고하기 바란다. 지시 내용은, 만약 독일 정부가 어떠한 제안이든 준비해두었다면 폴란드 대사가 그것을 본국 정부에 전달하고 본국 정부에서는 그것을 즉시 검토하여 조기 교섭을 제안할 용의가 있음을 독일 정부에 전하라는 것이다.[69]

하지만 이 전보가 발송되기 직전, 이미 베츠크는 전날 밤늦게 제시된 케너드의 접근법에 응하여 영국 대사에게 문서로 폴란드 정부가 "독일 정부와 직접 의견을 교환할 … 용의가 있음을 확언"한다고 알리고, 또 구두로 립스키에게 리벤트로프와 회견하여 "폴란드는 영국의 제안을 수용했다"라고 알릴 것을 지시하는 중이라고 확인해준 터였다. 케너드가 베츠크에게 만약 리벤트로프가 독일의 제안을 건넬 경우 립스키는 어떻게 할 것이냐고 묻자, 외무장관은 "지난 경험을 고려할 때 거기에는 모종의 최후통첩이 붙어 있을 수도 있기" 때문에 베를린 대사에게는 그 제안을 수락할 권한이 없다고 답변했다. 중요한 것은 접촉을 재개하는 일이고, "그런 다음 어디서, 누구와, 어떤 토대 위에서 교섭을 시작할 것인지 등의 세부사항을 논의하게 될" 것이라고 베츠크는 말했다. 한때 친나치였던 폴란드 외무장관은 "지난 경험"에 비추어 이것은 불합리한 견해가 아니라고 말했다. 케너드가 런던에 타전했듯이, 베츠크는 "설령 베를린으로 오라는 초대를 받더라도, 하하 대통령처럼 취급받을 마음은 없기 때문에 당연히 가지 않을 것"이라고 덧붙였다.[70]

사실 베츠크가 립스키에게 내린 지시는 케너드에게 말한 것과 꼭 일치하지는 않았다. 립스키가 받은 지시는, 독일 측에 폴란드가 영국의 제안을 "수용했다"라고 말하라는 것이 아니라 그 제안을 "호의적으로 고려하고" 있으며 "늦어도 앞으로 수 시간 내에" 정식으로 답변하겠다고 말하라는 것이었다.

베츠크의 지시사항은 이보다 더 많았으며, 폴란드의 암호를 해독해둔 독일 측은 그것을 알고 있었다.

조만간 밝혀질 간단명료한 이유로, 독일은 베를린에서 폴란드 대사를 접견하고 싶어하지 않았다. 너무 늦은 만남이었다. 바르샤바로부터 전보로 지시를 받고 몇 분이 지난 오후 1시, 립스키는 본국 정부의 통첩을 전달하기 위해 리벤트로프와의 회견을 요청했다. 두 시간을 꼬박 기다린 뒤, 립스키는 바이츠제커로부터 전화를 받았다. 독일 외무장관을 대신해 바이츠제커는 립스키가 전권대사로서 방문하는지 "아니면 별도의 자격으로" 방문하는지 물었다.

나중에 립스키는 최종 보고서에 "나는 대사로서 본국 정부의 성명을 전달하기 위해 회견을 요청하는 것이라고 답변했다"라고 적었다.[71]

다시 긴 기다림이 이어졌다. 오후 5시, 아톨리코가 리벤트로프를 방문해 "적어도 최종 결렬을 피하는 데 필요한 최소한의 접촉을 위해" 총통이 립스키를 접견해야 한다는 "두체의 긴급한 바람"을 전했다. 독일 외무장관은 두체의 바람을 총통에게 "전달"하겠다고 약속했다.[72]

이탈리아 대사가 8월의 마지막 날에 어떻게든 전쟁을 피하려고 빌헬름슈트라세를 찾아간 것은 이것이 처음은 아니었다. 그날 오전 9시에 아톨리코는 상황이 "절망적"이며 "무언가 새로운 방안이 나오지 않으면 몇 시간 내에 전쟁이 발발할 것"이라고 로마에 통지했다. 로마에서 무솔리니와 치아노는 머리를 맞대고 무언가 새로운 방안이 없는지 고심했다. 그 첫 결과물로 치아노가 핼리팩스에게 전화를 걸어 히틀러에게 "두둑한 포상, 즉 단치히"를 안겨줄 수 없다면 자신은 중재에 나서지 못하겠다고 말했다. 영국 외무장관은 이 미끼를 물지 않았다. 핼리팩스는 치아노에게 우선 립스키를 통해 독일과 폴란드의 직접 접촉을 이루어내는 것이 급선무라고 말했다.

그리하여 오전 11시 30분, 아톨리코가 독일 외무부의 바이츠제커를 찾아가, 무솔리니가 런던과 접촉하여 단치히 반환을 독일-폴란드 분쟁 해결의 첫 단계로 제시했고, 두체는 자신의 평화 계획을 실현하기 위해 어느 정도의 "시간적 여유"를 필요로 한다고 알렸다. 그사이에 독일 정부가 립스키를 접견할 수는 없는 것일까?

립스키는 오후 6시 15분에, 회견을 요청한 지 다섯 시간 넘게 지나서야 리벤트로프를 만날 수 있었다. 회견은 오래 걸리지 않았다. 대사는 피곤하고 신경이 쇠약한 상태였음에도 위엄 있게 행동했다. 그는 나치 외무장관에게 서면 통첩을 읽어주었다.

지난 밤 폴란드 정부는 영국 정부로부터 폴란드 정부와 독일 정부가 직접 교섭할 가능성과 관련해 영국 정부와 독일 정부가 의견을 교환한 사실을 통지받았다.

폴란드 정부는 영국 정부의 제안을 호의적으로 고려하고 있으며, 앞으로 수시간 내에 이 사안에 대해 정식으로 답변할 것이다.

"나는 오후 1시부터 이 성명을 전달하고자 노력했다고 덧붙여 말했다"라고 립스키는 훗날 말했다. 리벤트로프가 립스키에게 교섭의 전권을 가진 사절로서 온 것인지 물었을 때, 대사는 "당분간"은 방금 읽은 통첩문을 전달하라는 지시만 받았다고 답변하면서 그것을 외무장관에게 건넸다. 리벤트로프는 립스키가 "전권을 가진 사절"로서 내방할 것을 기대했다고 말했고, 대사로부터 자신에게는 그런 자격이 없다는 답변을 듣고는 회견을 끝냈다. 리벤트로프는 총통에게 알리겠다고 말했다.[73]

"대사관에 돌아와서 보니 바르샤바에 연락을 취할 수 없었는데, 독일 측이 나의 전화선을 끊어버렸기 때문이다"라고 훗날 립스키는 말했다.

바이츠제커와 리벤트로프에게 립스키 대사의 교섭자로서의 신분은 순전히 형식적인 문제였고 틀림없이 기록을 위한 것에 지나지 않았다. 립스키가 바르샤바로부터 전보를 통해 통첩을 받은 정오부터 독일 측은 그가 자신들의 요구대로 전권대사 자격으로 내방하는 것이 아님을 알고 있었기 때문이다. 독일 정부는 그 전보를 즉각 해독했다. 그 전보의 사본이 괴링에게 전해졌고, 괴링은 그것을 달레루스에게 보여주고는 서둘러 헨더슨에게로 가져가라고 지시했다. 훗날 뉘른베르크 증인석에서 설명했듯이, 괴링의 목적은 "폴란드의 태도가 얼마나 비타협적인지를 가급적 일찍" 영국 정부에 알리는 데 있었다. 괴링은 법정에서 립스키가 받은 비밀 지시사항을 낭독했는데, 그 내용은 립스키가 "어떠한 상황에서도" 공식 교섭을 진행해서는 안 되고, 그에게는 "전권대사의 권한이 없"고 그저 본국 정부의 공식 통첩을 전달할 권한만 있다고 역설하라는 것이었다. 괴링은 증인석에서 평화를 위한 히틀러의 마지막 노력을 폴란드 측이 "고의로 방해"했고, 자신은 전쟁을 원하지 않았으며 오히려 전쟁을 막기 위해 할 수 있는 모든 일을 다 했다고 주장하는 한편 립스키의 비밀 지시사항을 강조하며 판사들을 설득하고자 헛되이 애를 썼다. 그러나 괴링의 진실성은 리벤트로프의 진실성보다 조금 나은 정도였으며, 이에 관한 한 가지 증거로 8월 31일 오후 6시 15분에 립스키가 빌헬름슈트라세를 방문한 이후에야 히틀러가 "이튿날 침공"을 결정했다는 괴링의 또다른 법정 진술을 들 수 있다.

진실은 전혀 달랐다. 1939년 8월 마지막 날의 오후부터 밤까지의 막판에 기진맥진한 외교관들과 극도로 긴장한 채 그 외교관들에게 지시를 내린 상관들의 우왕좌왕하는 행보는 그야말로 아무짝에도 쓸모없었고, 독일 측의 경우에는 순전히 고의적인 기만에 불과했다.

왜냐하면 8월 31일 오후 12시 30분에, 그러니까 핼리팩스 경이 폴란드 정부에 더 협조적인 태도를 보이라고 촉구하기 전에, 립스키가 리벤트로프를 방문하기 전에, 독일 정부가 폴란드에 대한 '관대한' 제안을 공표하기 전에, 그리고 무솔리니가 중재를 시도하기 전에, 아돌프 히틀러가 최종 결정을 하고 전 세계를 전에 없이 처참한 전쟁으로 밀어넣는 결정적인 명령을 내렸기 때문이다.

국방군 최고사령관

극비

1939년 8월 31일, 베를린

전쟁 수행을 위한 지령 제1호

1. 독일로서는 견딜 수 없는 동부 국경의 상황을 평화적 수단으로 처리할 **정치적 가능성들**이 모두 사라진 지금, 나는 **무력에 의한 해법**을 결의했다.

2. **폴란드 공격**은 백색 작전을 위한 준비 계획에 따라 실행할 것이다. 단, 육군과 관련해서는 그동안 육군의 배치가 거의 완료된 사실을 고려하여 작전을 변경할 것이다.

임무 분담과 작전 목표는 변경하지 않는다.

공격일: 1939년 9월 1일

공격 시각: 오전 4시 45분[붉은 색연필로 기입되어 있음]

이 일시는 그니디아, 단치히 만, 디르샤우 다리에도 적용된다.

3. **서부**에서는 교전 개시의 책임을 전적으로 잉글랜드와 프랑스에 지우는 것이 중요하다. 당분간 사소한 국경 침범에는 순전히 국지적인 조치로 대응해야 한다.

우리 측에서 보장한 네덜란드, 벨기에, 룩셈부르크, 스위스의 중립은 성실히 지켜야 한다.

지상에서 독일의 서부 국경은 나의 명확한 승인이 없는 한 넘어서는 안 된다.

해상에서 모든 호전적 행동이나 그렇게 여겨질 수 있는 행동에도 같은 원칙을 적용한다.*

4. 독일을 상대로 **영국과 프랑스가 교전을 개시할 경우**, 서부에 전개하는 국방군 각 부대의 임무는 최대한 병력을 보전하고, 그로써 대對폴란드 작전을 승리로 종결짓기 위한 조건을 유지하는 것이다. 이런 제한 내에서 적 병력과 그들의 군사-경제 자원에 최대한 피해를 입혀야 한다. 공격으로 전환하라는 명령권은 어떠한 경우에도 나 자신이 보유한다.

육군은 서부 방벽을 고수하고, 서방 국가들이 벨기에나 네덜란드의 영토를 침범하여 북쪽에서 우리의 측면을 공격하는 것을 방지하도록 대비한다. …

해군은 주로 잉글랜드를 겨냥하여 상선에 대한 전투를 수행한다. … 공군은 우선 프랑스와 영국의 공군이 독일의 육군과 독일의 생존공간을 공격하는 것을 막는다.

잉글랜드와의 전쟁을 수행할 시에는 공군을 이용하여 영국의 해상 보급, 군수산업, 프랑스로의 병력 수송을 교란할 준비를 한다. 유리한 기회를 포착하여 영국의 집결된 해군 부대들, 특히 전함과 항공모함에 효과적인 공격을 가한다. 런던에 대한 공격은 나의 결정을 기다린다.

영국 본토를 공격할 준비를 하되, 어떠한 상황에서도 불충분한 병력으로 부분적인 성공을 거두는 데 그치지 않도록 유의해야 한다. [강조는 독일어 원문 그대로]

아돌프 히틀러[74]

8월 31일 정오 직후, 히틀러는 이튿날 새벽 폴란드를 공격하라고 정식 문서로 명령했다. 이 첫 전쟁 지령이 보여주듯이, 아직까지 히틀러는

---

* 지령서의 여백에 적힌 메모는 이 모호한 지침을 명확히 한다. "따라서 대서양 함대는 당분간 대기 태세를 유지한다."

영국과 프랑스가 어떻게 나올지 확신하지 못하고 있었다. 두 나라를 먼저 공격하지는 않을 생각이었다. 두 나라가 적대적 조치를 취한다면 그에 대응할 작정이었다. 할더가 8월 28일 일기에서 암시했듯이, 어쩌면 영국이 폴란드에 대한 의무를 지키는 시늉을 하면서 "가짜 전쟁을 벌일" 지도 모를 일이었다. 만약 그렇게 된다면, 총통은 그것을 "불쾌하게" 받아들이지 않을 터였다.

아마도 나치 독재자는 8월 31일 오후 12시 30분 조금 전에 운명적인 결정을 내렸을 것이다. 하루 전인 8월 30일 오후 6시 40분, 할더는 브라우히치 장군의 부관인 쿠르트 지베르트Curt Siewert 중령이 보낸 통지문을 일기에 적어두었다. "9월 1일 오전 4시 30분에 공격을 개시할 수 있도록 만반의 준비를 마칠 것. 런던에서의 교섭 결과로 연기가 필요해지면 9월 2일이다. 그럴 경우 내일 오후 3시까지는 통지받을 것이다. … 총통: 9월 1일 아니면 2일. 9월 2일 이후로는 완전 취소." 가을비 때문에 당장 공격을 개시하든지 아니면 아예 취소하든지 해야 했다.

8월 31일 이른 아침, 히틀러가 여전히 폴란드 사절을 기다리는 중이라고 주장하는 사이에 독일 육군은 이미 명령을 받았다. 오전 6시 30분, 할더는 이렇게 메모했다. "총리 관저로부터 통지, 9월 1일에 개시하라는 명령 하달." 오전 11시 30분에는 "슈튈프나겔 장군이 공격 시각을 0445[오전 4시 45분]로 정한다고 보고함. 서방의 개입은 불가피할 것이라고 함. 그럼에도 총통은 공격을 결정했다"라고 적었다. 한 시간 후, 정식 지령 제1호가 발령되었다.

내가 기억하기로 그날 베를린에는 으스스한 기운이 감돌았고, 시내를 돌아다니는 모든 사람이 어리벙벙해 보였다. 아침 7시 25분, 바이츠제커는 '음모단'의 일원인 울리히 폰 하셀에게 전화해 급히 와달라고 했다.

외무차관의 생각에 마지막 희망은 단 하나뿐이었다. 바로 헨더슨이 립스키와 그의 정부를 설득해 즉시 전권대사를 파견하도록 하거나, 적어도 전권대사를 파견할 의사가 있음을 공표하도록 하는 것이었다. 실업 상태인 하셀이 이런 목적으로 친구 헨더슨뿐 아니라 괴링까지 즉시 만날 수 있을까? 하셀은 시도해보았다. 하셀은 헨더슨을 두 번, 괴링은 한 번 만났다. 그러나 베테랑 외교관이자 당시 반나치였던 하셀은 그런 미약한 노력으로는 사태를 수습할 수 없음을 깨닫지 못했던 모양이다. 또한 하셀은 자신과 바이츠제커, 그리고 당연히 평화를 원하는 모든 '선량한' 독일인들이—독일의 관점에서—사태를 얼마만큼 혼동하고 있는지도 간파하지 못했다. 8월 31일이면 히틀러와 폴란드 중 어느 한쪽이 물러나지 않는 한 전쟁이 일어날 것이고, 둘 중 한쪽이 굴복할 가능성은 조금도 없다는 것이 명백했기 때문이다. 그럼에도 이날 하셀의 일기가 분명하게 보여주듯이, 그는 폴란드 측이 뒤로 물러나 오스트리아나 체코의 비참한 전철을 그대로 밟을 것이라고 예상했다.

헨더슨이 하셀에게 "주된 난점"은 독일의 방식에, "마치 어리석은 꼬마를 상대하듯이" 폴란드 정부에 이래라저래라 명령하려는 방식에 있다고 지적하자, 하셀은 "폴란드의 집요한 침묵도 불쾌하기는 마찬가지"라고 반박했다. 그러고는 "모든 것은 립스키가 얼굴을 내보이느냐 여부에 달려 있다—질문하는 것이 아니라 교섭하겠다는 의향을 표명하는 데 달려 있다"고 덧붙였다. 나치가 폴란드에 날조 혐의를 씌워 곧 공격하겠다고 협박하고 있었음에도, 하셀마저 폴란드 측은 응당 질문을 해서는 안 된다고 생각했던 것이다. 그리고 이 전직 대사는 전쟁 발발에 대한 자신의 "최종 결론"을 요약할 때, 히틀러와 리벤트로프가 "고의로 서방 국가들과 전쟁을 치르는 위험을 무릅쓰고 있다"고 비난하면서도 대부분의 책임을 폴란드에, 심지어 영국과 프랑스에까지 지웠다. "폴란드 정부는 폴란드적 자만심과 슬라브적 무정견이라는 특성을 가진 탓에, 영국과 프랑스의 지원을 자신하며 전쟁을 피할 기회를 모두 놓쳐버렸다." 우리는 히틀러의 온갖 요구에 굴복하는 선택지 말고 폴란드에 과연 어떤 기회가 남아 있었는지 묻지 않을 수 없다. "런던 정부는" 하고 하셀은 덧붙였다. "막판에 경주를 포기하고 될 대로 되라는 식의 태도를 취했다. 영국보다 훨씬 더 망설였을 뿐, 프랑스도 같은 경로를 따랐다. 무솔리니는 전쟁을 피하고자 전력을 다했다."[75] 하셀처럼 교육받은 교양 있고 노련한 외교관마저 이토록 흐리멍덩한 생각밖에 할 수 없었다면, 히틀러가 독일 국민 대중을 쉽게 속여 넘겼다고 한들 놀라울 게 있겠는가?

그러고 나서, 평화의 마지막 날이 저물어가는 오후에 퍽 기이한 촌극이 벌어졌다. 그날의 결정을 알고 있는 현재 시점에는, 공군 총사령관 괴링 원수도 이튿날 새벽에 폴란드를 상대로 개시하고 수행할 대대적인 작전을 앞두고 무척 바빴을 것이라고 생각하는 사람도 있을 것이다. 그러나 정반대였다. 달레루스는 괴링을 에스플라나드 호텔로 초대해 점심식사로 훌륭한 요리와 술을 대접했다. 특히 코냑은 식사가 끝나고 괴링이 두 병을 따로 가져가겠다고 했을 정도로 질이 좋았다. 괴링을 기분 좋게 만든 뒤, 달레루스는 헨더슨을 초대해 이야기를 나눠보라고 제안했다. 괴링은 히틀러의 승인을 받은 뒤, 오후 5시에 차나 한잔하자며 헨더슨과 포브스를 자택으로 초대했다. 달레루스(헨더슨의 〈최종 보고〉와 저서에는 달레루스가 동석했다는 언급이 없다)는 괴링이 독일을 대표해 네덜란드에서 폴란드 사절을 만나는 방안을 자신이 제안했고, 헨더슨이 그 제안을 런던에 전할 것을 약속했다고 말한다. 영국 대사가 〈최종 보고〉에 수록한다고 회담 버전에 따르면, 괴링이 "두 시간 동안 폴란드 측의 부당성에 대해, 그리고 잉글랜드와의 우호를 원하는 히틀러 씨와 괴링 본인의 바람에 관해 말했다. 그것은 소득 없는 대화였다. … 본관의 전반적인 인상은 영국을 폴란드로부터 떼어놓으려는 괴링의 허망한 마지막 노력이라는 것이었다. … 그런 순간에 괴링이 그토록 많은 시간을 본관에게 할애한다는 사실로 미루어 본관은 최악의 결과를 예견했다. … 행동할 만반의 준비가 되어 있지 않다면, 그토록 중차대한 순간에 그가 대화에 시간을 쓸 리 없었다."

이 기이한 다과 회담에 관한 세 번째이자 가장 신랄한 묘사는, 뉘른베르크 재판에서 포브스가 괴링의 변호인으로부터 받은 질문지에 답변하며 적은 것이다.

분위기는 우호적이었으나 비관적이고 절망적이었다. … 영국 대사에게 제시한 괴링의 회답은 이러했다. 만약 폴란드가 굴복하지 않으면 독일이 이를 잡듯이 폴란드를 뭉개버릴 것이고, 만약 영국이 전쟁을 선포한다면 매우 유감일 테고 영국으로서는 극히 무분별한 결정으로 판명이 날 것이다.[76]

그날 저녁 늦게 헨더슨은, 본인 서술에 따르면, 런던으로 보낼 전보를 작성했다. "본관이 다른 어떤 제안을 하더라도 아무 소용이 없을 것이다. 이제 어떤 제안을 한들 사건은 발생할 것이고, 우리에게 남은 방침은 힘에는 힘으로 대항한다는 확고부동한 결의를 보여주는 것뿐이기 때문이다."*

---

* 헨더슨은 이 전보를 당일 저녁에 작성했을 테지만 이튿날 오후 3시 45분까지, 독일의 폴란드 침공이 시작되고 거의 12시간이 지나도록 런던에 발송하지 않았다. 이 전보 이후에 헨더슨은 몇 통의

네빌 헨더슨 경은 환상에서 완전히 깨어났던 것으로 보인다. 만족을 모르는 나치 독재자를 달래려고 수년간 부단히 노력했음에도, 스스로 말했듯이 헨더슨의 독일 임기는 실패로 끝났다. 8월의 마지막 날이 저물어가는 시점에, 이 얄팍하고 공손한 영국인, 베를린에서 근무하는 동안 처참하리만치 맹목적으로 개인적인 외교를 했던 영국인은 자신의 헛된 희망이 무너지고 계획이 수포로 돌아가는 현실을 직시하려 했다. 그리고 이튿날, 즉 전쟁 첫날에 헨더슨은 특유의 믿기 어려운 실책을 다시 한 번 서슴을 터였지만, 오랜 진리를 비로소 깨닫고 있었다. 마침내 그가 말했듯이, 바로 힘에는 힘으로 대항해야만 하는 시기와 상황이 있다는 진리였다.*

1939년 8월 31일 저녁, 유럽에 어둠이 내려앉고 독일군 150만 명이 새벽녘의 공격 개시를 위해 폴란드 국경의 최종 위치를 향해 이동하기 시작한 무렵, 히틀러에게 남은 일이라곤 독일 국민이 침략전의 충격에 대비할 수 있도록 약간의 선전 계략을 쓰는 것뿐이었다.

전보를 더 보냈고, 전송할 때마다 런던에 전화를 걸어—그리하여 전보 전송과 통화가 동시에 이루어졌다—교전 발발에 관해 보고했다. 첫 전보에는 이렇게 적혀 있었다. "독일과 폴란드가 서로를 철저히 불신하고 있으므로 이곳에서 더 이상 어떤 제안을 묵인하더라도 소용이 없을 것이라고 본관은 생각한다. 제안을 하더라도 어차피 사건은 또다시 발생할 것이고, 명예와 위신을 고려하는 방법으로는 아무런 결과도 얻지 못할 것이다. 마지막 희망은 힘에는 힘으로 대항한다는 우리의 확고부동한 결의에 있다."[77]

* 이 대목을 읽은 친구들이 내가 헨더슨을 대하는 관점의 객관성에 의문을 표했으므로, 베를린 주재 영국 대사에 관한 다른 사람의 견해를 제시해야 할 것 같다. 영국 역사가 L. B. 네이미어 경은 헨더슨의 됨됨이를 이렇게 요약했다. "우쭐대고 허영심이 강하고 아집에 사로잡히고 선입견을 완강히 고수하는 헨더슨은 대단히 긴 전보와 공문, 서신을 믿기 어려울 정도로 남발하는 한편, 똑같이 근거가 빈약한 견해와 주장을 수없이 되풀이했다. 위험할 정도로 둔감하되 무해할 정도로 어리석지는 않은 그는 해로운 인간(un homme néfaste)으로 판명이 났다." (Namier, *In the Nazi Era*, p. 162)

독일 국민이 찾는 것은 히틀러가 괴벨스와 힘러의 조력을 받아 숙달하기에 이른 처방이었다. 나는 베를린의 거리를 돌아다니며 보통사람들과 이야기를 나누고는 그날 일기에 이렇게 적었다. "모두가 전쟁에 반대한다. 사람들은 공공연히 말한다. 국민들이 전쟁에 이토록 단호히 반대하는 나라가 어떻게 대전쟁에 돌입할 수 있을까?" 제3제국에서의 모든 경험에도 불구하고, 나는 이토록 순진해 빠진 질문을 했다! 히틀러는 이 질문의 답을 아주 잘 알고 있었다. 1주일 전에 바이에른 지방의 산꼭대기에서 장군들에게 "전쟁을 시작할 만한 선전용 이유를 제시할" 것이라고 약속하고 "그것이 그럴듯한지 어떤지는 신경쓰지" 말라고 꾸짖지 않았던가? "승자는 훗날 그가 진실을 말했는지 여부를 추궁당하지 않을 것이다. 전쟁을 시작하고 수행하는 데 중요한 것은 옳음이 아니라 승리다"라고 히틀러는 말한 바 있었다.

오후 9시, 앞에서 언급했듯이 독일의 라디오 방송국들은 모두 폴란드에 대한 총통의 평화 제안을 방송했다. 이 통신원은 그 방송을 듣고 현혹되어 아주 합리적인 제안이라고 생각했다. 히틀러가 그런 평화 제안을 폴란드 측에 제시하지 않았다는 사실도, 그리고 영국 측에도 모호하고 비공식적인 방식으로만 제시했거니와, 채 24시간도 되지 않는 시한을 주었다는 사실도 가볍게 다루었다. 실제로 히틀러는 괴벨스의 조력을 받아 작성하여 독일 국민에게 정부가 평화를 지키기 위해 모든 외교 수단을 사용했다고 설명하는 장문의 성명에서 능수능란한 기만술의 감각을 전혀 잃지 않았음을 보여주었다. 거기서 히틀러는, 8월 28일에 영국 정부가 독일과 폴란드의 사이를 중재하겠다고 제안하자 독일 정부는 이튿날 다음과 같이 회답했다고 말했다.

합의에 이르려는 폴란드 정부의 바람에 회의적이면서도, 독일 정부는 평화를 위해 영국의 중재 또는 제안을 받아들일 용의가 있다고 확언했다. … 독일 정부는 … 파국의 위험을 피하려면 그 조치를 기꺼이 지체 없이 받아들일 필요가 있다고 생각했다. 독일 정부는 폴란드 정부가 임명하는 인물을 8월 30일 저녁까지 맞이할 용의가 있다고 확언하면서, 그 인물에게는 논의할 권한뿐 아니라 교섭을 수행하고 결말을 지을 권한까지 주어져야 한다는 단서를 달았다.

독일 정부가 합의할 의사를 보이고서 처음 받은 답변은, 권한을 가진 사람이 도착한다는 내용의 발표가 아니라 오히려 폴란드의 동원 소식이었다. … 폴란드 측이 공허한 술수와 무의미한 선언으로 시간만 끌고 있는 상황인데도 독일 정부가 교섭 개시 의사를 강조하면서 실제로 교섭 준비를 계속 해나갈 것이라고 기대해서는 안 된다.

그동안 폴란드 대사가 취해온 접근법으로 보건대 대사에게는 어떤 논의를 시작할 전권도, 심지어 교섭할 전권도 없다는 것이 다시 한 번 분명해졌다.

그리하여 총통과 독일 정부는 폴란드 교섭자가 도착하기를 이틀 동안 헛되이 기다렸다.

이런 상황에서 독일 정부는 자국의 제안이 이번에도 … 거부된 것으로 인식한다. 영국 정부에도 통지한 독일의 제안은 더 충실하고 공정하고 실행 가능한 제안이었음에도 거부되었다.

히틀러와 괴벨스가 경험으로 배웠듯이, 훌륭한 선전이 효과를 발휘하려면 언어 이상의 무언가가 필요하다. 다시 말해 어느 정도까지 조작한 것이든 간에 모종의 행동이 필요하다. 폴란드 측이 총통의 관대한 평화 제안을 거부했다는 선전으로 독일 국민을 설득한(내가 목격담에 근거해 입증할 수 있듯이) 이상, 이제 남은 과제는 먼저 공격한 쪽이 독일이 아니라 폴란드임을 '입증할' 행동을 꾸며내는 것이었다.

기억하겠지만, 이 추잡한 마지막 과제를 독일 측은 히틀러의 지시에 따라 세심하게 준비를 해둔 터였다. 친위대의 지식인 깡패 알프레트 나우요크스는 폴란드 국경 인근 글리비체에서 폴란드 측이 독일 라디오 방송국을 공격하는 척 가장하려고 6일 동안 대기하고 있었다. 이 계획은 수정되었다. 폴란드 군복을 입은 친위대원들이 총을 발사하고, 주사를 맞힌 강제수용소 수감자들을 방송국 구내에 '사상자'로 남겨둔다는 계획이었다―앞에서 언급했듯이, 이 작전의 불쾌한 부분에는 의미심장하게도 '통조림'이라는 암호명이 등장한다. 이처럼 '폴란드 측의 공격'을 꾸며낼 몇 가지 계획이 있었지만, 주된 것은 글리비체의 라디오 방송국 공격이었다.

[나우요크스가 뉘른베르크 선서진술서에 적음] 8월 31일 정오에 나는 하이드리히로부터 그날 저녁 8시 정각에 실행할 공격 관련 암호명을 받았다. 하이드리히는 "공격을 실행할 때 뮐러에게 가서 '통조림'을 들먹이라"고 말했다. 나는 그렇게 했고, 그 남자를 라디오 방송국 근처로 옮기라는 지시사항을 전달했다. 나는 그 남자를 넘겨받아 방송국 입구에 내려놓았다. 그는 살아 있었지만 의식이 전혀 없었다. 나는 그의 눈꺼풀을 올려보았다. 그의 눈만 보고는 살아 있는지 알 수 없었고 숨을 쉬는 걸 보고서야 알 수 있었다. 총상은 보이지 않지만 얼굴에 피가 잔뜩 발라져 있었다. 그는 민간인 복장이었다.

우리는 명령대로 라디오 방송국을 장악하고 비상용 송신기를 사용해 3~4분 분량의 연설을 방송했다.* 우리는 권총을 몇 발 쏘고는 떠났다.**78

8월 31일 저녁에 베를린은 대체로 외부 세계와 차단되어 있었다. 폴란드에 대한 총통의 '제안'과, 폴란드가 독일 영토를 '공격'했다는 독일의 주장을 보도하는 신문 속보와 방송이 외부로 발신되었을 뿐이다. 나는 바르샤바와 런던, 파리로 전화를 걸려다가 이들 수도와의 통신이 차단되었다는 말을 들었다. 베를린 자체는 겉보기에 평소와 다를 바 없었다. 파리나 런던에서처럼 여성과 어린이를 소개疏開시키지도 않았고, 다른 수도들에서처럼 상점 쇼윈도 앞에 모래주머니를 쌓지도 않았다. 9월 1일 오전 4시경, 나는 마지막 방송을 마치고 방송회관을 나와 차를 몰고 아들론 호텔로 돌아갔다. 차량 통행은 없었다. 집집마다 불이 꺼져 있었다. 사람들은 잠을 자고 있었다. 아마도—내가 아는 한—최선의 결과를, 평화를 소망하며 잠자리에 들었을 것이다.

히틀러 자신은 온종일 기분이 좋았다. 8월 31일 오후 6시, 할더 장군은 일기에 이렇게 적었다. "총통은 차분하다. 잠을 잘 잤다. … [서부에서] 소개에 나서지는 않는다는 결정은 총통이 프랑스와 잉글랜드는 조치를 취하지 않을 것이라고 예측한다는 것을 보여준다."***

---

* 앞에서도 언급했듯이 폴란드어로 된 이 연설은 하이드리히가 나우요크스에게 대강을 말해준 것이었다. 이 연설은 독일에 맞서는 선동적인 성명을 담고 있었고, 폴란드가 공격하고 있다고 단언했다.

** 글리비체에서 '폴란드가 공격하고 있다'는 주장은 이튿날 히틀러가 제국의회 연설에서 거론했고, 리벤트로프와 바이츠제커를 위시한 외무부 관리들이 나치의 침공을 정당화하는 선전의 근거로 언급했다. 《뉴욕 타임스》 등의 신문은 이 사건을 1939년 9월 1일자 지면에서 다른 비슷한 사건들과 묶어 보도했다. 여기에 또 하나 덧붙여둘 것이 있다. 방첩국의 에르빈 라호우젠(Erwin Lahousen) 장군의 뉘른베르크 증언에 따르면, 8월 31일 저녁에 폴란드 군복을 입고서 위장 공격을 했던 친위대원들은 전원 "제거되었다."[79]

*** 그날 히틀러는 시간을 내 프랑스 앙티브에 있는 윈저 공에게 전보를 보냈다. "1939년 8월 31일, 베를린—귀하의 8월 27일 전보에 감사드립니다. 영국에 대한 나의 태도와 양국 국민들 간에 또 다른 전쟁이 벌어지는 것을 피하고자 하는 나의 소망은 변함이 없다는 것을 믿으셔도 됩니다. 그렇지만 독일—영국 관계의 향후 발전에 관한 나의 소망이 실현될지 여부는 영국 측에 달려 있습니다."[80]

OKW 내 방첩국의 수장이자 반나치 음모단의 핵심인 카나리스 제독은 기분이 좋지 않았다. 히틀러가 독일을 전쟁으로 내몰고 있었음에도, 카나리스 일파가 독재자를 제거하여 막아내기로 맹세했던 조치를 당시 독재자가 취하고 있었음에도, 그리하여 음모를 실행에 옮길 순간이 왔음에도 이제 음모는 없었다.

오후 늦게 기제비우스는 오스터 대령의 호출을 받아 OKW 본부로 갔다. 이 독일 군사력의 신경중추는 활기로 가득했다. 카나리스는 조명이 어둑한 복도로 기제비우스를 데려갔다. 감정이 북받쳐 목이 메는 소리로 카나리스는 말했다.

"이것으로 독일은 끝일세."[81]

압수된 독일 문서에서 영국의 전 국왕을 언급한 것은 이번이 처음이었지만, 결코 마지막은 아니었다. 그 이후 한동안, 앞으로 서술할 것처럼, 히틀러와 리벤트로프는 특정한 계산을 할 때 윈저 공을 중요하게 고려했다.

제17장

제2차 세계대전 개시

히틀러가 이미 4월 3일에 '백색 작전'에 대한 첫 지령에서 제시했던 일시인 1939년 9월 1일 새벽, 독일군은 폴란드 국경을 넘어 쇄도하여 북쪽과 남쪽, 서쪽에서 바르샤바로 모여들었다.

머리 위에서는 독일 전투기들이 폴란드군 대열, 탄약 집적소, 교량, 철도, 무방비 도시 등의 표적을 향해 으르렁거렸다. 불과 몇 분도 지나지 않아 이 전투기들은 군인과 민간인을 가리지 않고 폴란드인들에게 일찍이 겪어보지 못한 규모의 갑작스러운 죽음과 파괴를 안겼고, 이로써 향후 6년 동안 유럽과 아시아에서 남녀노소 수억 명에게 지극히 익숙해질 공포의 서막을 열었다. 그리고 핵폭탄의 등장으로 그 공포의 그림자는 모두가 절멸할지 모른다는 두려움을 불러일으키며 전 인류를 두고두고 괴롭힐 터였다.

그날 베를린의 아침은 흐리고 다소 후텁지근했으며, 낮게 깔린 구름이 적의 폭격기를 얼마간 막아주었다. 하지만 두려워하던 폭격기는 나타나지 않았다.

라디오나 조간신문 호외를 통해 중대한 뉴스를 접했음에도, 내가 보기에 길거리의 사람들은 심드렁했다.* 아들론 호텔 맞은편의 거리에서는 주간조 노동자들이 마치 아무런 일도 일어나지 않았다는 듯이 I. G. 파르벤 사의 신축 건물로 출근했고, 신문팔이 소년들이 호외요 하고 외치는데도 신문을 사려고 공구를 내려놓는 노동자는 아무도 없었다. 독일 국민이 9월의 첫날에 잠에서 깼다가 총통이 어떻게든 피할 것이라고 확신했던 전쟁에 들어섰다는 사실을 알고는 그저 정신이 멍해진 게 아닐까 하고 나는 생각했다. 그들은 실제로 닥친 전쟁을 도저히 믿을 수가 없었던 것이다.

나는 이 칙칙한 무심함과 1914년에 전쟁으로 돌진했을 때의 독일인의 모습이 얼마나 대조적인지 생각하지 않을 수 없었다. 1914년에는 극성스러운 열광이 있었다. 군중이 거리에서 기쁨에 겨워 시위를 벌이고, 행군하는 병사들에게 꽃을 던지고, 카이저이자 최고 통수권자인 빌헬름 2세에게 미친듯이 환호했다.

이번에는 병사들이나 나치 통수권자에게 환호하는 그런 시위가 없었다. 그 통수권자는 오전 10시 직전에 총리 관저를 나와 한산한 거리를 지나 제국의회까지 차를 타고 가서 이번의 중대한 사건에 관해 국민에게 연설했다. 히틀러 자신이 몇 시간 전에 고의로, 냉혹하게 유발한 사건이었다. 대부분 나치당의 수하들로 히틀러 자신이 뽑은 제국의회의 로봇 같은 의원들마저 독재자가 그날 아침 독일이 전쟁에 돌입한 이유를 설명하기 시작했을 때 그다지 열광적으로 반응하지 않았다. 지난날 이 정도로 중대하지 않은 상황에서 지도자가 크롤 오페라하우스의 화려하게 장

---

* 뒤에서도 언급하겠지만, 육군에 교전 개시를 알리는 히틀러의 포고를 나는 오전 5시 40분에 독일 라디오 방송으로 들었고, 그 직후에 조간신문 호외가 거리에 풀렸다.

식된 홀의 연단에서 열변을 토했을 때가 환호성이 훨씬 더 컸다.

이따금 호전성을 드러내긴 했지만, 히틀러는 이상하게도 수세적으로 보였고, 내가 들으며 생각한 바로 연설하는 내내 마치 궁지에 몰려 어안이 벙벙하고 다소 절망감을 느끼는 사람처럼 긴장한 모습이었다. 이탈리아 동맹자가 당연한 의무를 저버린 이유에 대한 히틀러의 설명은 그가 손수 뽑은 청중조차 납득하지 못하는 듯 보였다.

[히틀러가 발언함] 나는 이곳에서 무엇보다 그동안 줄곧 우리를 지지해준 이탈리아에 감사를 표하고 싶습니다. 하지만 이 싸움을 수행하는 동안 외국의 도움에 기댈 생각이 없다는 것을 여러분께서 이해해주시리라 믿습니다. 우리는 이 과제를 스스로 수행할 것입니다.

권력을 잡고 공고히 하는 동안 걸핏하면 거짓말을 했던 히틀러는 역사의 이 중대한 순간에도 참지 못하고 자신의 부당한 행동을 정당화하면서 쉬이 속는 독일 국민에게 또다시 몇 가지 거짓말을 했다.

여러분도 알다시피 나는 오스트리아 문제, 그 후에는 주데텐란트, 보헤미아, 모라비아 문제를 평화적으로 명확화하고 합의하기 위해 끝없이 시도했습니다. 그 노력은 모두 허사였습니다. …
폴란드 정치인들과의 회담에서 … 나는 마침내 독일의 제안을 공식화했으며 … 그 제안보다 더 온건하거나 충실한 제안은 없습니다. 나는 이 점을 전 세계에 말하고 싶습니다. 그런 제안을 할 만한 위치에 있는 사람은 나밖에 없었습니다. 나는 그렇게 함으로써 수백만 독일인이 반대하는 입장에 서게 되었음을 아주 잘 알고 있습니다. 그 제안은 거부되었습니다. …

꼬박 이틀 동안 나는 폴란드 정부가 전권대사를 파견할 의사가 있는지 확인하기 위해 정부와 함께 잠자코 기다렸습니다. … 그러나 나의 평화 애호와 인내력을 유약함으로, 더 나아가 소심함으로 착각한다면 나를 오판하는 것입니다. … 나는 우리와 진지하게 교섭하려는 폴란드 정부의 의사를 더 이상 확인할 수 없습니다. … 그런 이유로 나는 폴란드가 지난 수개월 동안 우리에게 사용해온 것과 똑같은 언어로 폴란드 측에 말하기로 결심했습니다. …

어젯밤 폴란드 정규군 병사들이 처음으로 우리 영토에 총격을 가했습니다. 오전 5시 45분부터 우리는 응사하고 있고, 이제부터 폭탄에는 폭탄으로 응수할 것입니다.

앞에서 언급했듯이 폴란드 군복을 입은 친위대원들이 나우요크스의 지시에 따라 글리비체의 독일 라디오 방송국을 공격한 위장 사건이, 이렇듯 독일 총리의 냉혹한 폴란드 침공을 정당화하는 데 사용되었다. 그리고 실제로 독일군 최고사령부는 첫 공식 발표에서 자신들의 군사작전을 '반격'이라고 언급했다. 바이츠제커마저 최선을 다해 이 비열한 기만술에 힘을 보탰다. 9월 1일 하루 종일 그는 외무부에서 독일의 모든 재외공관에 회람 전보를 보내 다음과 같은 방침을 취하라고 지시했다.

폴란드의 공격을 방어하기 위해 독일 병력은 금일 새벽 폴란드에 대항하는 조치에 돌입했다. 이 조치는 당분간 전쟁이 아니라 그저 폴란드의 공격이 초래한 교전으로 기술할 것이다.[1]

심지어 폴란드 국경을 누가 공격했는지 직접 볼 수 있었던 독일 군인들에게도 히틀러는 거짓말을 퍼부었다. 9월 1일에 나온 독일 육군에 대한 거창한 성명에서 총통은 이렇게 말했다.

폴란드 국가는 내가 바란 양국 관계의 평화적 해결을 거부하고 무력을 행사했다. … 강대국으로서는 참을 수 없는 일련의 국경 침범은 독일의 국경을 존중할 의사가 폴란드 측에 더 이상 없다는 것을 입증한다.
이런 폭거를 끝내기 위해 나는 이제부터 무력에는 무력으로 대응할 수밖에 없다.

이날 히틀러는 단 한 번, 진실을 말했다.

[히틀러가 제국의회에서 발언함] 지난 4년을 통틀어 나는 그 어떤 독일인에게도 나 자신이 하려는 것 이상을 요구하지 않았습니다. … 이제부터 나는 독일 제국 제1의 병사입니다. 나에게 가장 신성하고 소중한 외투를 나는 다시 입었습니다. 승리를 확신할 때까지 그 외투를 벗지 않을 것이고, 승리하지 못한다면 그 결과를 살아서 보지 않을 것입니다.

결국 히틀러는 훗날 이 약속만은 지킬 터였다. 그러나 그날 내가 베를린에서 만난 그 어떤 독일인도 지도자가 매우 직설적으로 뱉은 이 말의 의미를 알아채지 못했다. 그것은 설령 전쟁에서 패한다 해도 히틀러로서는 패배를 직시할 수도, 받아들일 수도 없다는 뜻이었다.

연설 중에 히틀러는 혹여 자신에게 무슨 변고가 생길 경우의 후계자로 괴링을 지명했다. 그리고 그다음은 헤스라고 덧붙였다. "헤스에게 무슨 일이 생길 경우, 법에 따라 상원을 소집하고 그중에서 가장 자격 있는

―다시 말해 가장 용기 있는―후계자를 뽑을 것입니다." 무슨 법? 무슨 상원? 그 둘 다 존재하지 않았다!

제국의회에서 비교적 차분하게 굴었던 히틀러는 총리 관저로 돌아오자마자 험악한 면모로 바뀌었다. 괴링을 따라다니며 거의 어디서나 나타나던 달레루스는 총리 관저에서 "몹시 과민하고 매우 불안해하는" 히틀러를 보았다.

[달레루스가 훗날 증언함] 그는 잉글랜드가 전쟁을 원하는 것은 아닌지 줄곧 의심해왔다고 내게 말했다. 또 폴란드를 분쇄하고 그 나라 전체를 병합할 것이라고 말했다. …

그는 점점 더 흥분했고, 내 면전에다 대고 소리를 지르면서 팔을 흔들기 시작했다. "잉글랜드가 1년간 싸우기를 원한다면, 나는 1년간 싸울 것이다. 잉글랜드가 2년간 싸우기를 원한다면, 나는 2년간 싸울 것이다. …" 그는 잠시 멈춘 뒤, 팔을 마구 돌리면서 더욱 큰 목소리로 새된 비명을 질렀다. "잉글랜드가 3년간 싸우기를 원한다면, 나는 3년간 싸울 것이다. …"

그러더니 팔에 이어 몸까지 격렬하게 움직이기 시작했고, 마지막으로 "그리고 필요하다면 10년이라도 싸울 것이다(Und wenn es erforderlich ist, will ich zehn Jahre kaempfen.)"라고 고함을 지를 때는 손이 거의 바닥에 닿을 정도로 몸을 굽힌 채 주먹을 휘두르고 있었다.[2]

이런 히스테리 상태에도 불구하고, 히틀러는 영국과 싸워야 한다고 확신한 게 결코 아니었다. 이미 정오가 지난 때여서 독일 기갑부대들이 이미 폴란드 영내로 몇 킬로미터나 들어가 빠르게 진격하고 있었고, 바르샤바를 포함해 폴란드의 대다수 도시들이 폭격을 당해 민간인 사상자가 상당수 나타난 상황이었다. 그러나 런던에서도 파리에서도 영국과 프랑스가 폴란드에 대한 약속을 지키고자 서두르고 있다는 언명은 전혀 나오지 않았다.

영국과 프랑스의 방침이 명확해 보였음에도, 헨더슨과 달레루스는 그 방침을 어지럽히고자 최선을 다하고 있었던 것으로 보인다.

오전 10시 30분, 영국 대사는 핼리팩스에게 전화로 메시지를 보냈다.

[헨더슨이 말함] 본관이 알기로 폴란드군은 간밤에 디르샤우 다리를 폭파했다.* 그리고 단치히 주민들을 상대로 하는 전투가 벌어졌다고 한다. 이 소식을 듣자마자 히틀러는 국경선에서 폴란드군을 격퇴하라고 명령하고, 괴링에게 국경선을 따라 폴란드 공군을 격파하라고 지시했다.

헨더슨은 전보의 끄트머리에 이르러서야 이렇게 덧붙였다.

이 정보는 괴링 본인에게서 확보한 것이다.

히틀러는 평화를 구하려는 마지막 노력으로 제국의회 일정 이후에 본관을 만나려고 할지도 모른다.³

무슨 평화? 영국을 위한 평화? 독일은 이미 여섯 시간 전부터 영국의

---

* 비스와 강의 디르샤우 다리를 폴란드군이 폭파하기 전에 먼저 장악하려던 독일군의 작전은 일찍이 여름에 계획되었고, '백색 작전' 관련 문서들에 빠짐없이 등장한다. 8월 31일 히틀러가 지령 제1호에서 구체적으로 명령한 작전이기도 했다. 실제로 이 작전은 실패했는데, 어느 정도는 이른 아침의 안개 탓에 다리를 장악할 낙하산병들이 강하할 수 없었기 때문이다. 폴란드군은 다리를 제때 폭파하는 데 성공했다.

동맹국을 상대로—전력을 다해—전쟁을 벌이고 있는 상황이었다.

히틀러는 제국의회 연설을 마치고 나서도 헨더슨을 부르지 않았고, 공격을 시작한 쪽은 폴란드라는 괴링의 거짓말을 친절하게도 런던에 전달한 영국 대사는 낙심했다—하지만 완전히 낙심하지는 않았다. 오전 10시 50분, 헨더슨은 핼리팩스에게 다른 메시지를 보냈다. 창의성이 풍부하지만 혼란스러운 그의 두뇌에서 새로운 아이디어가 떠올랐던 것이다.

> [헨더슨이 보고함] 본관은 실현 가능성이 아무리 낮더라도 현재 걸어볼 수 있는 유일한 희망은 시미그위-리츠 원수가 군인으로서 또 전권대사로서 즉시 독일을 방문해 괴링 원수와 모든 문제에 관해 논의할 용의가 있음을 발표하는 것이라고 믿으며, 이 신념을 표명하는 것이 본관의 의무라고 생각한다.[4]

이 독특한 영국 대사의 머릿속에서는 시미그위-리츠 원수가 독일의 정당한 이유 없는 대규모 공격에 반격하느라 여념이 없을지도 모른다거나, 그가 손을 놓고 '전권대사'로서 베를린에 간다면 그 상황에서는 항복하는 것이나 마찬가지라는 생각은 들지 않았던 모양이다. 폴란드군은 조기에 패배할지언정 항복하지는 않을 작정이었다.

달레루스는 독일의 폴란드 공격 첫날에 헨더슨보다도 더 활발하게 움직였다. 오전 8시에 그는 괴링에게 갔다가 "폴란드군이 글리비체의 라디오 방송국을 공격하고 디르샤우 근처 다리를 폭파하여 전쟁이 벌어졌다"라는 말을 들었다. 이 스웨덴인은 곧장 런던의 외무부에 전화를 걸어 소식을 알렸다. 훗날 그는 뉘른베르크 법정에서 반대 심문을 받는 중에 "저는 제가 얻은 정보에 따라 누군가에게 폴란드군이 공격을 가했다고 알렸고, 그 정보를 전하자 상대 쪽에서는 자연히 무슨 일이 벌어지고 있는지 궁금해했습니다"라고 증언했다.[5] 그러나 그 정보는 베를린 주재 영국 대사가 두 시간 후에 전화로 알려온 것과 똑같은 내용이었다.

영국 외무부의 한 기밀문서에는 스웨덴인이 전화를 해온 것은 오전 9시 5분이었다고 기록되어 있다. 괴링의 말을 흉내내며 달레루스는 런던 측에 "폴란드 측이 모든 일을 고의로 방해하고 있고" "그들에게는 교섭을 시도할 의사가 전혀 없다는 증거"도 댈 수 있다고 역설했다.[6]

12시 30분에 달레루스는 또다시 런던 외무부에 장거리 전화를 걸었다. 이번에는 캐도건이 받았다. 달레루스는 이번에도 폴란드 측이 디르샤우 다리를 폭파함으로써 평화를 고의로 방해하고 있다고 비난한 다음 자신이 다시 한 번 포브스와 함께 런던으로 날아가겠다고 제안했다. 그러나 강경하고 유화책에 반대하는 캐도건은 달레루스가 막아내고자 했던 전쟁이 이미 벌어진 까닭에 그에게 진절머리를 내고 있었다. 캐도건은 "지금 할 수 있는 일은 아무것도 없습니다"라고 스웨덴인에게 말했다.

그러나 캐도건은 외무부 사무차관에 지나지 않았으며 각료도 아니었다. 달레루스는 자신의 요청을 내각에 전해야 한다고 고집하면서 오만하게도 한 시간 후에 다시 전화하겠다고 캐도건에게 통보했다. 달레루스는 자기 말대로 했고, 영국 측의 답변을 받았다.

[캐도건이 말함] 독일 병력이 폴란드를 침공하고 있는 이상, 중재 모색은 어불성설이다. 세계대전을 저지할 수 있는 방법은 (1) 교전을 중지하고 (2) 독일 병력이 폴란드 영토에서 즉각 철수하는 것뿐이다.[7]

오전 10시, 런던 주재 폴란드 대사 라친스키 백작은 핼리팩스 경을 방문하여 독일의 침공 소식을 정식으로 통지하고 "이것은 조약에 규정된 명백한 일례에 해당합니다"라고 덧붙였다. 외무장관은 그 사실에 아무런 의문도 없다고 대꾸했다. 10시 50분, 핼리팩스는 독일 대사대리 테오도어 코르트를 외무부로 불러 어떤 정보든 들은 것이 있느냐고 물었다. 코르트는 독일의 폴란드 침공에 관한 정보도, 다른 어떤 지시사항도 없다고 답변했다. 그러자 핼리팩스는 자신이 받은 보고에 의하면 "대단히 심각한 상황이 발생했습니다"라고 단언했다. 하지만 그 이상 말하지는 않았다. 코르트는 오전 11시 45분에 이런 사정을 베를린에 전화로 알렸다.

그러므로 정오 무렵 히틀러에게는 영국이 현 상황을 심각하게 보면서도 결국 참전하지 않을지도 모른다는 희망을 가질 만한 이유가 있었다. 그러나 그 희망은 곧 사라졌다.

오후 7시 15분, 베를린 영국 대사관의 한 직원이 독일 외무부에 전화를 걸어 리벤트로프에게 "긴급한 문제로 최대한 일찍" 헨더슨과 쿨롱드르를 접견해줄 것을 요청했다. 프랑스 대사관도 몇 분 후에 비슷한 요청을 했다. 리벤트로프는 두 대사를 한꺼번에 만나기를 거부하고 헨더슨을 오후 9시에, 쿨롱드르를 오후 10시에 접견했다. 영국 대사는 자국 정부의 공식 문서를 리벤트로프에게 건넸다. 거기에는 이런 대목이 들어 있었다.

… 독일 정부가 폴란드에 대한 모든 공세를 중지하고 폴란드 영토로부터 즉각 병력을 철수시킬 용의가 있다는 만족스러운 확약을 영국 정부에 해주지 않는 한, 영국 정부는 폴란드에 대한 의무를 지체 없이 이행할 것이다.[8]

프랑스의 통첩도 똑같은 내용이었다.

리벤트로프는 두 대사에게 각국의 통첩을 히틀러에게 전하겠다고 답변한 뒤, 긴 논변을 늘어놓기 시작하면서 "문제는 독일의 침공이 아니라" 폴란드의 침공이라고 주장했고, 전날 폴란드의 "정규군" 병력이 독일 영토를 공격했다는, 이제는 다소 진부해진 거짓말을 되풀이했다. 그럼에도 외교상 격식은 지켰다. 네빌 헨더슨 경은 당일의 회견에 관해 그날 밤 보낸 전보에서 묘사하면서 리벤트로프가 "공손하고 정중"했다는 점을 빠뜨리지 않고 적었다. 대사가 돌아갈 채비를 한 즈음, 이틀 전 저녁의 험악한 회견에서 독일 외무장관이 폴란드에 대한 독일 측 '제안'의 텍스트를 빠르게 주절거렸는지 여부를 놓고 논쟁이 벌어졌다. 헨더슨은 리벤트로프가 그렇게 했다고 말했고, 리벤트로프는 자신이 그 텍스트를 "천천히 또박또박" 읽었고 "헨더슨이 모든 것을 이해할 수 있도록 요점을 구두로 설명하기까지 했다"고 말했다. 이 논쟁은 결코 결말이 나지 않을 터였다ㅡ하지만 결말이 나더라도 이제 와서 뭐가 달라졌겠는가?[9]

9월 1일 밤, 독일 육군이 폴란드 영내로 더 깊숙이 진격하고 공군이 폭격을 거듭하던 때, 히틀러는 영국과 프랑스의 통첩을 보건대 독일군을 멈추고 신속히 철수시키지ㅡ생각할 수도 없는 일이었다ㅡ않을 경우 자신이 세계대전의 책임을 져야 한다는 것을 알고 있었다. 혹시 그날 밤에도 여전히 행운ㅡ뮌헨의 행운ㅡ이 이어지기를 기대하고 있었을까? 이런 의문을 품는 것은 히틀러의 친구 무솔리니가 전쟁의 도래에 겁을 집어먹고는 영국과 프랑스가 압도적인 육해군 군사력으로 이탈리아를 타격할지 모른다고 우려하여 또다른 뮌헨 협정을 주선하고자 절박하게 애를 쓰고 있었기 때문이다.

무솔리니의 막판 개입

———

기억하겠지만, 두체는 8월 26일까지도 강철 조약에 따른 이탈리아의 의무를 회피하는 가운데 총통에게 "독일에 물심양면의 만족"을 선사할 "정치적 해결" 가능성이 아직 있다고 역설했다. 히틀러는 그 문제를 놓고 친구이자 동맹자인 무솔리니와 굳이 논쟁하려고 하지 않았으며, 이 일로 추축국의 하위 파트너는 낙심했다. 그럼에도 앞에서 언급했듯이 8월 31일 무솔리니와 치아노는 베를린 주재 대사로부터 상황이 절박해졌다는 통지를 받은 뒤, 히틀러에게 폴란드 대사 립스키를 만나보기라도 할 것을 촉구하는 한편 영국 정부에는 평화적 교섭의 "첫 단계로서" 단치히 반환에 동의하도록 이탈리아 정부가 움직이고 있다고 알렸다.

그러나 그렇게 작은 미끼로 히틀러를 꾀기에는 이미 너무 늦었다. 총통이 장군들에게 말했듯이 단치히는 구실에 지나지 않았다. 총통이 원하는 것은 폴란드 분쇄였다. 하지만 두체는 이를 알지 못했다. 9월 1일 아침, 두체는 당장 이탈리아의 중립을 선언하든지 아니면 영국과 프랑스로부터 공격당하는 위험을 무릅쓰든지 양자택일해야 하는 상황에 직면했다. 치아노의 일기는 기가 꺾인 그의 장인에게 이 전망이 얼마나 끔찍한 악몽이었는지를 잘 보여준다.*

9월 1일 이른 아침, 기분이 안 좋은 이탈리아 독재자는 베를린 대사

———

* 사실 무솔리니의 결정은 그 전날 밤 영국에 전해졌다. 8월 31일 오후 11시 15분에 영국 외무부는 로마의 퍼시 로레인(Percy Loraine) 경으로부터 메시지를 받았다. "이탈리아 정부가 결정을 내렸다. 이탈리아는 잉글랜드와도 프랑스와도 싸우지 않을 것이다. … 이 통첩은 치아노가 기밀 유지를 전제로 21시 15분에 본관에게 전했다."[10] 그날 저녁에 이탈리아 사람들은 저녁 8시 이후 영국과 로마 간의 전화 교신이 차단되어 불안해했다. 치아노는 그것이 영국과 프랑스가 공격에 나서는 전조가 아닌지 우려했다.

아톨리코에게 직접 전화를 걸었고, 치아노의 말대로라면 "자신의 동맹자로서의 의무를 면제해준다는 취지의 전보를 보내달라고 히틀러에게 간청할 것을 대사에게 지시했다".[11] 총통은 인자하다 싶을 정도로 재빠르게 무솔리니의 요청을 들어주었다. 제국의회로 출발하기 직전인 오전 9시 40분에 히틀러는 친구에게 전보를 보냈는데, 시간을 아끼기 위해 그 내용을 로마의 독일 대사관에 전화로 알려주었다.

두체에게

근래에 당신이 독일과 그 정당한 대의에 보내주신 외교적·정치적 지원에 진심으로 감사드립니다. 나는 우리에게 부과된 과제를 독일의 군사력으로 수행할 수 있다고 확신합니다. 그런 이유로 나는 현 상황에서는 이탈리아의 군사적 지원이 필요할 것으로 예상하지 않습니다. 두체 당신이 장차 파시즘과 국가사회주의의 공통 대의를 위해 수행할 모든 일에도 감사드립니다.

아돌프 히틀러[*12]

오후 12시 45분, 제국의회 연설을 마치고 달레루스의 면전에서 쏟아냈던 분노를 가라앉힌 듯한 히틀러는 무솔리니에게 추가로 메시지를 보내고픈 마음이 생겼다. 히틀러는 폴란드 문제를 "교섭으로" 해결할 용의가 있었고, "꼬박 이틀 동안 폴란드 교섭자를 기다렸으나 헛수고"였고, "지난밤에만 14차례의 국경 침범이 더" 있었고, 그런 이유로 "이제 무력에는 무력으로 응수하기로 결정했습니다"라고 힘주어 말한 뒤, 약속을

---

* 로마에서 각료 회의가 끝난 뒤, 오후 4시 30분에 "이탈리아는 군사작전에 앞장서지 않을 것임을 이탈리아 국민에게 알린다"라는 내각의 성명이 이탈리아 라디오를 통해 방송되었다. 그 직후 이탈리아의 조약상 의무를 면제해준다는, 히틀러가 무솔리니에게 보낸 메시지가 방송되었다.

어긴 파트너에게 다시 한 번 감사를 표했다.

두체 당신의 모든 노력에 감사드립니다. 특히 당신의 중재 노력에도 감사드립니다. 하지만 나는 처음부터 이런 시도에 회의적이었습니다. 폴란드 정부 측에 이 문제를 우호적으로 해결할 의도가 조금이라도 있었다면 언제든지 그렇게 할 수 있었기 때문입니다. 그러나 그들은 거부했습니다. …

이런 이유로, 두체, 나는 중재자의 역할을 맡는 위험에 낭신을 노출시키고 싶지 않았습니다. 폴란드 정부의 비타협적인 태도를 고려할 때, 그 노력은 십중팔구 수포로 돌아갔을 것입니다. …

아돌프 히틀러[13]

그러나 치아노의 부추김을 받은 무솔리니는 중재자가 되는 위험에 스스로를 노출시키는 최후의 절박한 시도를 했다. 이미 전날 정오 직후에 치아노는 로마 주재 영국 대사와 프랑스 대사에게 양국 정부가 동의한다면 무솔리니가 "작금의 분규의 원인인 베르사유 조약의 조항들을 검토"하기 위한 9월 5일의 회의에 독일을 초청하겠다고 제안한 바 있었다.

이탈리아 측은 이튿날 아침 독일의 폴란드 침공 소식을 듣고서 무솔리니의 제안이 물 건너갔다고 생각했을 것이다. 그런데 이탈리아 측으로서는 놀랍게도, 유화론의 기수인 프랑스 외무장관 조르주 보네가 9월 1일 오전 11시 45분에 이제는 로마에 주재하는 프랑수아-퐁세 대사에게 전화를 걸어 프랑스 정부가 그런 회의를 환영한다는 뜻을 치아노에게 전해달라고 지시했다. 그 회의와 관련해 외무장관이 내건 조건은, 대표를 보내지 않은 국가들의 문제는 다루지 않는다는 것, 그리고 "제한된 당면 문제들에 대한 부분적이고 일시적인 해결"을 추구하는 것으로 회의를 한정짓지 말아야 한다는 것이었다. 보네는 회의의 조건으로 독일 병력의 철수도, 심지어 진격 중지도 거론하지 않았다.*14

그러나 영국 측은 그런 조건을 걸어야 한다고 고집했고, 의견이 크게 갈리는 프랑스 내각을 설득하는 데 성공했다. 그리하여 9월 1일 저녁, 양국의 동일한 내용의 경고 문서가 베를린 측에 전달될 수 있었다. 독일 병력이 폴란드에서 철수하지 않을 경우 영국과 프랑스가 참전할 것이라는 양국의 경고가 같은 날 저녁에 공표된 사정을 고려하면, 당시 무슨 지푸라기라도—심지어 존재하지 않는 지푸라기라도—잡으려고 필사적으로 애쓰고 있던 무솔리니가 마치 영국과 프랑스의 경고를 액면 그대로 받아들이지 않는다는 듯이 이튿날 아침 히틀러에게 또다시 호소하고 나선 것은 무척 흥미롭다.

헨더슨이 〈최종 보고〉에 적었듯이, 9월 2일은 긴장감이 고조된 하루였다.** 헨더슨과 쿨롱드르는 자기네 통첩에 대한 히틀러의 답변을 초조하게 기다렸으나 회답은 오지 않았다. 정오가 조금 지난 시점에 아톨리코가 다소 숨을 헐떡이며 영국 대사관에 도착해 헨더슨에게 한 가지를 당장 알아야겠다고 말했다. 전날 저녁 영국의 통첩은 최후통첩이었는가

---

* 9월 1일 오후에 보네는 바르샤바 주재 프랑스 대사 노엘에게 이탈리아의 회의 제안을 폴란드 측이 수용할지 여부를 베츠크에게 물어보라고 두 차례 지시했다. 저녁 늦게 베츠크의 회답이 도착했다. "우리는 정당한 이유 없는 침공의 결과로 전쟁의 한복판에 서 있습니다. 이제 문제는 회의 개최 여부가 아니라 연합국이 대항하기 위해 취해야 하는 공동 조치입니다." 보네의 메시지와 베츠크의 회답은 프랑스 황서에 수록되어 있다.
영국 정부는 보네의 노력에 찬동하지 않았다. R. M. 메이킨스(Makins)가 서명한 외무부 문서에 영국 정부는 "이런 접근법에 관해 상의해보자는 등의 통지 자체를 받지 않았다"라고 적혀 있다.15
** 전날 오후에 헨더슨은 핼리팩스에 지시에 따라 암호표와 기밀문서를 소각하고 미국 대사대리에게 "전쟁이 일어날 경우 영국의 이해관계를 충분히 보호해달라"고 정식으로 요청했다. (British Blue Book, p. 21)

아니었는가?

훗날 헨더슨은 이렇게 썼다. "만약에 외무장관이 내게 물어보면―결국 묻지는 않았다―그것은 최후통첩이 아니라 경고라고 답변할 권한을 부여받았다고 그에게 말했다."[16]

이 답변을 들은 이탈리아 대사는 서둘러 빌헬름슈트라세의 독일 외무부로 향했다. 아톨리코는 이미 당일 오전 10시 정각에 무솔리니의 통첩을 지참한 채 빌헬름슈트라세를 방문한 바 있었다. 그때 아톨리코는 리벤트로프의 몸이 좋지 않다는 말을 듣고서 그 통첩을 바이츠제커에게 건넸다.

1939년 9월 2일

당연히 모든 결정은 총통의 몫이지만, 정보 차원에서 이탈리아는 아래의 조건으로 프랑스, 영국, 폴란드로부터 회의 개최에 대한 동의를 얻을 가능성이 아직 남아 있음을 알리고자 한다.

1. 휴전. 군대는 현재 **위치**에 남겨둔다.

2. 이틀이나 사흘 내에 회의를 시작한다.

3. 폴란드-독일 분규의 해결. 현 상태로는 분명히 독일이 유리할 것이다.

두체가 처음 제시한 이 방안은 현재 특히 프랑스의 지지를 받고 있다.*

단치히는 이미 독일의 것이며, 독일은 권리 주장을 대부분 보장하는 서약들을 이미 수중에 가지고 있다. 더욱이 독일은 이미 '정신적 만족'을 얻었다.

---

* 치아노는 "프랑스의 압력"의 결과로 무솔리니가 통첩을 보낸 것이라고 주장한다. (*Ciano Diaries*, p. 136) 그러나 이 주장은 분명히 진실을 호도하는 것이다. 비록 보네가 회의 개최를 위해 전력을 쏟기는 했지만, 무솔리니야말로 그 제안을 더욱 절박하게 추진하고 있었다.

회의 개최 제안을 수락한다면, 독일은 모든 권리 주장을 성취하는 동시에 벌써 전면전으로 번지며 극단적인 장기화 양상을 보이고 있는 전쟁을 피할 수 있을 것이다.

두체는 제안을 고집할 마음이 없지만, 위의 정보를 폰 리벤트로프 씨와 총통에게 즉시 알려야 하는 극히 중요한 순간이라고 생각한다. [강조는 원문 그대로]¹⁷

불편한 몸을 금방 회복한 리벤트로프가 오후 12시 30분에 아톨리코를 만났을 때 두체의 제안은 "최후통첩의 성격을 띤" 영국-프랑스의 전날 저녁 통첩과 "조화될" 수 없다고 지적한 것은 놀랄 일이 아니었다.

두체 못지않게 전쟁을 피하고픈 마음이 간절하고 두체 이상으로 진지했던 이탈리아 대사는 리벤트로프의 말을 끊고서 영국과 프랑스의 선언은 "두체의 최근 통첩으로 대체되었습니다"라고 말했다. 물론 아톨리코는 사실이 아닌 그런 발언을 할 권한이 없었지만, 이 막판에 이르러서는 무모하게 행동하더라도 잃을 게 없다고 생각했을 것이다. 독일 외무장관이 의문을 표했음에도 아톨리코는 자기 견해를 고수했다.

[아톨리코가 말함] 프랑스와 영국의 선언은 더 이상 고려 대상이 아닐 것입니다. 치아노 백작은 오늘 아침 8시 30분에, 다시 말해 그 선언이 이탈리아에서 이미 라디오를 통해 발표된 후에 전화를 걸어왔습니다. 그러므로 프랑스와 영국의 선언은 두체의 제안으로 대체되었다고 생각해야 합니다. 게다가 치아노 백작은 특히 프랑스가 두체의 제안에 호의적이라고 말했습니다. 현재 프랑스 쪽에서 압력이 오고 있지만 영국도 뒤따를 것입니다.¹⁸

그래도 리벤트로프는 여전히 회의적이었다. 조금 전에 무솔리니의 제안을 놓고 히틀러와 의논했다면서, 총통이 알고 싶은 것은 영국과 프랑스의 통첩이 최후통첩인지 여부라고 말했다. 그러자 아톨리코는 자신이 당장 헨더슨, 쿨롱드르와 상의하여 그 점을 알아보겠다고 제안했고, 독일 외무장관은 결국 동의했다.

이런 이유로 아톨리코가 영국 대사관을 찾아갔던 것이다. 통역관 슈미트는 나중에 이렇게 썼다. "더 이상 헌칭때가 아닌 아톨리코가 헨더슨 및 쿨롱드르와 상의하기 위해 줄달음을 치며 리벤트로프의 방을 빠져나가 계단을 내려가던 모습이 지금도 눈에 선하다. … 30분 후, 아톨리코는 그곳을 나갔을 때와 마찬가지로 숨을 헐떡이며 줄달음질로 돌아왔다."[19]

가쁜 숨을 가라앉히며 이탈리아 대사는 헨더슨이 방금 영국의 통첩은 최후통첩이 아니라고 말했다고 리벤트로프에게 보고했다. 리벤트로프는 "영국-프랑스의 선언에 대한 독일의 답변은 부정적일 수밖에 없지만 총통은 두체의 제안을 검토하고 있고, 로마가 영국-프랑스의 선언에 최후통첩이 담겨 있을 리 만무하다는 점을 확인해준다면 하루나 이틀 내로 답변을 작성할 것입니다"라고 말했다. 아톨리코가 답변을 더 일찍 달라고 다그치자 리벤트로프는 결국 이튿날인 9월 3일 일요일 정오까지 답변하기로 동의했다.

한편, 로마에서는 무솔리니의 희망이 산산이 깨지고 있었다. 오후 2시, 치아노는 영국 대사와 프랑스 대사를 접견하고 그들이 보는 앞에서 핼리팩스와 보네에게 전화를 걸어 아톨리코와 독일 외무장관의 회담에 관해 알렸다. 보네는 평소처럼 야단스러웠고, (프랑스 황서에 실린) 본인의 서술에 따르면 치아노의 평화를 위한 노력에 심심한 사의를 표했다. 핼리팩스는 사뭇 단호했다. 그는 영국의 문서가 최후통첩이 아니라고 확인해주면서도—정치인들이 단어 하나를 시시콜콜 따지는 모습이 놀라울 지경인데, 영국-프랑스의 선언은 그 자체로 모호한 구석이라곤 없이 자명했기 때문이다—자신의 견해로는 독일군이 폴란드에서 철수하지 않는 한 영국은 무솔리니의 회의 개최 제안을 받아들일 수 없다고 덧붙였다. 이 철군 문제에 관해 보네는 또다시 침묵을 지켰다. 핼리팩스는 그 문제에 관한 영국 내각의 결정을 전화로 알려주겠다고 치아노에게 약속했다.

그 결정은 오후 7시 직후에 전해졌다. 영국은 히틀러가 병력을 독일 국경까지 물린다는 조건으로 두체의 제안을 받아들였다. 이탈리아 외무장관은 히틀러가 이 요구를 결코 받아들이지 않으리라는 것과, 일기에 적은 대로 "더는 할 수 있는 일이 없다"는 것을 깨달았다.

[치아노가 덧붙여 씀] 히틀러가 단호히, 어쩌면 경멸스럽다는 듯이 거절할 만한 조언을 그에게 하는 것은 나의 소임이 아니다. 나는 이 점을 핼리팩스, 두 대사, 그리고 두체에게 말했고, 마지막으로 베를린에 전화를 걸어 독일 측이 우리에게 기존과 다른 의견을 통지하지 않는 이상 우리는 대화를 중단할 것이라고 알렸다. 희망의 마지막 실낱이 끊어졌다.[20]

그리하여 9월 2일 오후 8시 50분, 지치고 짓밟힌 아톨리코는 다시 한 번 빌헬름슈트라세로 향했다. 이번에 리벤트로프는 총리 관저에서 아톨리코를 맞이했는데, 히틀러와 회의하던 중이었다. 압수된 외무부 메모는 그 광경을 이렇게 기록한다.

이탈리아 대사는 영국은 이탈리아의 중재 제안에 기초한 교섭에 응할 생각이 없다는 정보를 외무장관에게 전했다. 영국은 교섭을 시작하기 전에 폴란드의 피점령 지역과 단치히에서 독일 병력 전체를 즉시 철수시킬 것을 요구했다. …

결론으로 이탈리아 대사는 이제 두체가 자신의 중재 제안을 없는 셈 친다고 말했다. 외무장관은 이탈리아 대사의 통첩을 아무 말 없이 수리했다.[21]

그간 지칠 줄 모르고 노력해온 아톨리코에게 리벤트로프는 감사의 말을 단 한 마디도 하지 않았다! 그저 독일로부터 폴란드 전리품을 빼앗으려 드는 동맹국에 침묵으로 경멸감을 표했을 뿐이다.

이제 2차대전을 피할 최후의 실낱같은 가능성마저 사라졌다. 이 드라마에서 단 한 명의 배우를 제외하고 나머지 모든 사람에게는 명백히 그렇게 보였다. 오후 9시, 소심한 보네는 치아노에게 전화를 걸어 독일 측에 전달한 프랑스의 통첩에 "최후통첩의 성격"은 없다고 다시 한 번 확인하고, 프랑스 정부는 9월 3일—이튿날—정오까지 독일의 응답을 기다릴 용의가 있다고 거듭 말했다. 그렇지만 "회의에서 바람직한 성과를 내기 위해서는" 독일 병력이 폴란드에서 "철수"해야 한다는 데 영국과 의견을 같이한다고 덧붙였다. 보네가 이렇게 말한 것은 이번이 처음이었다—그나마 영국의 완강한 입장을 따른 것에 불과했다. 치아노는 독일 정부가 그 조건을 받아들일 것으로 생각하지 않는다고 답변했다. 그러나 보네는 단념하지 않았다. 독일에 얻어맞고 포위된 폴란드에 대한 프랑스의 의무에서 벗어나고자, 그날 밤에 마지막 몸부림을 쳤다. 치아노는 9월 3일 일기의 첫 대목에서 보네의 기이한 행동을 상술했다.

밤중에 외무부의 연락을 받아 잠에서 깼다. 보네가 구아릴리아[파리 주재 이탈리아 대사]에게 우리가 독일 병력을 폴란드에서 물리는 상징적인 조치라도 얻어낼 수 없겠느냐고 물어왔기 때문이다. … 나는 그 제안을 두체에게 알리지도 않은 채 쓰레기통에 던져버렸다. 그러나 이것은 프랑스가 열의도 없이 그야말로 불확실한 채로 거대한 시련을 향해 나아가고 있음을 보여준다.[22]

폴란드 전쟁, 2차대전이 되다

1939년 9월 3일 일요일, 여름 끝자락의 베를린 날씨는 쾌적했다. 해는 밝게 빛났고 대기는 아늑했다—"베를린 주민들이 근교 숲이나 호수에서 시간을 보내기 좋아할 만한 날이다"라고 나는 일기에 적었다.

동틀 무렵, 핼리팩스 경이 네빌 헨더슨 경에게 보낸 전보가 베를린 대사관에 도착했다. 오전 9시에 독일 외무장관을 만나서 지금 받은 통첩을 전달하라는 훈령이었다.

체임벌린 정부는 막다른 골목에 몰려 있었다. 약 32시간 전에 체임벌린 정부는 히틀러에게 독일군을 폴란드에서 철수시키지 않을 경우 영국이 참전할 것이라고 통보했지만 아무런 답변도 없었다. 이제 영국 정부는 참전 발언을 실행에 옮기기로 결심했다. 9월 2일에 영국 정부는, 오후 2시 30분 런던 주재 프랑스 대사 샤를 코르뱅Charles Corbin이 우유부단한 보네에게 알렸듯이, 히틀러가 폴란드 영토를 최대한 차지하기 위해 답변을 일부러 미루고 있고, 단치히와 회랑지대, 그 밖의 지역들을 손에 넣은 뒤 8월 31일의 16개 항 제안에 기초하여 '관대한' 평화 제안을 할지도 모른다고 우려하고 있었다.[23]

그 덫을 피하기 위해 핼리팩스는 프랑스 측에 만약 독일 정부가 수 시간 내에 9월 1일의 영국-프랑스 통첩에 우호적인 답변을 하지 않을 경우, 두 서방 국가가 독일에 선전포고를 하자고 제안했다. 9월 2일 오후에 내각 회의에서 최종 결정을 내린 뒤, 핼리팩스는 두 동맹국이 당일 자정에 9월 3일 오전 6시를 기한으로 하는 최후통첩을 베를린에 보내자고 구체적으로 제안했다.[24] 하지만 보네는 그렇게 다급한 조치를 전혀 들으려 하지 않았다.

사실, 의견이 심하게 갈린 프랑스 내각은 지난 한 주 동안 무엇보다 폴란드—그리고 영국—에 대한 의무를 지키자는 결정을 내리느라 힘겨운 시간을 보낸 터였다. 암담했던 8월 23일, 리벤트로프가 모스크바에서 나치-소비에트 불가침 조약을 맺었다는 소식에 몹시 난처해진 보네는 달라디에를 설득하여 프랑스로서는 어떻게 대처할지 논의하기 위해 국방위원회 회의를 소집했다.* 달라디에와 보네 외에 삼군의 각 담당 장관, 가믈랭 장군, 해군 총사령관과 공군 총사령관, 그 외에 4명의 장군이 참석했다. 총 12명이었다.

회의록에 따르면 달라디에는 세 가지 문제를 제기했다.

1. 프랑스는 폴란드와 루마니아가(또는 둘 중 하나가) 유럽 지도에서 사라지는 것을 좌시할 수 있는가?

---

* 달라디에 총리 산하 무관실의 수장 드캉(Decamp) 장군이 작성한 이 회의 기록은 리옹 재판(2차 대전 중 프랑스군이 스당(Sedan)에서 대패한 것을 둘러싸고 오베르뉴 지방의 도시 리옹(Riom)에서 1942년에 재판이 열렸지만 군부와 비시 정부는 책임회피에 급급했다)에서 세상에 알려졌다. 그 문서는 수정을 위해 다른 참석자들에게 제출된 적이 없으며, 가믈랭 장군은 저서 《복무하다(Servir)》에서 그 문서가 실상을 호도할 정도로 축약되었다고 주장한다. 그럼에도 이 소심한 총사령관마저 회의록의 개요만은 옳다고 말한다.

2. 그에 대항할 수단으로 프랑스는 무엇을 가지고 있는가?

3. 지금 어떤 조치를 취해야 하는가?

보네는 엄중한 정세 변화에 관해 설명한 뒤 마지막 순간까지 뇌리에서 떠나지 않은 문제를 제기했다.

현 상황을 감안하여 우리는 약속을 충실히 지켜 당장 참전하는 편이 나은가, 아니면 우리의 태도를 재고하고 그러한 유예로 이익을 얻는 편이 나은가? … 이 문제에 대한 답은 본질적으로 군사적 성격의 답이다.

그리하여 공을 넘겨받은 가믈랭과 다를랑Darlan 제독이 답변했다.

육해군은 준비되어 있다. 분쟁의 초기 단계에 육해군은 독일에 맞서 할 수 있는 일이 별로 없다. 그러나 프랑스가 동원에 나섰다는 것 자체로 상당히 많은 독일 부대들을 우리 국경에 묶어둠으로써 폴란드의 부담을 얼마간 덜어줄 수 있을 것이다.

… 가믈랭 장군은 폴란드와 루마니아가 얼마나 저항할 수 있겠느냐는 질문을 받고서 폴란드는 명예롭게 저항하여 독일 병력 대부분이 프랑스로 방향을 돌리는 것을 내년 봄까지 저지할 것이라고 말했다. 그 무렵이면 영국이 프랑스의 곁에 있을 것이다.*

---

* 저서 《복무하다》에서 가믈랭은 자신이 보네를 신뢰하지 않았기 때문에 프랑스의 일부 군사적 약점을 거론하는 것을 주저했다고 인정한다. 가믈랭은 달라디에가 나중에 "당신이 옳았습니다. 그 약점을 노출시켰다면, 이튿날에는 독일 측이 그것을 알아챘을 겁니다"라고 말했다고 전한다. 가믈랭은 또 이 회의에서 자신이 프랑스의 군사적 입장의 약점을 지적했다고 (저서에서) 주장한다. 만약에

한참을 논의한 끝에 프랑스 정부는 마침내 결정을 내렸고, 회의록에 적절히 기록되었다.

논의 중에 앞으로 수개월 후에는 우리가 더 강해진다 해도 독일은 폴란드와 루마니아의 자원을 수중에 넣을 테니 더욱 강해질 것이라는 지적이 나왔다.

그러므로 프랑스에는 선택지가 없다.

유일한 해법은 … 소련과의 교섭을 시작하기 전에, 우리가 폴란드와 맺은 약속을 이행하는 것이다.

마음을 정한 프랑스 정부는 행동에 나섰다. 이 8월 23일 회의 이후 경보를 발령하여 국경의 모든 병력을 전시 진지에 배치했다. 다음날에는 예비군 36만 명을 소집했다. 8월 31일, 내각은 공식 성명을 발표하여 프랑스의 의무를 "확고히 이행"할 것이라고 알렸다. 그리고 독일이 폴란드를 침공한 첫날인 이튿날, 핼리팩스에게 설득된 보네는 프랑스가 영국과 공조하여 동맹국 폴란드에 대한 약속을 함께 준수할 것이라고 베를린에 경고했다.

그러나 9월 2일, 영국이 자정에 히틀러에게 최후통첩을 전달하자고 압박했을 때, 가믈랭 장군과 프랑스 참모본부는 망설였다. 어쨌거나 독

독일군이 "폴란드군을 섬멸"한 다음 전력으로 프랑스군을 공격할 경우, 프랑스는 "곤란한" 상황에 처할 것이라고 설명했다는 것이다. "이 경우에 프랑스가 교전에 돌입하는 것은 더 이상 가능하지 않을 터였다. … 나는 봄 무렵에 영국 병력과 미국 장비의 지원을 받아 (물론 필요하다면) 방어전을 치를 수 있기를 희망했다. 우리는 장기전을 제외하면 승리를 기대할 수 없다고 나는 덧붙여 말했다. 나의 **일관된** 지론은 앞으로 약 2년 … 즉 1941~1942년 이전에는 공세를 취할 수 없다는 것이었다." 프랑스 총사령관의 이 소심한 견해는 뒤이은 역사의 추이를 상당 부분 설명해준다.

일군이 당장 서부를 공격할 경우 프랑스군은 혼자서 싸워야 할 판이었다. 지원해줄 영국군 병사는 단 한 명도 없었다. 참모본부는 병력을 지체없이 총동원하려면 48시간이 더 필요하다고 고집했다.

오후 6시, 핼리팩스는 파리 주재 영국 대사 에릭 핍스 경에게 전화했다. "48시간은 영국 정부로서는 불가능하다. 프랑스의 태도에 우리 정부는 몹시 당혹스러워하고 있다."

2시간 후에 체임벌린이 하원에서 연설하기 위해 일어섰을 때, 그 당혹스러움의 정도는 위험할 지경이었다. 정당에 관계없이 하원의원 다수는 영국의 의무 이행 지연에 참을성을 잃어가고 있었다. 총리가 연설을 마친 뒤, 그들의 참을성은 거의 바닥이 났다. 총리는 아직까지 베를린으로부터 응답이 없다고 하원에 알렸다. 응답이 오지 않으면, 그리고 그 답변에 폴란드로부터 철수한다는 독일의 확약이 담겨 있지 않으면, 영국 정부는 "조치를 취할 수밖에 없"었다. 독일이 철군에 동의한다면, 영국 정부는 "독일의 입장을 독일군이 폴란드 국경을 넘기 이전과 똑같은 입장으로 여길 의향"이 있었다. 또 그동안 독일에 보낸 경고의 시한과 관련해서는 프랑스 측과 연락을 취하고 있다고 총리는 말했다.

폴란드에서 전쟁이 벌어진 지 39시간이 지난 마당에 하원은 그렇게 미적거리는 전술을 받아들일 분위기가 아니었다. 정부 각료석에서는 뮌헨 협정의 냄새가 풍겨나는 것 같았다. 야당인 노동당의 당수대리 아서 그린우드Arthur Greenwood가 발언하러 일어섰을 때, 보수당 의석에서 레오폴드 에이머리Leopold Amery가 "잉글랜드를 대변하세요!" 하고 외쳤다.

"영국과 그 이름이 상징하는 모든 것, 그리고 인류의 문명이 위태로워지고 있는 이 시기에 우리는 대체 언제까지 갈팡질팡할 것인지 모르겠습니다. … 우리는 프랑스와 함께 진군해야 합니다. …" 하고 그린우드는 말했다.

그게 문제였다. 당시 프랑스군을 진군시키기가 어렵다는 것이 밝혀지고 있었다. 그러나 체임벌린은 하원의 성난 분위기에 당황한 나머지, 의원들의 격렬한 토의에 끼어들어 프랑스 측과 전화로 "생각과 행동"을 조율하려면 시간이 필요하다고 호소했다. "내가 독일 측에 전한 성명이 우리 정부나 프랑스 정부를 조금이라도 약하게 만든다고 하원에서 단 한순간이라도 생각하신다면, 니로시는 기가 막힐 노릇입니다." 체임벌린은 자기가 알기로 프랑스 정부는 "이 순간 회의 중"이며 "몇 시간 내에" 연락을 취해올 것이라고 말했다. 어쨌든 그는 "내가 예상하기로 내일 하원에 드릴 수 있는 답변은 하나밖에 없을 것이고 … 하원이 … 내가 지금 성심성의를 다해 말한다는 것을 믿어주시리라 생각합니다. …"라며 흥분한 의원들을 설득하려 애썼다.

훗날 네이미어가 썼듯이, 체임벌린은 영국 역사상 최대의 시련이 가차없이 닥쳐오고 있다는 것을 "몹시 우물쭈물하는 방식으로" 알린 셈이었다.

영국의 기밀문서들에서 분명하게 드러나듯이, 체임벌린은 자신과 국민 사이에 깊은 불화가 있고 영국의 이 긴박한 순간에 자신의 정부가 전복될 위기라는 것도 잘 알고 있었다.

하원을 떠나자마자 체임벌린은 달라디에에게 전화를 걸었다. 시각은 오후 9시 50분이었다고 기록되어 있으며, 통화를 엿들은 캐도건은 그것을 기록으로 남겼다.

체임벌린: 이곳의 상황은 매우 엄중합니다. … 하원에서는 험악한 장면이 있었습니다. … 프랑스가 내일 정오 이후 48시간이 더 필요하다는 입장을 고집한다면, 영국 정부가 이곳의 상황을 유지하기란 불가능할 것입니다.

총리는 독일의 공격을 견뎌내야 하는 쪽이 프랑스임을 잘 안다고 말했다. 그러나 총리는 오늘 저녁에 무언가 조치를 취해야만 한다고 확신했다.

총리는 타협안을 제시했다. … 내일 오전 8시에 최후통첩 … 회답 기한은 정오 …

달라디에는 영국 폭격기들이 즉시 출격할 준비가 되어 있지 않는 한, 프랑스로서는 가능하다면 독일군에 대한 공격을 몇 시간 늦추는 편이 낫다고 말했다.

그러고는 채 한 시간도 지나지 않은 오후 10시 30분, 핼리팩스가 보네에게 전화를 걸었다. 핼리팩스는 영국의 타협안, 즉 내일(9월 3일) 오전 8시에 당일 정오를 회답 기한으로 하는 최후통첩을 베를린에 전달하는 방안에 프랑스 측이 동의할 것을 촉구했다. 프랑스 외무장관은 동의하지 않았을 뿐 아니라 영국이 그런 속도전을 고집하면 "개탄스러운 인상"을 주게 된다며 항의하기까지 했다. 보네는 영국이 히틀러에게 어떠한 최후통첩도 보내지 말고 적어도 정오까지는 기다려줄 것을 요구했다.

> 핼리팩스: 우리 정부가 그 시간까지 기다리는 것은 불가능합니다. … [영국] 정부가 지금의 입장을 유지할 수 있을지 어떨지 극히 의문스럽습니다.

영국 하원은 9월 3일 일요일 정오에 모일 예정이었으며, 토요일 저녁 회의의 분위기를 보건대 체임벌린과 핼리팩스는 살아남기 위해 하원이 원하는 답변을 제시할 것이 뻔했다. 9월 3일 오전 2시 정각에 런던 주재 프랑스 대사 코르뱅은 보네에게 체임벌린 내각은 하원에 명확한 언질을 주지 못할 경우 전복될 위험이 있다고 통지했다. 그런 이유로 핼리팩스는 보네와의 통화를 끝낼 즈음 영국이 "단독으로 행동할" 작정이라고 통보한 터였다.

핼리팩스가 헨더슨에게 보낸 전보는 오전 4시경 베를린에 도착했다.*
헨더슨이 9월 3일 일요일 오전 9시에 독일 정부에 전달해야 할 그 통첩은 우선 영국의 9월 1일 통첩, 즉 독일 병력이 즉시 철수하지 않을 경우 영국은 폴란드에 대한 의무를 이행할 것이라고 선언했던 통첩을 상기시켰다.

[9월 3일 통첩의 이어지는 내용] 이 통첩을 전한 지 24시간 이상 지났음에도 아직까지 회답이 오지 않았고, 오히려 독일은 폴란드에 대한 공격을 지속하고 강화했다. 따라서 나는 금일 9월 3일, 영국 서머타임으로 오전 11시까지 상술한 취지에 관한 만족스러운 확답이 독일 정부로부터 제시되지 않고 또 런던의 영국 정부에 도착하지 않을 경우, 그 시각을 기하여 두 나라 사이에 전쟁 상태가 존재할 것임을 귀하에게 삼가 통보한다.**[25]

---

* 외무장관은 밤중에 헨더슨에게 두 통의 경고 전보를 보냈다. 9월 2일 오후 11시 50분에 발송한 전보 내용은 다음과 같다. "오늘 밤 귀관에게 독일 정부에 즉시 전달해야 할 훈령을 내려야 할지도 모른다. 부디 대기하고 있으라. 독일 외무장관에게는 귀관이 언제든 회견을 요청할지 모른다고 통지해두는 편이 좋겠다." 이 전보를 보면, 영국 정부가 프랑스의 입장에도 불구하고 단독으로 행동하겠다는 결정을 아직 내리지 못했던 것으로 보인다. 그러나 35분 후인 9월 3일 오전 0시 25분에 핼리팩스는 헨더슨에게 다음과 같은 내용의 전보를 보냈다. "귀관은 M.F.A[Minister for Foreign Affairs, 외무장관]에게 일요일 오전 9시에 만나자고 요청해야 한다. 훈령은 후속 전보로."[26] 핼리팩스가 결정적인 전보를 보낸 때는 런던 시각으로 오전 5시였다. 헨더슨은 〈최종 보고〉에서 그 전보를 오전 4시에 받았다고 말한다.
** 핼리팩스는 오전 5시에 추가 전보를 보내 쿨롱드르 대사가 "오늘(일요일) 정오까지는 독일 정부에 비슷한 통첩을 전하지는 않을 것이다"라고 알렸다. 핼리팩스는 프랑스의 회답 시한이 몇 시간 후일지 몰랐지만 여섯 시간에서 아홉 시간 사이일 "공산이 크다"고 생각했다.[27]

안식일의 동이 트기 전, 헨더슨은 빌헬름슈트라세와 접촉하는 데 어려움을 겪었다. 일요일 오전 9시에 리벤트로프는 "시간이 나지" 않을 테지만 공식 통역관 슈미트 박사에게 통첩을 맡길 수는 있다는 말을 들었다.

이 역사적인 날에 슈미트 박사는 늦잠을 잤고, 택시를 잡아타고 부리나케 외무부에 도착해보니 영국 대사가 벌써 청사 계단을 올라가고 있었다. 옆문으로 슬쩍 피한 슈미트는 9시 정각에 리벤트로프의 집무실로 미끄러지듯 들어가 헨더슨을 제 시간에 응대할 수 있었다. 훗날 슈미트는 이렇게 적었다. "그는 매우 진지한 표정으로 들어와 악수를 했지만, 내가 자리를 권했음에도 거절하고 방 한가운데에 엄숙하게 서 있었다."²⁸ 헨더슨은 영국의 최후통첩을 낭독하고 슈미트에게 사본 한 부를 건넨 뒤 작별을 고했다.

공식 통역관은 그 문서를 가지고 황급히 빌헬름슈트라세를 달려 총리관저로 향했다. 총통의 집무실 앞에서는 각료들 대다수와 당의 간부 몇 명이 모여서 그가 전할 소식을 "초조하게 기다리고" 있었다.

[훗날 슈미트가 말함] 내가 옆방에 들어갔을 때 히틀러는 책상 앞에 앉아 있었고 리벤트로프는 창가에 서 있었다. 두 사람 모두 무언가를 기대하는 눈길로 나를 쳐다보았다. 나는 히틀러의 책상에서 조금 떨어진 곳에 멈춰 선 다음 영국의 최후통첩을 천천히 번역해 구술했다. 번역을 끝내자 완전한 침묵이 흘렀다.

히틀러는 미동도 없이 앉아서 앞을 응시하고 있었다. … 한 시대처럼 길게 느껴지는 시간이 지난 뒤, 히틀러는 줄곧 창가에 서 있던 리벤트로프를 돌아보았다. "이제 어쩌나?" 하고 히틀러가 사나운 표정으로 물었다. 마치 외무장관이 잉글랜드가 드러낼 법한 반응과 관련해 자신을 호도하기라도 했던 것처럼.

리벤트로프는 조용히 대답했다. "프랑스도 한 시간 내에 비슷한 최후통첩을 건넬 것으로 보입니다."[29]

임무를 마친 슈미트는 물러났고, 바깥쪽 방에 들러 거기 있던 다른 사람들에게 무슨 일이 일어났는지 알려주었다. 그들도 한동안 아무 말이 없었다. 그런 다음

괴링이 나를 돌아보며 말했다. "설령 우리가 이번 전쟁에서 진다고 해도 신께서 자비를 베푸실 걸세!"

괴벨스는 한쪽 구석에 홀로 서서 눈을 내리깔고 생각에 잠겨 있었다. 모두들 심각하게 우려하는 표정이었다.[30]

그동안 비길 데 없는 달레루스는 피할 수 없는 사태를 피해보고자 마지막으로 아마추어적인 노력을 기울였다. 오전 8시, 포브스가 달레루스에게 영국의 최후통첩이 한 시간 후에 전달될 것이라고 알려주었다. 달레루스는 서둘러 공군 본부로 가서 괴링을 만났고, 훗날 본인의 뉘른베르크 증언에 따르면 영국의 최후통첩에 독일이 "합리적인" 답변을 내놓도록 힘써달라고 괴링에게 호소했다. 더 나아가 괴링 본인이 11시 이전에 "교섭을 위해" 런던으로 날아갈 용의가 있다고 선언할 것을 괴링에게 제안했다. 스웨덴인 사업가는 저서에서 괴링이 그렇게 해보고자 히틀러에게 전화했고 히틀러도 동의했다고 주장한다. 하지만 독일 문서에는 그런 언급이 없으며, 슈미트 박사는 괴링이 9시 정각에서 몇 분 지난 때에

그의 본부가 아니라 총리 관저의 총통 집무실 곁방에 있었음을 확인해준다.

어쨌거나 스웨덴인 중재인이 영국 외무부에 전화했다는 데에는—그것도 한 번이 아니라 두 번이나—의문의 여지가 없다. 오전 10시 15분의 첫 통화에서 달레루스는 독일이 최후통첩에 대한 회답을 "작성 중"이며, 여전히 "영국 정부를 만족시키고 폴란드의 독립을 침해하지 않겠다고 확약하기를 열망"하고 있다고(!) 자기 마음대로 말했다. 그는 런던이 히틀러의 회답을 "최대한 호의적으로" 고려하기를 희망했다.[31]

30분쯤 후인 오전 10시 50분—최후통첩의 시한이 만료되기 10분 전—에 달레루스는 런던 외무부로 다시 한 번 장거리 전화를 걸었다. 이번에는 괴링이 히틀러의 동의를 얻어 영국 수도로 곧장 날아간다는 제안을 내놓았다. 곧 알게 될 터였지만, 그런 외교적 잔재주를 부릴 시간이 이미 지났음을 달레루스는 아직 모르고 있었다. 핼리팩스는 강경하게 답변했다. 그의 제안을 받아들일 수 없다고 했다. 독일 정부에는 이미 명확한 질문을 던졌고 "아마도 그들은 명확한 답변을 보낼 것이다"라고 했다. 영국 정부는 괴링과의 또다른 회담을 기다릴 수 없다는 입장이었다.[32]

달레루스는 수화기를 내려놓고 역사의 어둠 속으로 사라졌다가 전후에 뉘른베르크—그리고 저서—에서 잠시 재등장해 세계 평화를 지키려던 자신의 기이한 노력에 관해 다시 한 번 말했다.* 그는 선의를 가지고 있었고, 평화를 위해 분투했다. 당시 세계사의 어지러운 국면에서 몇 차례 중심에 선 적도 있었다. 하지만 누구나 대체로 그랬듯이 그 역시 너무

---

* 9월 24일 오슬로에서 포브스를 만나 잠깐 재등장하기도 했다. 그때 달레루스는, 훗날 뉘른베르크 재판에서 발언을 제지당하기 전에 말했듯이, "세계대전을 피할 가능성이 아직 있는지" "확인하려" 했다.[33]

도 혼란한 사태를 또렷하게 꿰뚫어보지 못했다. 그리고 훗날 뉘른베르크에서 인정했듯이, 자신이 독일 측에 얼마나 속고 있었는지를 결코 깨닫지 못했다.

영국 최후통첩의 회답 시한을 넘긴 오전 11시 직후, 두 시간 전만 해도 영국 대사를 만나려 하지 않았던 리벤트로프는 독일의 회답을 건네기 위해 대사를 불렀다. 그 회답에서 독일 정부는 영국의 최후통첩을 "이행하기는커녕 수리하지도 수락하지도" 않겠다고 했다. 그런 다음 히틀러와 리벤트로프가 중간의 두 시간 동안 급하게 지어낸 것임이 분명한 길고도 허술한 선전을 늘어놓았다. 쉬이 속는 독일 국민을 속이기 위해 꾸며낸 그 선전은, 폴란드가 독일 영토를 "공격"했다는 둥 이제는 우리에게 익숙한 온갖 거짓말을 되풀이하고, 일어난 모든 일의 책임을 영국에 전가하고, "제국 방위를 위해 전열을 갖춘 병력을 불러들이도록 독일에 강요하려는" 시도를 거부했다. 또한 독일은 무솔리니가 제시한 막판의 평화 제안을 수용했다고 거짓 선언을 하면서 영국은 그 제안을 거절했다고 지적했다. 그리고 히틀러를 달래려던 체임벌린의 온갖 시도에도 불구하고 영국 정부가 "독일 국민을 파괴하고 절멸시킬 것을 설파"하고 있다고 비난했다.*

헨더슨은 답변서를 읽고서(훗날 "이 완전히 그릇된 사태 묘사"라고 지적했다)

---

* 허둥지둥 준비한 이 문서가 얼마나 엉터리였는지는 그 말미의 다음과 같은 문장에서도 드러난다. "영국 정부의 명령에 따라 우리에게 전달된 킹-홀 씨의 의도, 즉 베르사유 조약보다 더한 정도로 독일 국민을 파괴하려는 의도를 우리는 알아차렸으며, 따라서 우리는 잉글랜드의 어떠한 공격적 행동에도 동일한 무기와 동일한 형태로 대응할 것이다." 당연히 영국 정부는 퇴역 해군 장교인 스티븐 킹-홀(Stephen King-Hall)의 어떠한 의도든 독일 측에 전한 적이 없었다. 킹-홀의 소식지 발행은 순전히 개인적인 사업이었다. 사실 헨더슨은 본국 외무부에 킹-홀의 간행물이 독일에 배포되고 있다고 항의했으며, 영국 정부는 소식지의 편집장에게 독일 내 배포를 중단하라고 요청했다.

"실제로 어느 쪽에 책임이 있는지는 역사의 판단에 맡겨질 것입니다"라고 말했다. 리벤트로프는 "역사는 이미 사실을 입증했습니다"라고 대꾸했다.

정오 무렵에 나는 빌헬름슈트라세의 총리 관저 앞에 서 있었다. 그때 갑자기 확성기를 통해 영국이 독일에 선전포고를 했다는 소식이 발표되었다.* 250명쯤—그 이상은 아니었다—되는 사람들이 그곳에 햇살을 받으며 서 있었다. 모두가 주의 깊게 들었다. 발표가 끝났을 때는 중얼거리는 소리조차 없었다. 그들은 가만히 서 있었다. 망연자실한 채로. 히틀러가 자신들을 세계대전으로 이끌었다는 사실을 이해하기가 어려웠던 것이다.

안식일이었음에도 곧 신문팔이 소년들이 '호외요, 호외요' 하고 외치기 시작했다. 실은 거저 나눠주고 있었다. 나도 한 부 받았다. 《도이체 알게마이네 차이퉁》이었고, 커다란 활자의 제목들이 전면을 가득 채우고 있었다.

영국의 최후통첩을 거부

영국, 독일에 선전포고

영국의 통첩, 동부에서 우리 병력의 철수를 요구

총통, 오늘 전선으로 출발

---

* 런던에서는 오전 11시 15분에 핼리팩스가 독일 대사대리에게 공식 문서를 건넸다. 오전 11시까지 독일의 확답을 받지 못했으므로 "나는 귀하에게 금일 9월 3일 오전 11시를 기하여 두 나라 사이에 전쟁 상태가 존재한다는 것을 삼가 알려드립니다"라는 내용이었다.

공식 발표 위에 달린 제목은 마치 리벤트로프가 구술한 것처럼 읽혔다.

독일의 각서는 영국의 유죄를 입증

독일인처럼 쉽게 속아 넘어가는 사람들에게는 '입증'되었을지 몰라도, 그날만 해도 영국인에 대한 악감정은 생겨나지 않았다. 내가 영국 대사관 앞을 지나갈 때 헨더슨을 위시한 대사관 직원들은 거리 모퉁이에 있는 아들론 호텔로 옮겨가는 중이었고, 경찰관 한 명만이 대사관 앞을 서성이고 있었다. 그는 어슬렁거리는 것 말고는 달리 할 일이 없었다.

프랑스 정부는 좀 더 버텼다. 보네는 무솔리니가 히틀러와의 거래를 성사시켜 프랑스를 곤경에서 벗어나게 해줄지 모른다는 희망에 고집스레 매달리며 마지막 순간까지 꾸물거렸다. 심지어 벨기에 레오폴트 국왕을 통해 무솔리니를 움직여 히틀러에게 영향을 주는 방안을 벨기에 대사에게 애원하기까지 했다. 9월 2일 토요일 내내 보네는, 영국을 상대로 주장했던 것처럼, 자신이 치아노에게 9월 1일의 영국-프랑스의 경고 통첩에 대한 독일의 회답을 9월 3일 정오까지 기다리기로 "약속"했고 그 약속을 어길 수는 없다고 자국 각료들에게 주장했다. 분명히 그는 이탈리아 외무장관에게 전화로 그렇게 확약했다—그러나 9월 2일 오후 9시 정각에야 약속했다. 그 무렵이면 두체의 회의 개최 제안은, 치아노가 보네에게 알려주려 했듯이, 이미 물 건너간 일이었다. 게다가 그 시각에 영국은 자정에 베를린 측에 공동으로 최후통첩을 들이밀자고 보네에게 간청하고 있었다.

9월 2일 자정 직후, 프랑스 정부는 마침내 결정을 내렸다. 정확히 자정에 보네는 베를린의 쿨롱드르에게 전보를 보내 자신이 아침에 "새로운 접근법"의 조건을 알려줄 테니 그것을 "정오에 빌헬름슈트라세에" 전하라고 지시했다.*

그 접근법을 보네는 9월 3일 일요일 오전 10시 20분에 알려주었다—영국 최후통첩의 시한이 만료되기 40분 전이었다. 프랑스의 최후통첩 내용은 영국의 것과 비슷했다. 차이점이라면 독일로부터 부정적인 회답을 받을 경우 "독일 정부도 알고 있는" 폴란드에 대한 프랑스의 의무를 이행하겠다고 선언한다는 것이었다—이 마지막 시점에도 보네는 공식적인 선전포고에 반대했다.

공식 문서인 프랑스 황서를 보면, 쿨롱드르에게 타전된 프랑스의 최후통첩에 적힌 독일의 회답 시한은 오후 5시였다. 그러나 원래 전보에 명기된 시한은 그와 달랐다. 오전 8시 45분에 파리의 핍스 대사는 핼리팩스에게 이렇게 알렸다. "보네가 본관에게 프랑스의 시한은 월요일[9월 4일] 오전 5시 정각에야 만료된다고 말했다." 이것이 보네의 전보에 적힌 시한이었다.

이 시한마저도 달라디에가 일요일 이른 아침에 프랑스 참모본부로부터 어렵사리 얻어낸 양보였는데, 참모본부는 베를린에 최후통첩을 전달하는 당일 정오부터 꼬박 48시간 후에 시한이 만료되도록 고집한 터였다. 그럼에도 영국 정부는 짜증이 났고, 오전 동안 그 불쾌감을 파리에 노골적으로 알렸다. 그런 이유로 달라디에 총리는 군부에 마지막으로 호소했다. 오전 11시 30분에 참모본부의 콜송Colson 장군을 불러 시한을

---

* 기억하겠지만, 심지어 이 전보 이후에도 보네는 프랑스를 전쟁에서 빼내려고 최후까지 노력했다. 밤중에 이탈리아 측에 연락해 독일 병력을 폴란드에서 물리는 "상징적인" 조치라도 히틀러로부터 얻어낼 수 없겠느냐고 제안했던 것이다.

더 단축하도록 요구했다. 장군은 시한을 12시간 앞당겨 9월 3일 오후 5시로 정하는 데 마지못해 동의했다.

그리하여 쿨롱드르가 베를린의 프랑스 대사관에서 빌헬름슈트라세로 막 출발하려던 순간, 보네가 그에게 전화로 연락해 행동 개시의 시한을 변경하라고 지시했다.[34]

리벤트로프는 정오에는 프랑스 대사를 만날 시간이 없었다. 총리 관저에서 총통이 신임 소비에트 대사 알렉세이 시크바르초프Alexey Shkvarzev를 영접하는 작은 행사에 그도 참석해야 했던 것이다—베를린의 이 역사적인 안식일에 도통 어울리지 않는 기묘한 행사였다. 그런 이유로 본국의 지시에 따라 정확히 정오에 빌헬름슈트라세를 방문하겠다고 고집한 쿨롱드르는 바이츠제커의 접견을 받았다. 프랑스 측에 "만족스러운" 답변을 해줄 권한이 외무차관 당신에게 있느냐는 대사의 질문에 바이츠제커는 자기 위치에서는 "어떠한 답변도" 할 수 없다고 대답했다.

그런 다음 이 엄숙한 순간에 사소한 외교적 희극이 뒤따랐다. 쿨롱드르가 바이츠제커의 반응을 자신이 충분히 예견한 부정적인 답변으로 여기고서 외무차관에게 프랑스의 공식 최후통첩을 건네려 했을 때, 외무차관은 그것을 수리하기를 거부했다. 외무차관은 대사에게 "친절을 베풀어 잠시 기다렸다가 외무장관을 직접 만날" 것을 제안했다. 그래서 퇴짜를 맞은—이번이 처음이 아니었다—쿨롱드르는 거의 30분이나 기다렸다. 오후 12시 30분에 대사는 총리 관저로 안내되어 리벤트로프를 만났다.[35]

나치 외무장관은 프랑스 대사의 용무를 다 알면서도, 그 마지막 기회마저 놓치지 않고 평소 하던 대로 기어이 역사를 왜곡했다. 무솔리니가 막판에 평화 제안을 하면서 프랑스의 찬성 입장을 강조했다고 말한 뒤, 리벤트로프는 "독일도 어제 두체에게 그 제안에 동의할 용의가 있다고 알렸습니다"라고 언명했다. 그러고는 "어제 늦게 두체는 자신의 제안이 영국 정부의 비타협적 태도로 인해 좌절되었다고 전해왔습니다"라고 덧붙였다.

그러나 쿨롱드르는 지난 수개월 동안 리벤트로프의 사실 곡해를 충분히 들어온 터였다. 만약에 프랑스가 영국의 전철을 밟는다면 유감일 것이라거나 독일은 프랑스를 공격할 의도가 없다거나 하는 나치 외무장관의 발언을 좀 더 들은 뒤, 대사는 방문 용건인 질문을 꺼냈다. 외무장관의 그 발언은 9월 1일의 프링스 통첩에 대한 독일 정부의 응답이 부정적이라는 것을 뜻하는가?

"그렇습니다" 하고 리벤트로프가 대답했다.

그러자 대사는 프랑스의 최후통첩을 외무장관에게 건네면서 "마지막으로" 폴란드를 "선전포고도 없이" 공격하고 독일 병력을 철수시키라는 영국-프랑스의 요청을 거부한 "독일 정부의 무거운 책임"을 강조하지 않을 수 없다고 말했다.

"그렇다면 프랑스는 침략국이 될 겁니다"라고 리벤트로프가 말했다.

"그건 역사가 판단할 것입니다"라고 쿨롱드르가 대꾸했다.

그 일요일에 베를린에서 드라마의 종막에 참여한 사람들은 하나같이 역사의 판단에 호소하느라 여념이 없는 듯 보였다.

프랑스가 동원 중인 육군은 당분간 서부에서 독일 병력에 압도적 우위를 점할 터였음에도, 히틀러의 열에 들뜬 마음속에서는 당시 보잘것없는 육군을 보유했을 뿐인 영국이 주적이자 맞수로 떠올랐다. 1939년 9월 3일이 저물고 역사의 일부로 넘어가기 시작할 즈음, 히틀러는 자신이 겪는 곤경의 거의 모든 책임이 영국에 있다고 보았다. 이 점은 그날 오후 히틀러가 독일 국민과 서부군에 발표한 두 차례의 거창한 성명에서 분명하게 드러났다. 그는 영국을 향한 깊은 원한과 히스테리성 분노를 쏟아냈다.

[히틀러가 "독일 국민에게 호소한다"라는 성명에서 말함] 영국은 수백 년간 유럽의 국민들을 자국의 세계 정복 정책에 무방비 상태로 만드는 목표를 추구해왔고 … 당시 가장 위험해 보이는 한 국가를 케케묵은 구실로 공격하고 파괴할 권리를 주장해왔다. …

바로 우리 자신이 … 전쟁 전부터 영국이 독일을 상대로 추진해온 … 포위 정책의 목격자다. 영국의 전쟁 도발자들은 … 베르사유의 명령으로 독일 국민을 억압했다. …

[히틀러가 향후 몇 주 동안 프랑스 육군만 상대하게 될 병사들에게 호소하며 말함] 서부군의 장병들이여! … 영국은 독일을 포위하는 정책을 추진해왔다. … 우리가 지난 전쟁에서 알게 된 전쟁광들이 운영하는 영국 정부는 가면을 벗어던지고 케케묵은 구실로 전쟁을 선포하기로 결의했다. …

프랑스에 대한 말은 한 마디도 없었다.

오후 12시 6분에 런던에서 체임벌린은 하원 연설을 하면서 영국이 독일과 전쟁 중이라고 알렸다. 9월 1일에 히틀러가 위반 시 사형에 처하겠다며 외국 방송 청취를 금했음에도, 베를린에서 우리는 BBC로 영국 총리의 발언을 들었다. 체임벌린이 고데스베르크와 뮌헨에서 히틀러를 달래기 위해 정치 생명을 거는 모습을 보았던 우리는 그의 발언을 듣고 가슴이 쓰렸다.

오늘은 우리 모두에게 슬픈 날이지만, 저보다 더 슬픈 사람은 없을 것입니다. 제가 추구해온 모든 것, 제가 공직 생활 중에 믿어온 모든 것이 잿더미가 되었습니다. 제가 할 일은 하나밖에 남지 않았습니다. 바로 제가 가진 힘과 권한을 우리가 너무나 많은 희생을 치러야 하는 대의의 승리를 앞당기는 데 바치는 일입니다. … 저는 히틀러주의가 분쇄되고 자유 유럽이 재건되는 날을 살아서 볼 수 있을 것이라고 믿습니다.

체임벌린은 그날을 살아서 보지 못할 운명이었다. 그는 1940년 11월 9일에—여전히 각료이긴 했지만—비탄에 젖은 채로 죽었다. 이 책에서 체임벌린에 관해 쓴 모든 서술을 고려할 때, 체임벌린이 아주 오랫동안 영국의 국정에서 배제시켰지만 1940년 5월 10일에 그의 뒤를 이어 총리가 된 처칠이 그에 대해 한 말을 인용하는 것이 온당해 보인다. 1940년 11월 12일에 하원에서 체임벌린을 추도하며 처칠은 이렇게 말했다.

네빌 체임벌린은 세계 최대의 위기 중 하나에 봉착하여 뜻한 바를 이루지 못했고, 희망을 걸었다가 실망했고, 한 사악한 인간에게 현혹되고 속았습니다. 그러나 실망에 이른 그의 희망은 무엇이었습니까? 좌절에 이른 그의 소망은 무엇이었습니까? 악용된 그의 신념은 무엇이었습니까? 분명히 인간의 마음에서 가장 고귀하고 자애로운 본능에 속하는 것들이었습니다—커다란 위험마저 무릅쓰고 확실히 인기나 야유에 전혀 개의치 않는, 평화에 대한 사랑, 평화를 위한 노고, 평화를 위한 분투, 평화의 추구였습니다.

외교를 통해 영국과 프랑스의 참전을 막는 데 실패한 히틀러는 9월 3일 오후에 군사 문제 쪽으로 주의를 돌렸다. 그리고 전쟁 수행을 위한 일급 비밀 지령 제2호를 발령했다. 영국-프랑스의 선전포고에도 불구하고, 히틀러는 "독일의 전쟁 목표는 당분간 변함없이 대폴란드 작전을 신속히 승리로 종결짓는 데 있다. … 서부에서의 교전 개시는 적의 몫으로 남겨 둘 것이다. … 영국에 대항해 해군의 공세작전을 허가한다"라고 명령했다. 독일 공군은 영국 측이 독일을 표적으로 삼아 비슷한 공격을 가해오지 않는 한, 영국 해군에 대해서조차 공격해서는 안 되었다─공격할 경우에도 "성공 가능성이 특별히 높은 경우"로 한정되었다. 그리고 독일의 산업 전체를 "전시경제"로 전환하라고 명령했다.[36]

저녁 9시에 히틀러와 리벤트로프는 따로 특별열차를 타고 베를린에서 동부의 총사령부로 향했다. 하지만 떠나기에 앞서 두 가지 외교적 조치를 더 취했다. 영국과 프랑스는 이제 독일과 전쟁 상태에 있었다. 그러나 히틀러의 모험을 가능하게 해준, 독일로서는 고려해야 할 다른 유럽 강대국이 둘 있었다. 동맹국 이탈리아는 마지막 순간에 약속을 어겼고, 소비에트 러시아는 비록 나치 독재자가 불신하는 국가이긴 했지만 그의 전쟁 도박이 해볼 만한 승부수로 여겨지도록 도와주었다.

수도를 떠나기 직전, 히틀러는 무솔리니에게 다시 서한을 보냈다. 그 서한은 총통의 특별열차가 역을 빠져나가기 9분 전인 오후 8시 51분에 전보로 발송되었다. 완전히 솔직한 것도 아니고 속임수가 전혀 없는 것도 아니지만, 그 서한은 독일군 최고사령관의 역할을 맡기 위해 어둠이 내린 제3제국의 수도에서 처음으로 길을 나서던 때에 아돌프 히틀러의 심정이 어떠했는지를 우리가 손에 넣을 수 있는 자료 중에서는 가장 여실히 알려준다. 그것은 압수된 나치 문서에 들어 있었다.

두체에게

먼저 당신의 마지막 중재 시도에 감사드려야겠습니다. 나는 수락할 용의가 있었지만, 그러자면 그 회의가 성공할 것임을 확실히 보장할 만한 어떤 가능성이 있어야 했습니다. 독일 병력이 이틀 동안 유달리 신속하게 폴란드 영내로 진격하고 있었기 때문입니다. 그곳에서 흘린 피를 외교적 모의로 헛되게 만드는 일은 허용될 수 없었을 것입니다.

그럼에도 나는 영국이 처음부터 어떻게든 전쟁이 벌어지도록 놔둘 작정이 아니었다면 모종의 방법을 찾을 수 있었을 것이라고 생각합니다. 내가 영국의 위협에 굴복하지 않은 것은, 두체, 평화를 6개월 이상, 또는 이를테면 1년 이상 유지할 수 있음을 더 이상 믿지 않았기 때문입니다. 이런 정세에서 나는 지금 이 순간이 결국 저항하기에 더 적절한 순간이라고 생각했습니다.

… 폴란드군은 아주 단시간 내에 무너질 것입니다. 이렇게 신속한 성공을 1년이나 2년 후에 과연 달성할 수 있었을지, 나의 견해로는 정말이지 매우 의문스럽습니다. 영국과 프랑스는 동맹국들을 무장시켰을 것이고, 독일 국방군의 결정적인 기술적 우위로도 분명히 같은 방식으로는 그들을 따라갈 수 없었을 것입니다. 두체, 내가 벌이는 이 투쟁이 생사를 건 투쟁임을 나는 알고 있습니다. … 하지만 나는 그런 투쟁을 결국에는 피할 수 없다는 것, 성공할 가능성이 확실한 저항의 순간을 냉철한 숙고를 통해 선택해야 한다는 것도 알고 있습니다. 그리고 이 성공에 대한 나의 신념은, 두체, 바위처럼 단단합니다.

그다음 내용은 무솔리니에게 보내는 경고였다.

당신은 친절하게도 최근에 내게 몇몇 분야에서 나를 도울 수 있을 것으로 생각한다고 확언했습니다. 그 약속을 미리 진심으로 감사하며 받겠습니다. 그러나 나는, 비록 지금 우리가 서로 다른 길을 가고 있다 해도, 운명이 언젠가 우리를 서로 묶을 것이라고 믿습니다. 국가사회주의 독일이 서방 민주 국가들에 의해 파괴된다면, 파시스트 이탈리아도 힘겨운 미래를 맞을 것입니다. 나는 개인적으로 우리 두 정권의 미래가 묶여 있다는 것을 항상 의식했고, 두체 당신도 정확히 같은 의견이라고 알고 있습니다.

독일군이 폴란드에서 거둔 초기의 승리를 상술한 뒤, 히틀러는 서한을 다음과 같이 끝맺었다.

서부에서 나는 수세를 유지할 것입니다. 프랑스는 그곳에서 먼저 피를 흘릴 수 있습니다. 그런 다음 우리 역시 그곳에서 국가의 전력을 다해 적과 맞붙을 수 있는 순간이 올 것입니다.
두체, 당신이 이제까지 나에게 해준 모든 지원에 대한 나의 감사를 부디 다시 한 번 받아주시고, 앞으로도 마다하지 않기를 당부드립니다.

아돌프 히틀러[37]

히틀러는 약속을 지키지 않은 이탈리아에 대한 실망감을, 심지어 영국과 프랑스가 이날 전쟁을 선포함으로써 자기네 약속을 지킨 이후에도, 힘껏 억눌렀다. 비록 교전국이 아니라 할지라도 우호적인 이탈리아는 아직 그에게 도움이 될 수 있었다.

그러나 더 도움이 될 수 있는 쪽은 소련이었다.

독일이 폴란드를 공격한 첫날에 이미 소비에트 정부는, 훗날 나치의 기밀문서를 통해 드러났듯이, 독일 공군에 통신 서비스를 제공했다. 그날 꼭두새벽에 공군 참모총장 한스 예쇼네크Hans Jeschonnek는 모스크바 주재 독일 대사관에 전화를 걸어 폴란드 폭격—"긴급 항법 시험"이라고 불렀다—에 나서는 조종사들에게 항법상의 지원을 제공하기 위해 민스크의 소련 라디오 방송국이 지속적으로 식별 정보를 송출해주면 고맙겠다고 말했다. 오후에 슐렌부르크 대사는 소비에트 정부가 "귀하의 바람을 들어줄 용의가 있다"고 베를린에 알릴 수 있었다. 소련 측은 민스크 방송국의 식별 정보를 프로그램에 최대한 자주 집어넣어 송출하고, 독일 조종사들의 야간비행을 지원하기 위해 방송 시간을 두 시간 늘리는 데 동의했다.[38]

그러나 9월 3일 저녁 베를린을 떠날 채비를 할 때, 히틀러와 리벤트로프는 폴란드 정복을 위해 훨씬 더 실질적인 군사적 도움을 소련으로부터 받는 것을 염두에 두고 있었다. 오후 6시 50분, 리벤트로프는 모스크바 대사관에 '최급' 전보를 보냈다. '극비'라고 표시된 그 전보는 이렇게 시작했다. "대사 친전. 사절단의 단장 혹은 그의 대리가 직접 수령할 것. 특별 보안 취급. 직접 해독할 것. 극비."

최대한 비밀리에 독일은 폴란드 공격에 가담할 것을 소련 측에 권했다!

우리는 몇 주 내에 폴란드군을 결정적으로 물리칠 것으로 확실히 예상한다. 그 이후 우리는 모스크바에서 독일의 이익권으로 정한 영토를 군사 점령 하에 두어야 한다. 그렇지만 자연히 우리는 군사적인 이유로 그 시점에 소비에트의 이익권에 속하는 폴란드 영내에 있을 법한 폴란드군을 상대로 계속 조치를 취하지 않을 수 없다.

부디 이 점에 관해 몰로토프와 즉시 상의하고, 적절한 시기에 소비에트 병력을 소비에트의 이익권 안에 있는 폴란드 병력을 향해 진격시키고 이 영토를 그들이 직접 점령하는 방안을 소비에트 측에서 바람직하게 생각하는지 확인하라. 우리가 판단하기에 이것은 우리의 부담을 덜어줄 뿐 아니라, 모스크바 협정과 소비에트의 이익에도 부합할 것이다.[39]

자기 잇속만 챙기는 소련의 움직임이 히틀러와 리벤트로프의 "부담을 덜어줄" 것은 분명했다. 전리품을 나누는 과정에서 독일과 소련 간의 오해와 마찰을 피할 수 있을 뿐 아니라, 폴란드를 침공한 나치의 책임 중 일부를 독일에서 덜어내고 소련에 떠넘길 수 있었기 때문이다. 약탈품을 공유한다면, 왜 책임을 공유해서는 안 된단 말인가?

영국의 참전 소식이 알려진 일요일 오후, 독일의 주요 인사들 중에서 가장 침울해한 사람은 독일 해군 총사령관 에리히 레더 대제독이었다. 그는 전쟁이 너무 일찍, 4~5년이나 먼저 벌어졌다고 보았다. 독일 해군의 Z계획은 1944~45년에 완료되어 영국군에 대적할 만한 규모의 함대를 갖출 터였다. 그러나 당시는 1939년 9월 3일이었으며, 히틀러가 제독의 말을 듣지 않으려 할지라도 레더는 영국을 상대로 효과적인 전쟁을 치를 만한 수상 함정도, 심지어 잠수함도 없다는 것을 알고 있었다.

일기에 속내를 털어놓으며 제독은 이렇게 썼다.

오늘 프랑스, 영국과의 전쟁이 발발했다. 총통의 과거 단언에 따르면, 우리가 1944년 이전에는 예상할 필요가 없었던 전쟁이다. 총통은 마지막 순간까지도 전쟁을 피할 수 있다고 믿었다. 설령 그것이 폴란드 문제의 최종 해결을 미룬다는 것을 뜻한다 할지라도….

해군에 관한 한, 분명 영국을 상대로 대규모 전투를 치르기에 아주 충분한 무장을 갖춘 상태는 결코 아니다. … 잠수함 부문은 전쟁에 어떤 **결정적인** 영향을 주기에는 아직까지 너무 약하다. 더욱이 수상 병력도 수로 보나 성능으로 보나 영국 함대의 그것에 크게 열세여서, 설령 총력을 쏟는다 해도 용감하게 죽는 법을 알고 있음을 보여주는 데 그칠 것이다. …[40]

그럼에도 1939년 9월 3일 오후 9시, 히틀러가 베를린을 떠나던 순간에 독일 해군은 공격에 나섰다. 경고도 없이 U-30 잠수함이 헤브리디스 제도에서 서쪽으로 약 320킬로미터 떨어진 해상에서 리버풀을 출발해 몬트리올로 향하던 영국 여객선 애서니아Athenia 호를 어뢰로 격침했다. 승객 1400명 가운데 미국인 28명을 포함해 112명이 목숨을 잃었다.

2차대전이 시작된 것이다.